한성백제박물관 학술자료총서

한성백제 유적자료집 I

서울편(서울, 하남, 성남, 광주)

한성백제박물관
SEOUL BAEKJE MUSEUM

알아두기

한성백제 유적 자료집은 한성백제와 직·간접적으로 관련될 수 있는 선사시대부터 남북국시대까지의 유적이나 유물이 확인된 지역을 시간적 대상으로 하였다. 이번에 발간하는 Ⅰ 서울편의 경우, 한성백제의 핵심 지역인 서울 송파구 일대를 중심으로 하여 서울시 전체와 송파구 인근의 하남시, 성남시, 광주시까지를 공간적 대상으로 하였다.

작성 방법은 현대의 수치지형도에 음영기복 색깔을 넣어 작성한 지도를 기본 바탕으로 하여, 선정된 유적들의 위치를 표시하였다. 먼저 한성백제 관련 유적(선사~남북국시대) 전체 현황 분포도를 제시하고, 현재의 지형과 예전의 지형이 차이가 있다는 점을 보여주기 위하여 1919년 제작 지형도에 표시한 한성백제 관련 유적 분포도를 참고로 제시하였다. 이어 유적의 성격별로 관방유적, 고분, 주거지, 사찰, 요지, 유물산포지를 나누어 그 현황도를 제시하였다.

유적들을 행정구역별로도 알아보기 위하여 각 시별 유적 분포도와 함께, 서울시의 경우는 각 구별 분포도를 따로 제시하였다.

마지막으로 선정된 개별 유적별로 수치지형도에 위치를 표시한 지도와 함께, 개략적인 설명을 넣었다. 최근 발굴 자료의 경우는 관련 사진과 도면을 좀 더 첨부하였다.

첨부된 사진과 도면은 각 유적지에 대하여 발간된 보고서와 현장설명회 자료, 지표조사 보고서 등을 참고하여 작성하였으며, 본 자료집의 성격상 모두 저작권자를 확인하여 허락을 구하지 못한 점은 양해를 바란다.

| 해발고도 범례 |

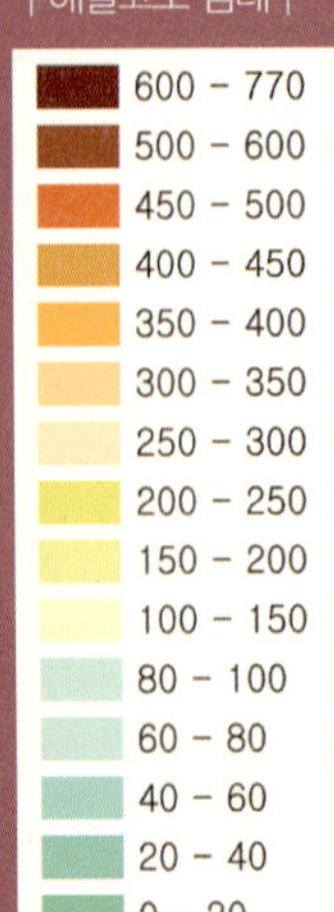

| 표지사진 |

몽촌토성 북문지 안쪽에서 발굴된 7호 수혈유구에서 출토된 "官"이라는 글자가 새겨진 직구단경호(直口短頸壺 : 목짧은항아리) 편이다.

풍납토성 경당지구 9호 수혈유구에서 출토된 "大夫"라는 글자가 새겨진 직구단경호(直口短頸壺 : 목짧은항아리)이다.

목 차

▮ 개별 유적 소개 67

발간사

한성백제 박물관은 백제사 연구를 위한 기초 자료 조사 사업의 일환으로 유적 자료집 발간 계획을 수립하고, 그 첫 번째로 서울에 소재한 한성백제 관련 유적들을 모아 정리한 한성백제 유적 자료집 제1권, '서울편 –서울, 하남, 광주 성남'을 간행합니다.

고대사 연구를 위한 기초 자료로는 문헌사료와 유적, 유물을 들 수 있는데, 백제사 복원과 관련하여 턱 없이 부족한 사료의 공백을 메워주는 고고 유적과 유물 자료의 활용은 매우 중요합니다. 전국적으로 오늘도 계속되고 있는 유적 조사 성과가 많이 축적되어 있어도 새로운 유적과 유물에 대한 전체 분포 상태와 세부 내용을 종합적으로 가늠할 수 있는 정보는 신속하게 알려지지 못하고 있는 실정입니다. 전국적으로 원삼국과 삼국시대에 속하는 고대 유적들이 무수히 확인되고 있는 가운데 백제 문화권 유적 현황을 일목요연하게 살펴 볼 수 있는 자료 집성이 필요한 시점입니다. 특히 백제 유적은 서울을 중심으로 한 한강변과 주로 경기, 강원, 충청, 호남의 한반도 중서부 지역에 광범위하게 분포하는데, 우선 서울 백제권에 속하는 관련 유적들의 성격과 정확한 위치를 파악할 수 있는 유적 자료집 발간을 서두르게 되었습니다.

백제사 연구는 한성기 백제 500여 년을 잘 알지 못하면 완성되기 어렵습니다. 백제의 첫 도읍지인 한성(漢城)은 오늘날의 현대 도시인 서울 송파 지역에 위치하였고, 여기서 백제 역사는 백제 전 시기(BC18년 ~ AD660년) 중 전성기를 포함하여 2/3에 해당하는 기간 동안 지속되었지만, 서기 475년 웅진으로 천도하기까지의 초, 중기 백제 유적과 유물은 아직까지 조사된 것이 극히 일부분에 지나지 않아 백제사 복원 연구에 있어서 가장 미진한 부분으로 남아 있습니다. 주로 서울과 그 인근 지역에 집중되어 있는 백제 한성시기 유적지로는 국가 사적인 풍납토성과 몽촌토성의 도성 지역과 석촌동 고분군의 왕릉 지구를 먼저 떠올리게 됩니다. 그리고 최근에는 삼성동 토성 추정지, 우면산 백제 고분군 등 서울 강남 지역을 비롯하여 경기도 하남시와 성남시를 중심으로 여러 곳에서 백제 유적들이 발굴되고 있으며 앞으로도 수많은 유적이 새로이 발견, 조사될 추세여서 이제는 한성백제의 역사를 다시 써야 할 정도에 이르렀다고 하겠습니다.

한성백제박물관은 백제사 연구를 위한 연구와 조사 사업으로 몽촌토성과 석촌동 고분군 등 백제 유적 발굴 조사를 계속해 오고 있으며, 학술대회 개최와 연구 서적 간행 그리고 특별전시회를 마련하는 등 학계와 시민들에게 백제의 역사와 문화를 적극적으로 알리려고 노력하고 있습니다. 백제학의 정립과 확산을 위해서는 현재까지 조사되었거나 알려진 한성백제 관련 유적, 유구와 유물들을 집대성하여 백제사 연구를 위한 기초 학술 자료들이 국내외 학계에 원활하게 제공될 수 있어야 하는데, 이는 백제 역사지구 유네스코 세계 문화유산 등록을 위한 기초 자료로도 활용될 수 있으리라 생각합니다.

이번 한성백제박물관 학술자료 총서, 유적 자료집 제1권에서는 우선 선사시대부터 통일 신라 시대까지의 유적들을 대상으로 행정구역 상 서울시와 그 동쪽 인근의 경기도 하남시, 성남시와 광주시 일원에 산재하는 현재까지 알려진 유적들에 대해 소개하고 있으며, 유적의 성격에 따라 도성 유적(성곽과 관방유적), 고분, 주거지, 요지, 유물산포지 등으로 나누어 그 유적별 분포 양상을 지역적으로 알아보기 쉽도록 꾸며 보았습니다. 서울 지역을 중심으로 한 이 유적 자료집 1권 간행을 시작으로 경기도, 인천, 강원도, 충청도 편 등의 자료집 발간이 연차적으로 이어져서 백제학 관련 기초 조사와 연구 사업이 더욱 활성화되고 발전적으로 나아가기를 기대해 봅니다.

2016년 12월

한성백제박물관 관장 李 仁 淑

서울편(서울, 하남, 성남, 광주) 전체 유적 현황도

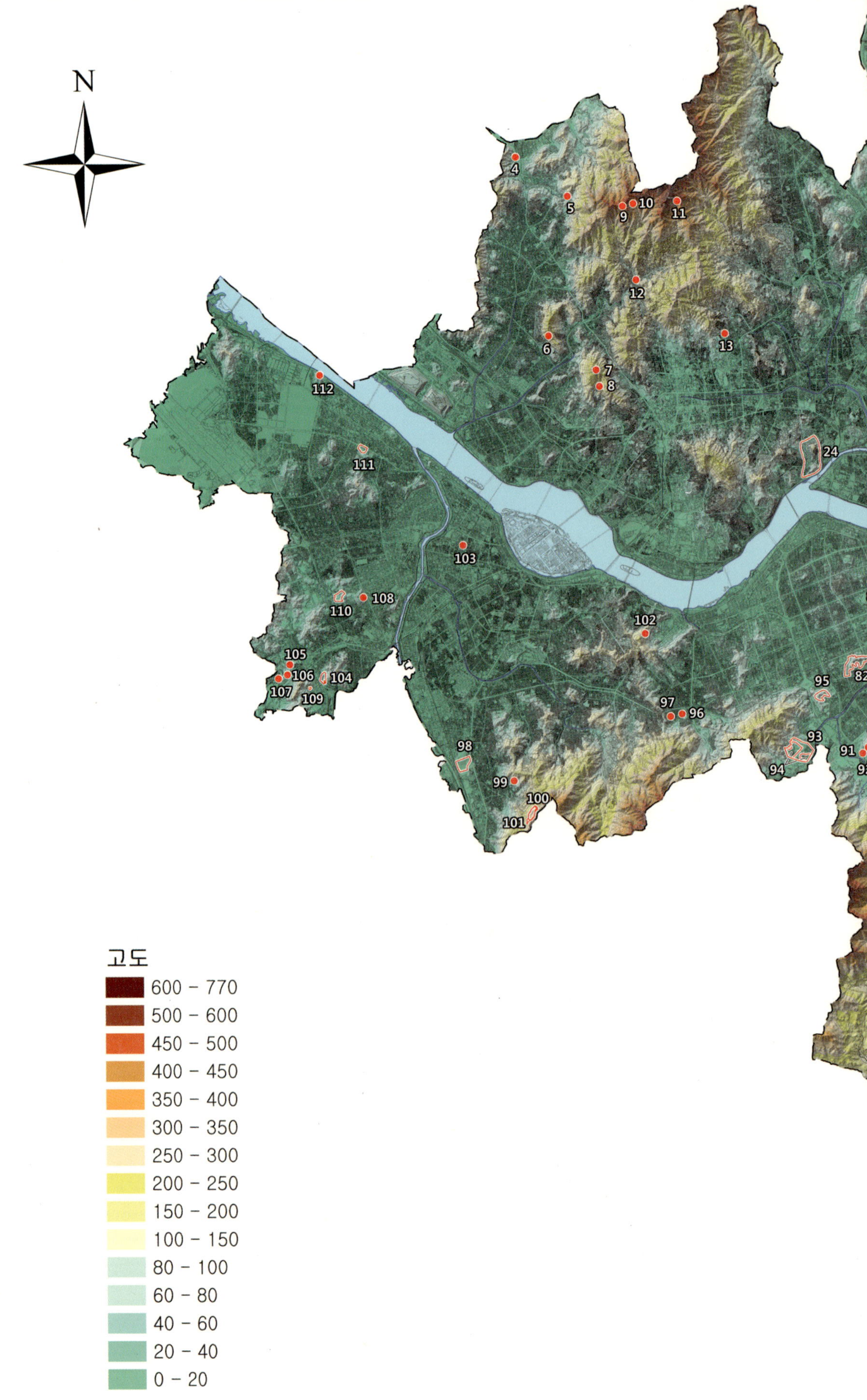

3
17
18
19
23
20
22
21
29
30
31
40
36
39
42
38
37
41
34
35
43
49
48
44
45
50
47
46
51
54
55
59
57
53
56
60
58
61
113
62
114
63
115
116
117
65
64
118
127
128
119
126
129
125
131
130
66
72
120
121
144
136
139
122
124
132
135
73
123
134
67
69
137
133
138
70
140
142
143
75
77
78
71
74
76
68
141
150
79
151
85
86
149
145
87
88
146
152
153
147
148
154
155
156
0
5
10 km

〈서울편(서울, 하남, 성남, 광주) 전체 유적 현황〉

일련번호	지역	유적	시대	주소
1	서울	상계동 학림사	통일신라	노원구 상계동 산1
2	서울	수락산보루	고구려	노원구 상계동 산105-1
3	서울	중계동 불암산성	삼국시대	노원구 중계동 산101-1
4	서울	청담사지	통일신라	은평구
5	서울	진관외동 유물산포지11	삼국/ 통일신라~조선	은평구 진관외동 산168-1
6	서울	홍은동 백련사	통일신라	서대문구 홍은동 321
7	서울	봉원동 안산 유물산포지	선사~통일신라	서대문구 봉원동 산1
8	서울	봉원동 봉원사	통일신라	서대문구 봉원동 산1
9	서울	북한산신라진흥왕순수비유지	삼국시대	종로구 구기동 산3
10	서울	구기동 승가사	통일신라	종로구 구기동 4
11	서울	일선사	통일신라/발해시대	종로구 평창동 산6-1
12	서울	장의사지 당간지주	통일신라	종로구 신영동 219-4
13	서울	서울 명륜동 통일신라 석실분	신라	종로구 명륜3가동 51번지
14	서울	배봉산 토루지	원삼국/ 고구려	동대문구 휘경동 산6번지
15	서울	묵동 유물산포지	선사시대	중랑구 묵동 산37-2
16	서울	봉화산보루	고구려	중랑구 묵동 산46-19
17	서울	신내동 유물산포지	선사시대	중랑구 신내동 산137-306, 산127-3
18	서울	망우동 유물산포지1	통일신라~고려	중랑구 망우동 315
19	서울	망우동 유물산포지3	삼국	중랑구 망우동 산37
20	서울	망우동 유물산포지4	선사시대	중랑구 망우동 산57-1번지
21	서울	망우산 1보루	고구려	중랑구 면목동 산1-1
22	서울	망우산 2보루	고구려	중랑구 망우동 산57-3
23	서울	망우산 3보루	고구려	중랑구 망우동 산57-3
24	서울	응봉동 유적	선사시대	성동구 금호동1가 산37-1
25	서울	중곡동 고분군	고구려/ 신라	광진구 중곡동 산1
26	서울	중곡동 유물산포지1	통일신라	광진구 중곡동 산4-1
27	서울	용마산 1보루	고구려	광진구 중곡동 산3-5
28	서울	용마산 2보루	삼국	광진구 중곡동 산3-68
29	서울	용마산 3보루	고구려/ 삼국~통일신라	중랑구 면목동 산1-2
30	서울	용마산 4보루	고구려	중랑구 면목동 산1-2
31	서울	용마산 5보루	고구려	중랑구 면목동 산1-2
32	서울	용마산 6보루	고구려	중랑구 면목동 산75
33	서울	용마산 7보루	고구려	중랑구 면목동 산1-4
34	서울	아차산 고분군1	삼국~통일신라	광진구 구의동 산3
35	서울	아차산 고분군2	삼국~통일신라	광진구 구의동 산3
36	서울	아차산 고분군3	삼국~통일신라	광진구 중곡동 산1
37	서울	아차산 1보루	고구려	광진구 중곡동 산2-1

일련번호	지역	유적	시대	주소
38	서울	아차산 2보루	고구려	경기도 구리시 아천동 산 49-1, 산 54-1
39	서울	아차산 3보루	고구려	광진구 중곡동 산1
40	서울	아차산 4보루	고구려	광진구 중곡동 산1
41	서울	아차산 5보루	고구려	광진구 중곡동 산1
42	서울	아차산 6보루	고구려	경기도 구리시 아천동 산49-1
43	서울	아차산성	삼국~통일신라	광진구 광장동 산31
44	서울	광장동 유물산포지1	통일신라	광진구 광장동 산63
45	서울	광장동 유물산포지2	통일신라~고려	광진구 광장동 353
46	서울	광장동 유물산포지3	통일신라~고려	광진구 광장동 378
47	서울	광장동 유물산포지4	통일신라	광진구 광장동 산81-1
48	서울	아차산 홍련봉 제1보루	고구려/ 통일신라	광진구 광장동
49	서울	아차산 홍련봉 제2보루	삼국	광진구 구의동 산10-1
50	서울	구의동유적	고구려	광진구 구의동 산10-1
51	서울	구의동 보루지	고구려	광진구 구의동
52	서울	자양동 보루	고구려	광진구
53	서울	암사동 선사주거지	백제	강동구 암사동 139-2
54	서울	암사동 암사지	삼국/ 나말여초	강동구 암사동 산1-1
55	서울	암사동 유물산포지1	삼국	강동구 암사동 산30-1
56	서울	암사동 유물산포지3	삼국~조선	강동구 암사동 330-1
57	서울	고덕동 유물산포지1	삼국	강동구 고덕동 산94-1
58	서울	고덕동 유물산포지4	삼국	강동구 고덕동
59	서울	고덕동 지석묘 1호	선사시대	강동구 고덕동 산7-9, 산94-1
60	서울	고덕동 지석묘 2호	선사시대	강동구 고덕동 산7-9, 산94-1
61	서울	하일동 유물산포지1	선사/삼국	강동구 하일동 26-1
62	서울	하일동 유물산포지2	삼국	강동구 하일동 산11-1
63	서울	명일동 주거지	선사시대	강동구 명일동
64	서울	길동 유물산포지2	백제	강동구 길동 285
65	서울	풍납토성	고구려/ 원삼국~삼국/ 백제(한성기)	송파구 풍납동 일원
66	서울	몽촌토성	고구려/ 백제(한성기)	송파구 방이동 88-3
67	서울	송파구 가옥잔구	삼국	송파구
68	서울	석촌동 고분군	백제(한성기)	송파구 석촌동 248
69	서울	방이동 고분군	백제(한성기)/ 신라	송파구 방이동 산 47-4
70	서울	가락동 고분군	백제(한성기)/ 신라	송파구 가락동 일대
71	서울	송파동, 가락동 선사유적지	청동기시대	송파구 송파동 151
72	서울	방이동 유물산포지1	삼국	송파구 방이동 433-20
73	서울	방이동 유물산포지2	삼국/ 통일신라	송파구 방이동 439-8
74	서울	오금동 유물산포지1	삼국	송파구 오금동 51

일련번호	지역	유적	시대	주소
75	서울	오금동 유물산포지2	삼국	송파구 오금동 산3-11
76	서울	마천동 유물산포지1	삼국	송파구 마천동
77	서울	마천동 유물산포지2	삼국	송파구 마천동 4-4
78	서울	마천동 유물산포지3	삼국	송파구 마천동
79	서울	장지동 주거유적지	선사시대	송파구 장지동 산25~산27번지
80	서울	삼성동토성	백제(한성기)	강남구 삼성동
81	서울	삼성동 선사유물출토지	삼국	강남구 삼성동 74-4
82	서울	도곡동 역삼동선사유적지	통일신라	강남구 도곡동 산32-1
83	서울	일원동 대모산성	신라	강남구 일원동 산63-28
84	서울	대모산 유물산포지	선사시대	강남구 일원동 산63-28, 서초구 내곡동 산13-1
85	서울	자곡동 지석묘	선사시대	강남구 자곡동 산32
86	서울	자곡동 유물산포지	삼국	강남구 자곡동 산55
87	서울	세곡동 유물산포지1	삼국	강남구 세곡동
88	서울	세곡동 유물산포지2	삼국	강남구 세곡동
89	서울	내곡동 후미안골 유물산포지	통일신라	서초구 내곡동 산13-1
90	서울	염곡동 염통골 유물산포지1	통일신라, 고려	서초구 염곡동 76-3
91	서울	염곡동 염통골 유물산포지2	통일신라, 고려	서초구 염곡동 271-1
92	서울	염곡동 탑골 유물산포지	통일신라	서초구 염곡동 산60
93	서울	우면동 유물산포지1	백제	서초구 우면동 282-2
94	서울	우면동유적	원삼국~백제 한성기/ 신라/ 통일신라	서초구 우면동 451임 일원
95	서울	양재동 유물산포지	선사시대	서초구 양재동 산41
96	서울	사당동 백제요지	통일신라	관악구 남현동 538-1
97	서울	사당동 신라요지	통일신라	관악구 남현동 1080-1
98	서울	서울 독산동 유적	신라	금천구 독산동 441-6번지
99	서울	시흥동 유물산포지4	통일신라~고려	금천구 시흥동 산108-4
100	서울	한우물및주변산성지	통일신라	금천구 시흥동 산93-2
101	서울	호암산성지	신라/ 통일신라	금천구 시흥동 산83-1
102	서울	동작동 지장사	통일신라	동작구 동작동 305
103	서울	당산동 유적지	선사시대	영등포구 당산동3가 370-4
104	서울	천왕동 유물산포지5	선사시대	구로구 천왕동 산13-1
105	서울	오류동 진주류씨 묘역	통일신라	구로구 오류동 산43-31
106	서울	항동 유물산포지1	삼국~조선	구로구 항동 산23-2
107	서울	항동 유물산포지2	삼국~조선	구로구 항동 18-2
108	서울	고척동 유물산포지	삼국~조선	구로구 고척동 1-6
109	서울	서울 천왕동 유적		구로구 천왕동
110	서울	신정동토성	백제	양천구 신정동
111	서울	화곡동 유물산포지2	백제	강서구 화곡동 산199
112	서울	양천고성	삼국~통일신라	강서구 가양동 산8-4 외 11필지

일련번호	지역	유적	시대	주소
113	하남	미사리유적	초기철기/ 원삼국/ 백제	하남시 미사동 일원
114	하남	구산토성지		하남시 풍산동
115	하남	덕풍동 수리골유적	원삼국~백제 한성기/ 통일신라	하남시 덕풍동 산33-8번지
116	하남	덕풍동 산24-4번지 유적	삼국	하남시 덕풍동
117	하남	덕풍골 유적	삼국	하남시 덕풍동
118	하남	이성산성	백제/ 신라	하남시 춘궁동 산36번지 외
119	하남	광암동 고인돌		
120	하남	광암동고분군	삼국/ 통일신라	하남시 광암동
121	하남	금암산 마애불		
122	하남	하남춘궁동동사지	통일신라	
123	하남	금암산 고분군	백제	
124	하남	춘궁동 고분		
125	하남	춘궁동 350-1,2번지 건물지	통일신라	하남시 춘궁동 350-1,2번지
126	하남	춘궁동 245-2번지 건물지	신라	춘궁동 245-2번지 일원
127	하남	춘궁동 243번지 건물지	통일신라	하남시 춘궁동 243
128	하남	춘궁동 토성추정지		
129	하남	교산동 고인돌	선사시대	
130	하남	교산동 토루추정지		
131	하남	교산동 건물지	통일신라/ 나말여초	하남시 교산동
132	하남	춘궁동 401-8번지 건물지	통일신라	하남시 춘궁동 401-8
133	하남	하사창동 316-1번지유적	통일신라	하남시 하사창동 316-1
134	하남	선법사		
135	하남	객산 망루지1		
136	하남	객산 망루지2		
137	하남	천왕사지	통일신라	하남시 하사창동 340
138	하남	객산 고분군		
139	하남	하남감일 공공주택지구		
140	하남	감이동 고인돌	선사시대	
141	하남	감이동 유물산포지		
142	하남	약정사지	통일신라	
143	하남	신복선사지	통일신라	
144	하남	검단산 망루지		
145	성남	창곡동유적	삼국/ 통일신라~고려	성남시 수정구 창곡동 242번지 일원
146	성남	여수동유적	백제(한성기)	성남시 중원구 여수동
147	성남	판교동유적	백제 / 고구려	성남시 분당구 판교동
148	성남	서현동 백제주거지	백제	
149	광주	남한산성	삼국/ 통일신라	경기도 광주시 중부면 산성리 산13
150	광주	남한행궁 서원지 백제유적 (산성리유적)	백제	광주시 중부면 산성리 935-8 일원
151	광주	남한산성 행궁지내 건물지	신라	광주시 중부면 산성리935-6
152	광주	국수봉산성	백제(한성기)	광주시 초월면 지월리 일대
153	광주	장지동유적	원삼국~백제 한성기	광주시 장지동
154	광주	대쌍령리 고분	통일신라	광주시 초월읍 대쌍령리
155	광주	신대리 대석동유적		광주시 곤지암읍 신대리
156	광주	곤지암리유적	원삼국~백제	광주시 곤지암읍 곤지암리 353-1번지 일원
157	서울	세곡동유적	통일신라	강남구 세곡동

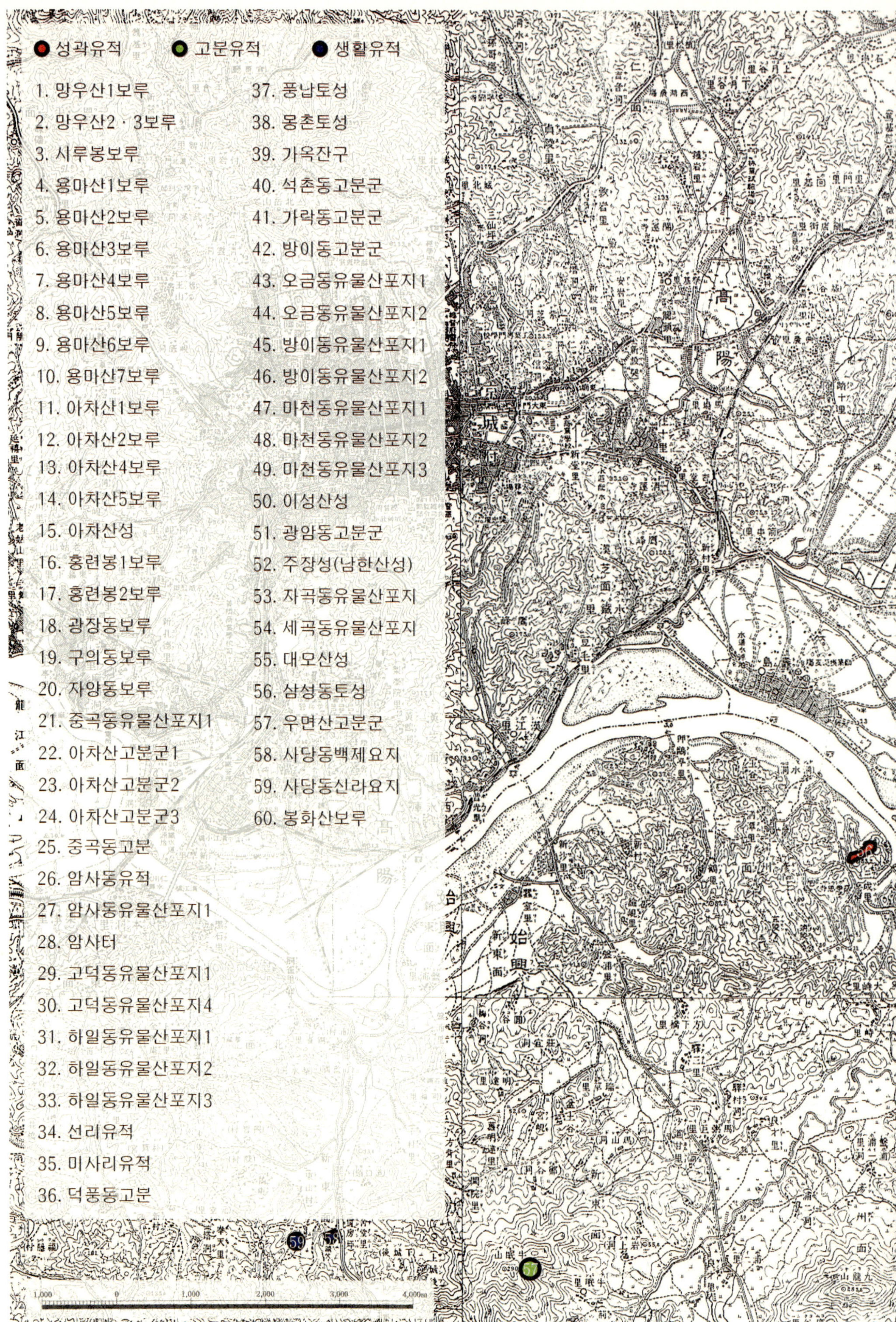
성곽유적
고분유적
생활유적
1. 망우산1보루
2. 망우산2 · 3보루
3. 시루봉보루
4. 용마산1보루
5. 용마산2보루
6. 용마산3보루
7. 용마산4보루
8. 용마산5보루
9. 용마산6보루
10. 용마산7보루
11. 아차산1보루
12. 아차산2보루
13. 아차산4보루
14. 아차산5보루
15. 아차산성
16. 홍련봉1보루
17. 홍련봉2보루
18. 광장동보루
19. 구의동보루
20. 자양동보루
21. 중곡동유물산포지1
22. 아차산고분군1
23. 아차산고분군2
24. 아차산고분군3
25. 중곡동고분
26. 암사동유적
27. 암사동유물산포지1
28. 암사터
29. 고덕동유물산포지1
30. 고덕동유물산포지4
31. 하일동유물산포지1
32. 하일동유물산포지2
33. 하일동유물산포지3
34. 선리유적
35. 미사리유적
36. 덕풍동고분
37. 풍납토성
38. 몽촌토성
39. 가옥잔구
40. 석촌동고분군
41. 가락동고분군
42. 방이동고분군
43. 오금동유물산포지1
44. 오금동유물산포지2
45. 방이동유물산포지1
46. 방이동유물산포지2
47. 마천동유물산포지1
48. 마천동유물산포지2
49. 마천동유물산포지3
50. 이성산성
51. 광암동고분군
52. 주장성(남한산성)
53. 자곡동유물산포지
54. 세곡동유물산포지
55. 대모산성
56. 삼성동토성
57. 우면산고분군
58. 사당동백제요지
59. 사당동신라요지
60. 봉화산보루
1,000 0 1,000 2,000 3,000 4,000m

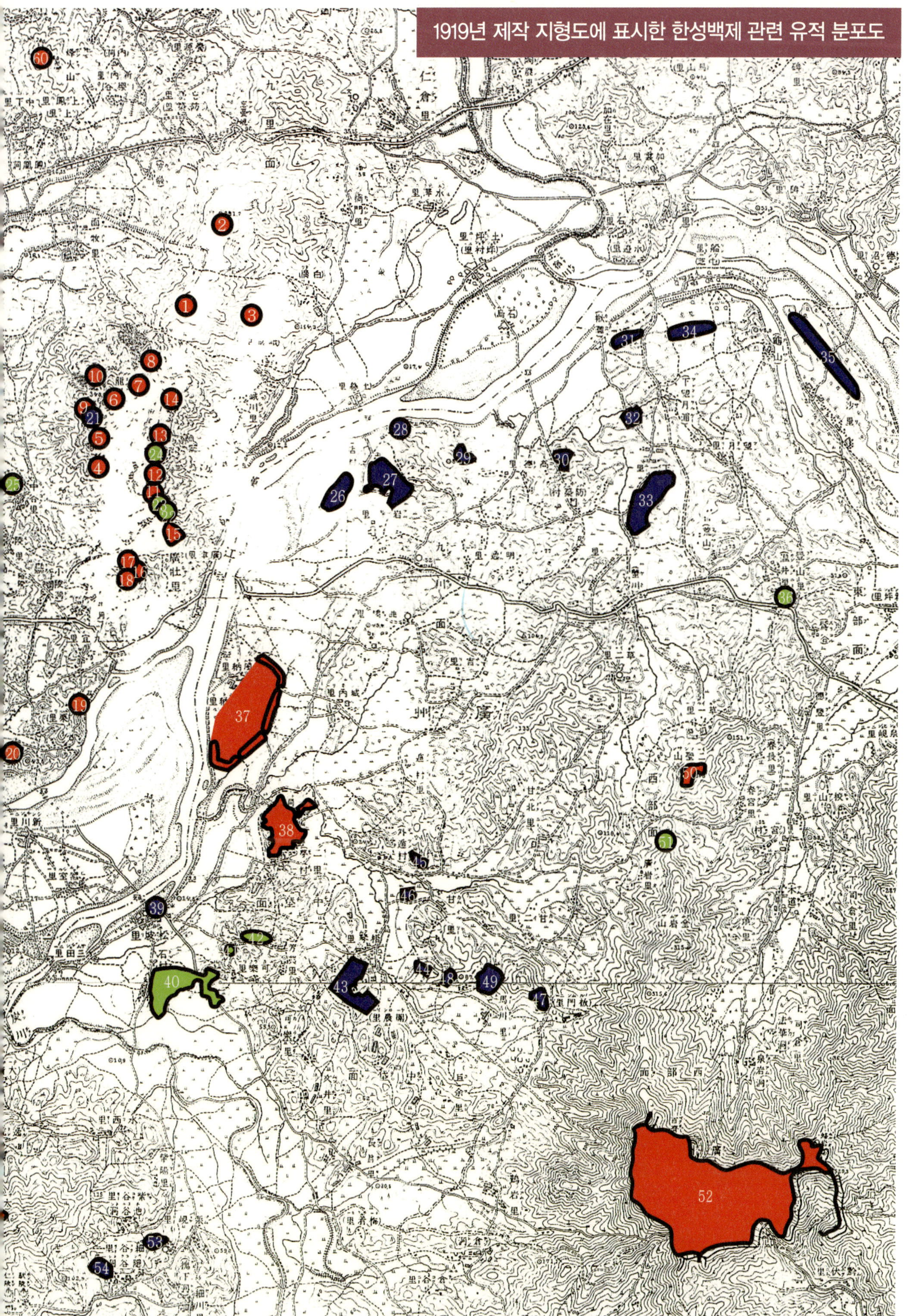

1919년 제작 지형도에 표시한 한성백제 관련 유적 분포도

관방유적 전체현황도

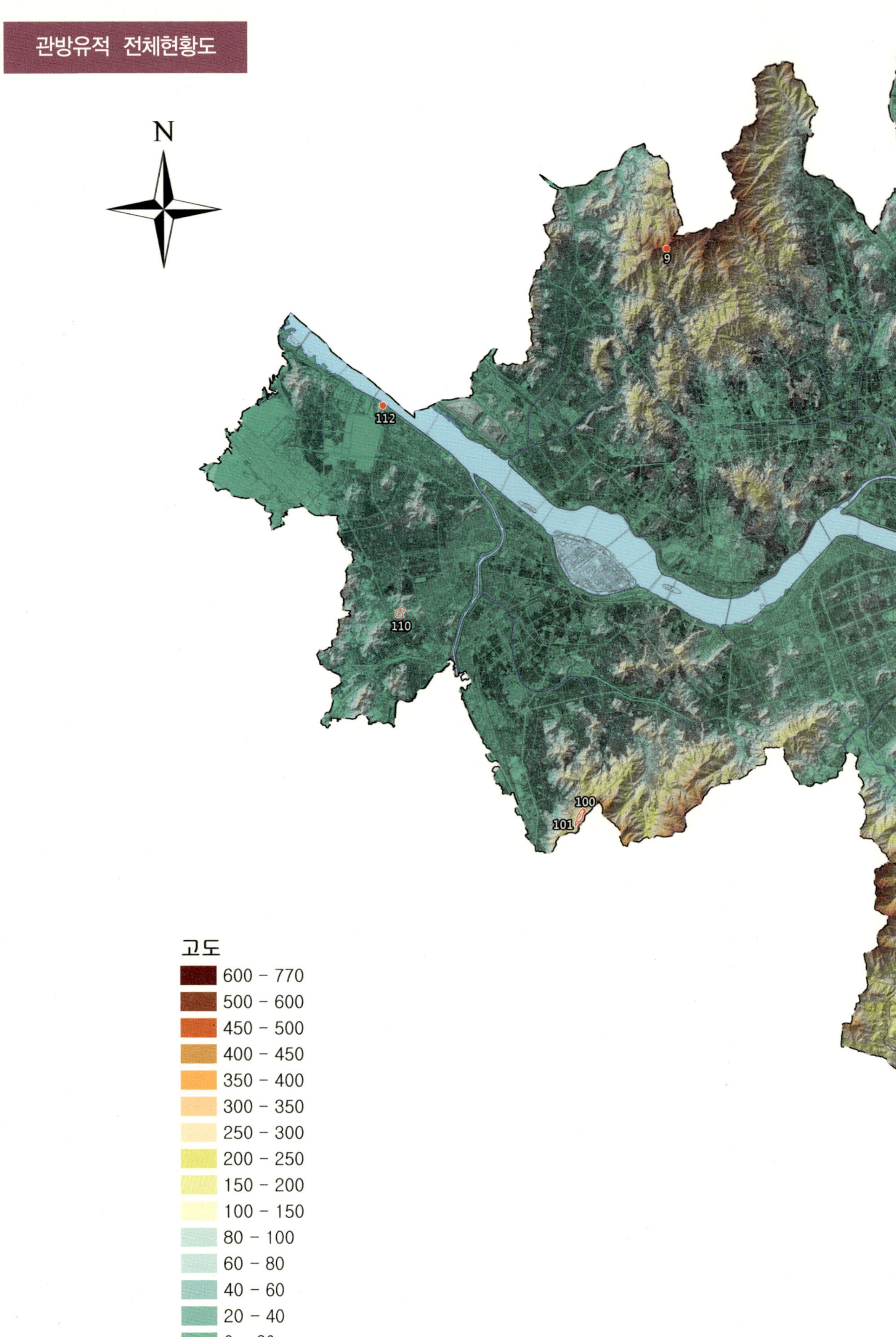
N
9
112
110
100
101
고도
600 - 770
500 - 600
450 - 500
400 - 450
350 - 400
300 - 350
250 - 300
200 - 250
150 - 200
100 - 150
80 - 100
60 - 80
40 - 60
20 - 40
0 - 20

23
22
21
30
31
40
39
38
41
43
65
66
114
118
128
130
136
135
144
149
152
0
5
10 km

〈관방유적 현황 목록〉

일련번호	지역	유적	시대	주소
2	서울	수락산보루	고구려	노원구 상계동 산105-1
3	서울	중계동 불암산성	삼국시대	노원구 중계동 산101-1
9	서울	북한산신라진흥왕순수비유지	삼국시대	종로구 구기동 산3
14	서울	배봉산 토루지	원삼국/ 고구려	동대문구 휘경동 산6번지
16	서울	봉화산보루	고구려	중랑구 묵동 산46-19
21	서울	망우산 1보루	고구려	중랑구 면목동 산1-1
22	서울	망우산 2보루	고구려	중랑구 망우동 산57-3
23	서울	망우산 3보루	고구려	중랑구 망우동 산57-3
27	서울	용마산 1보루	고구려	광진구 중곡동 산3-5
28	서울	용마산 2보루	삼국	광진구 중곡동 산3-68
29	서울	용마산 3보루	고구려/ 삼국~통일신라	중랑구 면목동 산1-2
30	서울	용마산4보루	고구려	중랑구 면목동 산1-2
31	서울	용마산 5보루	고구려	중랑구 면목동 산1-2
32	서울	용마산 6보루	고구려	중랑구 면목동 산75
33	서울	용마산 7보루	고구려	중랑구 면목동 산1-4
37	서울	아차산 1보루	고구려	광진구 중곡동 산2-1
38	서울	아차산 2보루	고구려	경기도 구리시 아천동 산 49-1, 산 54-1
39	서울	아차산 3보루	고구려	광진구 중곡동 산1
40	서울	아차산 4보루	고구려	광진구 중곡동 산1
41	서울	아차산 5보루	고구려	광진구 중곡동 산1
42	서울	아차산 6보루	고구려	경기도 구리시 아천동 산49-1
43	서울	아차산성	삼국~통일신라	광진구 광장동 산31
48	서울	아차산 홍련봉 제1보루	고구려/ 통일신라	광진구 광장동
49	서울	아차산 홍련봉 제2보루	삼국	광진구 구의동 산10-1
50	서울	구의동유적	고구려	광진구 구의동 산10-1
51	서울	구의동 보루지	고구려	광진구 구의동
52	서울	자양동 보루	고구려	광진구
65	서울	풍납토성	고구려/ 원삼국~삼국/ 백제(한성기)	송파구 풍납동 일원
66	서울	몽촌토성	고구려/ 백제(한성기)	송파구 방이동 88-3
80	서울	삼성동토성	백제(한성기)	강남구 삼성동
83	서울	일원동 대모산성	신라	강남구 일원동 산63-28
100	서울	한우물및주변산성지	통일신라	금천구 시흥동 산93-2
101	서울	호암산성지	신라/ 통일신라	금천구 시흥동 산83-1
102	서울	동작동 지장사	통일신라	동작구 동작동 305
110	서울	신정동토성	백제	양천구 신정동
112	서울	양천고성	삼국~통일신라	강서구 가양동 산8-4 외 11필지

일련번호	지역	유적	시대	주소
114	하남	구산토성지		하남시 풍산동
118	하남	이성산성	백제/ 신라	하남시 춘궁동 산36번지 외
128	하남	춘궁동 토성추정지		
130	하남	교산동 토루추정지		
135	하남	객산 망루지1		
136	하남	객산 망루지2		
144	하남	검단산 망루지		
149	광주	남한산성	삼국/ 통일신라	경기도 광주시 중부면 산성리 산13
152	광주	국수봉산성	백제(한성기)	광주시 초월면 지월리 일대

주거지 전체현황도

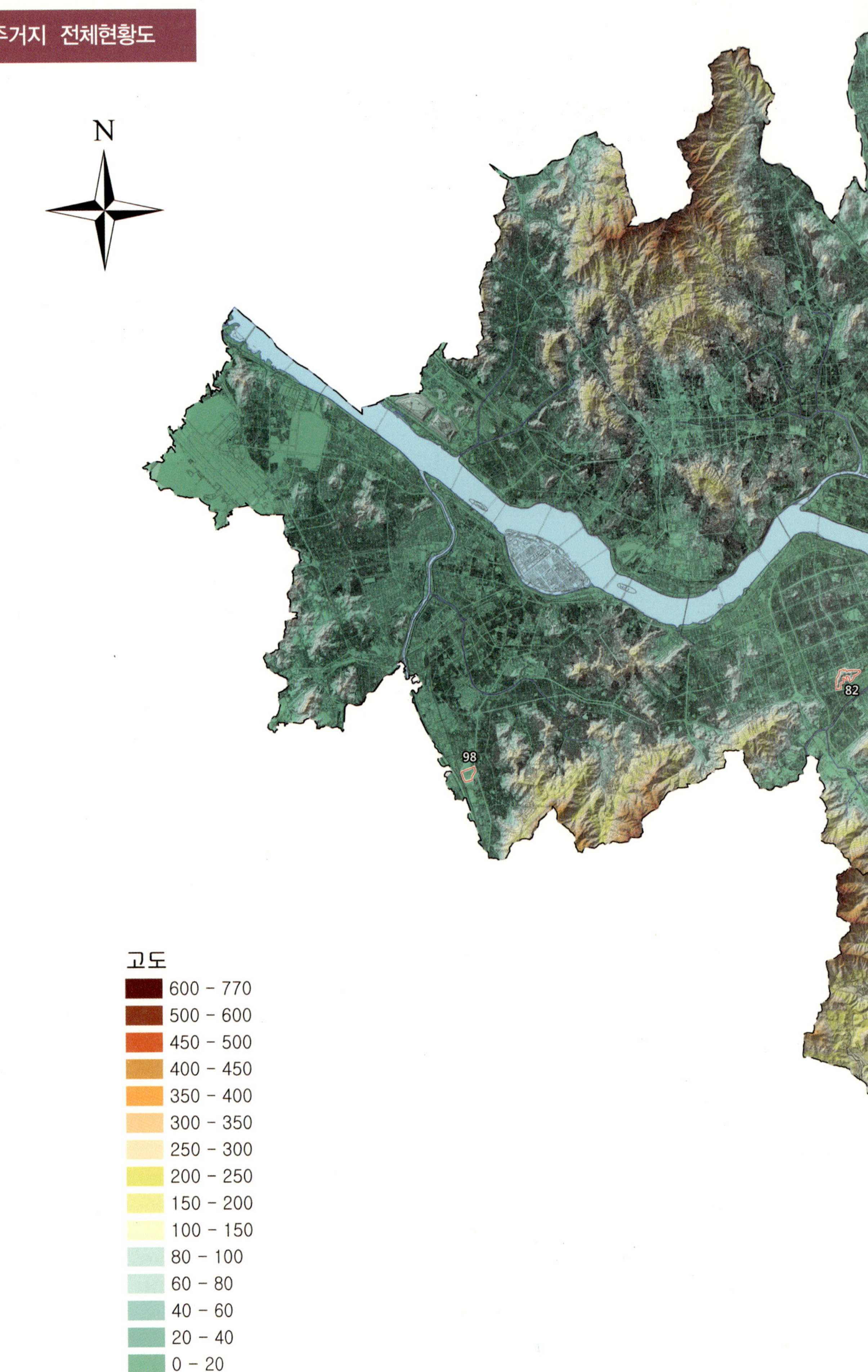

N
98
82
고도
600 - 770
500 - 600
450 - 500
400 - 450
350 - 400
300 - 350
250 - 300
200 - 250
150 - 200
100 - 150
80 - 100
60 - 80
40 - 60
20 - 40
0 - 20

113
53
115
116
117
127
126
125
131
132
133
7
71
150
151
79
148
156
0
5
10 km

〈주거지 현황 목록〉

일련번호	지역	유적	시대	주소
1	서울	상계동 학림사	통일신라	노원구 상계동 산1
2	서울	수락산보루	고구려	노원구 상계동 산105-1
3	서울	중계동 불암산성	삼국시대	노원구 중계동 산101-1
4	서울	청담사지	통일신라	은평구
5	서울	진관외동 유물산포지11	삼국/ 통일신라~조선	은평구 진관외동 산168-1
6	서울	홍은동 백련사	통일신라	서대문구 홍은동 321
7	서울	봉원동 안산 유물산포지	선사~통일신라	서대문구 봉원동 산1
8	서울	봉원동 봉원사	통일신라	서대문구 봉원동 산1
9	서울	북한산신라진흥왕순수비유지	삼국시대	종로구 구기동 산3
10	서울	구기동 승가사	통일신라	종로구 구기동 4
11	서울	일선사	통일신라/발해시대	종로구 평창동 산6-1
12	서울	장의사지 당간지주	통일신라	종로구 신영동 219-4
13	서울	서울 명륜동 통일신라 석실분	신라	종로구 명륜3가동 51번지
14	서울	배봉산 토루지	원삼국/ 고구려	동대문구 휘경동 산6번지
15	서울	묵동 유물산포지	선사시대	중랑구 묵동 산37-2
16	서울	봉화산보루	고구려	중랑구 묵동 산46-19
17	서울	신내동 유물산포지	선사시대	중랑구 신내동 산137-306, 산127-3
18	서울	망우동 유물산포지1	통일신라~고려	중랑구 망우동 315
19	서울	망우동 유물산포지3	삼국	중랑구 망우동 산37
20	서울	망우동 유물산포지4	선사시대	중랑구 망우동 산57-1번지
21	서울	망우산 1보루	고구려	중랑구 면목동 산1-1
22	서울	망우산 2보루	고구려	중랑구 망우동 산57-3
23	서울	망우산 3보루	고구려	중랑구 망우동 산57-3
24	서울	응봉동 유적	선사시대	성동구 금호동1가 산37-1
25	서울	중곡동 고분군	고구려/ 신라	광진구 중곡동 산1
26	서울	중곡동 유물산포지1	통일신라	광진구 중곡동 산4-1
27	서울	용마산 1보루	고구려	광진구 중곡동 산3-5
28	서울	용마산 2보루	삼국	광진구 중곡동 산3-68
29	서울	용마산 3보루	고구려/ 삼국~통일신라	중랑구 면목동 산1-2
30	서울	용마산 4보루	고구려	중랑구 면목동 산1-2
31	서울	용마산 5보루	고구려	중랑구 면목동 산1-2
32	서울	용마산 6보루	고구려	중랑구 면목동 산75
33	서울	용마산 7보루	고구려	중랑구 면목동 산1-4
34	서울	아차산 고분군1	삼국~통일신라	광진구 구의동 산3
35	서울	아차산 고분군2	삼국~통일신라	광진구 구의동 산3
36	서울	아차산 고분군3	삼국~통일신라	광진구 중곡동 산1
37	서울	아차산 1보루	고구려	광진구 중곡동 산2-1

일련번호	지역	유적	시대	주소
38	서울	아차산 2보루	고구려	경기도 구리시 아천동 산 49-1, 산 54-1
39	서울	아차산 3보루	고구려	광진구 중곡동 산1
40	서울	아차산 4보루	고구려	광진구 중곡동 산1
41	서울	아차산 5보루	고구려	광진구 중곡동 산1
42	서울	아차산 6보루	고구려	경기도 구리시 아천동 산49-1
43	서울	아차산성	삼국~통일신라	광진구 광장동 산31
44	서울	광장동 유물산포지1	통일신라	광진구 광장동 산63
45	서울	광장동 유물산포지2	통일신라~고려	광진구 광장동 353
46	서울	광장동 유물산포지3	통일신라~고려	광진구 광장동 378
47	서울	광장동 유물산포지4	통일신라	광진구 광장동 산81-1
48	서울	아차산 홍련봉 제1보루	고구려/ 통일신라	광진구 광장동
49	서울	아차산 홍련봉 제2보루	삼국	광진구 구의동 산10-1
50	서울	구의동유적	고구려	광진구 구의동 산10-1
51	서울	구의동 보루지	고구려	광진구 구의동
52	서울	자양동보루	고구려	광진구
53	서울	암사동 선사주거지	백제	강동구 암사동 139-2
54	서울	암사동 암사지	삼국/ 나말여초	강동구 암사동 산1-1
55	서울	암사동 유물산포지1	삼국	강동구 암사동 산30-1
56	서울	암사동 유물산포지3	삼국~조선	강동구 암사동 330-1
57	서울	고덕동 유물산포지1	삼국	강동구 고덕동 산94-1
58	서울	고덕동 유물산포지4	삼국	강동구 고덕동
59	서울	고덕동 지석묘 1호	선사시대	강동구 고덕동 산7-9, 산94-1
60	서울	고덕동 지석묘 2호	선사시대	강동구 고덕동 산7-9, 산94-1
61	서울	하일동 유물산포지1	선사/삼국	강동구 하일동 26-1
62	서울	하일동 유물산포지2	삼국	강동구 하일동 산11-1
63	서울	명일동 주거지	선사시대	강동구 명일동
64	서울	길동 유물산포지2	백제	강동구 길동 285
65	서울	풍납토성	고구려/ 원삼국~삼국/ 백제(한성기)	송파구 풍납동 일원
66	서울	몽촌토성	고구려/ 백제(한성기)	송파구 방이동 88-3
67	서울	송파구 가옥잔구	삼국	송파구
68	서울	석촌동고분군	백제(한성기)	송파구 석촌동 248
69	서울	방이동 고분군	백제(한성기)/ 신라	송파구 방이동 산 47-4
70	서울	가락동 고분군	백제(한성기)/ 신라	송파구 가락동 일대
71	서울	송파동, 가락동 선사유적지	청동기시대	송파구 송파동 151
72	서울	방이동 유물산포지1	삼국	송파구 방이동 433-20
73	서울	방이동 유물산포지2	삼국/ 통일신라	송파구 방이동 439-8
74	서울	오금동 유물산포지1	삼국	송파구 오금동 51

고분 전체현황도

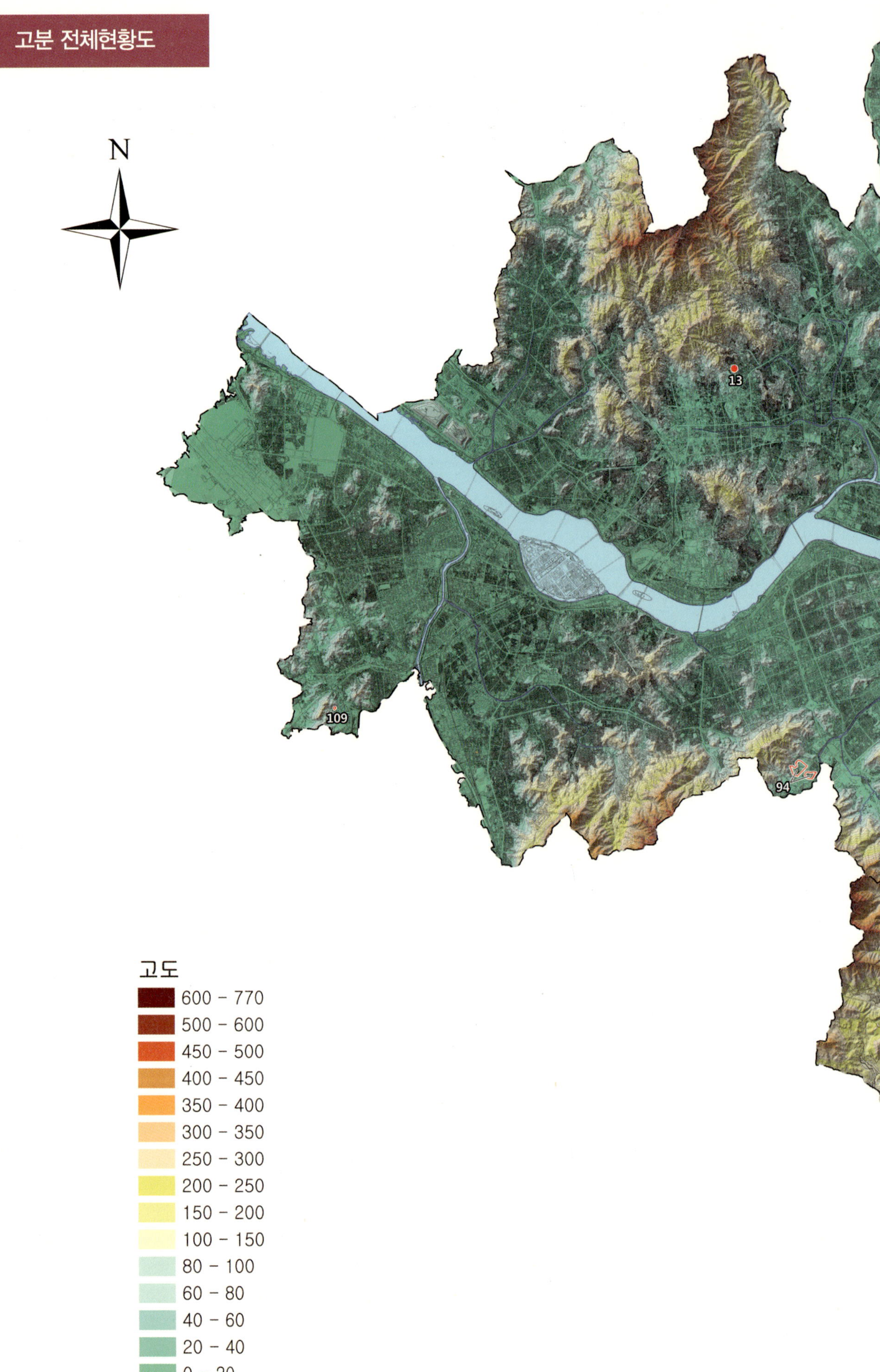

고도

	600 - 770
	500 - 600
	450 - 500
	400 - 450
	350 - 400
	300 - 350
	250 - 300
	200 - 250
	150 - 200
	100 - 150
	80 - 100
	60 - 80
	40 - 60
	20 - 40
	0 - 20

59
60
34
119
120
129
139
124
123
69
138
70
140
68
157
154
0
5
10 km

사찰 전체현황도

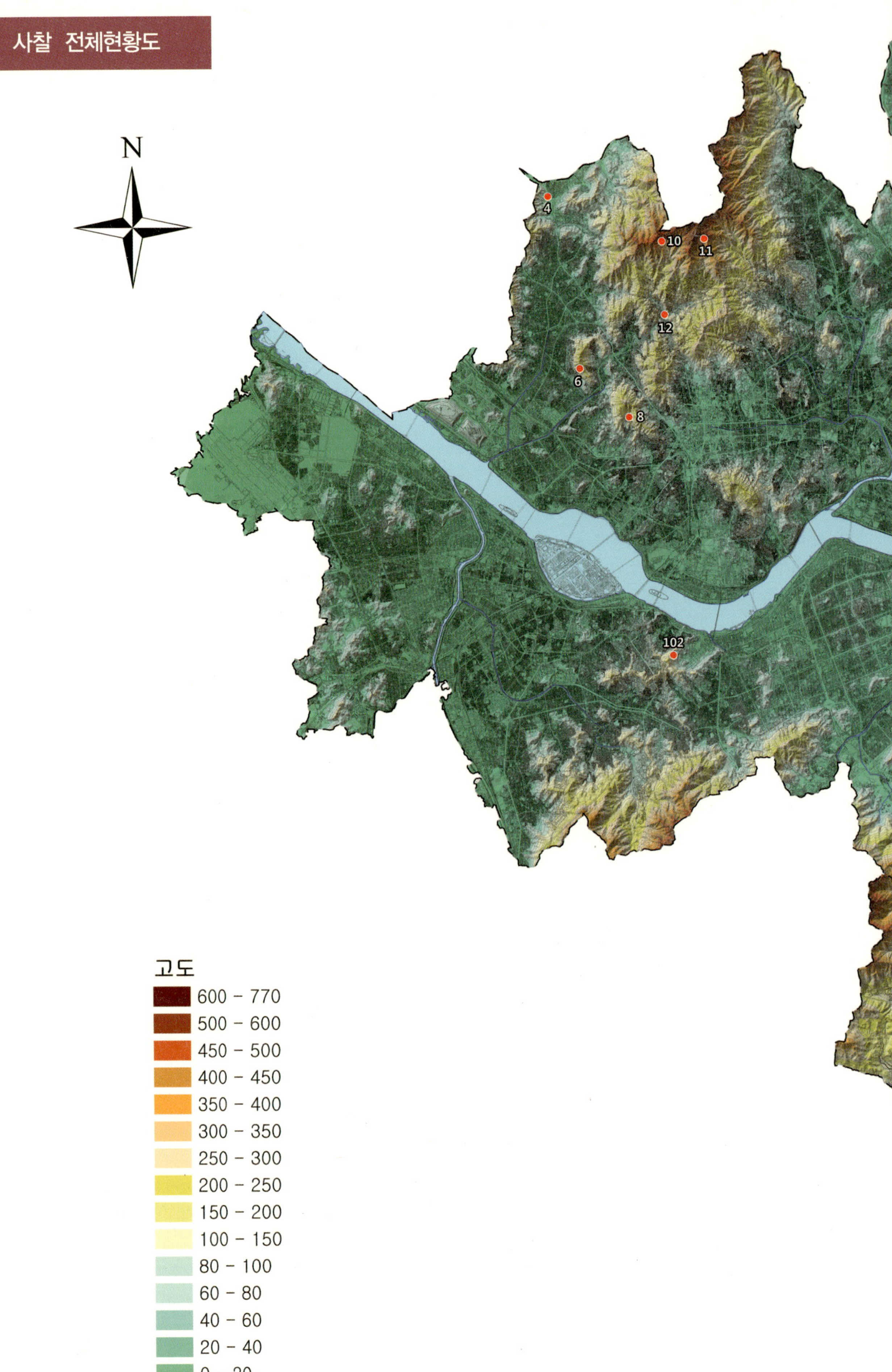
N
4
10
11
12
6
8
102
고도
600 - 770
500 - 600
450 - 500
400 - 450
350 - 400
300 - 350
250 - 300
200 - 250
150 - 200
100 - 150
80 - 100
60 - 80
40 - 60
20 - 40
0 - 20

54
121
122
137
134
142
143
0
5
10 km

요지 전체현황도

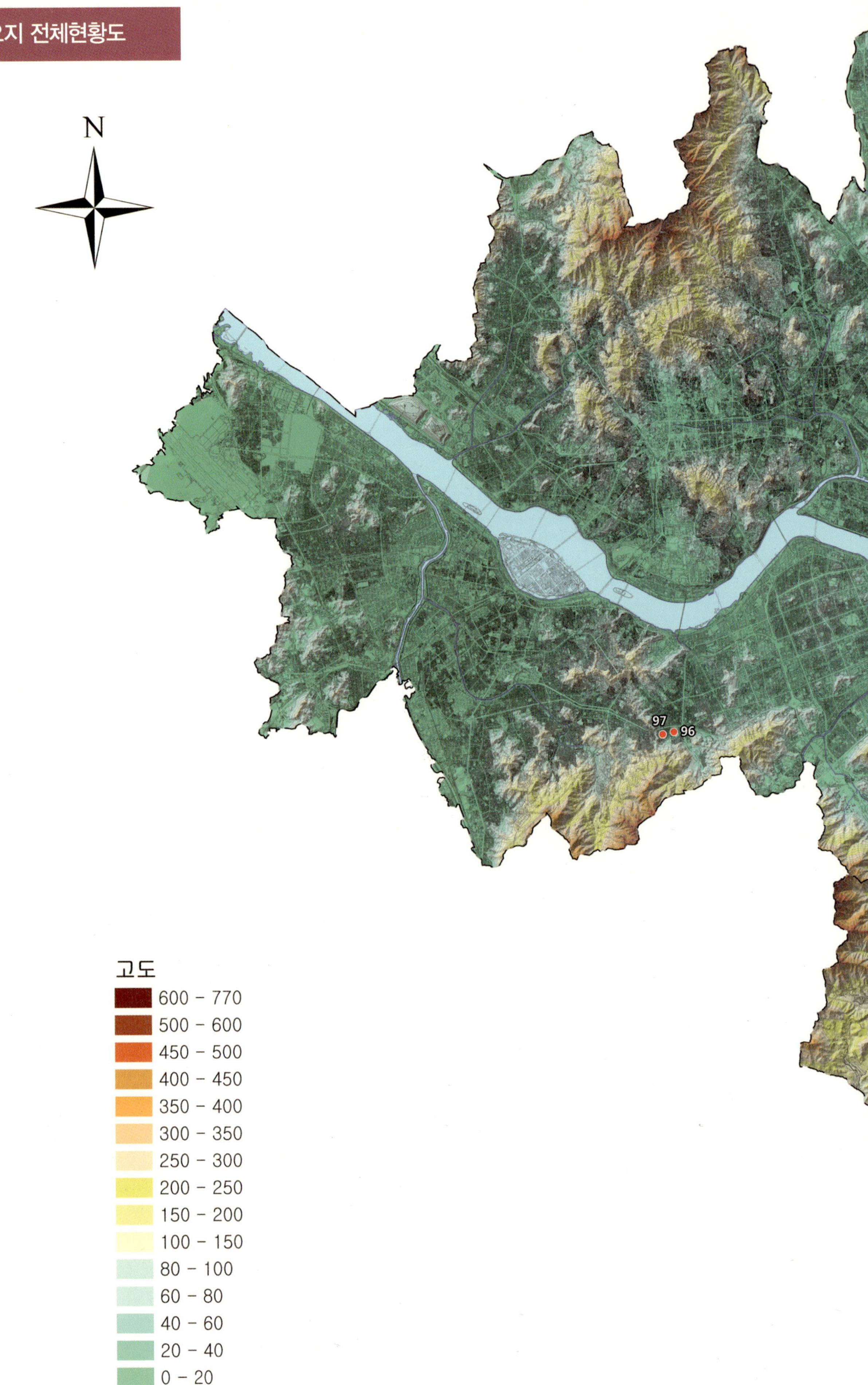
N
97
96
고도
600 - 770
500 - 600
450 - 500
400 - 450
350 - 400
300 - 350
250 - 300
200 - 250
150 - 200
100 - 150
80 - 100
60 - 80
40 - 60
20 - 40
0 - 20

0
5
10 km

〈고분 현황 목록〉

일련번호	지역	유적	시대	주소
13	서울	서울 명륜동 통일신라 석실분	신라	종로구 명륜3가동 51번지
15	서울	묵동 유물산포지	선사시대	중랑구 묵동 산37-2
34	서울	아차산 고분군1	삼국~통일신라	광진구 구의동 산3
35	서울	아차산 고분군2	삼국~통일신라	광진구 구의동 산3
36	서울	아차산 고분군3	삼국~통일신라	광진구 중곡동 산1
59	서울	고덕동 지석묘 1호	선사시대	강동구 고덕동 산7-9, 산94-1
60	서울	고덕동 지석묘 2호	선사시대	강동구 고덕동 산7-9, 산94-1
68	서울	석촌동고분군	백제(한성기)	송파구 석촌동 248
69	서울	방이동 고분군	백제(한성기)/ 신라	송파구 방이동 산 47-4
70	서울	가락동 고분군	백제(한성기)/ 신라	송파구 가락동 일대
85	서울	자곡동 지석묘	선사시대	강남구 자곡동 산32
94	서울	우면동유적	원삼국~백제 한성기/ 신라/ 통일신라	서초구 우면동 451임 일원
109	서울	서울 천왕동 유적		구로구 천왕동
119	하남	광암동 고인돌		
120	하남	광암동 고분군	삼국/ 통일신라	하남시 광암동
123	하남	금암산 고분군	백제	
124	하남	춘궁동 고분		
129	하남	교산동 고인돌	선사시대	
138	하남	객산 고분군		
139	하남	하남감일 공공주택지구		
140	하남	감이동 고인돌	선사시대	
147	성남	판교동유적	백제 / 고구려	성남시 분당구 판교동
154	광주	대쌍령리 고분	통일신라	광주시 초월읍 대쌍령리
157	서울	세곡동유적	통일신라	강남구 세곡동

〈사찰 현황 목록〉

일련번호	지역	유적	시대	주소
1	서울	상계동 학림사	통일신라	노원구 상계동 산1
4	서울	청담사지	통일신라	은평구
6	서울	홍은동 백련사	통일신라	서대문구 홍은동 321
8	서울	봉원동 봉원사	통일신라	서대문구 봉원동 산1
10	서울	구기동 승가사	통일신라	종로구 구기동 4
11	서울	일선사	통일신라/발해시대	종로구 평창동 산6-1
12	서울	장의사지 당간지주	통일신라	종로구 신영동 219-4
54	서울	암사동 암사지	삼국/ 나말여초	강동구 암사동 산1-1
102	서울	동작동 지장사	통일신라	동작구 동작동 305
121	하남	금암산 마애불		
122	하남	하남춘궁동동사지	통일신라	
134	하남	선법사		
137	하남	천왕사지	통일신라	하남시 하사창동 340
142	하남	약정사지	통일신라	
143	하남	신복선사지	통일신라	

〈요지 현황 목록〉

일련번호	지역	유적	시대	주소
96	서울	사당동 백제요지	통일신라	관악구 남현동 538-1
97	서울	사당동 신라요지	통일신라	관악구 남현동 1080-1

유물산포지 전체현황도

N
5
7
24
111
103
108
81
105
106
104
107
95
93
90
91
92
99
고도
600 - 770
500 - 600
450 - 500
400 - 450
350 - 400
300 - 350
250 - 300
200 - 250
150 - 200
100 - 150
80 - 100
60 - 80
40 - 60
20 - 40
0 - 20

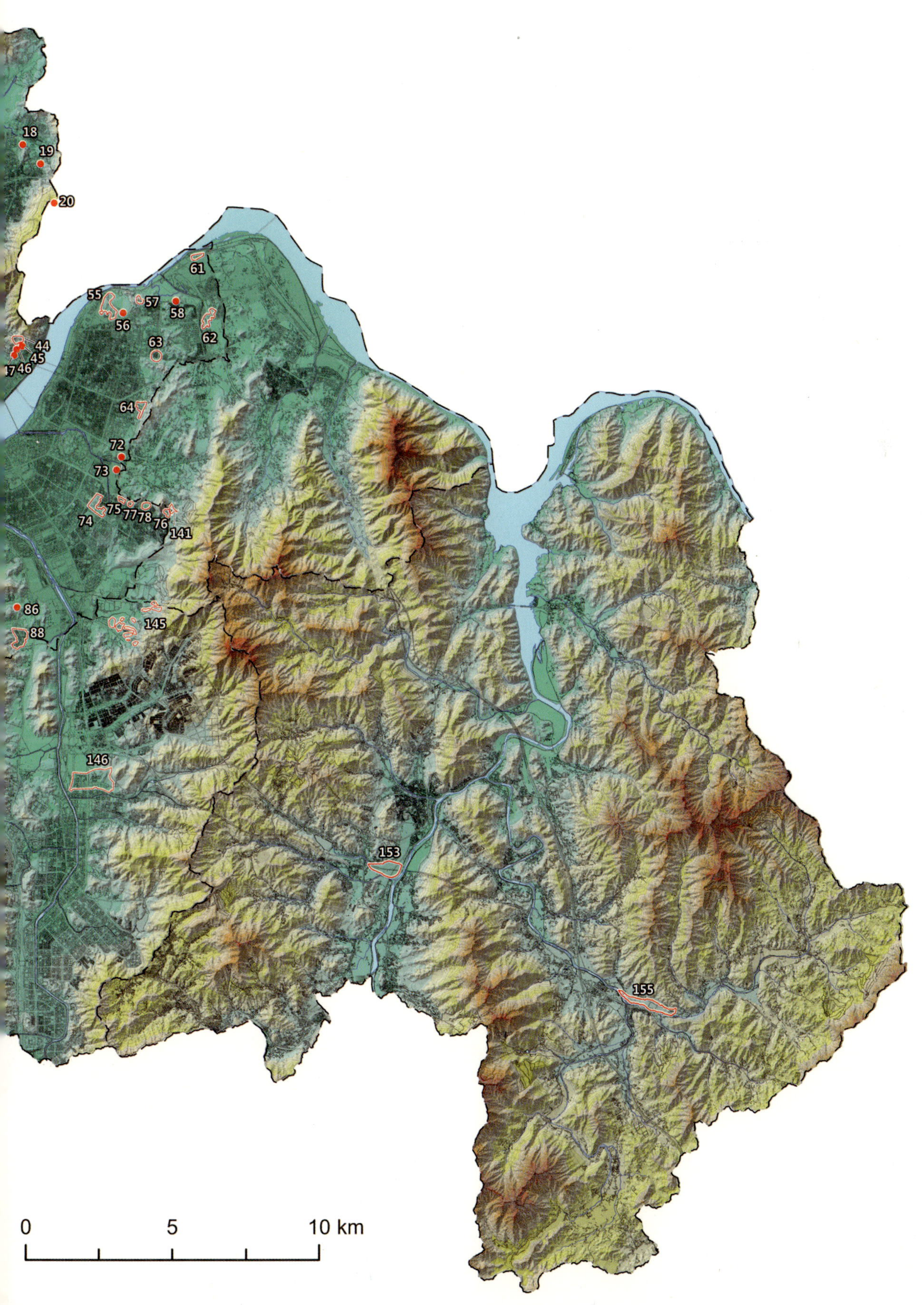
18
19
20
61
55
57
58
56
62
63
44
45
46
64
72
73
75
77
78
76
74
141
86
145
88
146
153
155
0
5
10 km

〈유물산포지 분포지도 목록〉

일련번호	지역	유적	시대	주소
5	서울	진관외동 유물산포지11	삼국/ 통일신라~조선	은평구 진관외동 산168-1
7	서울	봉원동 안산 유물산포지	선사~통일신라	서대문구 봉원동 산1
15	서울	묵동 유물산포지	선사시대	중랑구 묵동 산37-2
17	서울	신내동 유물산포지	선사시대	중랑구 신내동 산137-306, 산127-3
18	서울	망우동 유물산포지1	통일신라~고려	중랑구 망우동 315
19	서울	망우동 유물산포지3	삼국	중랑구 망우동 산37
20	서울	망우동 유물산포지4	선사시대	중랑구 망우동 산57-1번지
24	서울	응봉동 유적	선사시대	성동구 금호동1가 산37-1
26	서울	중곡동 유물산포지1	통일신라	광진구 중곡동 산4-1
44	서울	광장동 유물산포지1	통일신라	광진구 광장동 산63
45	서울	광장동 유물산포지2	통일신라~고려	광진구 광장동 353
46	서울	광장동 유물산포지3	통일신라~고려	광진구 광장동 378
47	서울	광장동 유물산포지4	통일신라	광진구 광장동 산81-1
55	서울	암사동 유물산포지1	삼국	강동구 암사동 산30-1
56	서울	암사동 유물산포지3	삼국~조선	강동구 암사동 330-1
57	서울	고덕동 유물산포지1	삼국	강동구 고덕동 산94-1
58	서울	고덕동 유물산포지4	삼국	강동구 고덕동
61	서울	하일동 유물산포지1	선사/삼국	강동구 하일동 26-1
62	서울	하일동 유물산포지2	삼국	강동구 하일동 산11-1
63	서울	명일동 주거지	선사시대	강동구 명일동
64	서울	길동 유물산포지2	백제	강동구 길동 285
72	서울	방이동 유물산포지1	삼국	송파구 방이동 433-20
73	서울	방이동 유물산포지2	삼국/ 통일신라	송파구 방이동 439-8
74	서울	오금동 유물산포지1	삼국	송파구 오금동 51
75	서울	오금동 유물산포지2	삼국	송파구 오금동 산3-11
76	서울	마천동 유물산포지1	삼국	송파구 마천동
77	서울	마천동 유물산포지2	삼국	송파구 마천동 4-4
78	서울	마천동 유물산포지3	삼국	송파구 마천동
81	서울	삼성동 선사유물출토지	삼국	강남구 삼성동 74-4
84	서울	대모산 유물산포지	선사시대	강남구 일원동 산63-28, 서초구 내곡동 산13-1
86	서울	자곡동 유물산포지	삼국	강남구 자곡동 산55
87	서울	세곡동 유물산포지1	삼국	강남구 세곡동
88	서울	세곡동 유물산포지2	삼국	강남구 세곡동
89	서울	내곡동 후미안골 유물산포지	통일신라	서초구 내곡동 산13-1
90	서울	염곡동 염통골 유물산포지1	통일신라, 고려	서초구 염곡동 76-3
91	서울	염곡동 염통골 유물산포지2	통일신라, 고려	서초구 염곡동 271-1
92	서울	염곡동 탑골 유물산포지	통일신라	서초구 염곡동 산60
93	서울	우면동 유물산포지1	백제	서초구 우면동 282-2

일련번호	지역	유적	시대	주소
95	서울	양재동 유물산포지	선사시대	서초구 양재동 산41
99	서울	시흥동 유물산포지4	통일신라~고려	금천구 시흥동 산108-4
103	서울	당산동 유적지	선사시대	영등포구 당산동3가 370-4
104	서울	천왕동 유물산포지5	선사시대	구로구 천왕동 산13-1
105	서울	오류동 진주류씨 묘역	통일신라	구로구 오류동 산43-31
106	서울	항동 유물산포지1	삼국~조선	구로구 항동 산23-2
107	서울	항동 유물산포지2	삼국~조선	구로구 항동 18-2
108	서울	고척동 유물산포지	삼국~조선	구로구 고척동 1-6
111	서울	화곡동 유물산포지2	백제	강서구 화곡동 산199
141	하남	감이동 유물산포지		
145	성남	창곡동유적	삼국/ 통일신라~고려	성남시 수정구 창곡동 242번지 일원
146	성남	여수동유적	백제(한성기)	성남시 중원구 여수동
153	광주	장지동유적	원삼국~백제 한성기	광주시 장지동
155	광주	신대리 대석동유적		광주시 곤지암읍 신대리

한성백제 관련 유적 (선사~남북국시대) 지역별 분포도

서울시 유적 현황도

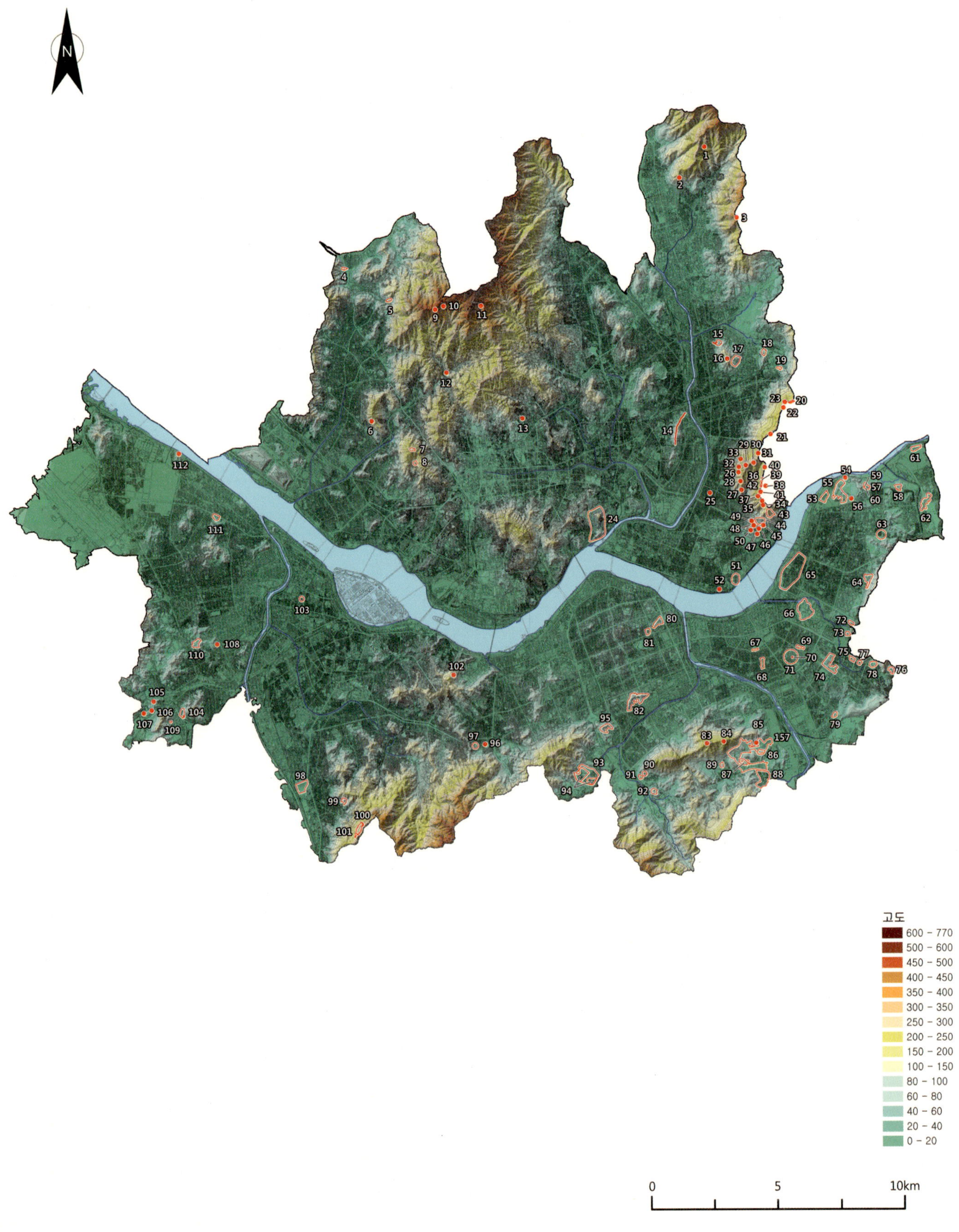
N
고도
600 - 770
500 - 600
450 - 500
400 - 450
350 - 400
300 - 350
250 - 300
200 - 250
150 - 200
100 - 150
80 - 100
60 - 80
40 - 60
20 - 40
0 - 20
0
5
10km

〈서울시 유적 분포 목록〉

일련번호	지역	유적	시대	주소
1	서울	상계동 학림사	통일신라	노원구 상계동 산1
2	서울	수락산 보루	고구려	노원구 상계동 산105-1
3	서울	중계동 불암산성	삼국시대	노원구 중계동 산101-1
4	서울	청담사지		은평구
5	서울	진관외동 유물산포지11	삼국/ 통일신라~조선	은평구 진관외동 산168-1
6	서울	홍은동 백련사	통일신라	서대문구 홍은동 321
7	서울	봉원동 안산 유물산포지	선사~통일신라	서대문구 봉원동 산1
8	서울	봉원동 봉원사	통일신라	서대문구 봉원동 산1
9	서울	북한산신라진흥왕순수비유지	삼국시대	종로구 구기동 산3
10	서울	구기동 승가사	통일신라	종로구 구기동 4
11	서울	일선사	통일신라/발해시대	종로구 평창동 산6-1
12	서울	장의사지 당간지주	통일신라	종로구 신영동 219-4
13	서울	서울 명륜동 통일신라 석실분	신라	종로구 명륜3가동 51번지
14	서울	배봉산 토루지	원삼국/ 고구려	동대문구 휘경동 산6번지
15	서울	묵동 유물산포지	선사시대	중랑구 묵동 산37-2
16	서울	봉화산보루	고구려	중랑구 묵동 산46-19
17	서울	신내동 유물산포지	선사시대	중랑구 신내동 산137-306, 산127-3
18	서울	망우동 유물산포지1	통일신라~고려	중랑구 망우동 315
19	서울	망우동 유물산포지3	삼국	중랑구 망우동 산37
20	서울	망우동 유물산포지4	선사시대	중랑구 망우동 산57-1번지
21	서울	망우산 1보루	고구려	중랑구 면목동 산1-1
22	서울	망우산 2보루	고구려	중랑구 망우동 산57-3
23	서울	망우산 3보루	고구려	중랑구 망우동 산57-3
24	서울	응봉동 유적	선사시대	성동구 금호동1가 산37-1
25	서울	중곡동 고분군	고구려/ 신라	광진구 중곡동 산1
26	서울	중곡동 유물산포지1	통일신라	광진구 중곡동 산4-1
27	서울	용마산 1보루	고구려	광진구 중곡동 산3-5
28	서울	용마산 2보루	삼국	광진구 중곡동 산3-68
29	서울	용마산 3보루	고구려/ 삼국~통일신라	중랑구 면목동 산1-2
30	서울	용마산 4보루	고구려	중랑구 면목동 산1-2
31	서울	용마산 5보루	고구려	중랑구 면목동 산1-2
32	서울	용마산 6보루	고구려	중랑구 면목동 산75
33	서울	용마산 7보루	고구려	중랑구 면목동 산1-4
34	서울	아차산 고분군1	삼국~통일신라	광진구 구의동 산3
35	서울	아차산 고분군2	삼국~통일신라	광진구 구의동 산3
36	서울	아차산 고분군3	삼국~통일신라	광진구 중곡동 산1
37	서울	아차산 1보루	고구려	광진구 중곡동 산2-1
38	서울	아차산 2보루	고구려	경기도 구리시 아천동 산 49-1, 산 54-1

일련번호	지역	유적	시대	주소
39	서울	아차산 3보루	고구려	광진구 중곡동 산1
40	서울	아차산 4보루	고구려	광진구 중곡동 산1
41	서울	아차산 5보루	고구려	광진구 중곡동 산1
42	서울	아차산 6보루	고구려	경기도 구리시 아천동 산49-1
43	서울	아차산성	삼국~통일신라	광진구 광장동 산31
44	서울	광장동 유물산포지1	통일신라	광진구 광장동 산63
45	서울	광장동 유물산포지2	통일신라~고려	광진구 광장동 353
46	서울	광장동 유물산포지3	통일신라~고려	광진구 광장동 378
47	서울	광장동 유물산포지4	통일신라	광진구 광장동 산81-1
48	서울	아차산 홍련봉 제1보루	고구려/ 통일신라	광진구 광장동
49	서울	아차산 홍련봉 제2보루	삼국	광진구 구의동 산10-1
50	서울	구의동유적	고구려	광진구 구의동 산10-1
51	서울	구의동 보루지	고구려	광진구 구의동
52	서울	자양동 보루	고구려	광진구
53	서울	암사동 선사주거지	백제	강동구 암사동 139-2
54	서울	암사동 암사지	삼국/ 나말여초	강동구 암사동 산1-1
55	서울	암사동 유물산포지1	삼국	강동구 암사동 산30-1
56	서울	암사동 유물산포지3	삼국~조선	강동구 암사동 330-1
57	서울	고덕동 유물산포지1	삼국	강동구 고덕동 산94-1
58	서울	고덕동 유물산포지4	삼국	강동구 고덕동
59	서울	고덕동 지석묘 1호	선사시대	강동구 고덕동 산7-9, 산94-1
60	서울	고덕동 지석묘 2호	선사시대	강동구 고덕동 산7-9, 산94-1
61	서울	하일동 유물산포지1	선사/삼국	강동구 하일동 26-1
62	서울	하일동 유물산포지2	삼국	강동구 하일동 산11-1
63	서울	명일동 주거지	선사시대	강동구 명일동
64	서울	길동 유물산포지2	백제	강동구 길동 285
65	서울	풍납토성	고구려/ 원삼국~삼국/ 백제(한성기)	송파구 풍납동 일원
66	서울	몽촌토성	고구려/ 백제(한성기)	송파구 방이동 88-3
67	서울	송파구 가옥잔구	삼국	송파구
68	서울	석촌동 고분군	백제(한성기)	송파구 석촌동 248
69	서울	방이동 고분군	백제(한성기)/ 신라	송파구 방이동 산 47-4
70	서울	가락동 고분군	백제(한성기)/ 신라	송파구 가락동 일대
71	서울	송파동, 가락동 선사유적지	청동기시대	송파구 송파동 151
72	서울	방이동 유물산포지1	삼국	송파구 방이동 433-20
73	서울	방이동 유물산포지2	삼국/ 통일신라	송파구 방이동 439-8
74	서울	오금동 유물산포지1	삼국	송파구 오금동 51
75	서울	오금동 유물산포지2	삼국	송파구 오금동 산3-11
76	서울	마천동 유물산포지1	삼국	송파구 마천동

일련번호	지역	유적	시대	주소
77	서울	마천동 유물산포지2	삼국	송파구 마천동 4-4
78	서울	마천동 유물산포지3	삼국	송파구 마천동
79	서울	장지동 주거유적지	선사시대	송파구 장지동 산25~산27번지
80	서울	삼성동토성	백제(한성기)	강남구 삼성동
81	서울	삼성동 선사유물출토지	삼국	강남구 삼성동 74-4
82	서울	도곡동 역삼동 선사유적지	통일신라	강남구 도곡동 산32-1
83	서울	일원동 대모산성	신라	강남구 일원동 산63-28
84	서울	대모산 유물산포지	선사시대	강남구 일원동 산63-28, 서초구 내곡동 산13-1
85	서울	자곡동 지석묘	선사시대	강남구 자곡동 산32
86	서울	자곡동 유물산포지	삼국	강남구 자곡동 산55
87	서울	세곡동 유물산포지1	삼국	강남구 세곡동
88	서울	세곡동 유물산포지2	삼국	강남구 세곡동
89	서울	내곡동 후미안골 유물산포지	통일신라	서초구 내곡동 산13-1
90	서울	염곡동 염통골 유물산포지1	통일신라, 고려	서초구 염곡동 76-3
91	서울	염곡동 염통골 유물산포지2	통일신라, 고려	서초구 염곡동 271-1
92	서울	염곡동 탑골 유물산포지	통일신라	서초구 염곡동 산60
93	서울	우면동 유물산포지1	백제	서초구 우면동 282-2
94	서울	우면동유적	원삼국~백제 한성기/ 신라/ 통일신라	서초구 우면동 451임 일원
95	서울	양재동 유물산포지	선사시대	서초구 양재동 산41
96	서울	사당동 백제요지	통일신라	관악구 남현동 538-1
97	서울	사당동 신라요지	통일신라	관악구 남현동 1080-1
98	서울	서울 독산동 유적	신라	금천구 독산동 441-6번지
99	서울	시흥동 유물산포지4	통일신라~고려	금천구 시흥동 산108-4
100	서울	한우물 및 주변산성지	통일신라	금천구 시흥동 산93-2
101	서울	호암산성지	신라/ 통일신라	금천구 시흥동 산83-1
102	서울	동작동 지장사	통일신라	동작구 동작동 305
103	서울	당산동 유적지	선사시대	영등포구 당산동3가 370-4
104	서울	천왕동 유물산포지5	선사시대	구로구 천왕동 산13-1
105	서울	오류동 진주류씨 묘역	통일신라	구로구 오류동 산43-31
106	서울	항동 유물산포지1	삼국~조선	구로구 항동 산23-2
107	서울	항동 유물산포지2	삼국~조선	구로구 항동 18-2
108	서울	고척동 유물산포지	삼국~조선	구로구 고척동 1-6
109	서울	서울 천왕동 유적		구로구 천왕동
110	서울	신정동토성	백제	양천구 신정동
111	서울	화곡동 유물산포지2	백제	강서구 화곡동 산199
112	서울	양천고성	삼국~통일신라	강서구 가양동 산8-4 외 11필지
157	서울	세곡동유적	통일신라	강남구 세곡동

하남시 유적 현황도

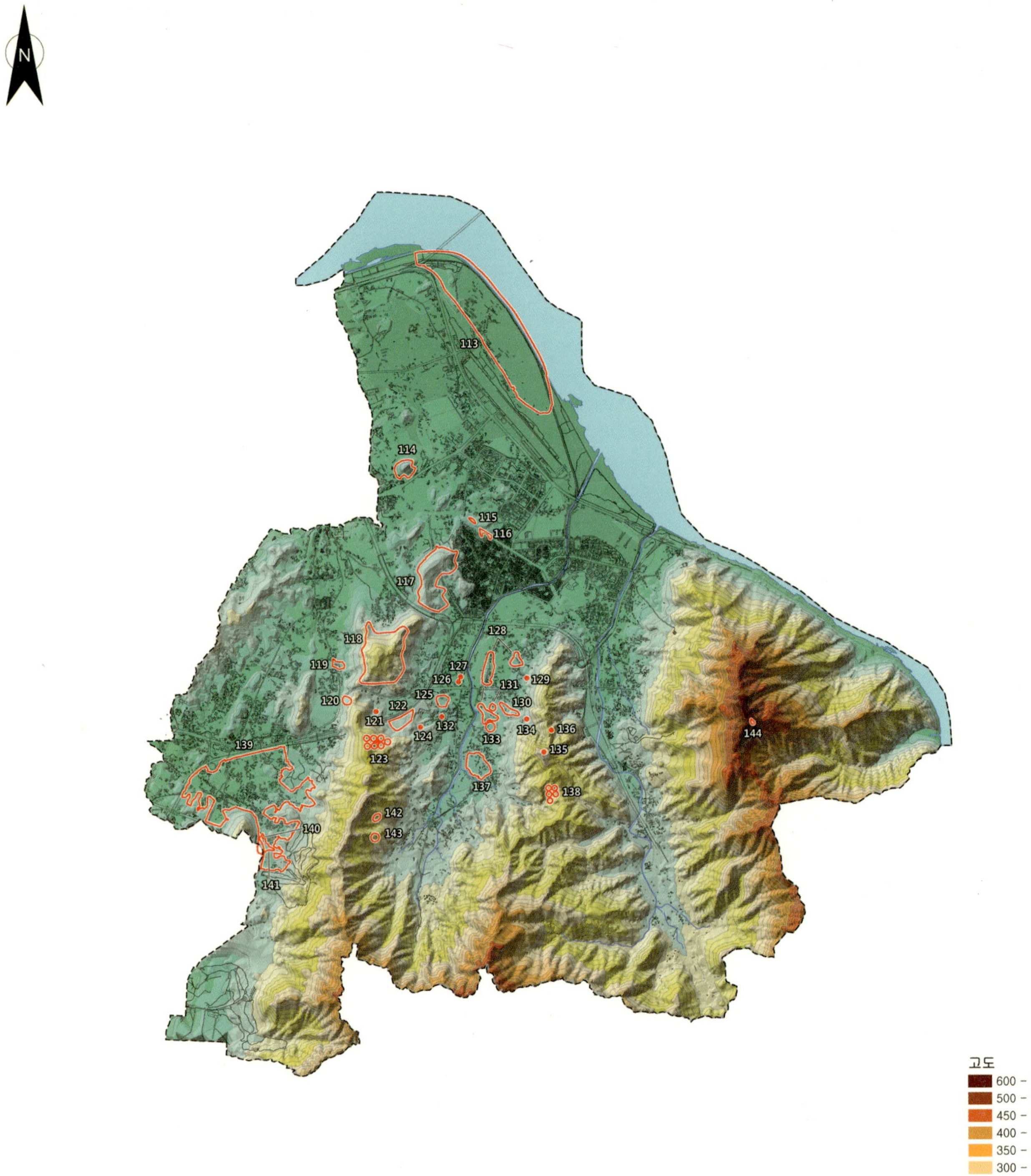

113
114
115
116
117
118
119
120
121
122
123
124
125
126
127
128
129
130
131
132
133
134
135
136
137
138
139
140
141
142
143
144

고도

600 - 770
500 - 600
450 - 500
400 - 450
350 - 400
300 - 350
250 - 300
200 - 250
150 - 200
100 - 150
80 - 100
60 - 80
40 - 60
20 - 40
0 - 20

0 2.5 5 km

〈하남시 유적 분포지도 목록〉

일련번호	지역	유적	시대	주소
113	하남	미사리유적	초기철기/ 원삼국/ 백제	하남시 미사동 일원
114	하남	구산토성지		하남시 풍산동
115	하남	덕풍동 수리골유적	원삼국~백제 한성기/ 통일신라	하남시 덕풍동 산33-8번지
116	하남	덕풍동 산24-4번지유적	삼국	하남시 덕풍동
117	하남	덕풍골 유적	삼국	하남시 덕풍동
118	하남	이성산성	백제/ 신라	하남시 춘궁동 산36번지 외
119	하남	광암동 고인돌		
120	하남	광암동 고분군	삼국/ 통일신라	하남시 광암동
121	하남	금암산 마애불		
122	하남	하남춘궁동동사지	통일신라	
123	하남	금암산 고분군		
124	하남	춘궁동 고분		
125	하남	춘궁동 350-1,2번지 건물지	통일신라	하남시 춘궁동 350-1,2번지
126	하남	춘궁동 245-2번지 건물지	신라	춘궁동 245-2번지 일원
127	하남	춘궁동 243번지 건물지	통일신라	하남시 춘궁동 243
128	하남	춘궁동 토성추정지		
129	하남	교산동 고인돌		
130	하남	교산동 토루추정지		
131	하남	교산동 건물지	통일신라/ 나말여초	하남시 교산동
132	하남	춘궁동 401-8번지 건물지	신라	하남시 춘궁동 401-8
133	하남	하사창동 316-1번지유적	신라	하남시 하사창동 316-1
134	하남	선법사		
135	하남	객산 망루지1		
136	하남	객산 망루지2		
137	하남	천왕사지	통일신라	하남시 하사창동 340
138	하남	객산 고분군		
139	하남	하남감일 공공주택지구		
140	하남	감이동 고인돌		
141	하남	감이동 유물산포지		
142	하남	약정사지	통일신라	
143	하남	신복선사지	통일신라	
144	하남	검단산 망루지		

성남시 유적 현황도

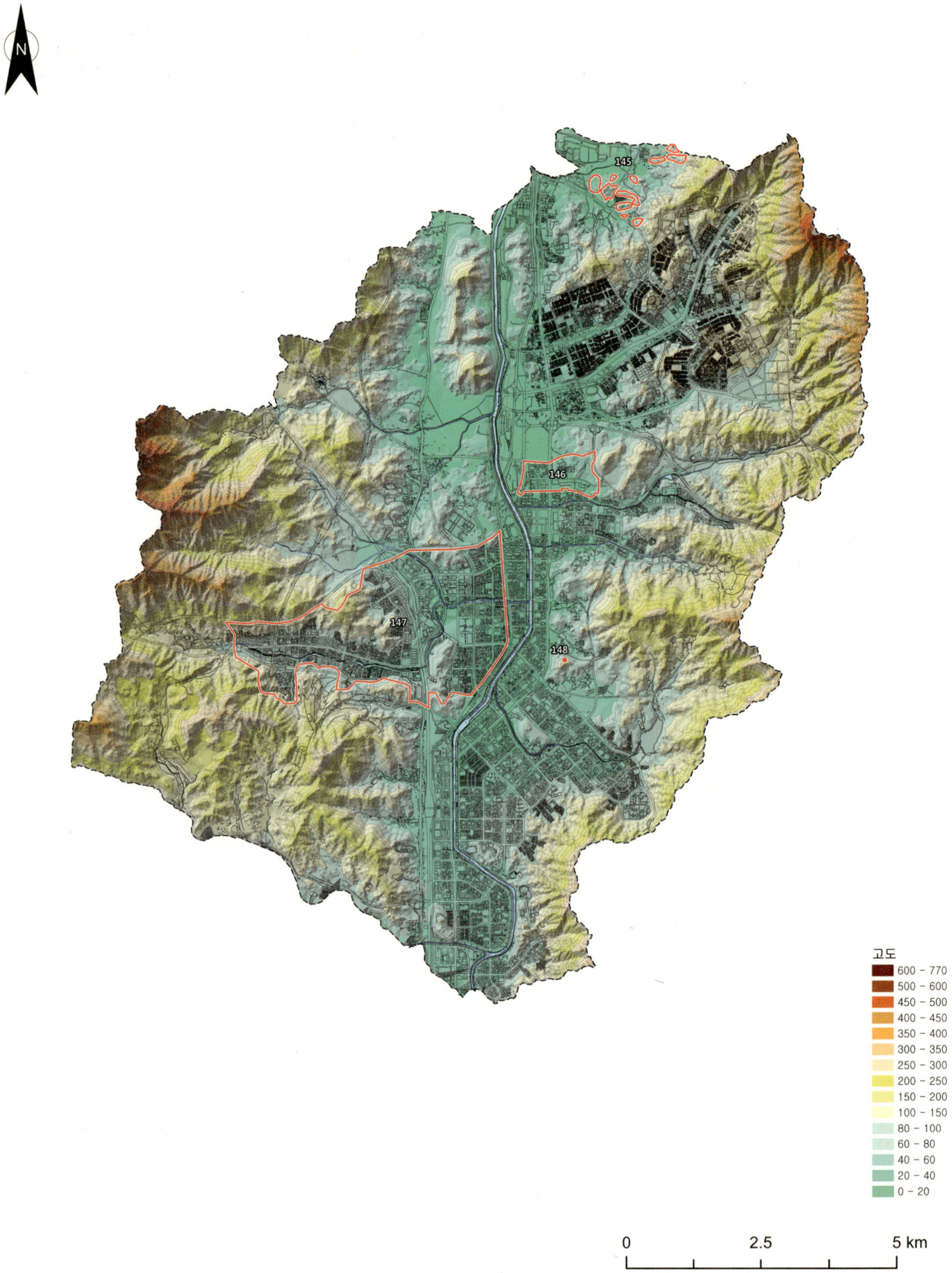

145

146

147

148

고도
600 - 770
500 - 600
450 - 500
400 - 450
350 - 400
300 - 350
250 - 300
200 - 250
150 - 200
100 - 150
80 - 100
60 - 80
40 - 60
20 - 40
0 - 20

0 2.5 5 km

광주시 유적 현황도

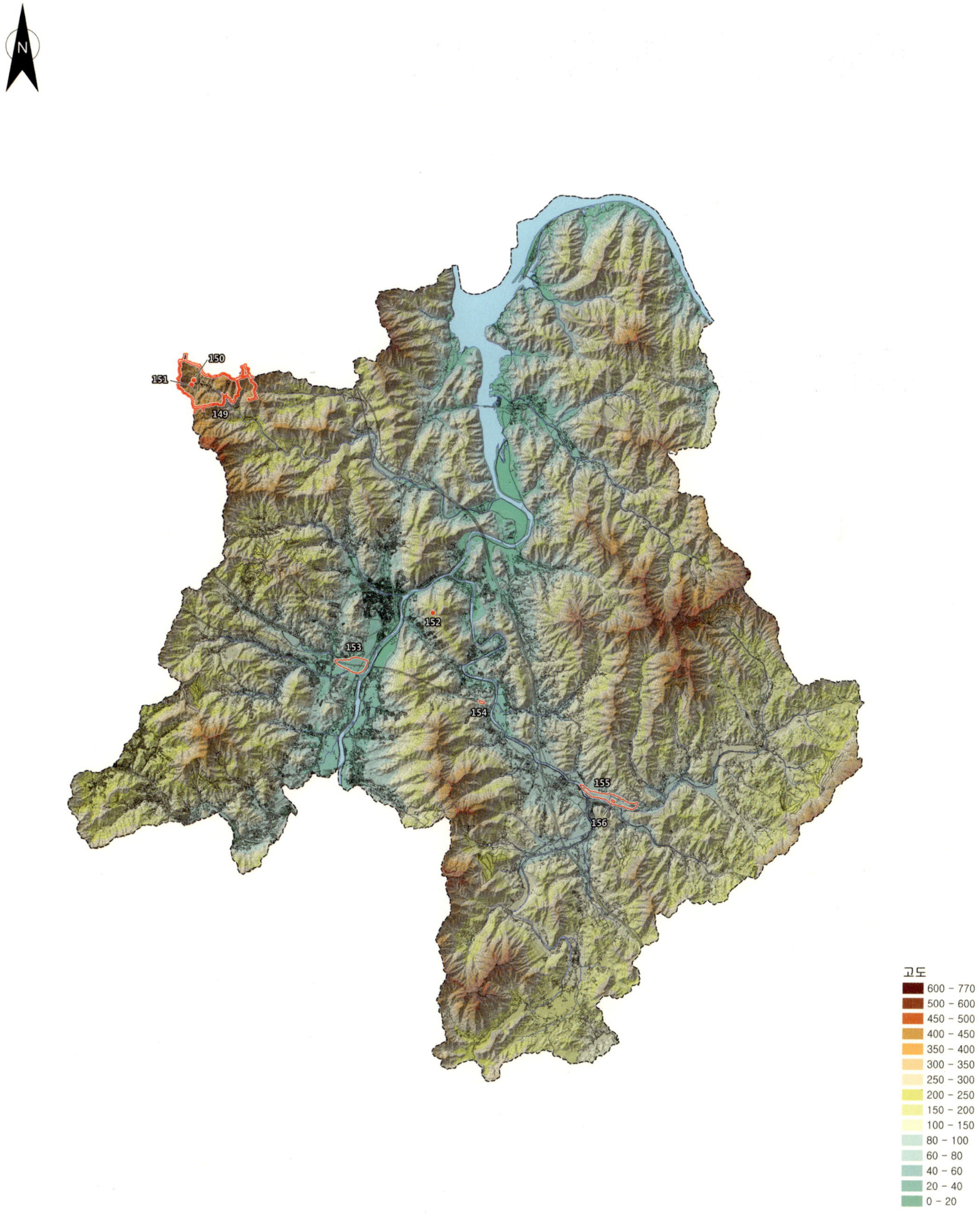

150
151
149
152
153
154
155
156

고도
600 - 770
500 - 600
450 - 500
400 - 450
350 - 400
300 - 350
250 - 300
200 - 250
150 - 200
100 - 150
80 - 100
60 - 80
40 - 60
20 - 40
0 - 20

0 4 8 km

〈성남시 유적 분포지도 목록〉

일련번호	지역	유적	시대	주소
145	성남	창곡동유적	삼국/ 통일신라~고려	성남시 수정구 창곡동 242번지 일원
146	성남	여수동유적	백제(한성기)	성남시 중원구 여수동
147	성남	판교동유적		성남시 분당구 판교동
148	성남	서현동 백제주거지		

〈광주시 유적 분포지도 목록〉

일련번호	지역	유적	시대	주소
149	광주	남한산성	삼국/ 통일신라	경기도 광주시 중부면 산성리 산13
150	광주	남한행궁 서원지 백제유적 (산성리유적)	백제	광주시 중부면 산성리 935-8 일원
151	광주	남한산성 행궁지내 건물지	신라	광주시 중부면 산성리935-6
152	광주	국수봉산성	백제(한성기)	광주시 초월면 지월리 일대
153	광주	장지동유적	원삼국~백제 한성기	광주시 장지동
154	광주	대쌍령리 고분	통일신라	광주시 초월읍 대쌍령리
155	광주	신대리 대석동유적		광주시 곤지암읍 신대리
156	광주	곤지암리유적	원삼국~백제	광주시 곤지암읍 곤지암리 353-1번지 일원

한성백제 관련 유적 (선사~남북국시대)

서울시 각 구별 분포도

노원구 현황도

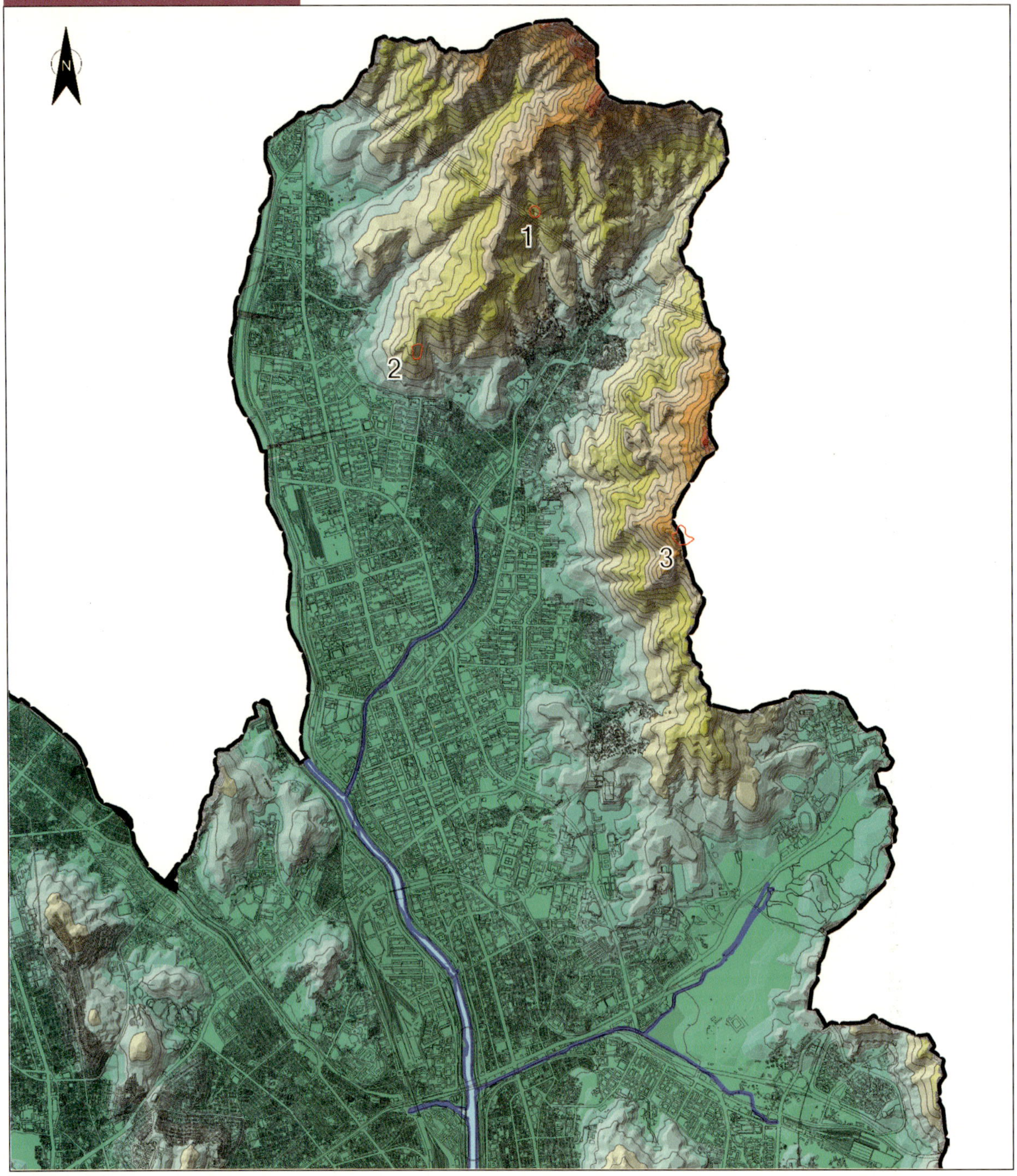

1

2

3

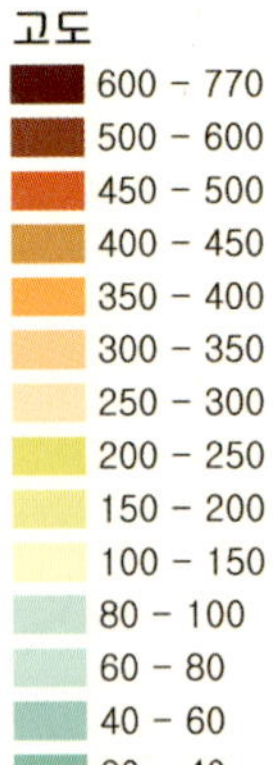

범 례

일련번호	지 역	유 적	시 대	주 소
1	서울	상계동 학림사	통일신라	노원구 상계동 산1
2	서울	수락산보루	고구려	노원구 상계동 산105-1
3	서울	상계동 학림사	국시대	노원구 중계동 산101-1

은평구 현황도

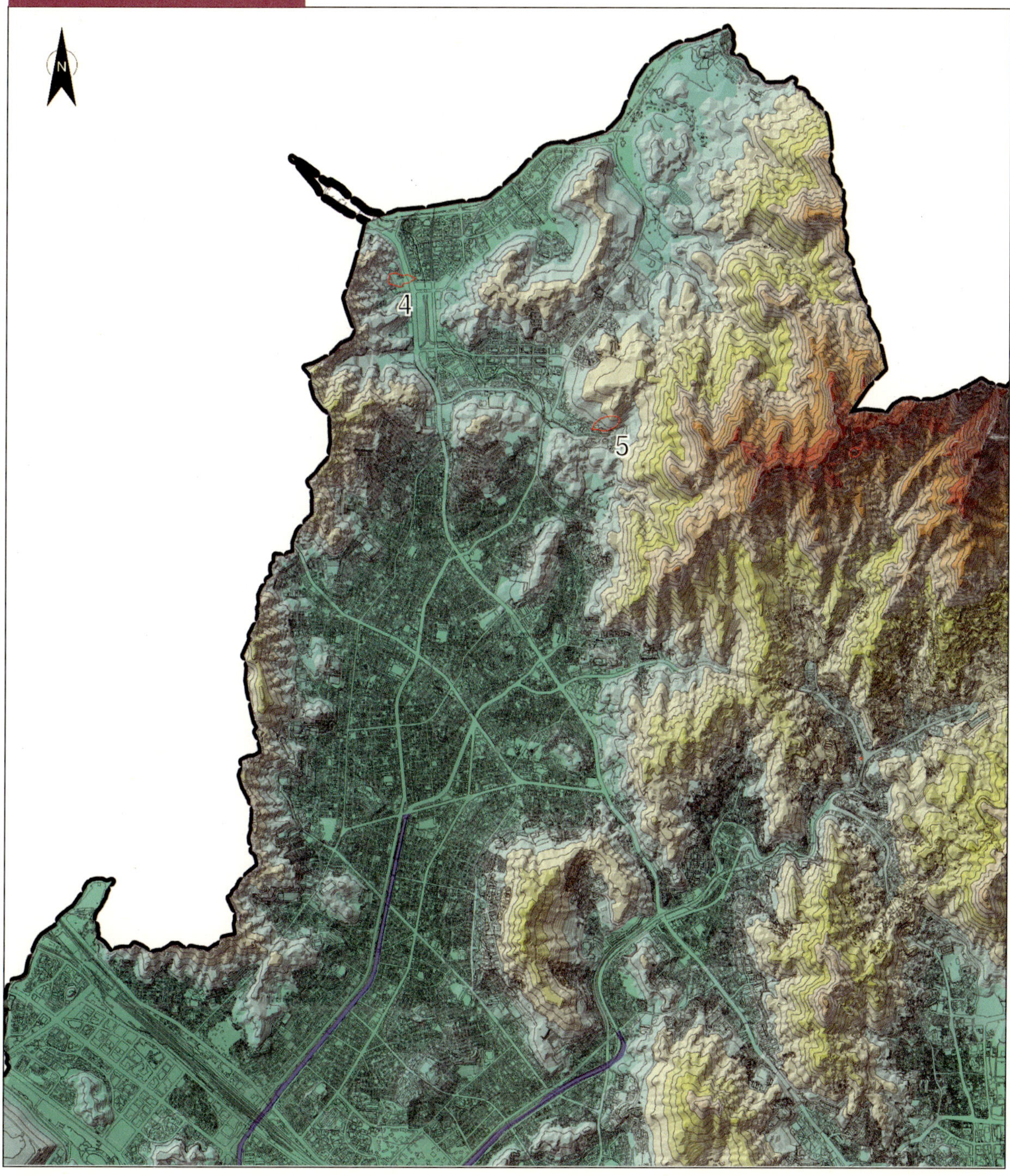

고도

- 600 - 770
- 500 - 600
- 450 - 500
- 400 - 450
- 350 - 400
- 300 - 350
- 250 - 300
- 200 - 250
- 150 - 200
- 100 - 150
- 80 - 100
- 60 - 80
- 40 - 60
- 20 - 40
- 0 - 20

범 례

일련번호	지 역	유 적	시 대	주 소
4	서울	청담사지		
5	서울	진관외동 유물산포지11	삼국/ 통일신라~조선	은평구 진관외동 산168-1

서대문구 현황도

N

6

7

8

고도

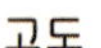

600 - 770
500 - 600
450 - 500
400 - 450
350 - 400
300 - 350
250 - 300
200 - 250
150 - 200
100 - 150
80 - 100
60 - 80
40 - 60
20 - 40
0 - 20

범 례

일련번호	지 역	유 적	시 대	주 소
6	서울	홍은동 백련사	통일신라	서대문구 홍은동 321
7	서울	봉원동 안산 유물산포지	선사~통일신라	서대문구 봉원동 산1
8	서울	봉원동 봉원사	통일신라	서대문구 봉원동 산1

종로구 현황도

고도

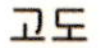

- 600 - 770
- 500 - 600
- 450 - 500
- 400 - 450
- 350 - 400
- 300 - 350
- 250 - 300
- 200 - 250
- 150 - 200
- 100 - 150
- 80 - 100
- 60 - 80
- 40 - 60
- 20 - 40
- 0 - 20

범 례

일련번호	지 역	유 적	시 대	주 소
9	서울	북한산신라진흥왕순수비유지	삼국시대	종로구 구기동 산3
10	서울	구기동 승가사	통일신라	종로구 구기동 4
11	서울	일선사	통일신라/발해시대	종로구 평창동 산6-1
12	서울	장의사지 당간지주	통일신라	종로구 신영동 219-4
13	서울	서울 명륜동 통일신라 석실분	신라	종로구 명륜3가동 51번지

동대문구 현황도

14

고도

600 - 770
500 - 600
450 - 500
400 - 450
350 - 400
300 - 350
250 - 300
200 - 250
150 - 200
100 - 150
80 - 100
60 - 80
40 - 60
20 - 40
0 - 20

범 례

일련번호	지 역	유 적	시 대	주 소
14	서울	배봉산 토루지	삼국/ 고구려	동대문구 휘경동 산6번지

중랑구 현황도

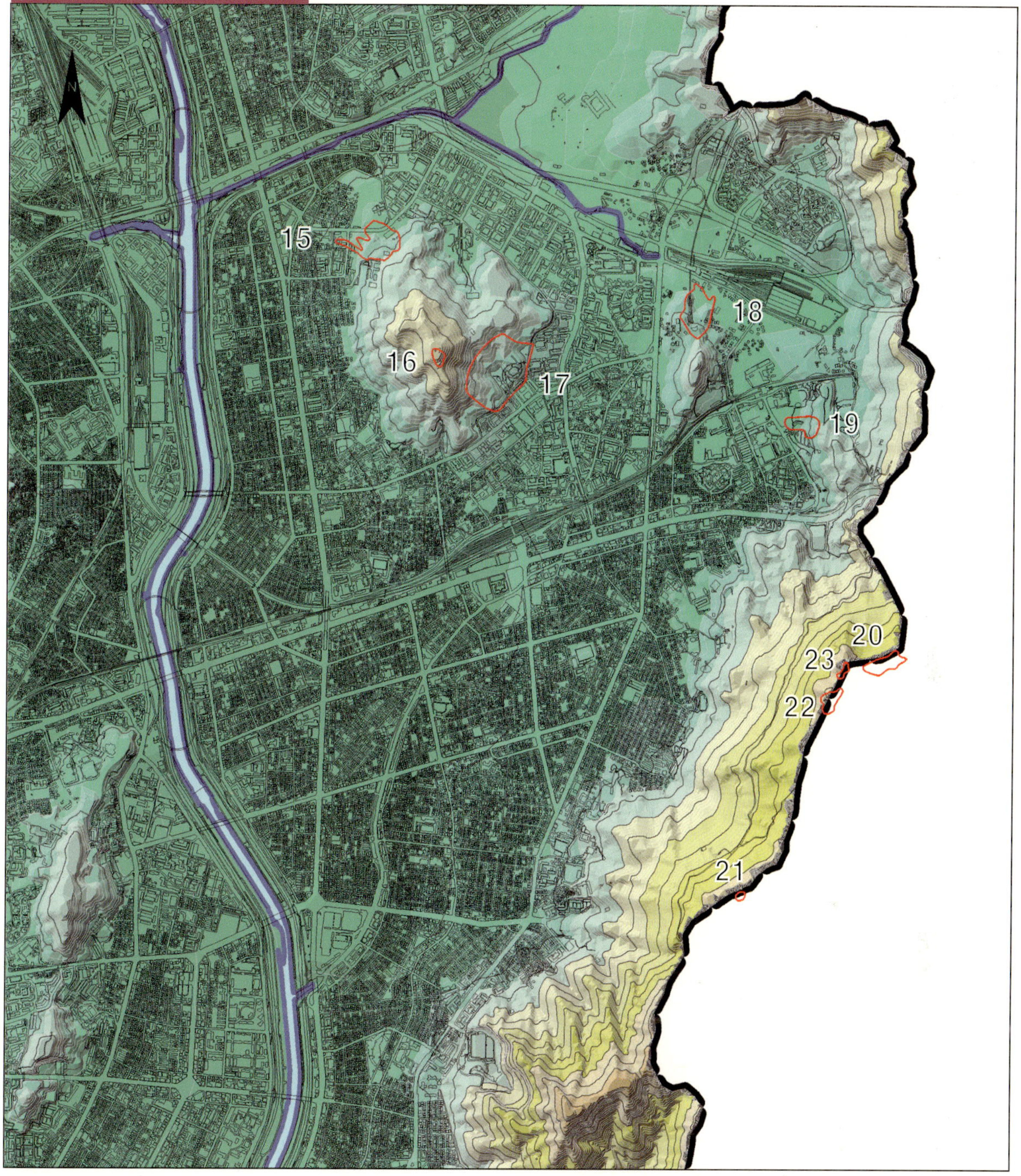

15
16
17
18
19
20
23
22
21

고도

600 - 770
500 - 600
450 - 500
400 - 450
350 - 400
300 - 350
250 - 300
200 - 250
150 - 200
100 - 150
80 - 100
60 - 80
40 - 60
20 - 40
0 - 20

범 례

일련번호	지 역	유 적	시 대	주 소
15	서울	묵동 유물산포지	선사시대	중랑구 묵동 산37-2
16	서울	봉화산보루	고구려	중랑구 묵동 산46-19
17	서울	신내동 유물산포지	선사시대	중랑구 신내동 산137-306, 산127-3
18	서울	망우동 유물산포지1	통일신라~고려	중랑구 망우동 315
19	서울	망우동 유물산포지3	삼국	중랑구 망우동 산37
20	서울	망우동 유물산포지4	선사시대	중랑구 망우동 산57-1번지
21	서울	망우산1보루	고구려	중랑구 면목동 산1-1
22	서울	망우산2보루	고구려	중랑구 망우동 산57-3
23	서울	망우산3보루	신고구려	중랑구 망우동 산57-3

성동구 현황도

고도

- 600 - 770
- 500 - 600
- 450 - 500
- 400 - 450
- 350 - 400
- 300 - 350
- 250 - 300
- 200 - 250
- 150 - 200
- 100 - 150
- 80 - 100
- 60 - 80
- 40 - 60
- 20 - 40
- 0 - 20

범 례

일련번호	지 역	유 적	시 대	주 소
24	서울	응봉동 유적	선사시대	성동구 금호동1가 산37-1

광진구 현황도

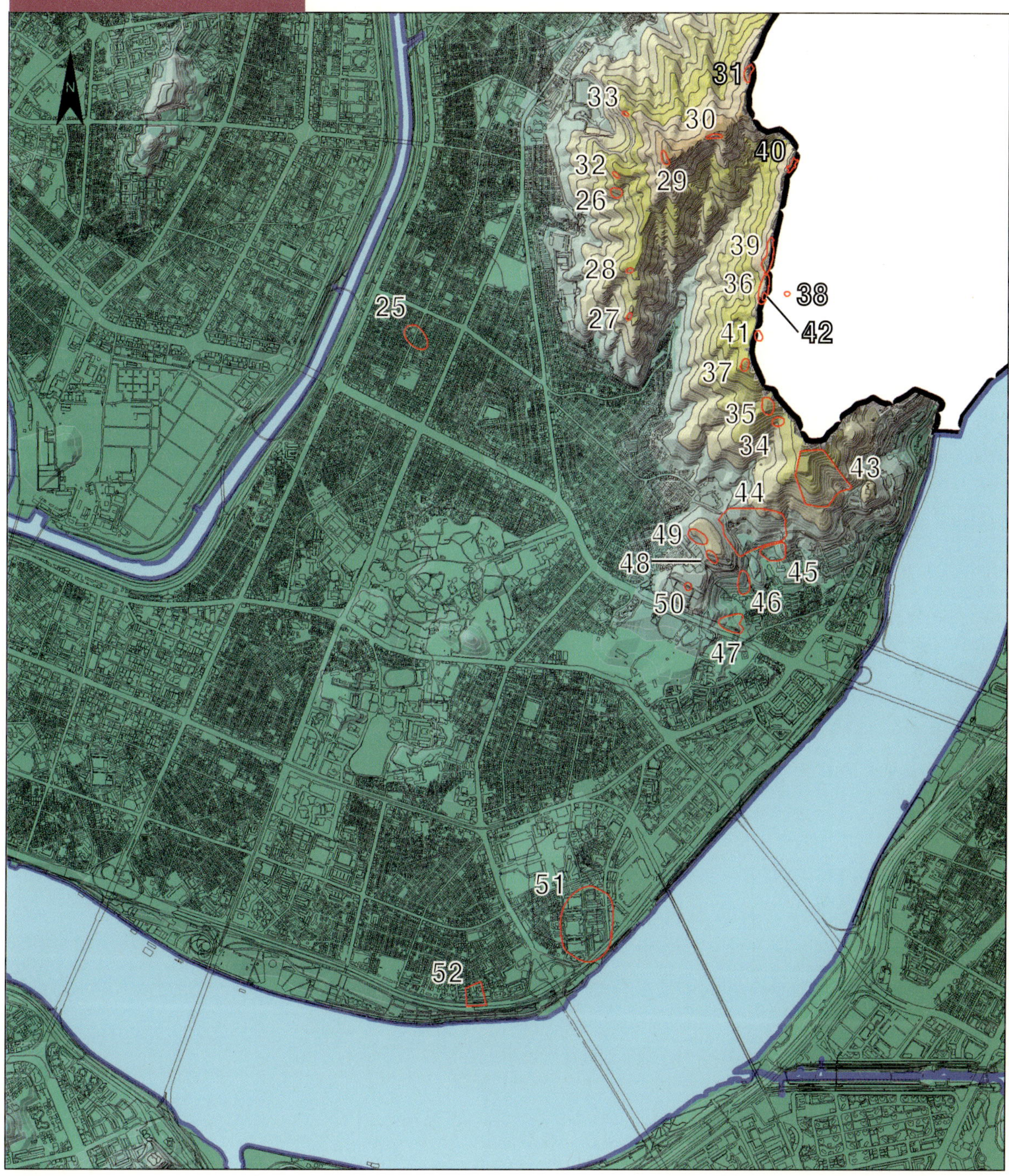

고도

- 600 - 770
- 500 - 600
- 450 - 500
- 400 - 450
- 350 - 400
- 300 - 350
- 250 - 300
- 200 - 250
- 150 - 200
- 100 - 150
- 80 - 100
- 60 - 80
- 40 - 60
- 20 - 40
- 0 - 20

범 례

일련번호	지 역	유 적	시 대	주 소
25	서울	중곡동 고분군	고구려/ 신라	광진구 중곡동 산1
26	서울	중곡동 유물산포지1	통일신라	광진구 중곡동 산4-1
27	서울	용마산 1보루	고구려	광진구 중곡동 산3-5
28	서울	용마산 2보루	삼국	광진구 중곡동 산3-68
29	서울	용마산3보루	고구려/ 삼국~통일신라	중랑구 면목동 산1-2
30	서울	용마산4보루	고구려	중랑구 면목동 산1-2
31	서울	용마산5보루	고구려	중랑구 면목동 산1-2
32	서울	용마산6보루	고구려	중랑구 면목동 산75
33	서울	용마산7보루	고구려	중랑구 면목동 산1-4
34	서울	아차산 고분군1	삼국~통일신라	광진구 구의동 산3
35	서울	아차산 고분군2	삼국~통일신라	광진구 구의동 산3
36	서울	아차산 고분군3	삼국~통일신라	광진구 중곡동 산1
37	서울	아차산1보루	고구려	광진구 중곡동 산2-1
38	서울	아차산2보루	고구려	경기도 구리시 아천동 산 49-1, 산 54-1
39	서울	아차산3보루	고구려	광진구 중곡동 산1
40	서울	아차산4보루	고구려	광진구 중곡동 산1
41	서울	아차산5보루	고구려	광진구 중곡동 산1
42	서울	아차산6보루	고구려	경기도 구리시 이천동 산49-1
43	서울	아차산성	삼국~통일신라	광진구 광장동 산31
44	서울	광장동 유물산포지1	통일신라	광진구 광장동 산63
45	서울	광장동 유물산포지2	통일신라~고려	광진구 광장동 353
46	서울	광장동 유물산포지3	통일신라~고려	광진구 광장동 378
47	서울	광장동 유물산포지4	통일신라	광진구 광장동 산81-1
48	서울	아차산 홍련봉 제1보루	고구려/ 통일신리	광진구 광장동
49	서울	아차산 홍련봉 제2보루	삼국	광진구 구의동 산10-1
50	서울	구의동유적	고구려	광진구 구의동 산10-1
51	서울	구의동 보루지	고구려	광진구 구의동
52	서울	자양동보루	고구려	광진구

강동구 현황도

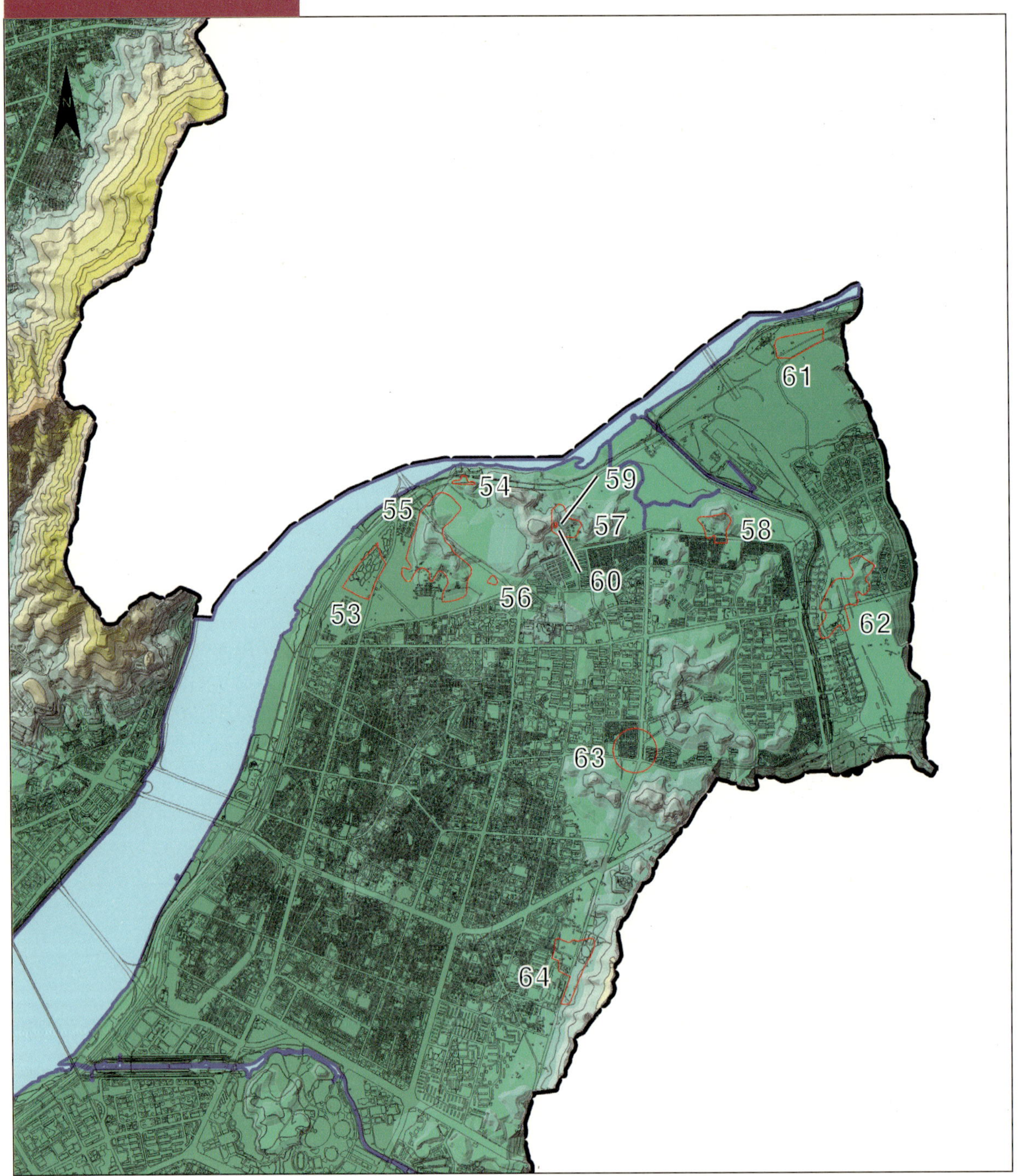

고도

- 600 - 770
- 500 - 600
- 450 - 500
- 400 - 450
- 350 - 400
- 300 - 350
- 250 - 300
- 200 - 250
- 150 - 200
- 100 - 150
- 80 - 100
- 60 - 80
- 40 - 60
- 20 - 40
- 0 - 20

범 례

일련번호	지 역	유 적	시 대	주 소
53	서울	암사동 선사주거지	백제	강동구 암사동 139-2
54	서울	암사동 암사지	삼국/ 나말여초	강동구 암사동 산1-1
55	서울	암사동 유물산포지1	삼국	강동구 암사동 산30-1
56	서울	암사동 유물산포지3	삼국~조선	강동구 암사동 330-1
57	서울	고덕동 유물산포지1	삼국	강동구 고덕동 산94-1
58	서울	고덕동 유물산포지4	삼국	강동구 고덕동
59	서울	고덕동 지석묘 1호	선사시대	강동구 고덕동 산7-9, 산94-1
60	서울	고덕동 지석묘 2호	선사시대	강동구 고덕동 산7-9, 산94-1
61	서울	하일동 유물산포지1	선사/삼국	강동구 하일동 26-1
62	서울	하일동 유물산포지2	삼국	강동구 하일동 산11-1
63	서울	명일동 주거지	선사시대	강동구 명일동
64	서울	길동 유물산포지2	백제	강동구 길동 285

송파구 현황도

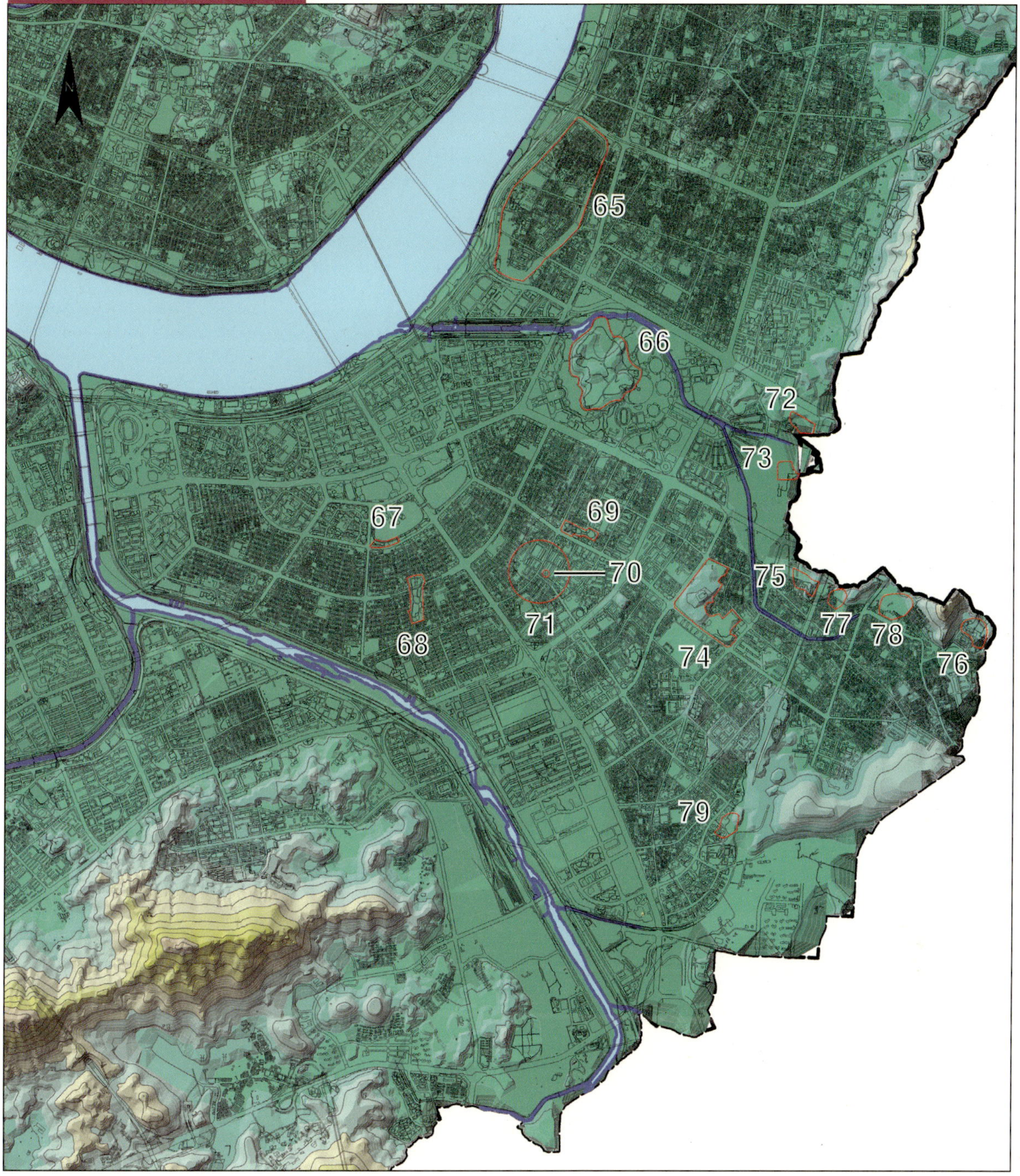

고도

- 600 - 770
- 500 - 600
- 450 - 500
- 400 - 450
- 350 - 400
- 300 - 350
- 250 - 300
- 200 - 250
- 150 - 200
- 100 - 150
- 80 - 100
- 60 - 80
- 40 - 60
- 20 - 40
- 0 - 20

범 례

일련번호	지 역	유 적	시 대	주 소
65	서울	풍납토성	고구려/ 원삼국~삼국/ 백제(한성기)	송파구 풍납동 일원
66	서울	몽촌토성	고구려/ 백제(한성기)	송파구 방이동 88-3
67	서울	송파구 가옥잔구	삼국	송파구
68	서울	석촌동고분군	백제(한성기)	송파구 석촌동 248
69	서울	방이동 고분군	백제(한성기)/ 신라	송파구 방이동 산 47-4
70	서울	가락동 고분군	백제(한성기)/ 신라	송파구 가락동 일대
71	서울	송파동.가락동 선사유적지	청동기시대	송파구 송파동 151
72	서울	방이동 유물산포지1	삼국	송파구 방이동 433-20
73	서울	방이동 유물산포지2	삼국/ 통일신라	송파구 방이동 439-8
74	서울	오금동 유물산포지1	삼국	송파구 오금동 51
75	서울	오금동 유물산포지2	삼국	송파구 오금동 산3-11
76	서울	마천동 유물산포지1	삼국	송파구 마천동
77	서울	마천동 유물산포지2	삼국	송파구 마천동 4-4
78	서울	마천동 유물산포지3	삼국	송파구 마천동
79	서울	장지동 주거유적지	선사시대	송파구 장지동 산25~산27번지

강남구 현황도

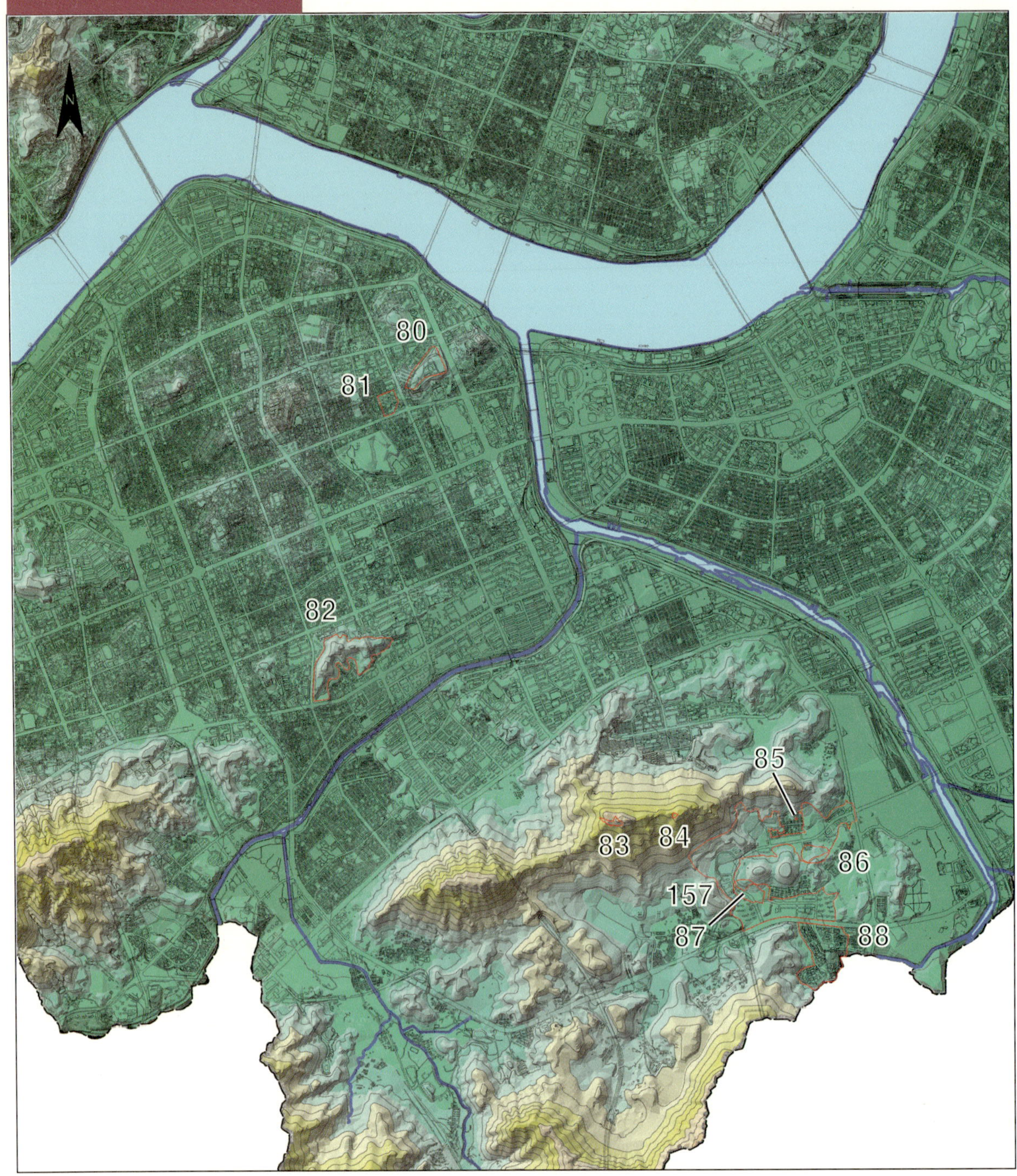

고도

- 600 - 770
- 500 - 600
- 450 - 500
- 400 - 450
- 350 - 400
- 300 - 350
- 250 - 300
- 200 - 250
- 150 - 200
- 100 - 150
- 80 - 100
- 60 - 80
- 40 - 60
- 20 - 40
- 0 - 20

범 례

일련번호	지 역	유 적	시 대	주 소
80	서울	삼성동토성	백제(한성기)	강남구 삼성동
81	서울	삼성동 선사유물출토지	삼국	강남구 삼성동 74-4
82	서울	도곡동 역삼동선사유적지	통일신라	강남구 도곡동 산32-1
83	서울	일원동 대모산성	신라	강남구 일원동 산63-28
84	서울	대모산 유물산포지	선사시대	강남구 일원동 산63-28, 서초구 내곡동 산13-1
85	서울	자곡동 지석묘	선사시대	강남구 자곡동 산32
86	서울	자곡동 유물산포지	삼국	강남구 자곡동 산55
87	서울	세곡동 유물산포지1	삼국	강남구 세곡동
88	서울	세곡동 유물산포지2	삼국	강남구 세곡동
157	서울	세곡동 유적	강남구 세곡동	

서초구 현황도

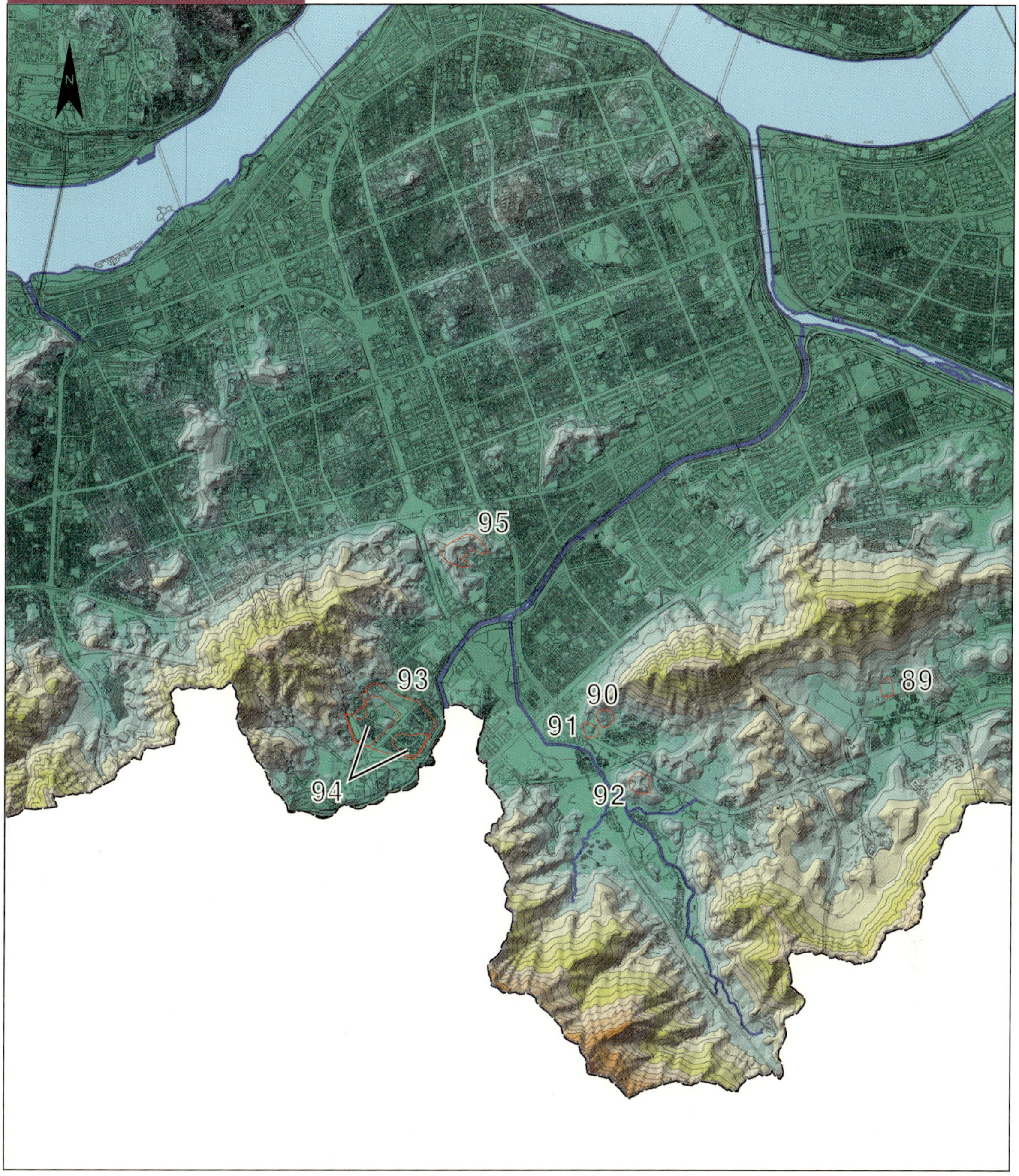

고도

600 - 770
500 - 600
450 - 500
400 - 450
350 - 400
300 - 350
250 - 300
200 - 250
150 - 200
100 - 150
80 - 100
60 - 80
40 - 60
20 - 40
0 - 20

범 례

일련번호	지 역	유 적	시 대	주 소
89	서울	내곡동 후미안골 유물산포지	통일신라	서초구 내곡동 산13-1
90	서울	염곡동 염통골 유물산포지1	통일신라, 고려	서초구 염곡동 76-3
91	서울	염곡동 염통골 유물산포지2	통일신라, 고려	서초구 염곡동 271-1
92	서울	염곡동 탑골 유물산포지	통일신라	서초구 염곡동 산60
93	서울	우면동 유물산포지1	백제	서초구 우면동 282-2
94	서울	우면동유적	원삼국~백제 한성기/ 신라/ 통일신라	서초구 우면동 451임 일원
95	서울	양재동 유물산포지	선사시대	서초구 양재동 산41

관악구 현황도

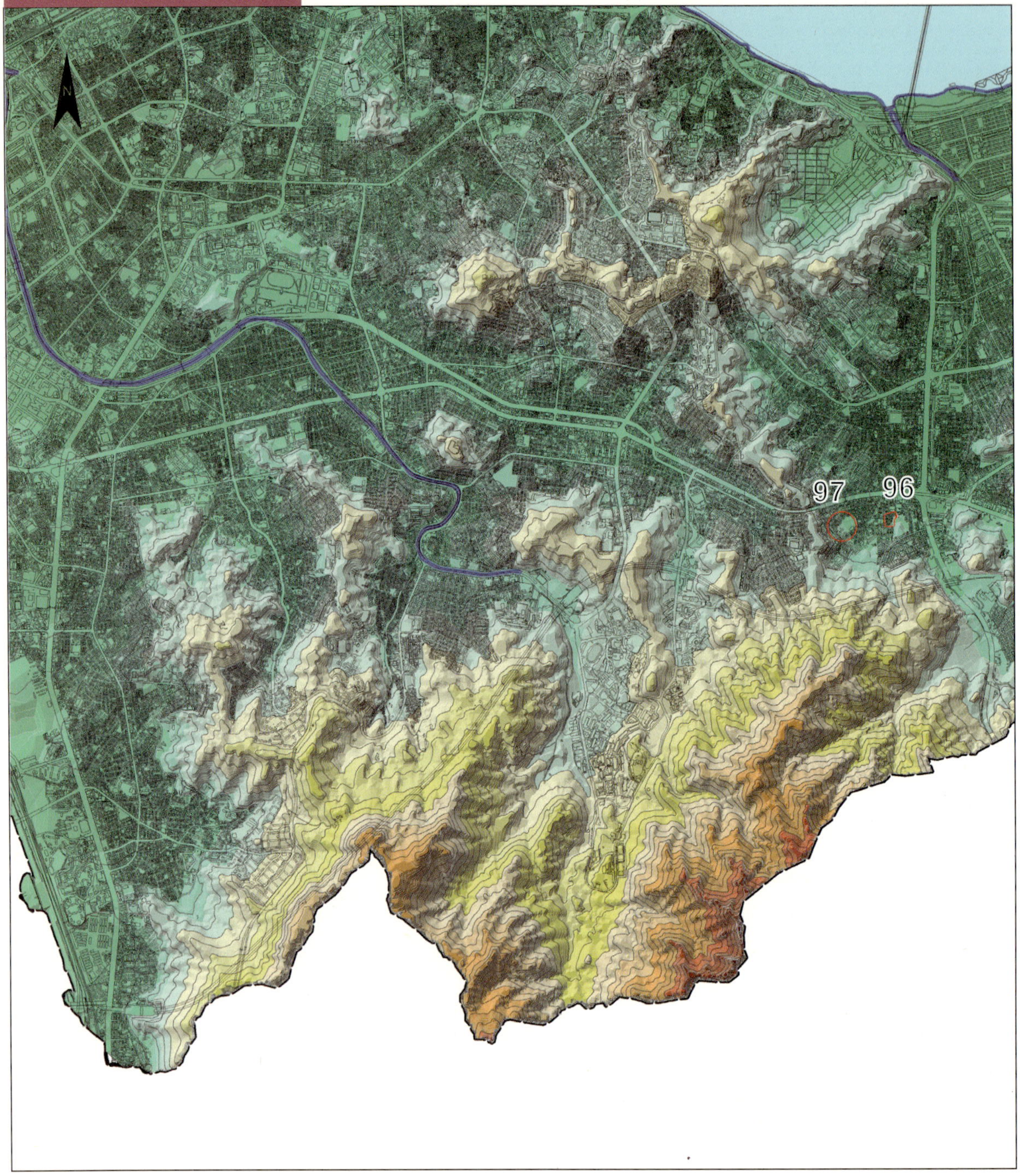

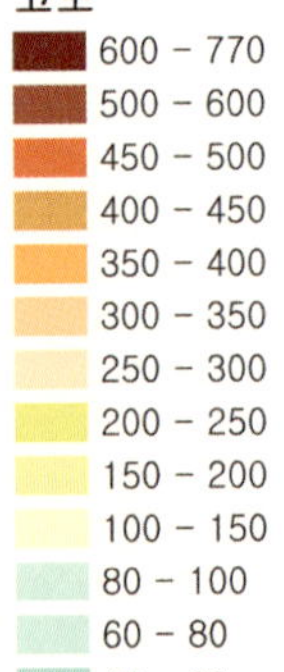

범 례

일련번호	지 역	유 적	시 대	주 소
96	서울	사당동 백제요지	통일신라	관악구 남현동 538-1
97	서울	사당동 신라요지	통일신라	관악구 남현동 1080-1

금천구 현황도

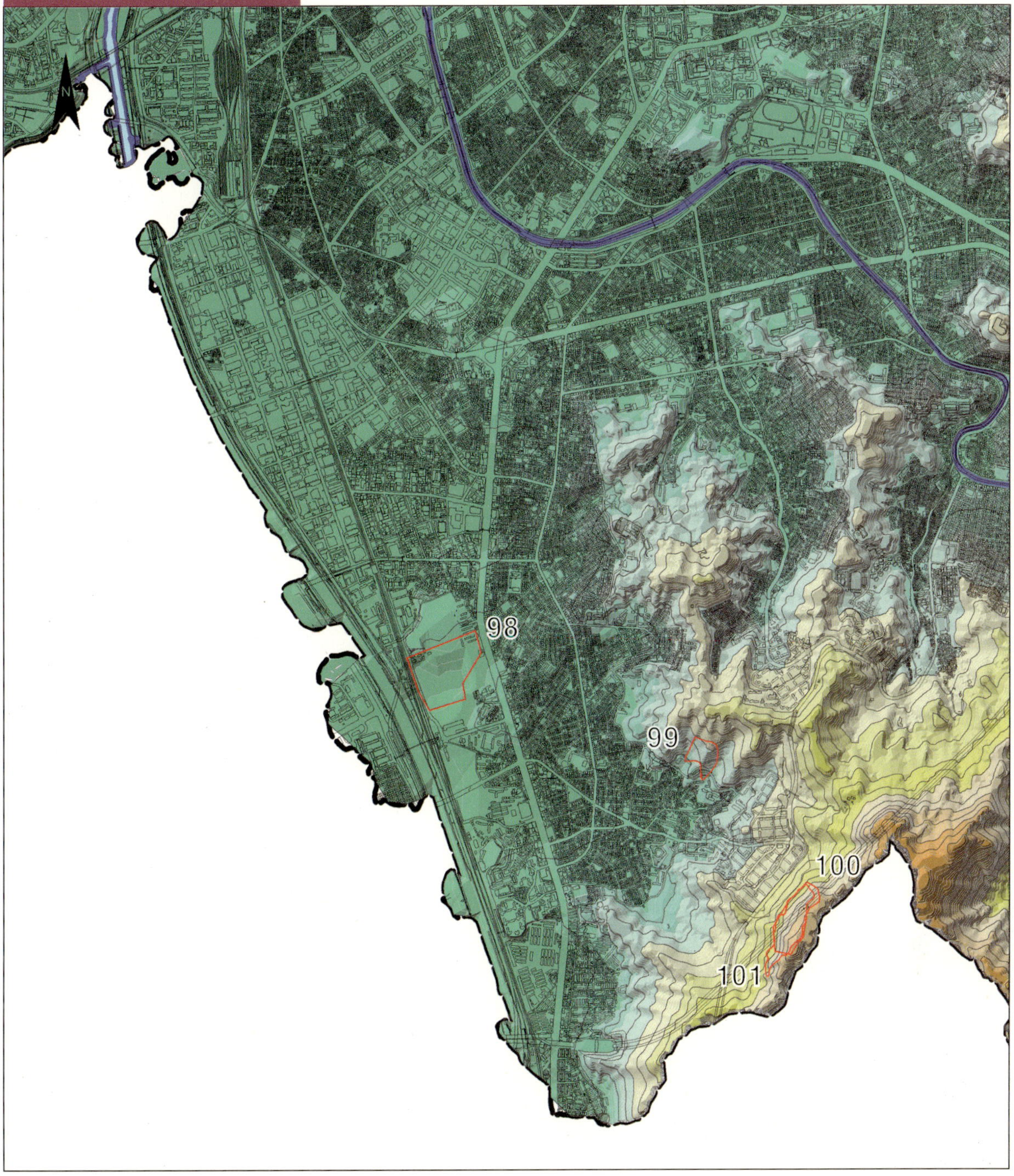

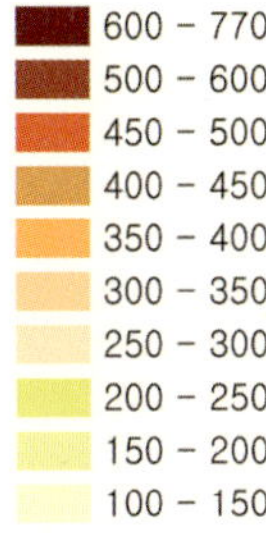

범 례

일련번호	지 역	유 적	시 대	주 소
98	서울	서울 독산동 유적	신라	금천구 독산동 441-6번지
99	서울	시흥동 유물산포지4	통일신라~고려	금천구 시흥동 산108-4
100	서울	한우물및주변산성지	통일신라	금천구 시흥동 산93-2
101	서울	호암산성지	신라/ 통일신라	금천구 시흥동 산83-1

동작구 현황도

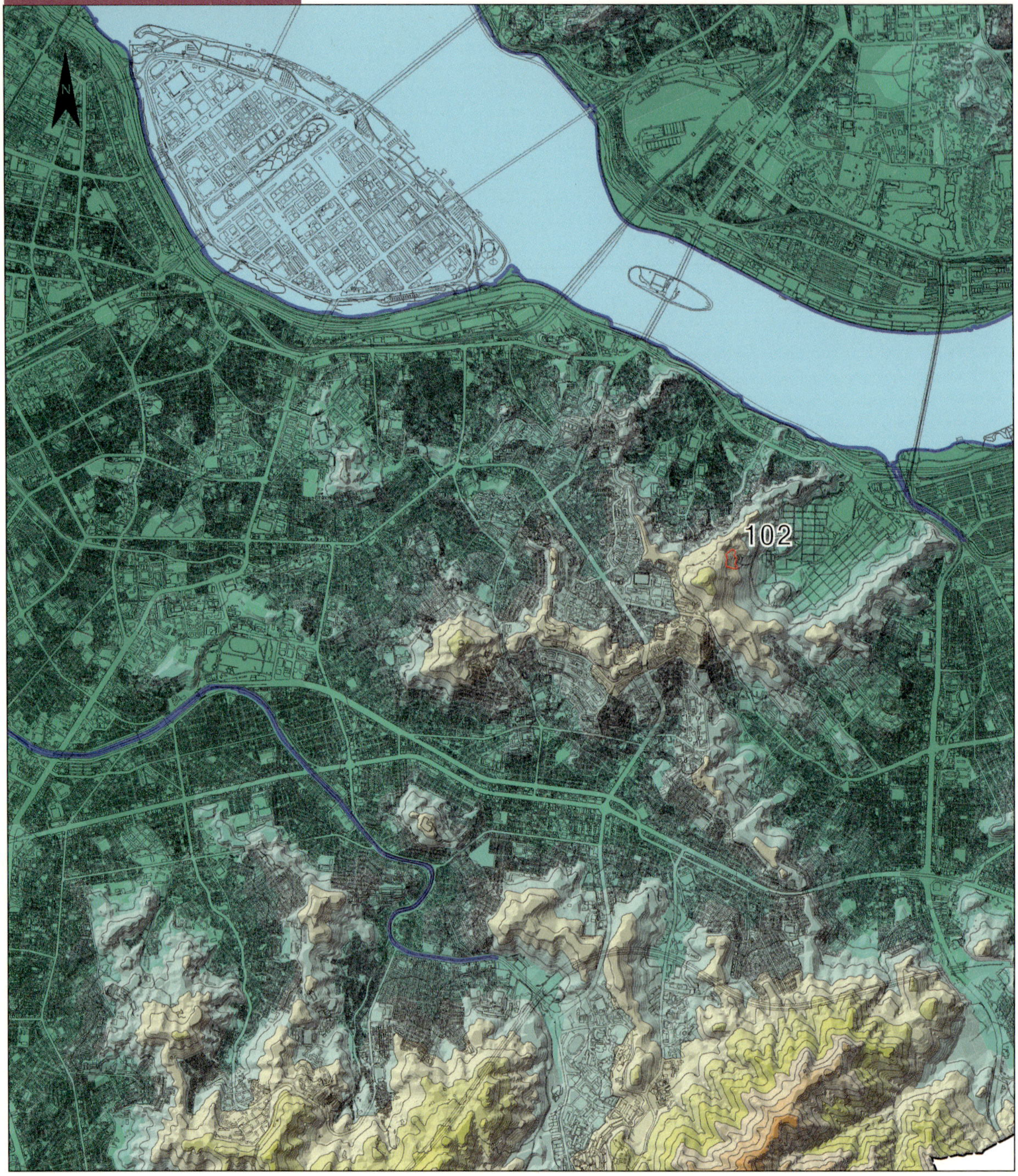

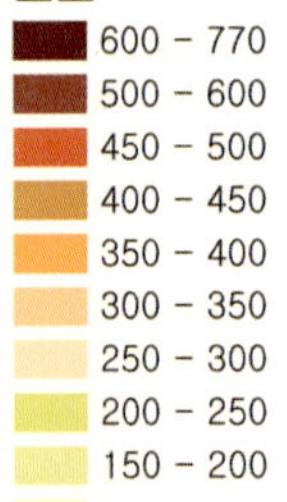

범 례

일련번호	지역	유적	시대	주소
102	서울	동작동 지장사	통일신라	동작구 동작동 305

영등포구 현황도

103

고도

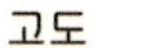

600 - 770
500 - 600
450 - 500
400 - 450
350 - 400
300 - 350
250 - 300
200 - 250
150 - 200
100 - 150
80 - 100
60 - 80
40 - 60
20 - 40
0 - 20

범 례

일련번호	지 역	유 적	시 대	주 소
103	서울	당산동 유적지	선사시대	영등포구 당산동3가 370-4

구로구 현황도

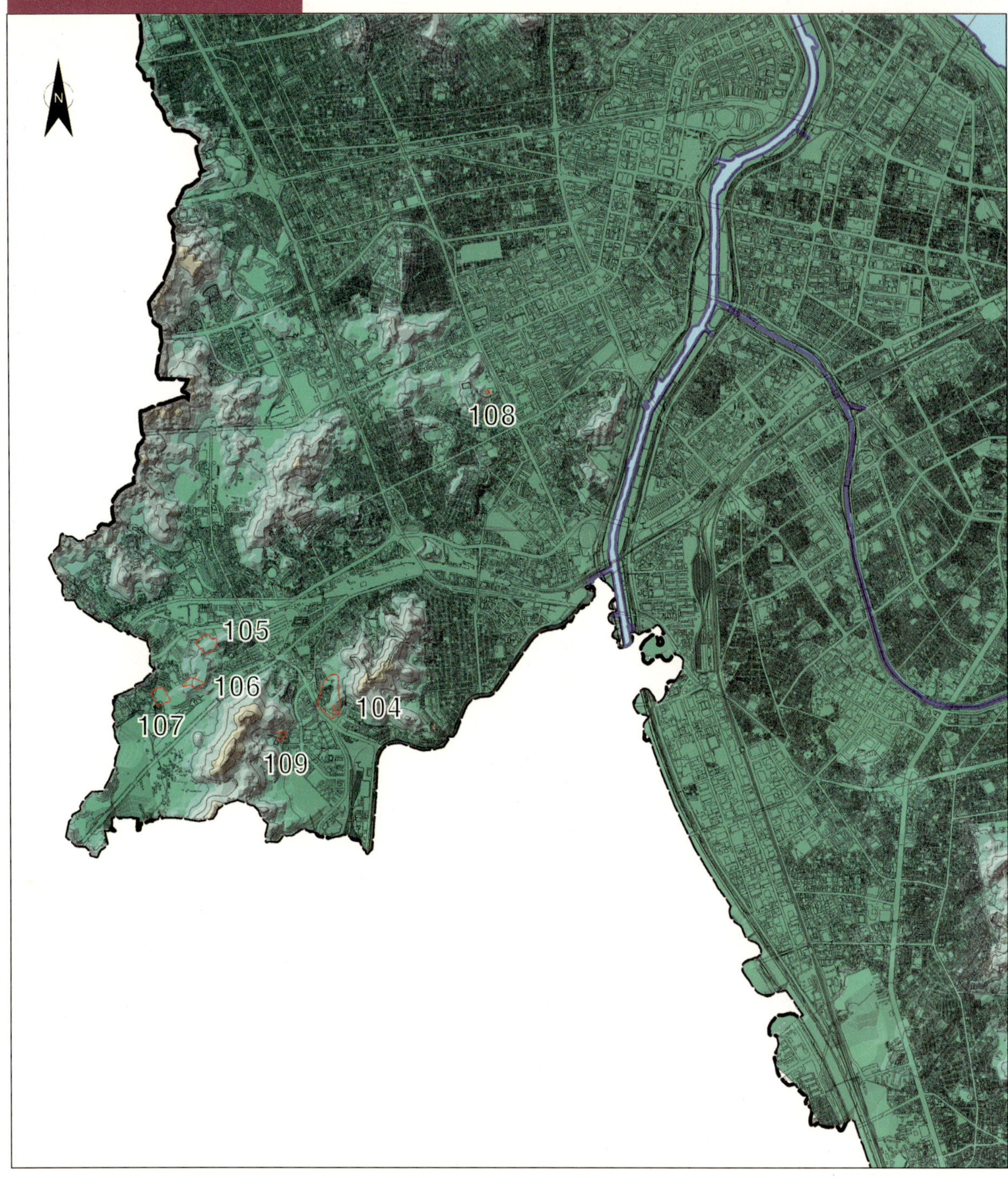

고도

- 600 - 770
- 500 - 600
- 450 - 500
- 400 - 450
- 350 - 400
- 300 - 350
- 250 - 300
- 200 - 250
- 150 - 200
- 100 - 150
- 80 - 100
- 60 - 80
- 40 - 60
- 20 - 40
- 0 - 20

범 례

일련번호	지 역	유 적	시 대	주 소
104	서울	천왕동 유물산포지5	선사시대	구로구 천왕동 산13-1
105	서울	오류동 진주류씨 묘역	통일신라	구로구 오류동 산43-31
106	서울	항동 유물산포지1	삼국~조선	구로구 항동 산23-2
107	서울	항동 유물산포지2	삼국~조선	구로구 항동 18-2
108	서울	고척동 유물산포지	삼국~조선	구로구 고척동 1-6
109	서울	서울 천왕동 유적		구로구 천왕동

양천구 현황도

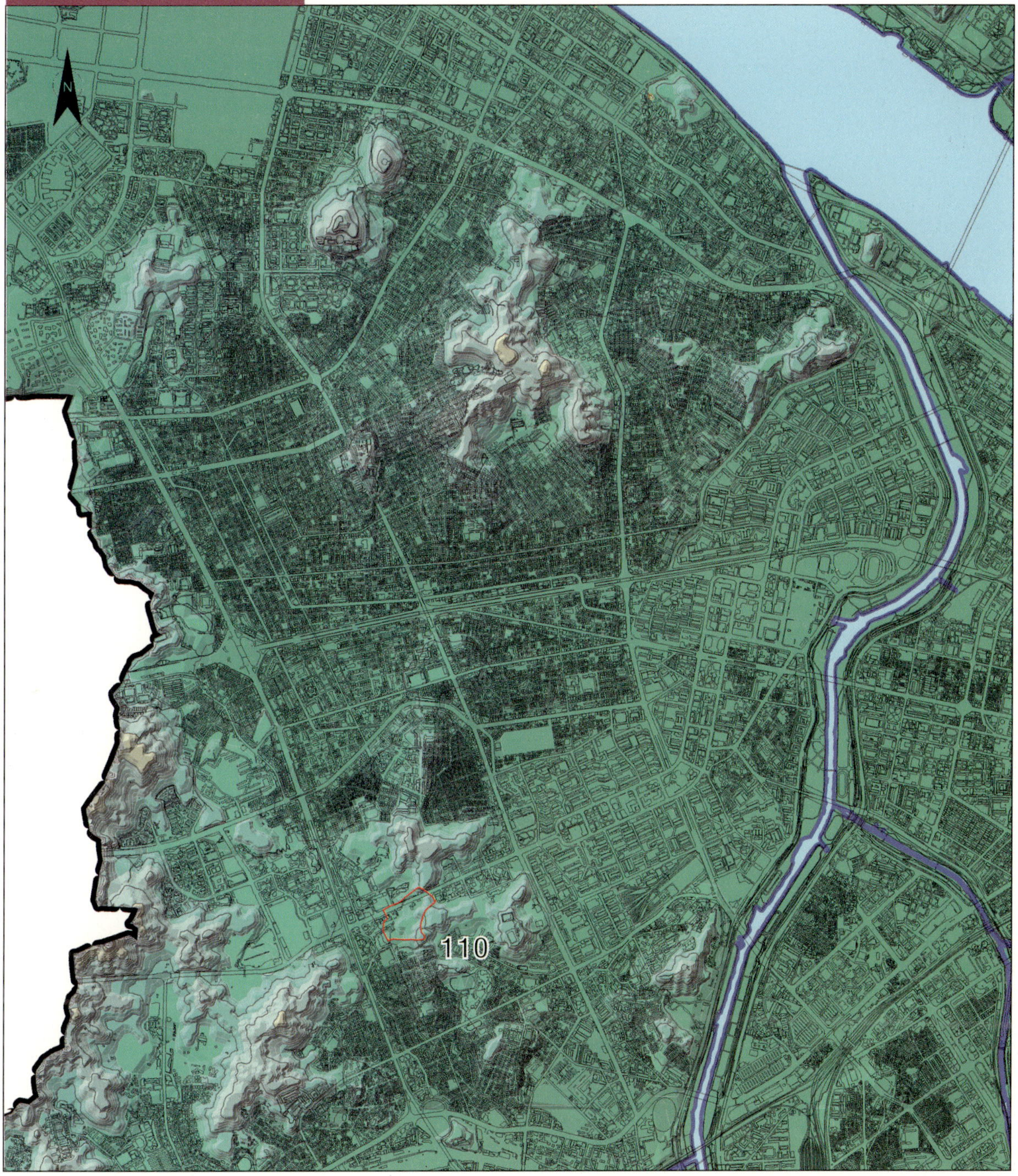

110

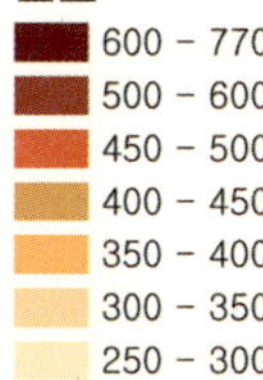

범 례

일련번호	지 역	유 적	시 대	주 소
110	서울	신정동토성	백제	양천구 신정동

강서구 현황도

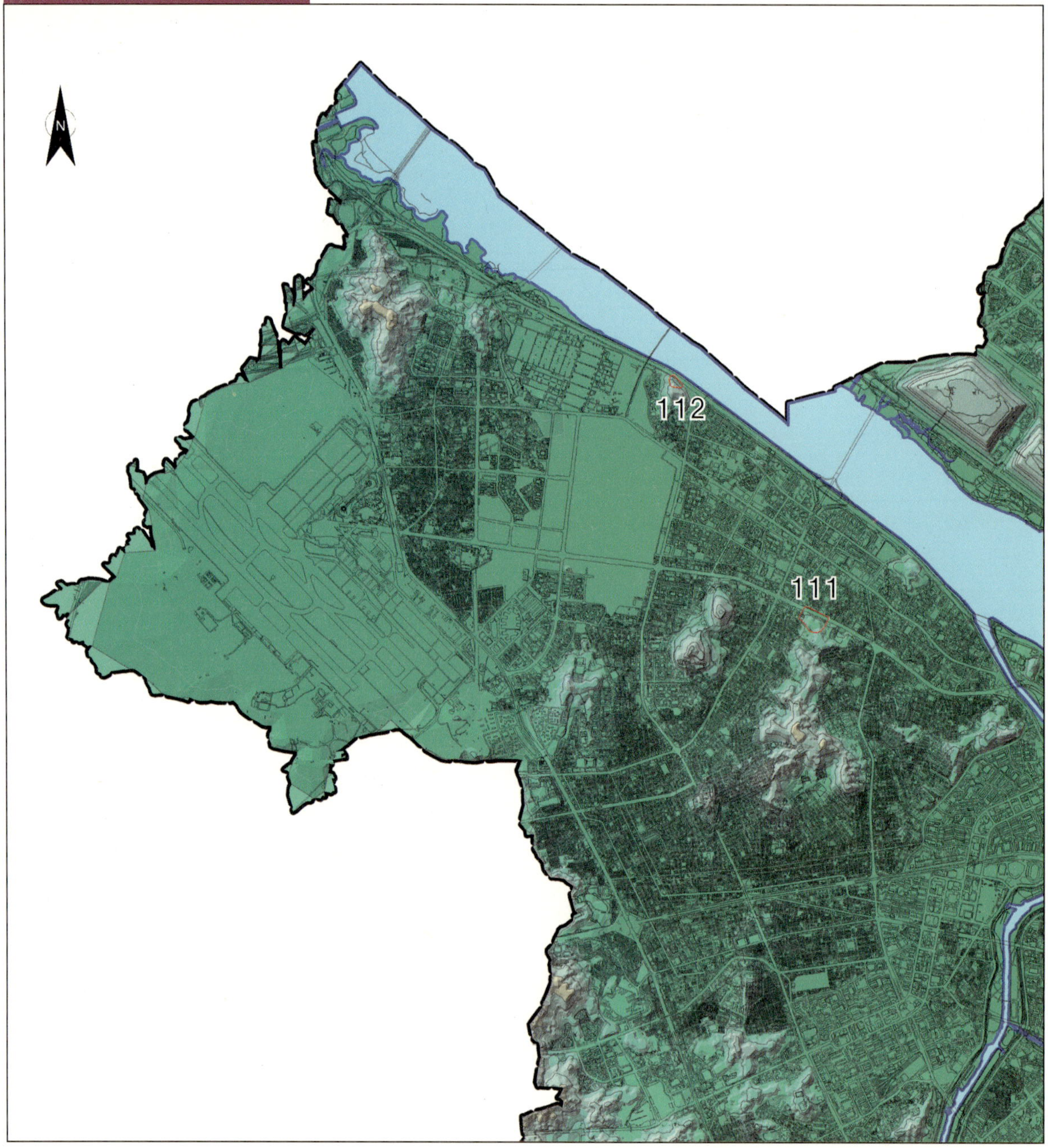

112

111

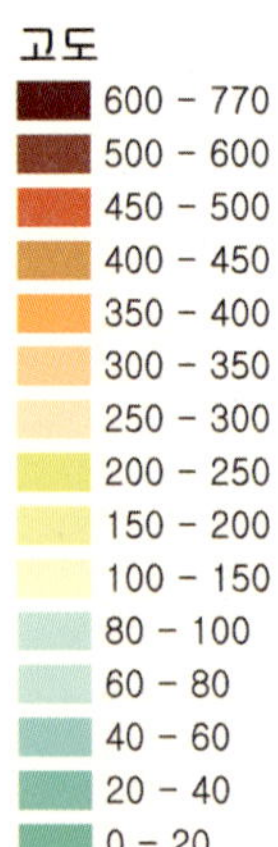

범 례

일련번호	지 역	유 적	시 대	주 소
111	서울	화곡동 유물산포지2	백제	강서구 화곡동 산199
112	서울	양천고성	삼국~통일신라	강서구 가양동 산8-4 외 11필지

한성백제 관련 유적 (선사~남북국시대)

개별 유적 소개

1. 노원구 상계동 학림사 (蘆原區 上溪洞 鶴林寺)

소 재 지 서울특별시 노원구 상계동 산1
시 대 통일신라/발해시대
유적분류 유형문화재 〉 건축물/건축물군 〉 종교건축 〉 불교건축(사찰)

지하철 4호선 당고개역 수락산 등산로로 30분 정도 올라가면 鶴林寺가 나온다.

조계종 소속으로 671년(문무왕 11) 元曉大師가 창건하였다고 하며, 이후 도원스님과 덕오스님이 1980년대 초에 중수하여 현재에 이른다.

가람배치를 보면, 앞에는 청학루가 있고, 이 청학루를 지나면 대웅전을 중심으로 좌우에 오백나한전과 선불장이 있다. 그리고 대웅전 왼편 위에는 삼성각이 있으며, 절의 동쪽편 능선을 따라 절 입구로 들어오는 길가에 약사전이 자리하고 있다. 능선을 따라 절 입구로 들어오는 등산로 오른쪽에는 석종형의 부도 2기가 나란히 서 있다. 왼쪽 부도 가운데에는 위에서 아래로 「尙宮蓮華」라는 글씨가 새겨져 있어, 상궁의 부도임을 알려주고 있다. 학림사 괘불은 삼베에 채색한 비로자나불괘불탱화로(화면: 438×256㎝), 지금까지 알려진 서울지역의 괘불탱화 중 가장 연대(1715~1774년)가 올라가는 것이다.

[참고문헌] 사찰문화연구원, 1994, 『전통사찰총서4-서울』.
柳麻理, 1995, 「朝鮮後期 서울, 경기지역 掛佛幀畵의 考察」, 『講座 美術史』 7, 한국불교미술사학회.

범 례

일련번호	지 역	유 적	시 대	주 소
1	서울	상계동 학림사	통일신라	노원구 상계동 산1

좌 표

경 도	위 도
127-4-40.70	37-40-54.20

2. 수락산 보루 (水落山 堡壘)

소 재 지 서울특별시 노원구 상계동 산15-1
시 대 삼국시대
유적분류 유형문화재 〉 유적 〉 정치국방유적 〉 성곽 〉 진보돈

지하철 7호선 수락산역에서 마들역 방향으로 가면 갈월길이 나온다. 갈월길로 계속 들어가서 만남의 광장을 지나 등산로를 따라 정상부에 오른 후 남쪽으로 이동하면 水落山 堡壘가 나온다.

수락산 보루는 수락산 남서쪽으로 뻗어있는 능선에서 돌출된 봉우리(해발 192.5m)에 위치하고 있다. 보루 城壁은 정상부에서 3~4m 아래로 돌아가며 구축되어 있고, 보루의 둘레는 154m 정도이며, 내부 면적은 1,102㎡이다. 현재 남쪽에서 올라오는 등산로에 石築이 노출되어 있고 평탄한 정상부의 북쪽에 평탄지가 조성되어 있다.

정상부 남쪽에는 석축열이 돌아가고 있으며, 등산로 상에 온돌시설로 추정되는 遺構가 일부 노출되어 있다. 남쪽에는 약 10m 간격으로 직경 3~5m, 깊이 50㎝ 정도의 함몰부가 두 군데 있는데, 집수시설이 있었을 것으로 추정된다. 1996년 행엽과 교구 등 철제유물들이 수습되었으며, 최근 조사에서는 점토대토기편도 채집되었다고 한다. 유물은 등산로 곳곳에 산포하고 있는데, 토기류는 태토나 기형으로 보아 아차산 일원에서 발견되고 있는 고구려토기로 보인다.

[참고문헌] 서울특별시, 2003, 『서울소재 성곽조사 보고서』.

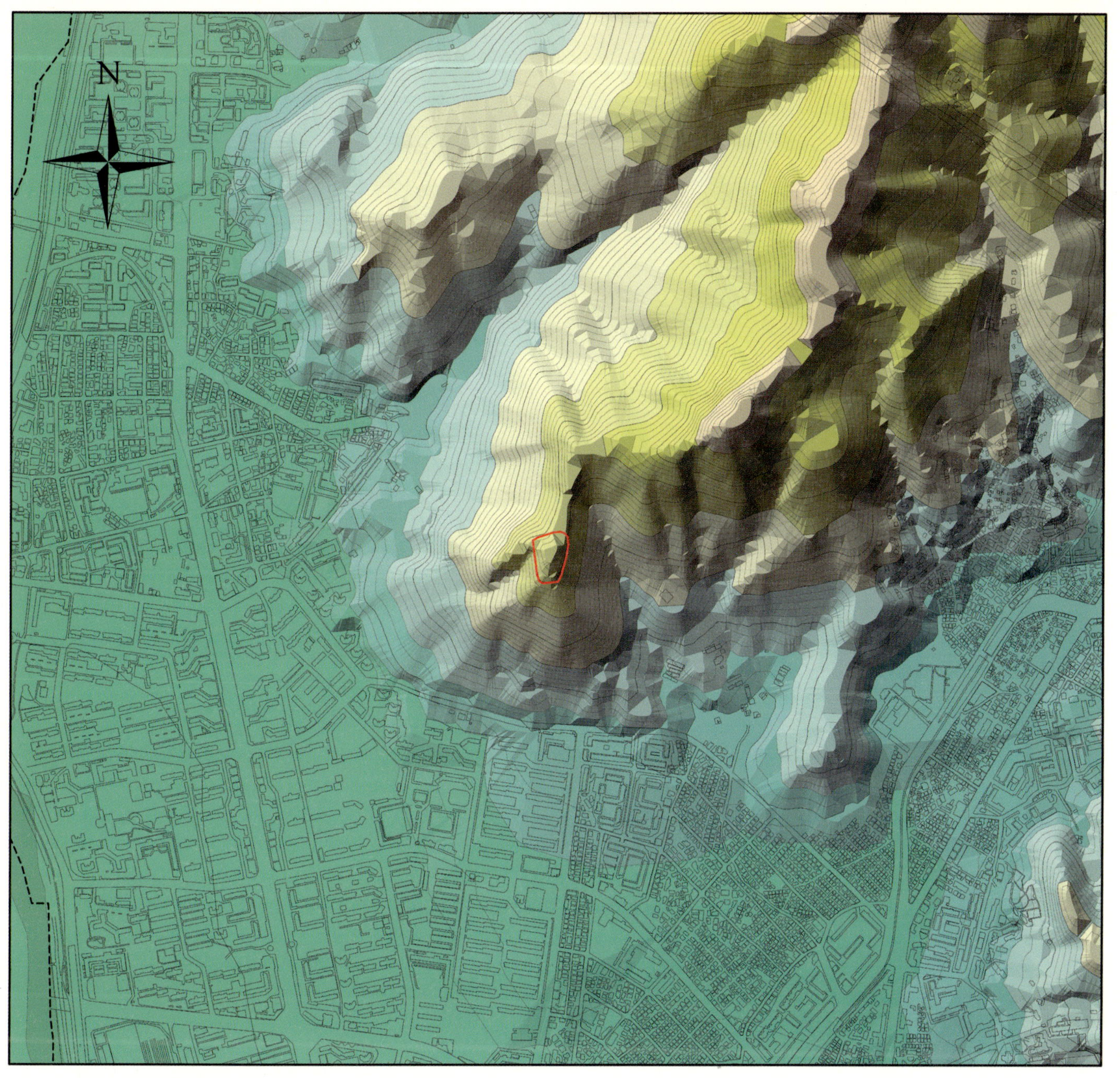

0 0.5 1 km

범 례

일련번호	지 역	유 적	시 대	주 소
2	서울	수락산보루	고구려	노원구 상계동 산105-1

좌 표

경 도	위 도
127-3-59.26	37-40-16.33

3. 노원구 중계동 불암산성 (蘆原區 中溪洞 佛岩山城)

소 재 지 서울특별시 노원구 중계동 산101-1
시 대 삼국시대
유적분류 유형문화재 〉 유적 〉 정치국방유적 〉 성곽 〉 산성

테뫼식 석축산성으로 불암산 정상에서 남쪽에 위치한 제2봉(해발 420.3m) 정상부에 있다.

산성은 평탄한 정상부를 돌아가면서 자연지형을 따라 쌓여 있는데 평면형태는 부등변 5각형이나 4각형에 가까우며, 전체 둘레는 221m이다. 성벽은 많은 부분이 무너진 상태이나 남쪽과 동쪽에 있는 일부 성벽에는 여러 층의 면석이 남아 있다. 성돌은 대부분 화강암으로 할석을 장방향으로 다듬어 바른층 쌓기를 하고, 성돌 사이사이에는 약간의 쐐기돌을 사용하였다. 門地는 성벽이 남쪽 능선과 만나는 지점으로 추정, 현재 등산로가 지나가고 있다.

성 내부는 주변보다 약 3m 정도 높은 평탄대지가 있고, 북쪽으로 치우쳐 지름 8m의 원형 구덩이가 있다. 깊이는 40~80㎝ 정도이며, 집수시설이었을 것으로 판단된다. 축성기법이나 성내에서 발견되는 유물의 양상을 고려할 때, 이 산성은 아마도 삼국시대에 축성된 것으로 추정된다. 그리고 정상부에서 북동쪽 아랫단에는 우물 비슷한 석축구조물이 있는데 성격은 알 수 없다.

[참고문헌] 서울특별시, 2003,『서울소재 성곽조사 보고서』.

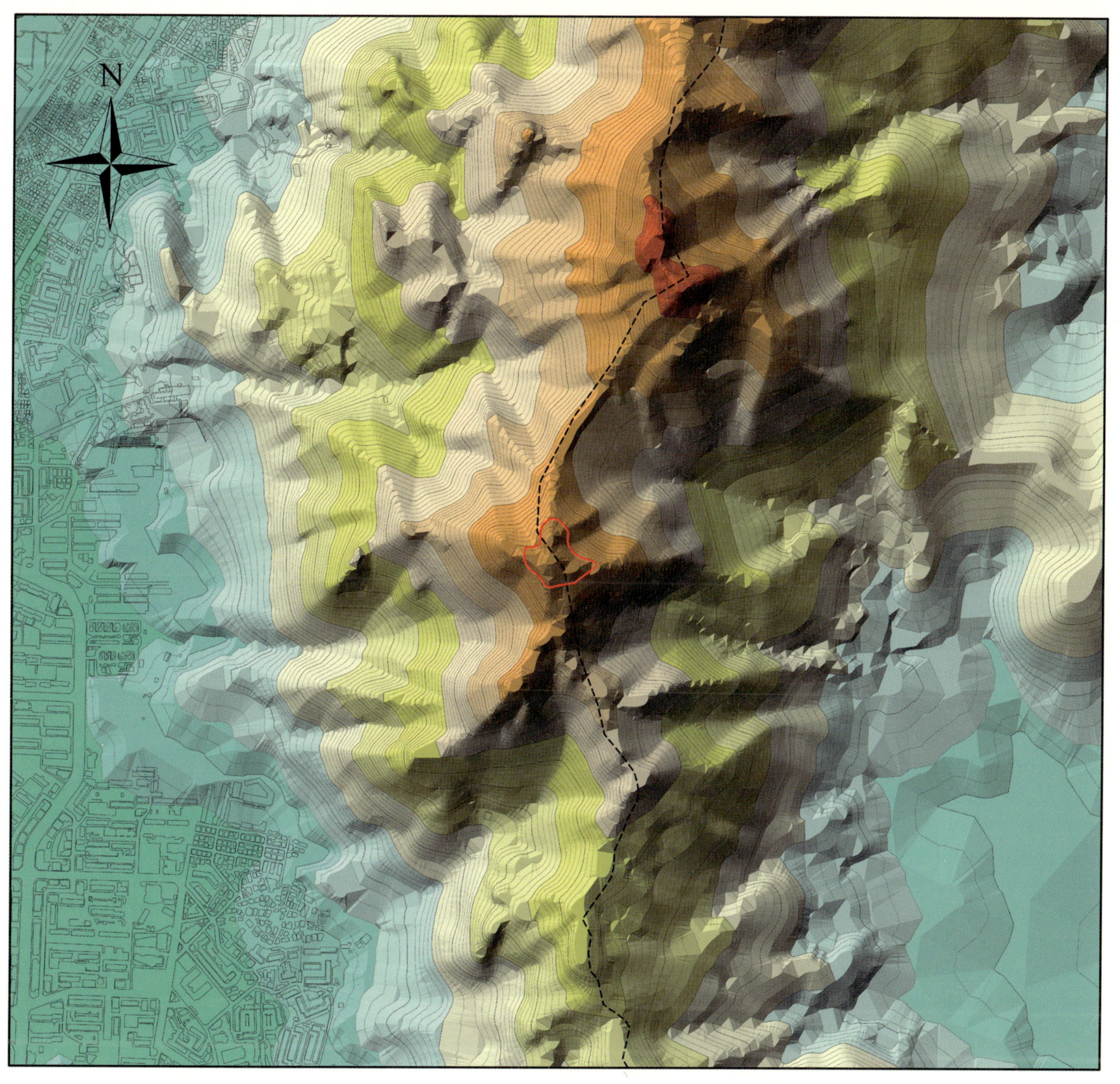

범 례

일련번호	지 역	유 적	시 대	주 소
3	서울	중계동 불암산성	삼국시대	노원구 중계동 산101-1

좌 표

경 도	위 도
127-5-31.72	37-39-25.82

4. 청담사 (靑潭寺)

소 재 지 서울특별시 은평구
시　　대 통일신라시대
유적분류 유형문화재 〉 건축물/건축물군 〉 종교건축 〉 불교건축(사찰)

1. 조사 개요

SH공사는 은평구 진관내·외동, 구파발동 일원에 은평 뉴타운 도시개발사업을 계획하고, 사업 시행에 앞서 2003년 3월, 이 일대에 대한 문화재 지표조사를 상명대학교 박물관에 의뢰하였다. 지표조사 결과, 총 17개소에서 문화재가 확인됨에 따라 개발 전 이 지역에 대해 매장문화재의 존재 여부를 확인하기 위한 발굴조사의 필요성이 제기되었다. SH공사는 문화재청의 허가를 받아 한강문화재연구원과 중앙문화재연구원에 발굴조사를 의뢰하였고, 2005년 5월부터 총 3개 지구로 나뉘어 조사가 진행되었다. 3지구는 다시 A·B·C·D공구로 구분되는데, A공구 2지점의 경우, 지표조사 당시 조사지역내에 위치한 자씨각(慈氏閣)과 석불좌상 주변으로 다량의 기와편이 지표에 노출되어 건물지가 존재할 것으로 추정되었던 곳이다. 이에 2007년 7월 3일 ~ 2008년 3월 30일까지 발굴조사가 실시되어 고려~조선시대 건물지 6동과 담장 등 부속시설, 조선시대 분묘 17기 등이 확인되었다. 유물로는 건물지에서 다량의 기와와 함께 청자·백자편 등이 출토되었다.

조사지역은 남북으로 발달한 북한산의 응봉(鷹峰, 235m)에서 뻗어나간 가지 능선부 하단의 구릉지형에 해당한다. 북쪽으로는 창릉천이 동에서 서로 흐르며 형성된 하상퇴적지역이 넓게 분포하고 있다. 조사지역의 동북쪽 경계에는 석불입상이 안치된 자씨각(慈氏閣)과 불두가 소실된 석불좌상·석탑 기단석 등이 있다.

2. 1호 건물지

조사지역 북쪽 중앙부에 위치하는 정면 8칸(잔존), 측면 1칸의 남향 건물지이다. 현재 동쪽 부

분은 유실된 상태이나 남쪽 2호 건물지와의 배치를 볼 때 본래는 정면 9칸의 건물지였을 것으로 추정된다. 기단의 규모는 정면 약 35.8m, 측면 9m이나 9칸 건물이라면 정면 약 38m 정도였을 것이다. 주칸거리는 정면이 4m, 측면이 4.2m이다. 건물지 북쪽 기단은 동반부의 경우 전체적으로 잘 다듬은 대형 석재를 사용한데 반해 서반부는 노출되는 외면만 다듬은 막돌을 사용하여 차이가 있다. 북쪽 기단은 배수로의 기능도 있었던 것으로 보인다. 북쪽 기단과 남쪽 기단의 고저차가 약 30~40㎝ 정도 나는 점도 특이하다.

초석은 현재 3기만 잔존하고 있는데, 큰 것은 85×90×42㎝ 정도이다. 적심은 한 건물지임에도 크게 4가지 방식으로 조성되었다. 건물지 서쪽은 적심없이 풍화암반토층 위에 초석을 놓은 반면에 중앙부는 잔 깬돌을 깔고 초석을 놓았으며, 동쪽은 강돌을 조밀하게 잘 돌려(지름 약 110㎝) 적심을 조성하였다. 심지어 초석 크기의 초반석을 사용하기도 하였다. 이는 서쪽에서 동쪽으로 경사가 흐르는 지형 여건, 즉 서쪽은 구지표면 아래에서 바로 단단한 풍화암반토층이 노출되는 반면 동쪽으로 가면서 퇴적층이 깊어지는 점이 감안된 것으로 보인다.

3. 2호 건물지

1호 건물지 남쪽 기단으로부터 남쪽으로 약 5m 떨어져 위치하는 정면 7칸, 측면 3칸(중앙 1칸, 남북으로 각각 1/2칸)의 남향 건물지이다. 기단의 규모는 정면이 31.8m, 측면이 13.5m이다. 주칸 거리는 정면이 4m, 측면이 4m(퇴칸은 2.3m)이다. 초석은 현재 4기만 잔존하고 있다. 적심은 강돌을 조밀하게 잘 돌려 조성하였으며, 동반부에서는 초석 크

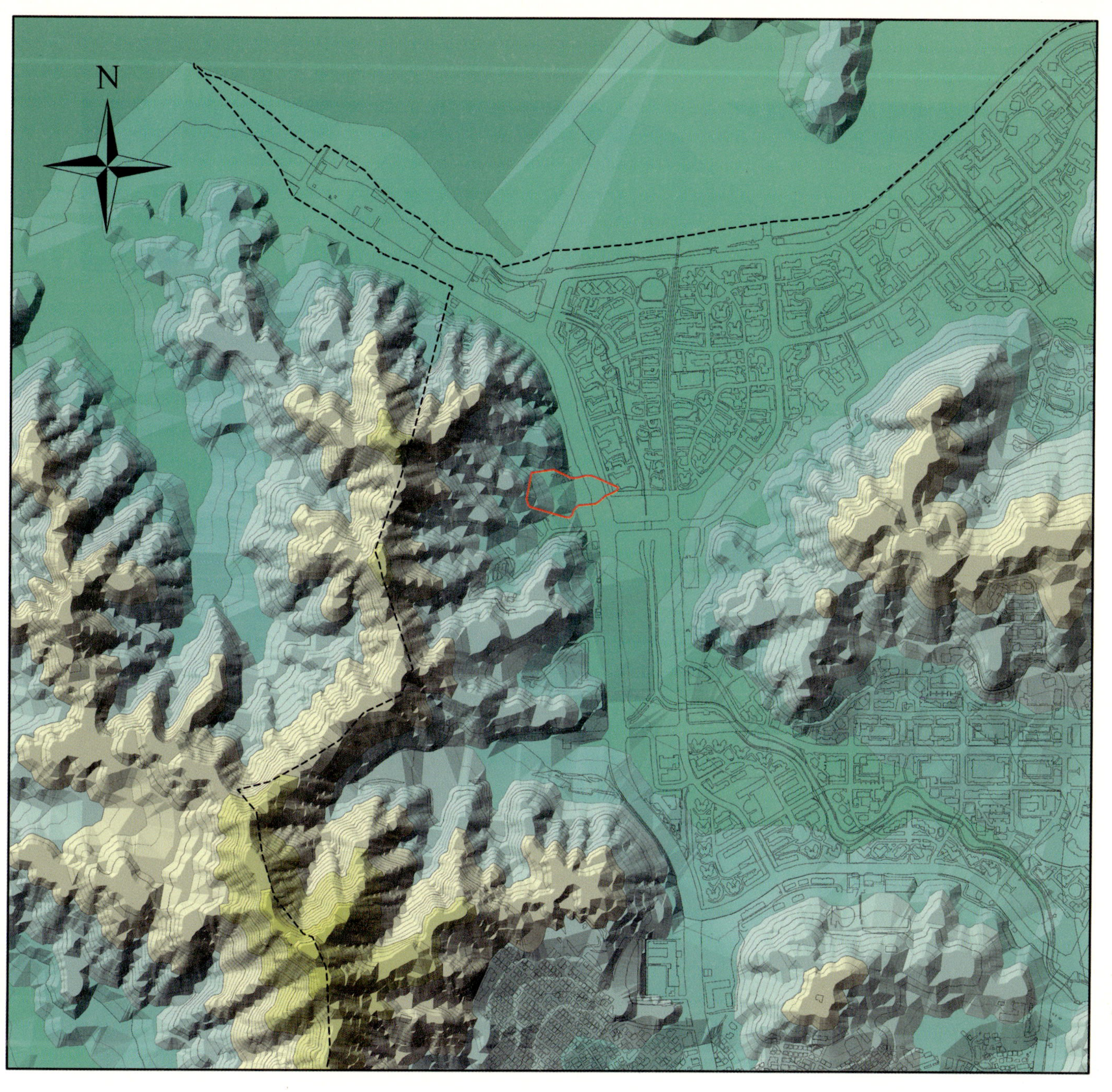

0 0.5 1 km

범 례

일련번호	지 역	유 적	시 대	주 소
4	서울	청담사지		은평구

좌 표

경 도	위 도
126-54-56.14	37-38-23.35

기의 초반석을 사용하기도 하였다. 기단과 적심 일부에서 후대의 증축, 또는 개축의 흔적이 보인다. 전체 배치상 유적 내에서 가장 중심적인 건물로 판단된다.

4. 3호 건물지

1호와 2호 건물지 서편에 위치하는 정면 8칸(잔존), 측면 1칸의 동향 건물지이다. 주칸거리는 정면이 4.1m, 측면이 4.1m이다. 건물의 기단은 서쪽과 북쪽만 잔존해 있는데, 대형 할석을 사용한 1호와 2호 건물지와는 달리 주로 넓적한 강돌을 이용해서 1단으로 구축하였다. 때문에 비교적 대형인 초석(100×80×50㎝)과 대비되어 겨우 기단의 흉내만 낸 듯한 느낌을 준다. 기단의 규모는 정면이 32.4m(잔존), 측면이 8.8m이다. 현재 남쪽 일부 초석이 유실되었을 뿐 전체적으로 초석의 잔존 상태는 양호하다. 바로 풍화암반토층으로 이어지기 때문인지 하부 적심구조는 잔 깬돌을 사용해 상대적으로 조잡한 편이다. 1호 건물지의 기단이 고저차가 나는 것처럼 서쪽과 동쪽 초석렬 상면의 고저차가 약 30㎝ 정도 나는 점이 특이하다.

4. 출토 유물

조사과정에서 고려 자기편과 도기편, 기와편들이 출토되었다. 고려 자기편은 고려시대 전기~중기로 비정되며 1~3호 건물지와 관련된 것으로 보인다. 출토량은 그리 많지 않다. 기와는 대부분 1호 건물지의 기단부 외곽에서 집중적으로 출토되고 있다. 등문양은 주로 어골문과 격자문이 시문된 복합문계와 함께 선문계, 무문계열이 확인되고 있다. 특히 연화문 수막새와 당초문(雲文?), 화조문(?), 귀목문 암막새가 출토되었다.

조사가 완료되고 다량의 출토 기와들을 세척, 정리하는 과정에서 명문기와가 확인되었다. 비록 완형은 없고 편들만 남아있지만 전체적인 내용 연결과 판독이 가능하다. 확인된 명문 내용은 '삼각산청담사삼보초(三角山靑覃寺三宝草)'이며, 본디 '淸潭'이나 '靑潭'으로 썼을텐데 새기기 쉽게 '氵'를 생략하여 '靑覃'으로 쓴 것이다. 이런 예는 자주 사용되는 서사법으로 나무에 새기면서 되도록 필획을 단순화하여 쉽게 새기고자 하는 뜻에서 비롯되었다고 볼 수 있다. 기와에 명문 타날시 글자 좌우가 바뀐다는 것을 고려하지 않은 채 타날판에 명문을 각인해 기와에는 글자 좌우가 바뀌어 있다. 평기와에 찍힌 「三角山靑覃寺三宝草」 명문의 자체는 예서이다.

명문에 보이는 청담사(靑覃寺)는 신라시대 화엄종(華嚴宗)의 대표적인 십여 사찰 중 하나라고 알려진 청담사(靑潭寺)를 지칭하는 것으로 보인다. 최치원이 신라 효공왕(孝恭王) 8년(904)에 저술한 승려의 전기인 『법장화상전(法藏和尙傳)』에는 '해동 화엄의 큰 학문 장소로는 10군데가 있으니 한주(漢州)의 부아산(負兒山) 청담사(靑潭寺)도 그 중 하나다(海東華嚴大學之所有十山… …漢州負兒山靑潭寺也)'라고 되어있는데, 여기서 부아산(負兒山)은 북한산의 삼국시대~고려 전기 명칭이고, 명문의 三角山은 고려시대 전기 이후 주로 사용된 명칭이다.

청담사명 기와 출토 건물지는 고려시대 12~13세기에 운영된, 주요 교통로를 따라 종교적인 측면에서 여행객의 안전을 도모하고 여행객들에게 숙식의 편의를 제공하는 사찰 형태의 시설로 보여진다. 단, 청담사(靑潭寺)라는 사역을 놓고 전체적인 배치 측면에서 보았을 때, 확인된 건물지는 청담사의 일부일 가능성이 높다고 보여진다. 즉, 1)청담사 명문기와의 존재, 2)출토 유물 중 일부 막새기와의 시기가 나말여초(羅末麗初)로 비정될 가능성, 3)약 2㎞ 떨어진 3-D 블럭 아파트부지에서 발견된 통일신라신대 기와가마터의 존재, 4)통일신라시대 '소사(小祀)'에 북한산주의 부아악이 포함되었다는 점 등에서 이미 이 일대에 통일신라 후기부터 청담사 사역이 존재하였다고 보여진다.

[참고문헌] 박성희, 2015, 「서울 은평뉴타운 '청담사(靑潭寺)' 명문 기와 출토 건물지 발굴조사의 성과와 의의」, 「은평 역사한옥박물관 개관1주년 학술대회 자료집」.

'삼각산청담(三角山青覃)'명 기와　　'청담사삼보초(青覃寺三宝草)'명 기와

석조아미타불좌상편 및 석탑재

자씨각 석조보살입상

5. 은평구 진관외동 유물산포지11 (恩平區 津寬外洞 遺物散布地11)

소 재 지　서울특별시 은평구 진관외동 산168-1
시　　대　통일신라/발해시대 2) 고려시대 3) 조선시대
유적분류　유형문화재 〉 유적 〉 유물산포지

진관외동에서 북한산으로 올라가는 등산로 초입의 경작지 일대와 야산 남서사면 일대에 해당한다.

유적의 남쪽에 접해서 작은 시내가 동에서 서로 흘러가며 이 시내의 북쪽에 접한 비닐하우스 시설 일대와 주변의 경작지, 그리고 북쪽에 접한 야산 자락 등지에서 유물이 집중 채집된다. 또한 '약수터 토종닭' 식당 뒤편으로는 산자락을 따라 길이 약 10m 정도의 석축시설물이 보이는데 부분적으로는 3~4단, 아래쪽으로는 1단 가량의 단이 져 있는 상태이다. 그 성격과 시대는 정확히 판단하기 어렵다.

야산 사면부와 산자락 일대에서는 삼국시대 기와편, 완류의 편 등과 더불어 조선시대 자기편 등이 채집되고, 시내 북쪽의 저평한 경작지 일대에서는 통일신라~고려시대의 경질 토기편 등이 채집된다.

[참고문헌] 상명대학교박물관, 2003, 『은평지구 뉴타운 도시개발사업 문화재 지표조사 보고서』, 서울시 도시개발공사.

▮범 례

일련번호	지 역	유 적	시 대	주 소
5	서울	진관외동 유물산포지11	삼국/ 통일신라~조선	은평구 진관외동 산168-1

▮좌 표

경 도	위 도
126-56-9.43	37-37-43.97

6. 서대문구 홍은동 백련사 (西大門區 弘恩洞 白蓮寺)

소 재 지 서울특별시 서대문구 홍은동 321
시 대 통일신라/발해시대
유적분류 유형문화재 〉 건축물/건축물군 〉 종교건축 〉 불교건축(사찰)

명지대학교 정문을 바라보면 왼편에 주유소가 있다. 주유소 우측으로 골목이 있는데, 10m를 올라가서 오른쪽으로 끝까지 올라가면 백련사가 있다.

백련사는 도성의 4대 裨補寺刹 가운데 하나로 전해지고 있다. 眞表律師가 747년(경덕왕 6)에 창건하였다고 하고, 현재 무량수전·약사전·원통전·극락전·명부전·독성각 등이 있다. 약사전 내부에는 1899년에 그려진 현왕탱·조왕탱·신중탱·극락구품도, 동시기에 그려졌을 것으로 보이는 지장탱·약사후불탱·신중탱 등이 봉안되어 있다. 그리고, 隆慶三年銘銅鐘(1559년, 명종 14)이 있는데, 구경 57.4㎝, 높이 63.3㎝, 두께 3.7㎝로, 윗부분에 '隆熙 元年'이라고 음각되어 있다. 정상부에는 單龍의 용뉴와 짧은 음통이, 천판 주연에는 如意頭文으로 구성된 立狀帶가 있다. 上帶에는 연판문대와 4좌의 연관이 있고, 연곽 사이에는 범자문이 양각되어 있다. 종신에는 도식화된 화문대를 돌린 中帶를 갖추고 있고, 당좌와 보살상은 생략되어 있다.

[참고문헌] 사찰문화연구원, 1994, 『전통사찰총서4-서울』.
柳麻理, 1995, 「朝鮮後期 서울, 경기지역 掛佛幀畵의 考察」, 『講座 美術史』 7, 한국불교미술사학회.

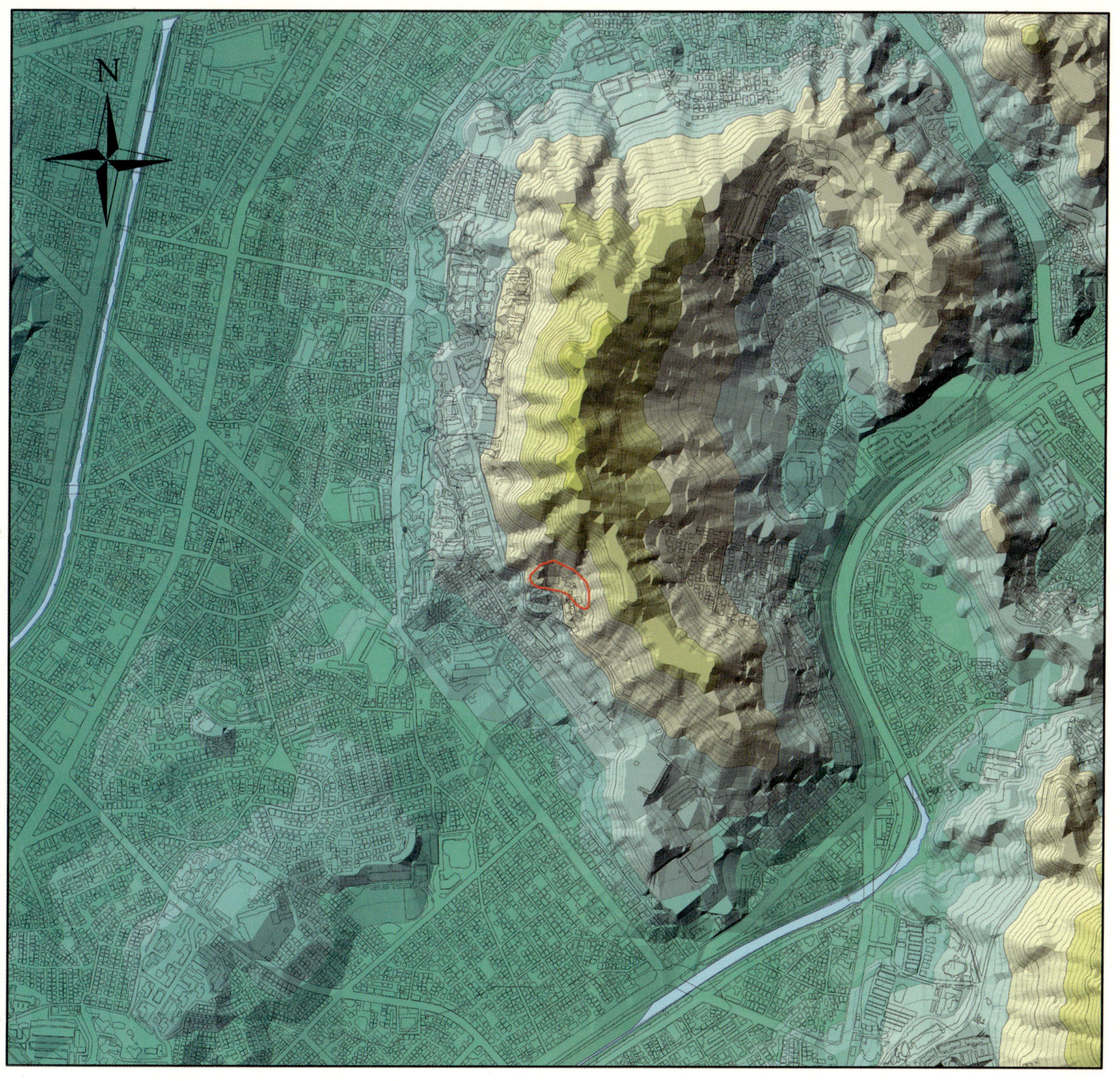

0 0.5 1 km

범 례

일련번호	지 역	유 적	시 대	주 소
6	서울	홍은동 백련사	통일신라	서대문구 홍은동 321

좌 표

경 도	위 도
126-55-39.04	37-35-13.16

7. 서대문구 봉원동 안산 유물산포지 (西大門區 奉元洞 鞍山 遺物散布地)

소 재 지 서울특별시 서대문구 봉원동 산1

시 대 1) 선사시대 2) 구석기/중석기시대 3) 신석기시대 4) 청동기시대 5) 철기/삼한/원삼국시대 6) 삼국시대 7) 통일신라/발해시대

유적분류 유형문화재 〉 유적 〉 유물산포지

봉원사를 지나서 안산으로 이어진 등산로를 통해 정상부로 오르면, 비교적 평탄한 곳이 나온다. 유물은 동봉수대터 주변보다는 통신시설이 있는 서봉수대터 남쪽에 자리한 등산로변(해발 약 200m)에 주로 산포하고 있다.

조선시대에 속하는 기와, 백자편 등과 함께 많은 양의 회청색 경질토기편과 소량의 무문토기편이 채집되었다. 채집된 유물은 주로 회청색 경질토기편으로 단각고배나 투창이 뚫린 대각편도 보이고 있다. 이 회청색 경질토기들은 토기의 기형으로 보아 신라가 한강유역에 진출한 이후의 신라계 토기로 보인다. 현재 통신시설이 있고, 북쪽과 서쪽 능선에는 군용 교통호가 있어 훼손이 심한 상태이다.

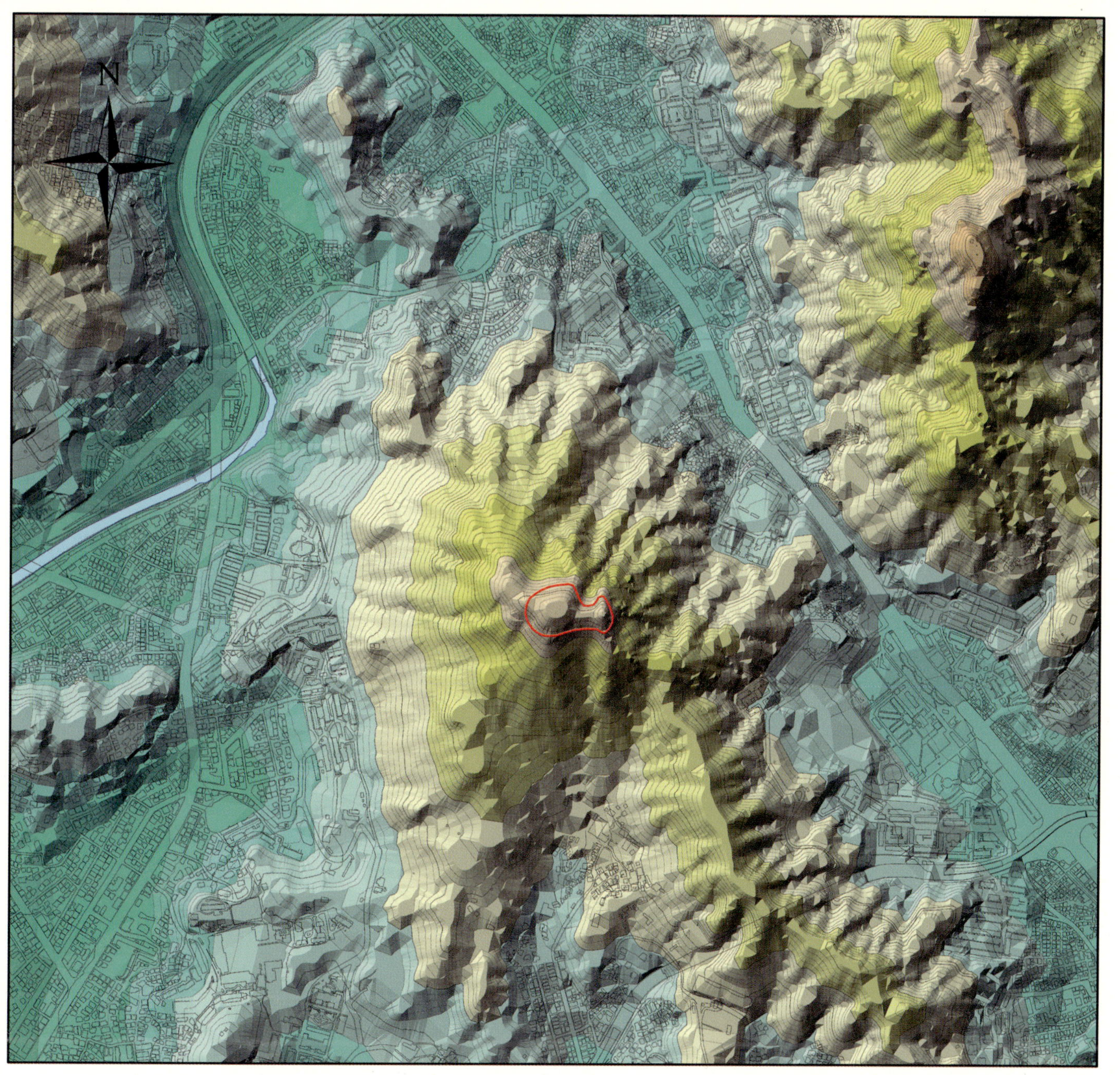

▮범 례

일련번호	지 역	유 적	시 대	주 소
7	서울	봉원동 안산 유물산포지	선사~통일신라	서대문구 봉원동 산1

▮좌 표

경 도	위 도
126-56-46.50	37-34-37.26

8. 서대문구 봉원동 봉원사 (西大門區 奉元洞 奉元寺)

소 재 지 서울특별시 서대문구 봉원동 산1
시 대 통일신라/발해시대
유적분류 유형문화재 〉 건축물/건축물군 〉 종교건축 〉 불교건축(사찰)

이화여자대학교 후문에서 금화터널을 넘기 전에 왼편에 연세대학교 동문이 있고, 오른편에 대신교회가 있다. 그 사이에 봉원사로 올라가는 길이 있다. 이 길의 끝에 봉원사가 있다.

봉원사는 한국불교 2대 종단 가운데 하나인 太古宗의 총본산이며, 영산제와 단청 및 범패의 맥을 잇고 있는 곳으로 유명하다. 889년(진성여왕 3)에 道詵國師가 현 연세대 터에 般若寺를 창건한데서 비롯되었다고 전해지고 있다. 大雄殿·冥府殿·七星閣·彌勒殿·極樂殿·滿月殿·三千佛殿·大房·蕓水閣·梵鍾閣 등이 있다.

대웅전은 1991년 10월 9일에 소실되어 1993년에 다시 지었다. 정면과 측면 모두 3칸으로 팔작지붕건물이다. 내부에 乾隆二十五年銘 銅鐘(1760년, 영조 36)이 있다. 이 종은 德山 伽倻寺에 봉안되어 있었던 것인데, 흥선대원군의 아버지인 南延君 무덤을 쓰기 위해 가야사를 불태웠고, 그 때 타지 않은 종을 옮긴 것이라고 한다.

[참고문헌] 서울특별시, 1990, 『奉元寺－實測調査報告書－』.
사찰문화연구원, 1994, 『전통사찰총서4－서울』.

0 0.5 1 km

▍범 례

일련번호	지 역	유 적	시 대	주 소
8	서울	봉원동 봉원사	통일신라	서대문구 봉원동 산1

▍좌 표

경 도	위 도
126-56-50.58	37-34-19.92

9. 북한산 신라 진흥왕 순수비 유지 (北漢山 新羅 眞興王 巡狩碑 遺址)

소 재 지 서울특별시 종로구 구기동 산3
시 대 삼국시대
유적분류 유형문화재 〉 기념물 〉 비갈:기타

구기동의 북한산국립공원 비봉매표소를 지나서 약 1.1km 가량 올라가면 나오는 비봉 정상부(540m) 바위면 위에 위치하는데, 碑峰이라는 산봉우리 이름이 여기에서 유래되었다. 북한산비는 비석을 세운 이래, 1,200여 년 동안 잊혀져 오다가 19세기 전반에 秋史 金正喜에 의해서 발견되었다.

비에는 진흥왕이 북한산을 둘러보고 돌아오는 길에 지나온 여러 고을의 세금을 면제해 주고, 죄수들을 석방하도록 했다는 내용이 들어 있다. 이 비는 신라가 이 지역을 점령한 553년 이후부터 창녕비가 건립된 561년(진흥왕 22) 이전의 시기에 건립된 것으로 추정한다. 큰 바위 꼭대기를 파내어 비의 받침을 만들었는데, 바위의 평평한 부분에 3층의 단을 만들어 비석 받침으로 만든 것이다. 현재 이곳에는 비석이 놓였던 자리와 비석을 꽂았던 홈이 남아 있으며, 비석의 옛 터임을 알려주는 표석이 있다. 비석은 국립중앙박물관으로 이전·보관되고 있다.

[참고문헌] 서울특별시사편찬위원회, 2003,『서울의 문화재』1.

범 례

일련번호	지 역	유 적	시 대	주 소
9	서울	북한산신라진흥왕순수비유지	삼국시대	종로구 구기동 산3

좌 표

경 도	위 도
126-57-23.51	37-37-32.22

10. 종로구 구기동 승가사 (鐘路區 舊基洞 僧伽寺)

소 재 지 서울특별시 종로구 구기동 4
시　　대 통일신라/발해시대
유적분류 유형문화재 〉 건축물/건축물군 〉 종교건축 〉 불교건축(사찰)

승가사는 756년(경덕왕 15)에 승려 수태(秀台)가 창건한 절이며, 절 이름은 중국 당나라 고종 때, 장안(長安) 천복사(薦福寺)에서 관음보살의 화신으로 추앙 받았던 승가대사(僧伽大師)를 기리는 의미에서 붙여졌다고 한다. 승가사는 창건 이래로 끊임없이 중창과 중수가 이어져 사격(寺格)을 유지하였으나 한국전쟁 와중에 모두 소실되었다고 한다. 현재 다시 재건되어 대웅전, 약사전, 명부전, 산신각, 향로각, 동정각(動靜閣), 범종각, 요사채 등 많은 건물들이 들어서 있다. 이외에 절 동북쪽 낮은 지대에는 성월당대선사(城月堂大禪師) 부도와 탑비가 있다.

승가사(僧伽寺) 뒤편의 높이 솟은 암벽에는 고려시대에 만들어진 구기동 마애여래좌상(보물 제215호)이 있다. 낮은 부조로 항마촉지인의 불좌상을 조각하고 두광과 신광이 합쳐진 거신광(巨身光)이 개석과 불상의 주위를 둘러싸고 있다. 머리 위에 5각의 진 돌을 따로 끼워넣어 개석을 삼았으며 개석 밑면에는 연화가 부조되어 있다. 이 상은 비례나 조각표현에서 사실성이 결여된 대부분의 고려시대 마애불들에 비해 어느 정도 사실미와 부드러움을 갖추고 있으며 조성시기는 대체로 10세기 전반경으로 추정된다.

승가굴은 삼국시대부터 불승들이 수도하던 석굴로, 이 석굴 안에는 석조 승가대사 좌상(보물 1000호)이 봉안되어 있다. 「승가사중수기(僧伽寺重修記)」에 따르면 승가대사(僧伽大師)의 상으로 추정된다. 인도의 고승으로 당나라에 와서 전도에 전념하여 관음보살의 화신(化身)으로까지 추앙받았던 승가대사를 돌로 형상화하여 석굴에 봉안, 신앙하였던 것이다.

[참고문헌] 사찰문화연구원, 1994, 『전통사찰총서4-서울』.

구기동 마애여래좌상

석조 승가대사 좌상

0 0.5 1 km

범 례

일련번호	지 역	유 적	시 대	주 소
10	서울	구기동 승가사	통일신라	종로구 구기동 4

좌 표

경 도	위 도
126-57-38.13	37-37-36.12

11. 종로구 평창동 일선사 (鐘路區 平倉洞 一禪寺)

소 재 지 서울특별시 종로구 평창동 산6-1
시 대 통일신라/발해시대
유적분류 유형문화재 〉 건축물/건축물군 〉 종교건축 〉 불교건축(사찰)

북한산국립공원 평창매표소에서 등산로를 따라 올라가면, 보현봉 남동쪽에 자리하고 있다.

정확한 창건연대를 알 수는 없지만 도선국사가 창건하였고, 처음에는 普賢寺라고 하였다고 한다. 위치도 지금보다 서쪽으로 약 300m 떨어진 곳에 있었다고 전해지고 있다. 그후 고려시대와 조선시대에 중창하였으며, 여러 고승들이 이곳에서 수도하였다고 한다. 그러나 절은 임진왜란 와중에 모두 소실되었고, 1600년 무렵 외곽성곽의 구실로서 도성 수비의 필요성이 인정되어 복원되었다고 한다. 그 뒤 1940년 김만신행이 현재의 자리로 옮겨 절을 중창하면서 觀音寺로 바꾸었고, 1957년 시인 高銀이 승려로 있으면서 절 이름을 一禪寺로 바꾸었다고 한다. 그리고 1962년 재단법인 禪學院에 등록하면서 현재의 일선사로 바뀌었다.

절에는 대웅전·약사전·요사가 있으며, 봉안된 불상과 탱화들은 모두 근래에 조성된 것들이다.

[참고문헌] 사찰문화연구원, 1994, 『전통사찰총서4-서울』.

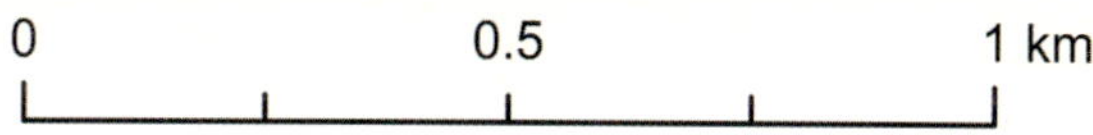

범 례

일련번호	지 역	유 적	시 대	주 소
11	서울	일선사	통일신라/발해시대	종로구 평창동 산6-1

좌 표

경 도	위 도
126-58-38.65	37-37-35.92

12. 장의사지 당간지주(莊義寺址 幢竿支柱)

소 재 지 서울특별시 종로구 신영동 219-4
시 대 통일신라/발해시대
유적분류 유형문화재 〉 유적 〉 종교신앙유적 〉 사지

신영동 삼거리에 위치한 세검정초등학교 운동장에 있다.

장의사는 長春郎과 罷郎의 명복을 빌기 위해 659년(무열왕 6)에 세워졌다고 전한다. 고려시대에 예종·인종·의종 등이 남경을 순행하면서 다녀간 일이 있으며, 원종대사 찬유, 법인국사 탄문, 그리고 자정국존 미수 등 고승들이 머물렀다는 금석문 기록들이 있다. 조선시대에 폐사된 후 터만 남게 된 이곳은 1712년(숙종 38) 연무대, 1747년(영조 23) 摠戎廳, 그리고 1886년 이후에는 별기군의 훈련장으로 사용되기도 하였다.

당간지주는 높이가 3.63m이며 현재 기단부가 모두 훼손되어 원형을 추정하기에는 힘든 상태이다. 지주는 아무런 조각장식을 하지 않은 단순한 모습인데, 다만 바깥면 두 모서리의 각을 죽여 약간의 장식을 하였을 뿐이고, 간구는 안쪽면 윗부분에 둥글게 한 곳만 만들었다. 조성시기는 확실치 않으나 경주 望德寺址 당간지주와 흡사한 통일신라시대의 작품인 것으로 추정된다.

[참고문헌] 서울특별시사편찬위원회, 2003, 『서울의 문화재』 3.

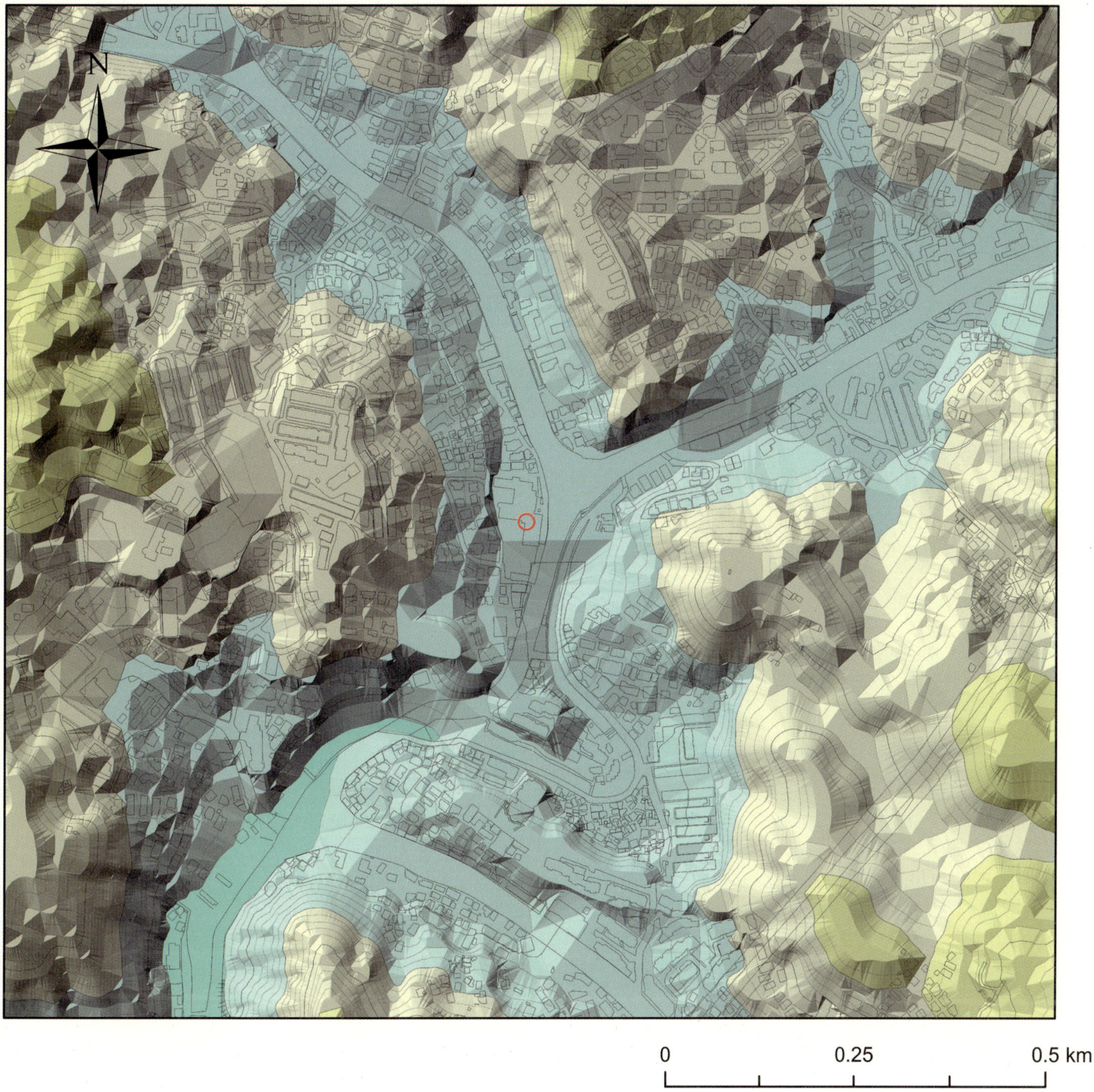

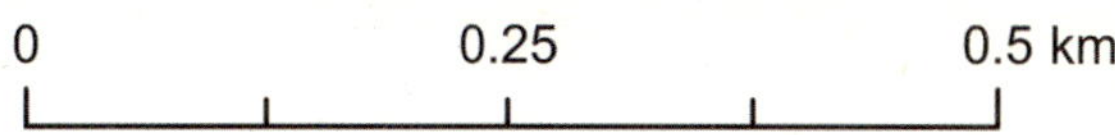

범 례

일련번호	지 역	유 적	시 대	주 소
12	서울	장의사지 당간지주	통일신라	종로구 신영동 219-4

좌 표

경 도	위 도
126-57-40.71	37-36-12.01

13. 명륜동 통일신라 석실분

소 재 지 서울특별시 종로구 명륜3가동 51번지
시 대 통일신라/발해시대
유적분류 유형문화재 〉 유적 〉 무덤유적 〉 고분 〉 고분군

성균관대가 글로벌 교육시설을 지을 예정인 명륜3가동 51번지 일대 1천123㎡를 고려문화재연구원(원장 김병모)에서 발굴조사한 결과 통일신라시대 석실분 2기와 추정 건물터 2개 동, 담장 흔적 1기, 수혈(竪穴) 4기 등 총 9기의 유구(遺構)가 발견되었다. 위치는 현재의 명륜당에서 북서쪽으로 160m, 복원된 비천당에서는 북동쪽으로 110m가량 떨어진 지점이다.

통일신라시대 석실분 2기는 남북으로 14m가량 거리를 두고 있다. 두 고분 모두 조선시대와 현대의 잇따른 건설공사로 파괴가 극심하여 무덤방 바닥면과 시신을 안치한 목관을 놓았던 돋움시설인 시상대(屍床臺), 그리고 벽체 일부 정도만 남아있다. 시상대 방향 등으로 볼 때 두 고분은 모두 동-서 방향으로 장축(長軸)을 마련했으며, 무덤방 동쪽 벽면에 무덤 바깥으로 향하는 무덤길인 연도(羨道)를 만들었을 것으로 추정된다.

해발고도 47m 지점에서 발견된 1호 석실분은 잔존한 무덤방 기준으로 약 330×260㎝ 크기이며, 바닥면에서는 만든 시기를 달리하는 시상대 2기가 발견됨으로써 처음 무덤을 만든 이후 어느 시점에 추가 매장이 있었던 것으로 추정된다. 1호분에서는 나중에 만든 시상대 주변에서 통일신라시대 토기인 고배(高杯. 굽다리접시) 4점과 뚜껑 1점, 완(사발) 1점이 발견되었다.

이보다 북쪽으로 14m가량 떨어진 지점에서 발견된 2호 석실분은 현재 발견된 무덤방 규모가 350×220㎝로, 1호분과 마찬가지로 주변에서 쉽게 구할 수 있는 화강암을 이용해 벽체를 쌓고 바닥은 점토 다짐을 한 것으로 나타났다. 이곳에서 유물은 수습되지 않았다.

1호 석실분

1호 석실분 출토 신라토기류

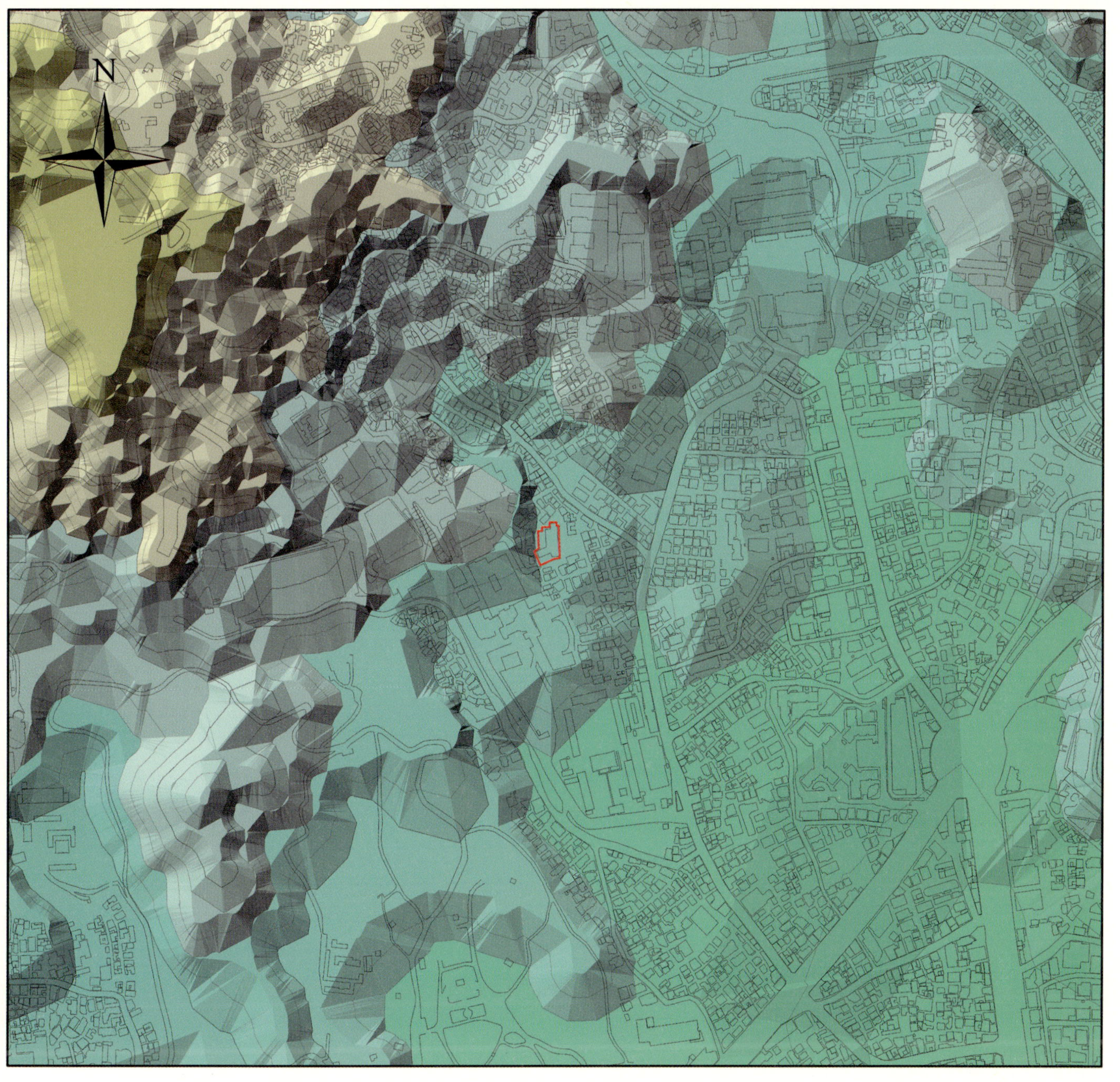

0 0.25 0.5 km

범 례

일련번호	지 역	유 적	시 대	주 소
13	서울	서울 명륜동 통일신라 석실분	신라	종로구 명륜3가동 51번지

좌 표

경 도	위 도
126-59-43.18	37-35-16.14

14. 배봉산 토루지(拜峰山 土壘址) 및 관방유적

소 재 지 서울특별시 동대문구 휘경동 산6-77
시 대 삼국시대
유적분류 유형문화재 〉 유적 〉 정치국방유적 〉 성곽:기타

휘경2동과 전농3동을 지나는 배봉산 능선부를 따라 이어지는 유적으로, 광진구 아차산 일대의 아차산 장성과 관련하여 조선시대 살곶이 목장의 서편 경계로 논의되고 있다. 현 전체 구간은 약 1,050m 정도이며, 서울위생병원 동쪽 구간과 배봉산 정상부 남쪽의 약 150m 구간에 토루부가 남아 있다. 토루의 상단 너비는 2m 내외이며, 높이는 지형에 따라 다르나 1m 내외이다. 일부 토루가 삭평된 지점에 할석들이 노출되어 있다.

한편 해발 105.7m의 배봉산 정상부에는 장축 남북방향으로 남쪽으로 약간 돌출된 장타원형을 이루고 있으며 현재 군부대가 위치하고 있다. 1994년 지표조사를 통해 정상부 가까운 사면에서 원삼국시대 토기편으로 보이는 무문토기에 가까운 굵은 사립이 섞인 토기편과 고구려 토기로 생각되는 토기편도 수습된 것으로 보고되었다.

2015년에 정상부의 군부대 이전으로 해맞이 생태공원을 조성하던 중 삼국시대의 유물이 나와 '배봉산 토루지'라는 용역으로, 서울시의 예산지원과 정비계획에 따라 2016년 5월 (재)서울문화유산연구원에 의뢰하여 발굴조사가 시작되었다. 그 결과 석렬 4기, 구상유구 1기, 주혈 4기 등 총 9기의 유구와 토기편이 출토됨에 따라 2016년 8월부터 정밀조사를 하였다. 여기서 삼국시대에 조성된 것으로 판단되는 관방유적의 토성(土城) 기저부(基底部)와 목책(木柵)이 확인되었다.

[참고문헌] 강진갑 外, 1994, 『아차산의 역사와 문화유적』, 구리시·구리문화원.
서울학연구소·한신대학교박물관, 2003, 『서울소재 성곽조사 보고서』, 서울특별시.
류기선, 1994, 「조선 사복시 살꽂이(箭串) 목장」, 『박물관휘보』 5, 서울시립대학교박물관.

0 1 2 km

범 례

일련번호	지 역	유 적	시 대	주 소
14	서울	배봉산 토루지	원삼국/ 고구려	동대문구 휘경동 산6번지

좌 표

경 도	위 도
127-3-52.83	37-35-5.01

15. 묵동 유물산포지

소 재 지 중랑구 묵동 산37-2번지 일원
시 대 선사시대
유적분류 유형문화재 〉 유적 〉 유물산포지

지하철 7호선 먹골역에서 봉화산 북쪽을 끼고 돌아 신내동 방향으로 가다 보면, 신내동으로 가기 전에 오른편으로 숙선옹주 묘가 자리하고 있다. 유물산포지는 이 묘의 주변 일대에 자리하고 있는데, 이곳은 봉화산(해발 160.1m) 정상에서 내려온 가지능선의 끝에 해당한다.

유물은 주로 숙선옹주 묘 주변과 앞 능선에서 채집되었다. 현재 앞 능선은 도로개설로 인항 고립되어 있는 상태이며, 밭으로 경작되고 있다. 채집된 유물에는 무문토기편을 비롯하여 백자편과 도기편 등이 있다.

이 유물산포지는 주변지형과 채집유물로 보아 청동기시대 집자리가 있었을 것으로 판단된다. 그러나 주변이 이미 주택단지들이 들어서 있어 훼손이 심한 상태이기 때문에 추후 개발시 유적의 부존여부를 확인하여야 할 것으로 판단된다.

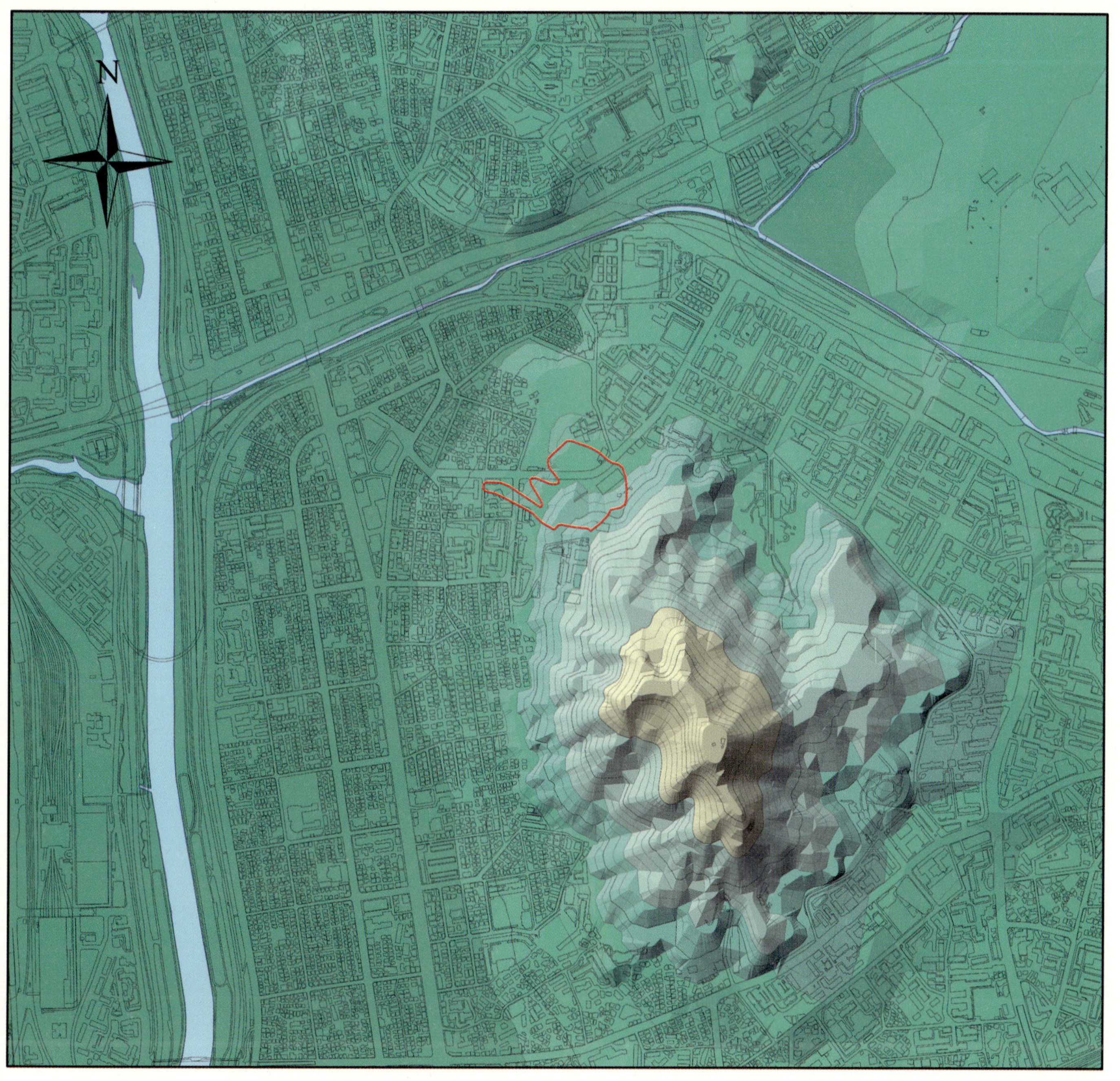

0 0.5 1 km

범 례

일련번호	지 역	유 적	시 대	주 소
15	서울	묵동 유물산포지	선사시대	중랑구 묵동 산 37-2

좌 표

경 도	위 도
127-5-0.44	37-36-49.28

16. 중랑구 묵동 봉화산 고구려보루 (中浪區 墨洞 烽火山 高句麗堡壘)

소 재 지 서울특별시 중랑구 묵동 산46-19
시 대 삼국시대
유적분류 유형문화재 〉 유적 〉 정치국방유적 〉 성곽 〉 진보돈

묵동·신내동·상봉동이 접해 있는 봉화산 정상(160.1m)부에 위치하고 있다. 봉화산 정상 아래에는 체육시설을 설치한 평지가 조성되어 있다.

보루의 전체적인 모양은 정상부의 평탄지를 감싸 안는 장타원형이었을 것으로 추정되며, 둘레는 약 249m, 내부 면적은 3,416㎡이다. 석축은 정상부에서 3~4m 아래 부분을 돌아가며 쌓았는데, 경사면을 따라 비스듬하게 기울어 있다. 석축의 높이는 1m 정도(7~8단)이며, 성돌은 앞면을 다듬은 40~50㎝ 정도의 납작한 돌을 사용하였다. 남쪽 성벽에는 돌출된 시설이 마련되어 있다. 유물은 현재 체육시설이 설치된 평탄면과 남쪽 등산로에서 민가 쪽으로 가는 동쪽 등산로 주변에서 주로 고구려 토기편들이 채집되었다. 현재 보루는 체육시설과 봉화대를 복원하는 과정에서 원지형의 상당 부분이 훼손된 상태이다.

[참고문헌] 서울학연구소·한신대학교박물관, 2003, 『서울소재 성곽조사 보고서』, 서울특별시.

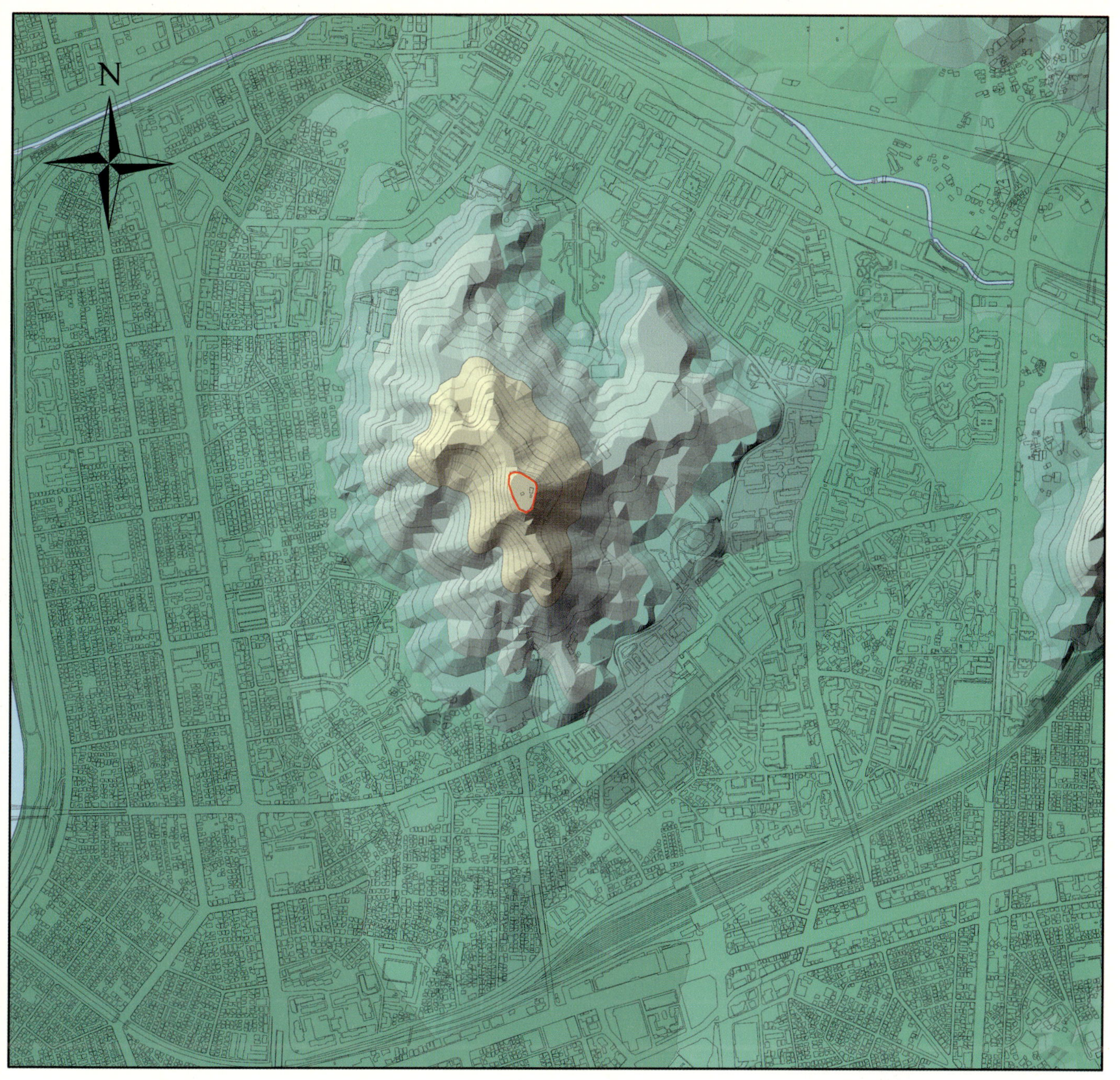

범 례

일련번호	지 역	유 적	시 대	주 소
16	서울	봉화산보루	고구려	중랑구 묵동 산46-19

좌 표

경 도	위 도
127-5-14.76	37-36-29.17

17. 신내동 유물산포지

소 재 지 중랑구 신내동 산137-306, 산127-3번지 일원
시　　대 선사시대
유적분류 유형문화재 〉유적 〉유물산포지

지하철 7호선 중화역 사거리에서 중랑구청을 지나면, 건영아파트(신내 10단지)가 나온다. 유물산포지는 이 건영아파트 서편에 자리하고 있다.

이곳은 봉화산(해발 160.1m)의 동쪽 사면에 해당되며, 능선과 사면의 경사도는 낮은 편이다. 현재 과수원으로 경작 중이며, 봉화산 정상으로 올라가는 등산로가 나있다. 등산로와 과수원 북편이 접하는 능선 일대에는 봉분 직경 약 350~450㎝에 이르는 민묘 7기 정도가 집중되어 있으며, 그 서편으로는 잘 정비된 묘 3기가 위치하고 있다. 과수원 전체에서 조선시대 백자편과 도기편들이 채집된 바 있으며, 이 유물산포지는 주변 지형과 채집유물로 보아 조선시대 분묘유적이 있을 것으로 파악된다.

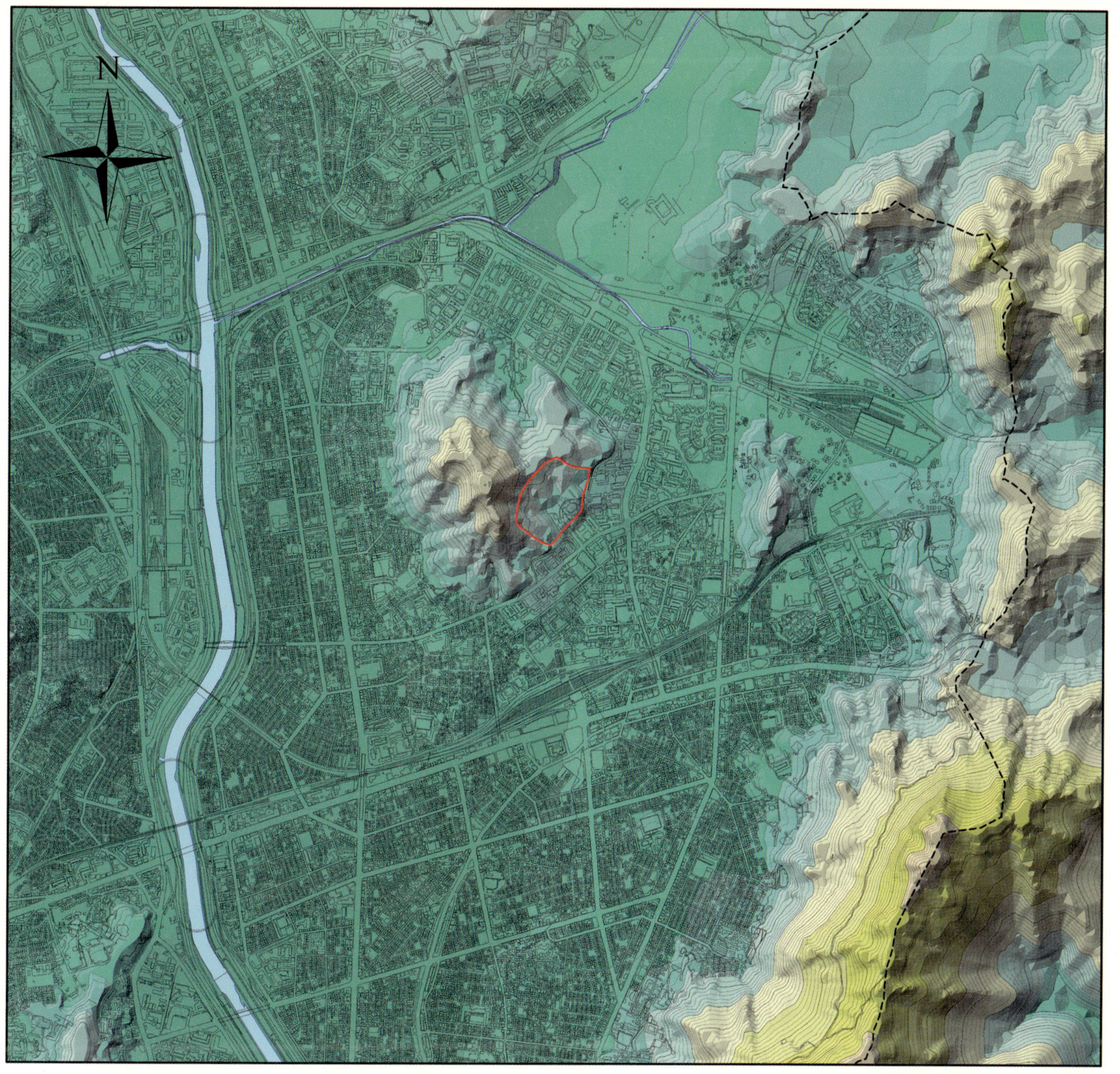

범 례

일련번호	지 역	유 적	시 대	주 소
17	서울	신내동 유물산포지	선사시대	중랑구 신내동 산137-306, 산127-3

좌 표

경 도	위 도
127-5-28.33	37-36-26.28

18. 중랑구 망우동 유물산포지1 (中浪區 忘憂洞 遺物散布地1)

소 재 지 서울특별시 중랑구 망우동 315
시 대 1) 통일신라/발해시대 2) 고려시대
유적분류 유형문화재 〉 유적 〉 유물산포지 〉 유물산포지

신내차량기지 남단으로 양원마을 진입로가 있다. 길을 따라 가면, 오른편 능선 위에 있는 신내제일교회 아래쪽으로 밭으로 경작되고 있는 조그만 谷部가 있다. 유물산포지는 이 밭과 그 주변에 자리한다. 이곳은 남-북으로 뻗어있는 야산(해발 91.0m)의 북동쪽 사면에 해당된다.

유물은 북쪽 가지능선 쪽인 신내제일교회로 올라가는 길에 주로 산포한다. 채집된 유물로는 자기편과 토기편이 있으며, 토기편 중에는 점줄무늬병편도 포함되어 있다.

주변지형과 채집유물로 보아 완만한 능선 상에 분묘유구가 있었을 가능성이 높다. 한편, 유물산포지 윗부분인 신내제일교회 아래에는 고씨 무덤이라고 알려져 있는 오래된 묘가 있다. 묘는 북동향이며, 석물로는 비석 1기를 비롯하여 상석과 향로석이 있고 좌우에 문인석이 서 있다. 비석은 荷葉形이며, 비문은 마모가 심해 보이지 않는다. 비신의 크기는 41×15×80㎝이다. 문인석은 복두공복형으로, 높이 150㎝이다.

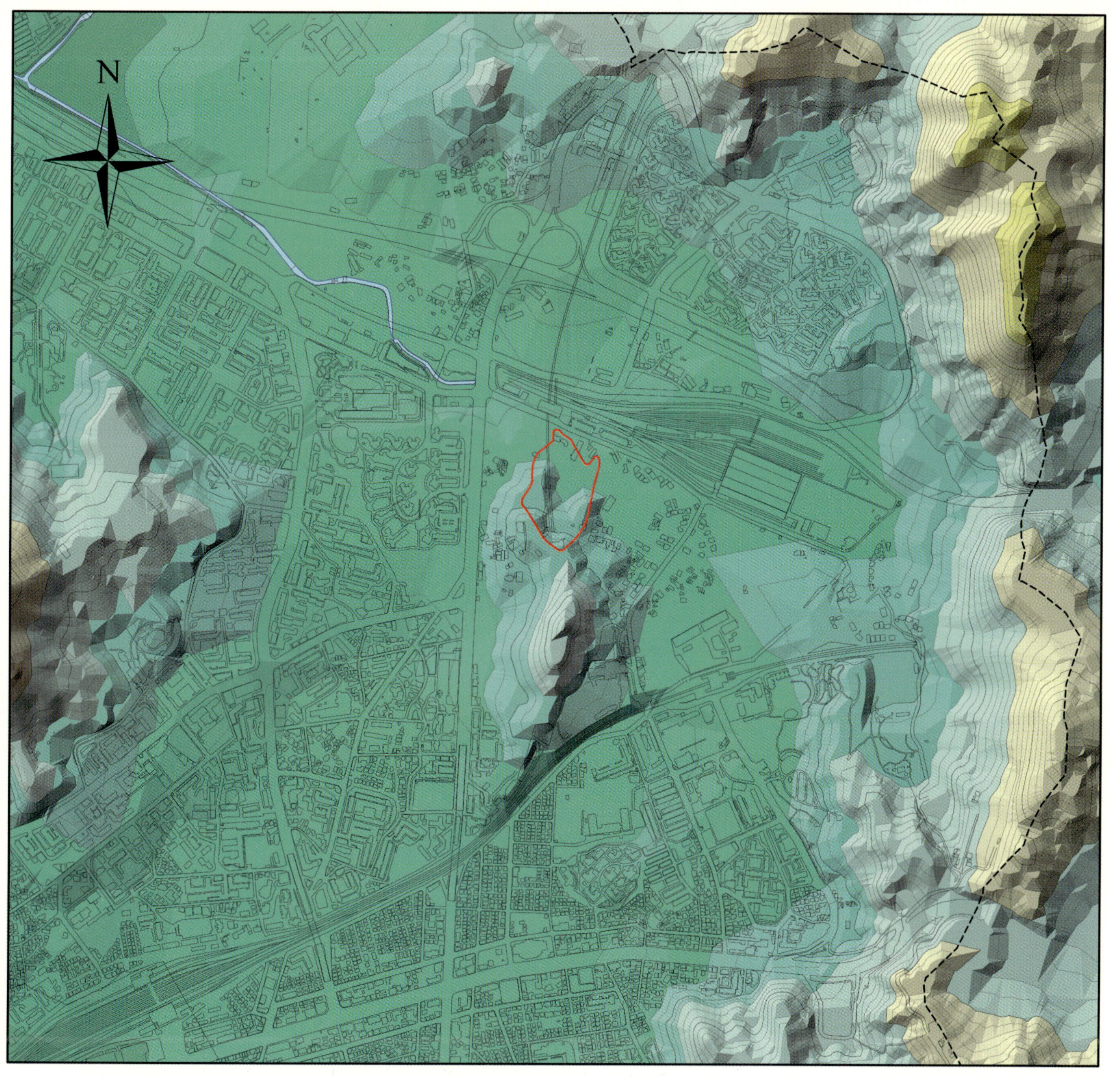

▮범 례

일련번호	지 역	유 적	시 대	주 소
18	서울	망우동 유물산포지1	통일신라~고려	중랑구 망우동 315

▮좌 표

경 도	위 도
127-6-13.49	37-36-36.96

19. 중랑구 망우동 유물산포지3 (中浪區 忘憂洞 遺物散布地3)

소 재 지 서울특별시 중랑구 망우동 산37
시 대 삼국시대
유적분류 유형문화재 〉 유적 〉 유물산포지 〉 유물산포지

망우로를 따라 구리시 교문동 방면으로 가면 망우리공동묘지에 이르기 전에 동원중학교가 있다. 학교 東端에는 망우순환도로가 지나는데, 동북편에 해당하는 도로 건너편 능선말단부와 과수원 지역이 망우동 유물산포지3에 해당된다. 이곳은 남-북으로 뻗어 이어지는 龍馬山과 九陵山 주능선에서 서쪽으로 뻗어 내린 가지능선의 끝에 해당한다.

채집된 유물은 승문과 격자문이 타날된 적갈색 연질토기편과 승석문이 타날된 회청색 경질토기편이 있는데, 유물은 주로 과수원 입구가 있는 능선에서 채집되었다. 유적의 입지는 서향이며, 주변지형과 채집된 유물로 보아 삼국시대의 주거지나 분묘유적이 자리하고 있었을 것으로 보인다.

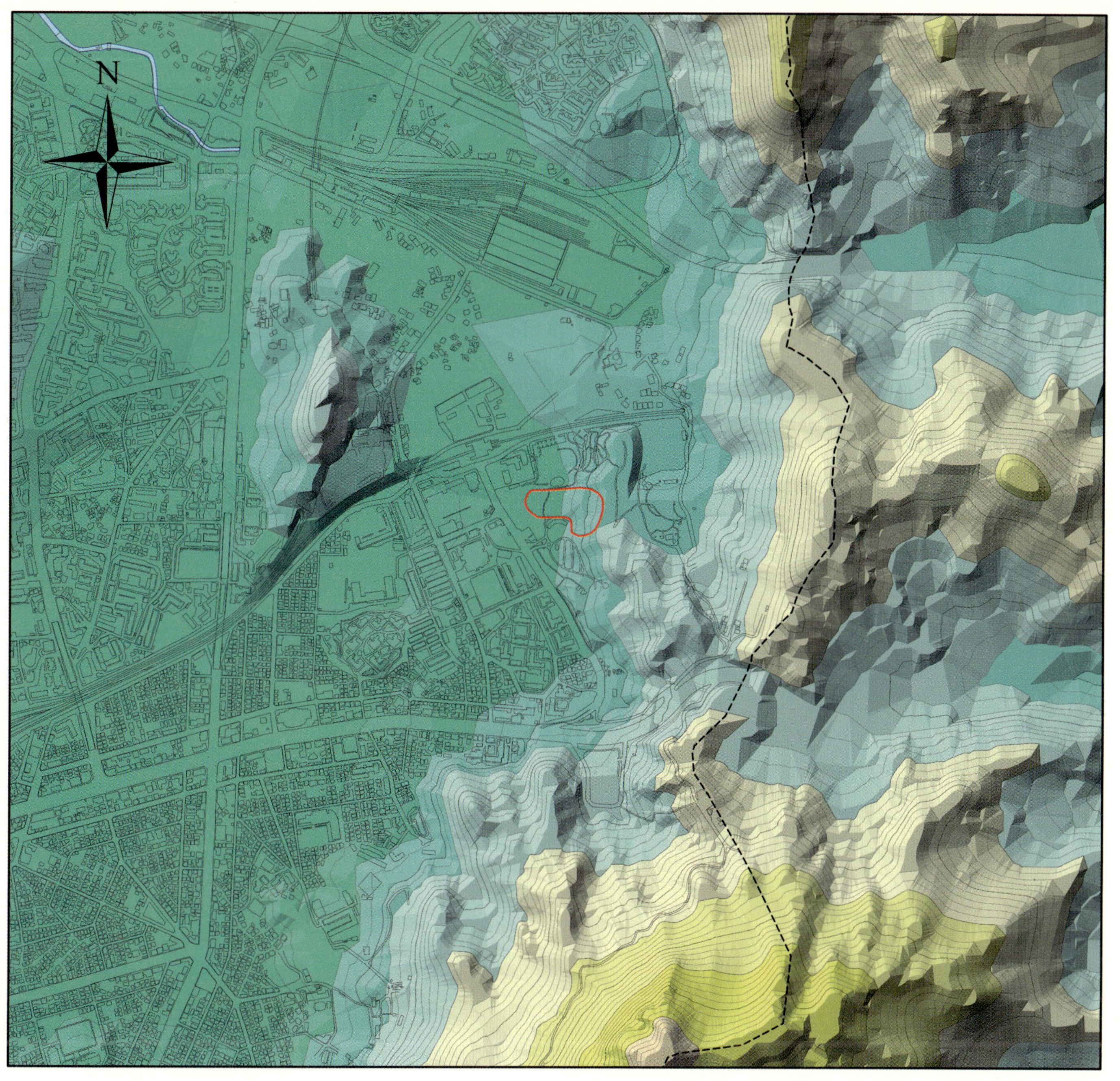

0 0.5 1 km

범 례

일련번호	지 역	유 적	시 대	주 소
19	서울	망우동 유물산포지3	삼국	중랑구 망우동 산37

좌 표

경 도	위 도
127-6-38.10	37-36-17.46

20. 중랑구 망우동 유물산포지4

소 재 지 중랑구 망우동 산57-1번지 일원
시 대 선사시대
유적분류 유형문화재 〉 유적 〉 유물산포지

유물산포지는 서울시와 구리시의 경계에 자리하고 있는데, 용마산으로부터 북쪽으로 뻗어 내려오는 능선상에 위치한 작은 봉우리 정상부에 자리 잡고 있다. 이곳은 망우리공동묘지의 범위 안에 드는 가장 북쪽 봉우리(해발 258.8m, 238.7m)에 해당한다. 정상부는 아차산일대의 보루들처럼 편평하며, 주변에는 무덤들이 조성되어 있고, 산불감시초소가 서 있다.

유물은 무문토기 저부편과 동체부편 등이 채집되었는데, 봉우리 주변과 남사면에 조성된 무덤주변이 주산포지역이다.

유적의 성격은 망우산 제2보루와 마찬가지로 점토대토기와 관련된 유구가 있을 것으로 추정된다.

현재 이곳은 무덤 조성과 등산객들로 인하여 훼손이 심한 상태이다. 따라서 시급히 보존대책을 수립하여야 할 것으로 판단된다.

[참고문헌] 서울대학교박물관, 2000, 『구리시의 역사와 문화』.

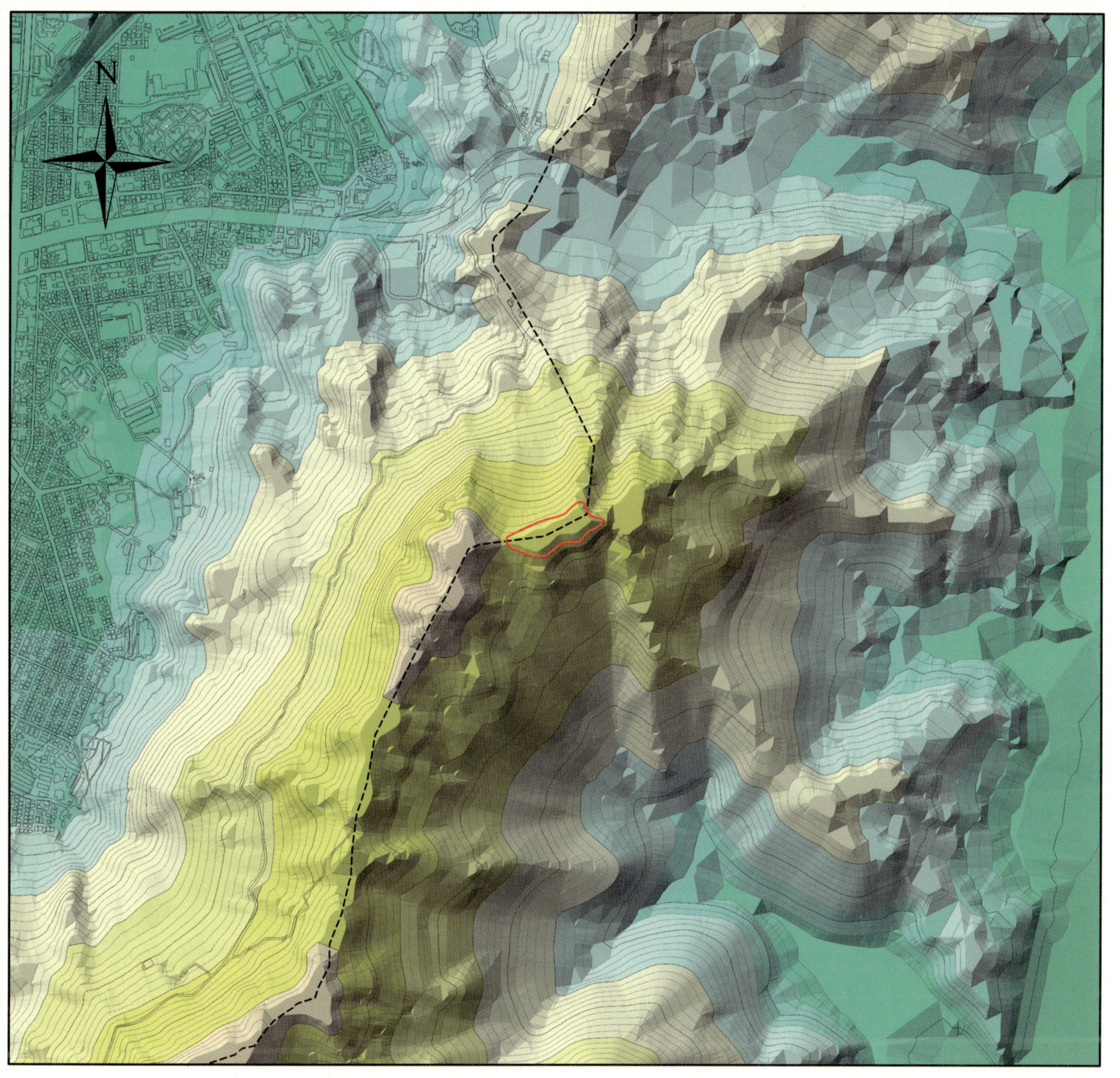

범 례

일련번호	지 역	유 적	시 대	주 소
20	서울	망우동 유물산포지4	선사시대	중랑구 망우동 산57-1번지

좌 표

경 도	위 도
127-6-57.18	37-35-35.17

21. 망우산 1보루

소 재 지 서울특별시 중랑구 면목동 산 1-1
시　　대 고구려시대
유적분류 유형문화재 〉 유적 〉 정치국방유적 〉 성곽

망우산보루군은 용마산과 아차산 줄기가 만나 북쪽으로 뻗은 능선을 따라 3개의 딘루가 줄지어 배치되어 있다. 그 중 망우산1보루는 약 60만평 규모의 망우리공동묘지 남쪽 끝 봉우리 정상부에 위치한다. 이곳에서는 서쪽의 중랑천 일대와 남동쪽의 한강 유역이 한눈에 내려다 보인다. 망우산으로 불리는 아차산 북쪽 능선의 정상부와 서쪽 경사면에는 대규모 공동묘지가 조성되어 있다. 1보루는 민묘가 집중된 지역의 남쪽 외곽으로 벗어나 있다. 그러나 정상부의 헬기장을 비롯하여 곳곳에 군용 교통호가 설치되어 유적의 훼손이 심각한 편이다. 유적의 평면 형태는 원형에 가까우며, 남쪽의 용마산5보루와는 직선거리로 약 850m 가량 떨어져 있다. 유적의 정상부에 조성된 헬기장의 외곽을 따라 석축시설이 일부 노출되어 있다. 그 외 정상부에서 인접한 북쪽 사면에는 성 돌을 재사용하여 쌓은 것으로 보이는 축대가 조성되어 있다. 선행조사에서 교통호 주변의 넓은 범위에서 다수의 고구려 토기편이 수습되었다고 보고되었다.

0 0.5 1 km

범 례

일련번호	지 역	유 적	시 대	주 소
21	서울	망우산1보루	고구려	중랑구 면목동 산1-1

좌 표

경 도	위 도
127-6-24.09	37-34-53.97

22. 망우산 2보루

소 재 지 서울특별시 중랑구 망우동 산 57-3
시　　대 고구려시대
유적분류 유형문화재 〉 유적 〉 정치국방유적 〉 성곽

망우산2보루는 용마산과 아차산의 주능선이 합쳐져 북쪽으로 연장되는 망우산의 최고봉에 위치하는데, 서쪽의 중랑천 일대와 동쪽의 구리시, 남동쪽의 한강 유역이 한눈에 내려다보이는 전략적 요충지이다. 유적은 망우리공동묘지가 조성되면서 성벽이나 기타 유구가 형체를 알 수 없을 정도로 훼손된 상태이다. 유적의 평면 형태는 북동-남서방향에 장축을 둔 장타원형으로 추정되나 정확한 양상은 알 수 없다. 유적에 들어서 있는 분묘들 주위로 축대나 담이 설치되어 있는데, 여기에 사용된 석재의 형태나 치석 상태를 보아 성 돌이 재사용되었을 것으로 보인다. 유적에서는 흑갈색이나 회백색을 띠는 연질토기편이 다수 수습되었는데 토기의 태토나 기형, 소성상태 등이 아차산 용마산 일대 고구려 보루의 토기와 거의 동일한 양상을 보이고 있다. 이외에도 두형토기, 발형토기 등의 무문토기와 석기 등도 함께 수습됨에 따라 이 일대에 청동기시대의 유적도 있었음을 알 수 있다. 비교적 넓은 범위에 걸쳐 고구려 토기편이 산포되어 있어 큰 규모의 보루가 축조되었을 것으로 추정 되지만, 대규모 공동묘지가 조성되는 과정에서 대부분 훼손된 상태이다. 3보루보다 규모는 큰 것으로 보이나 유물의 밀집도는 낮다. 향후 유적의 정확한 성격을 밝히기 위해서 이장해 간 민묘 지역을 중심으로 시굴조사를 실시하여 유적의 상황을 파악할 필요가 있다.

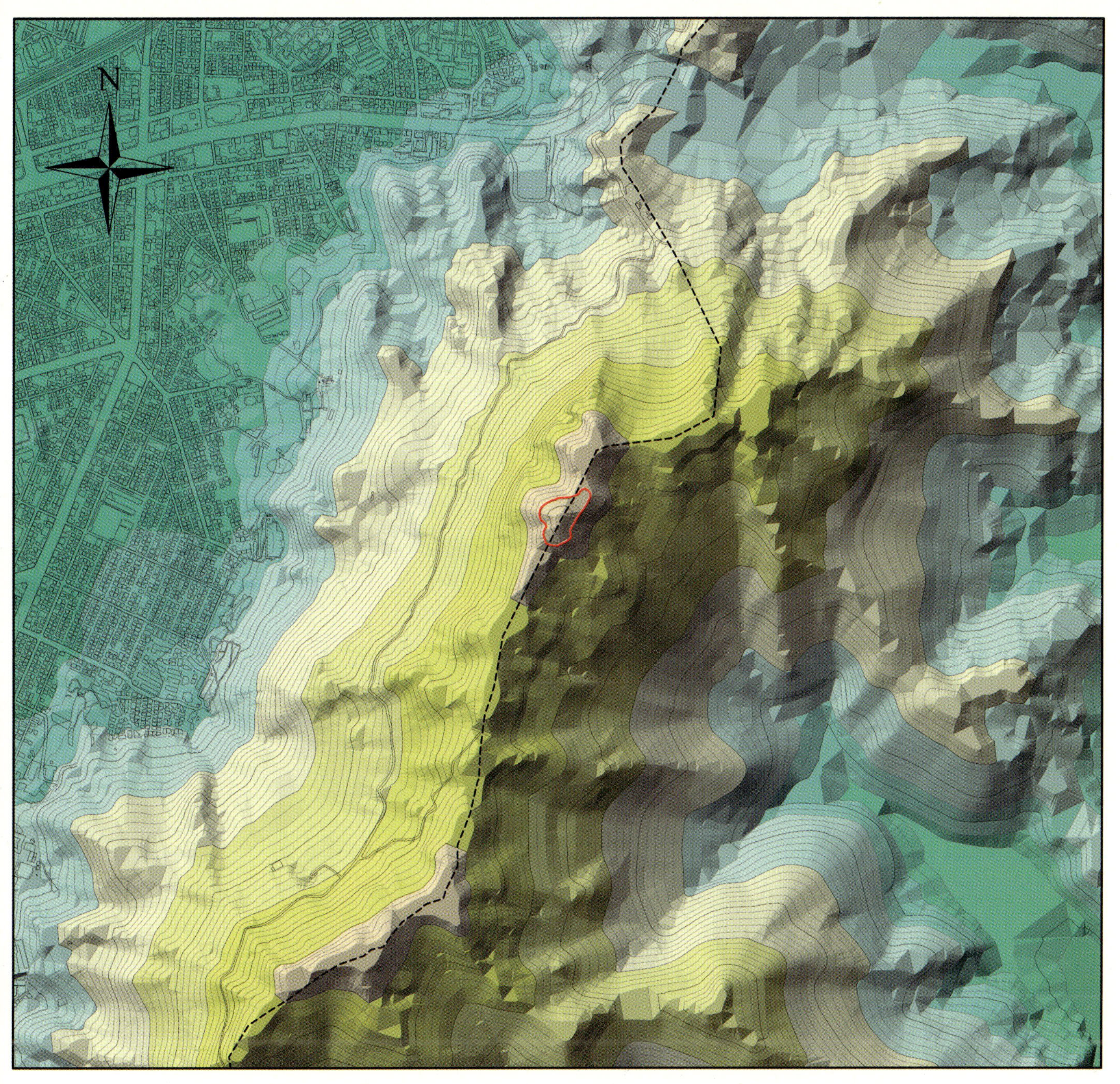

범 례

일련번호	지 역	유 적	시 대	주 소
22	서울	망우산2보루	고구려	중랑구 망우동 산57-3

좌 표

경 도	위 도
127-6-44.47	37-35-28.52

23. 망우산 3보루

소 재 지 서울특별시 중랑구 망우동 산 57-3
시 대 고구려시대
유적분류 유형문화재 〉 유적 〉 정치국방유적 〉 성곽

망우산3보루는 망우산2보루에서 북동쪽으로 약 160m 떨어진 봉우리 정상부에 위치한다. 이곳은 서쪽의 중랑천 일대와 동쪽의 구리시일대 뿐만 아니라 북쪽의 불암산 일대까지 한눈에 조망되는 전략적 요충지이다. 2보루와 마찬가지로 공동묘지에 포함되어 있어 유적은 원래 형태와 규모를 확인할 수 없을 정도로 훼손된 상태이다. 정상부의 남쪽 경사면에 있는 규모가 큰 묘지 뒤편으로 5~7단 정도의 석축이 일부 노출되어 있고 보루와 관련되는 것으로 추정되는 석렬이 잔존한다. 현재 이와 같이 묘역 주변에 남아있는 석축은 성 돌을 재사용하여 축조된 것으로 추정된다. 정상부 주변에는 고구려 토기편 이외에 무문토기편도 수습됨에 따라 이 일대에 청동기시대 유적이 분포했던 것으로 보인다. 망우산2·3보루는 망우리 공동묘지에 포함되어 있어 유적의 대부분이 이미 훼손되거나 멸실된 상태이다. 3보루는 2보루보다 규모가 적고 유물의 밀집도가 높다. 따라서 향후 묘 이전 부지 등을 활용하여 조사가 가능한 지역에 대한 시굴조사를 실시하여 유적의 정확한 양상을 확인할 필요가 있다.

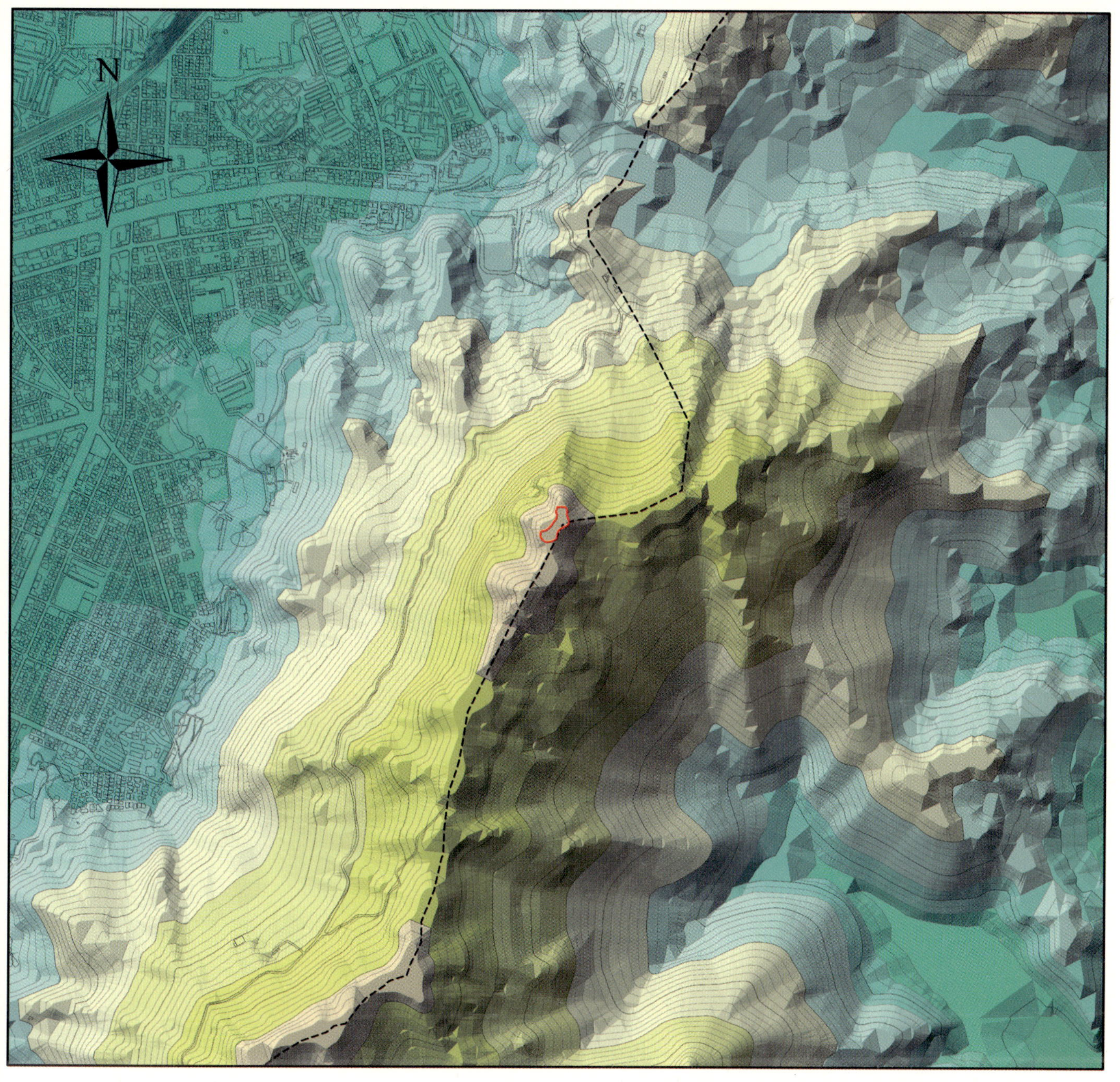

범 례

일련번호	지 역	유 적	시 대	주 소
23	서울	망우산3보루	고구려	중랑구 망우동 산57-3

좌 표

경 도	위 도
127-6-47.70	37-35-33.82

24. 성동구 응봉동 유적(城東區 鷹峯洞 遺蹟)

소 재 지 서울특별시 성동구 금호동1가 산37-1
시 대 선사시대
유적분류 유형문화재 〉 유적 〉 유물산포지 〉 유물산포지

지하철 5호선 행당역 한진타운아파트 남쪽 일대에 위치하고 있는 응봉은 왕십리 남방에 있는 일련의 구릉 중, 표고 120m의 제일 높은 산으로, 일제강점기와 해방 후에 유물이 수습된 바 있으나 현재는 멸실되었다.

대현수도배수국에서 한강 쪽으로 연속되는 일련의 고지상에 석기가 확인되었다고 한다. 응봉의 표면은 풍화해서 사질로 되어 있으나, 곳곳에 적갈색의 부식층이 발견된 것으로 보고되었다. 橫山將三郎 조사시(1930년)에는 고지 정상부에 평면으로 깎인 부분이 있고, 주위에 배수구 같은 것이 돌려져 있던 흔적도 확인되었다고 한다. 특히 그 한 구석에는 빨갛게 탄 진흙이 있는데 진흙 속에는 짚이나 갈대가 섞여 있어, 부뚜막으로 추정되기도 하였다. 석기와 토기들은 약 30cm 깊이의 표토층에서 발견되었다고 하며, 敲石 2점, 剝皮石·砥石 각 1점, 석촉·石庖刀 각 4점, 석부 5점 등이 수습되었다. 1949년에는 尹武炳의 당시 채집품이 서울대학교박물관에 보관되어 있는데, 방추차·어망추를 비롯하여 석기 7점, 토기편 다수가 포함되어 있다. 한편 金元龍의 채집품 중에는 응봉 유적에서 신라토기편도 수습된 것으로 보고되었다.

[참고문헌] 김원룡, 1957, 「석기시대의 서울」, 『향토서울』 1, 서울특별시사편찬위원회.

0 1.5 3 km

▮범 례

일련번호	지 역	유 적	시 대	주 소
24	서울	응봉동 유적	선사시대	성동구 금호동1가 산37-1

▮좌 표

경 도	위 도
127-1-43.00	37-33-4.12

25. 중곡동고분군(서울 中谷洞古墳群)

소 재 지 서울시 광진구 중곡동 143-127
시　　대 삼국~통일신라
유적분류

서울특별시 중랑구 면목동과 광진구 중곡동의 경계지점에 있는 용마산 정상부에서 조사된 것이다. 일제강점기에 조사된 2기의 고분으로, 소화 2년도 고적조사보고서에 도면자료만이 남아 있고 현재는 확인되지 않는다. 갑·을호분으로 명명되었으며 모두 연도가 남 단벽의 중앙에 설치된 횡혈식석실묘이다. 1기의 고분 내부에서 단각고배 등 토기 5점과 석제 방추차 등이 수습되었다. 파괴가 심하여 고분의 정확한 구조를 알기 어려우나 출토된 토기류와 주변에 흩어져 있는 석재들로 보아 신라의 횡구식 또는 횡혈식석실묘가 파괴된 것으로 추정된다.

[참고문헌] 朝鮮總督府, 1935,『昭和二年度古蹟調査報告』.
구리시문화원, 1994,『아차산의 역사와 문화유산』.
최형균, 2006,「경기도 지방의 신라고분 연구 시론」,『서울경기지역의 신라 유적과 유물』, 서울경기고고학회.

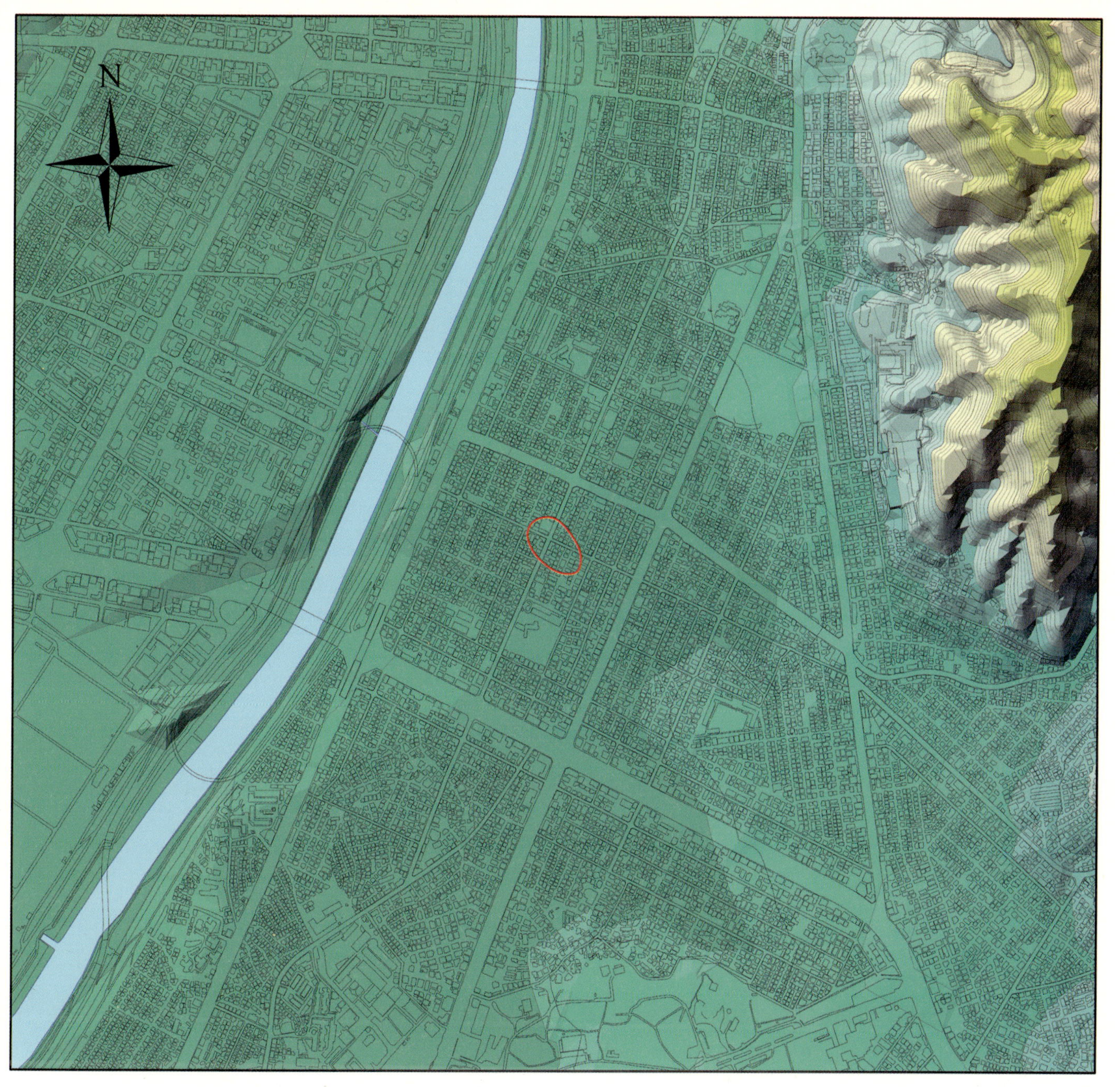

범 례

일련번호	지 역	유 적	시 대	주 소
25	서울	중곡동 고분군	고구려 / 신라	광진구 중곡동 산1

좌 표

경 도	위 도
127-4-45.26	37-33-42.18

26. 광진구 중곡동 유물산포지1 (廣津區 中谷洞 遺物散布地1)

소 재 지 서울특별시 광진구 중곡동 산4-1
시 대 통일신라/발해시대
유적분류 유형문화재 〉 유적 〉 유물산포지 〉 유물산포지

용마폭포공원 남측에서 용마산 정상으로 난 등산로를 따라 올라가면 용마산 제6보루에 이른다. 여기서 보루 남쪽의 산사면상의 좁은 공간에 민묘 3기가 위치한 곳이 나오는데 이 일대가 중곡동 유물산포지1에 해당된다.

유적 내 완만한 평지 공간에 소규모의 건물지가 조성되었던 것으로 보이는데, 현재는 민묘 조성 과정에서 상당 부분 훼손되어 흘러 내린 와편들과 화강석 주춧돌 등이 민묘 아래로 돌아가는 등산로에 산포되어 있다. 수습유물은 기와류가 주류를 이루는데 태선문·세선문·능형문과 선조문이 교차 표현된 것도 확인되는 등 아차산성 시굴조사에서 수습된 기와와 동일한 양상을 나타내고 있다. 기타 경질도기편도 확인된다.

유적의 입지여건 및 산포된 유물들로 판단할 때, 통일신라시대를 중심으로 하는 소규모 건물지가 잔존했을 가능성이 있는 것으로 보인다.

0 0.5 1 km

범 례

일련번호	지 역	유 적	시 대	주 소
26	서울	중곡동 유물산포지1	통일신라	광진구 중곡동 산4-1

좌 표

경 도	위 도
127-5-32.49	37-34-8.86

27. 용마산 제1보루 (서울 龍馬山第1堡壘)

소 재 지 서울특별시 광진구 중곡동 산 3-5
시　　대 고구려시대
유적분류 유형문화재 〉 유적 〉 정치국방유적 〉 성곽 〉 진보돈

사적 제455호(아차산일대보루군으로 일괄 지정됨). 서울특별시 광진구 중곡동 산3-5번지 일대에 위치한다. 보루가 위치한 곳은 용마산 정상부에서 남쪽으로 이어지는 능선의 최남단에 위치한 해발 183m의 나지막한 봉우리이다. 보루의 북쪽으로 용마산2보루가 위치하고, 남동쪽으로는 홍련봉1·2보루가 위치하고 있다. 보루에 올라서면 아차산 보루군이 건너다 보이고, 남쪽과 서쪽으로는 한강유역과 중랑천변 일대의 평지가 한 눈에 내려다 보인다.

보루의 평면형태는 남북으로 긴 타원형이며, 둘레는 96m, 내부 면적은 627㎡로 비교적 작은 규모이다. 보루가 위치한 지점은 북쪽의 능선 방향을 제외하고 삼면이 암반으로 급경사를 이루며, 봉우리 정상부 평탄면을 따라 석축 성벽을 축조한 것으로 보인다. 정상부 평탄면에서 약 5m 정도 아래 지점에 성벽의 일부가 노출되어 있다.

몇 차례의 지표조사를 통하여 다수의 고구려 토기가 채집되었다. 채집된 고구려 토기류는 인근의 용마산 제2보루, 아차산 제3·4보루, 홍련봉 제1·2보루 및 시루봉보루 출토품과 같은 양상이다. 이미 조사된 아차산 일대의 고구려 보루들과 마찬가지로 한강유역의 방어를 위해 축조된 것으로 생각되며, 대체로 500년 전후에 축조되어 551년까지 사용된 것으로 보인다.

[참고문헌] 구리문화원, 1994, 『아차산의 역사와 문화유산』.
서울시립대학교 서울학연구소·한신대학교박물관, 2003, 『서울소재 성곽조사 보고서』.
서울역사박물관, 2005, 『서울특별시 문화유적 지표조사 종합보고서』Ⅱ.
국립문화재연구소, 2006, 『남한의 고구려유적』.

범 례

일련번호	지 역	유 적	시 대	주 소
27	서울	용마산 1보루	고구려	광진구 중곡동 산3-5

좌 표

경 도	위 도
127-5-35.52	37-33-45.99

28. 용마산 제2보루 (서울 龍馬山第2堡壘)

소 재 지 서울특별시 광진구 중곡동 산3-68
시 대 삼국시대
유적분류 유형문화재 〉 유적 〉 정치국방유적 〉 성곽 〉 진보돈

사적 제455호(아차산일대보루군으로 일괄 지정됨). 서울특별시 광진구 중곡동 산3-68에 위치한 용마산 제2보루는 용마산 정상부(3보루)에서 남쪽(중곡동)으로 내려오는 능선의 해발 약 230m 지점의 돌출된 작은 봉우리에 자리하며, 바로 인근 남쪽 봉우리에는 용마산 제1보루가 위치하고 있다. 고저차가 별로 없이 평탄한 능선상에 축조된 아차산 보루들과는 달리, 용마산 보루들은 능선상의 돌출된 봉우리에 축조되어 있다는 점에서 다소 차이가 있다. 용마산 제2보루는 아차산에 가로 막혀 구리시와 서울 강동구 일대는 보이지 않으나, 중랑천변 일대를 포함한 한강 이북 지역이 잘 조망되는 전략적 요충지에 자리잡고 있다.

용마산 제2보루는 1942년 조선총독부에서 발간한 『조선보물고적조사자료(朝鮮寶物古蹟調査資料)』에 독도면 능리 성지(용마산 제1보루)에서 약 200~300칸의 거리에 계란형(장경 약12칸, 단경 약8칸)의 도기파편이 보이는 평탄지로 소개되어 있으며, 이후 1994년 실시된 지표조사에서 고구려 보루로 추정된 바 있다. 이후 유적은 2005년도 10월부터 2006년도 7월까지 2차에 걸쳐 발굴조사 되었으나, 문화재청 및 서울시에서 보존을 결정함에 따라 유적 서쪽 부분에 대한 조사가 이루어지지 못한 채 중단되었다.

한편, 용마산 제2보루가 위치한 아차산 일원에는 아차산성을 제외하고 20여개 정도의 고구려 보루가 분포하고 있다. 지금은 없어졌지만 아차산 서남쪽의 한강변에도 구의동보루와 자양동보루가 위치해 있었고, 아차산 남쪽구릉 말단 홍련봉에는 2개소, 아차산의 능선에는 6개소, 용마산 능선에는 7개소, 망우리 능선에는 3개소의 보루가 있으며, 인근의 시루봉 및 수락산과 봉화산에도 보루가 존재한다. 이들 중 2008년도 6월까지 구의동보루, 아차산 제4보루와 시루봉보루, 홍련봉 제1보루는 이미 발굴조사가 완료되었으며, 홍련봉 제2보루와 아차산 제3보루는 일부 구간만 발굴조사가 된 상태이다.

용마산 제2보루는 작은 봉우리 정상부의 외곽에 돌을 이용하여 성벽을 돌려 쌓고, 내부에는 온돌을 포함한 건물지와 저수시설, 저장시설 등과 같은 시설물을 축조한 고구려 군사요새이다. 용마산 제2보루의 전체 규모는 성벽 대부분이 훼손되어 정확한 파악은 어렵지만, 남북 최장 70m, 동서 최장 42m 이상으로, 전체 길이는 200m 이상일 것으로 추정된다. 유적은 정상부 주변이 모두 암반으로 이루어져 있어 유적의 외곽 부분에는 돌로 쌓은 축대 시설들이 여러 겹 설치되어 있으며, 정상부가 다른 유적들에 비해 좁아 건물을 정상부뿐만 아니라 경사면 아래쪽의 평탄면까지 활용하여 축조하는 등 자연지형을 최대한 이용하였다.

용마산 정상부(3보루)로 향하는 길목인 보루의 동북쪽에서는 2번에 걸쳐 축조된 방어시설 및 차단벽이 확인되었다. 이는 최근 2007년도에 실시한 아차산 제4보루 성벽발굴조사 당시 확인된 방어시설과 동일한 것이다. 한편, 남쪽 등산로에서도 치가 1개소 확인되었으며, 조사를 실시하지 못한 유적의 서북쪽 모서리 구간에도 치가 1개 존재하고 있을 것으로 추정된다.

성 내부의 시설로는 온돌이 갖춰진 건물지 3기와 저수시설 2기, 저장시설과 창고 및 수혈, 그리고 통로와 출입시설 등이 확인되었다. 건물지가 사면에서도 확인되고 있는 점을 미루어 볼 때 유구가 추가로 더 발견될 가능성이 있다.

1호 건물지는 북쪽에 온돌이 설치된 약 50㎡ 규모의 대형 건물지로, 북쪽 벽은 암반을 깎아 조성하였으며 자연적인 경사를 극복하고자 남쪽부분에는 석축을 하여 수평을 맞추었다. 1호 건물지의 맞은편인 서쪽 부분에는 자연경사면을

0 0.25 0.5 km

범 례

일련번호	지 역	유 적	시 대	주 소
28	서울	용마산 2보루	삼국	광진구 중곡동 산3-68

좌 표

경 도	위 도
127-5-35.64	37-33-54.44

따라 남쪽 사면에는 석축으로 축대를 쌓아올려 평탄면을 만들었던 것으로 보이는, 공간이 매우 협소한 부속 시설이 확인되었으며, 이 시설물 사이로는 유적의 정상부로 출입할 수 있는 통로가 만들어져 있다.

2호 건물지는 장축 10.5m, 단축 3m 정도의 반 움집형태 건물지로, 주변 지형에 맞추어 벽의 일부는 수혈과 석축 기단으로 그리고 일부는 방어시설을 축조하며 생겨난 뒷채움한 흙에 가로로 나무판자를 대어 축조하였다. 남서쪽 장축변을 따라 'ㄱ'자형 온돌이 있고, 양 장축변을 따라 약 9개의 기둥구멍이 확인되었다. 온돌은 판석과 할석을 이용해 벽체를 쌓고, 뚜껑은 넓은 판석을 이용해 덮었다. 2호 건물지 바닥에서는 대형 항아리가 깨진 상태로 놓여 있었으며, 벽체 및 목탄, 그리고 20여개 이상의 문고리와 철겸, 찰갑편, 용도 미상의 철기들이 다수 확인되었다. 한편 이 건물지의 동남쪽으로는 문비석이 확인되었는데, 통로와 연결된 것을 보면 출입문의 역할을 했던 것으로 생각된다. 1호 건물지 외벽을 따라 2호 건물지로 올라가는 방향에는 불다짐을 하여 바닥을 다진 통로시설이 확인되었는데, 이 통로에서 2호 건물지로 올라가는 출입구 부분에 불에 탄 고구려기의 나무사다리 흔적이 발견되었다.

3호 건물지는 유적 남쪽 치의 위쪽에서 확인되었다. 1호와 2호 건물지와는 달리 봉우리의 정상부가 아닌 사면의 아랫부분에 평탄면을 만들어 축조하였다. 건물지의 남쪽 경계는 사방공사와 등산로 등으로 인해 훼손되었으며, 동서 경계는 조사 일정상 확인되지 못하였다. 건물지는 치와는 북쪽으로 15m 가량 떨어져 있으며, 경사면을 깎고 석축시설을 하여 벽체를 만들었다. 바닥부분은 평탄화 작업을 하였으며 북쪽의 벽체와 연결하여 적당한 간격으로 할석을 쌓아 공간을 2개소로 분리하였다. 온돌은 일자형인데, 치석된 석재 및 할석들을 이용하여 온돌의 벽체를 조성한 뒤 넓은 판석으로 된 뚜껑돌을 덮었다. 아궁이는 남북방향 고래의 남쪽 끝에, 화구는 동쪽에 있다. 굴뚝시설은 석렬 북쪽벽 바깥쪽에 설치되었는데, 이는 외부로 연기를 배출하기 위한 것으로 추정된다.

이 밖에도 2기의 저수시설이 확인되었는데, 축조방식이나 크기가 거의 유사하며, 약 50㎝ 간격을 두고 축조되었다. 둘 다 풍화암반을 굴토하여 만들었으며, 규모는 대략 단축 3.4m(남북), 장축 3.5m(동서), 깊이 1.2m이다. 바닥은 30㎝ 가량 두께의 뻘을 채웠으며, 벽체는 약 65㎝ 두께이다. 실제 저수 용량은 대략 4㎥ 내외이다. 저수시설 아래쪽으로는 동서 6.5m, 남북 4.5m, 깊이 1.5~2m인 장방형의 저장시설이 확인되었다. 정확한 용도는 알 수 없으나, 뻘흙층이 바닥과 벽에 두텁게 채워져 있는 것으로 보아 물을 채우고 내부에 저장하는 수중 저장고 역할을 했을 가능성이 있다. 바닥은 암반으로 이루어져 있는데, 그 위에 30~35㎝ 정도의 두께로 회색 뻘흙층이 채워져 있고, 다시 그 위로 5㎝ 내외의 얇은 silt층이 확인되는 것으로 보아 물이 항상 차있었던 것으로 생각된다. 벽체 역시 암반을 깎아 만들었으며, 암반벽에 두께 15~40㎝정도의 진흙을 발라 수직을 맞춘 다음, 역시 60㎝ 폭으로 회색 뻘흙을 발랐다. 일부 벽면은 암반에 바로 회색 뻘흙을 얇게 바른 후 다시 진흙으로 수직화 작업을 하기도 했으나, 그 이유는 알 수 없다. 암반벽이 높은 경우는 암반을 그대로 활용하였고, 그렇지 않은 경우는 석축으로 보강하여 높이를 맞추었다.

이 밖에도 3호 건물지 동쪽에서 자연 암반을 깎고 석축을 한 용도 미상의 유구가 확인되었다. 석축은 2단 정도만 확인되었으며, 바닥에는 점토를 발랐으나 이외의 시설은 전혀 없다. 정상부가 아닌 사면에 조성되어 있고, 또한 내부에서 토기가 대량으로 출토되는 것으로 미루어 볼 때, 창고 역할을 했던 시설로 추정된다.

용마산 제2보루에서 출토된 유물의 대부분은 토기류와 철기류이다. 유물은 건물지 내의 온돌 주변과 창고 시설 및 건물지의 출입구로 이동하는 통로(석축시설의 외곽)에서 다량 출토되었다.

토기는 모두 고구려 토기의 전형적인 특징을 갖추고 있는데, 니질태토이며, 평저기형에 대상파수가 부착되어있고, 문양이 시문된 토기가 거의 없다. 제작기법이나 형태상의 특징은 이미 조사된 아차산 일대 다른 보루들의 출토품과 유사하다. 호·옹류, 장동호류, 동이류, 시루류, 완류, 접시류, 뚜껑류 등이 주를 이루며, 그 밖에 연통류, 이배류 등 거의 모든 고구려 토기 기종이 출토된다. 이 밖에도 개인용 변기나 자리를 짤 때 사용한 것으로 보이는 고드랫돌이 10여 점 출토되었다.

철기는 철모, 철부, 철촉, 철준, 찰갑 등의 무기류가 가장 많다. 그밖에 철겸과 같은 농공구류, 접시 형태의 용기류 및 문고리 등이 출토되었고, 치 부근에서 철제 집게로 보이는 단야구 1점이 출토되었다.

용마산 제2보루는 아차산의 다른 고구려 보루들과 마찬가지로 장수왕이 당시 백제의 한성을 점령한 475년부터 신라와 백제의 연합군이 한강 유역을 재점령하는 551년 사이에 해당되는 유적이다. 출토 유물이나 주변 고구려 보루들의 조사 결과를 참조해 볼 때, 용마산 제2보루는 대략 500년을 전후한 시점에 축조되어 551년까지 사용된 것으로 추정된다. 2호 건물지의 바닥 면에서 수습된 목탄을 이용한 방사성탄소연대치 또한 1480±50B.P로 측정되어 이러한 연대관을 뒷받침해준다.

용마산 제2보루는 자연 지형을 최대한 이용하여 성을 축조했음이 유적의 곳곳에서 확인되었는데, 이런 지형에 따른 건물지와 성벽 축조 방식은 고구려인들의 축성법연구에 좋은 자료를 제공해 줄 것이다. 특히 용마산 제2보루 조사에서 확인된 공간 활용과 배치방법 등은 기존에 다른 보루들에서는 볼 수 없었던 특이한 것으로, 앞으로 보다 세밀한 연구가 필요하다. 이와 관련하여 다수의 유물들이 한정된 구역, 특히 생활공간에서만 출토되는 양상을 보여주고 있어, 고구려 병사들의 공간 사용에 대한 일면을 재확인할 수 있는 좋은 자료이다.

한편, 용마산 보루들 중에서는 처음 조사된 용마산 제2보루는 중랑천변과 한강 일대를 한눈에 관망할 수 있는 전략적 요충지에 위치해 있는 고구려 군사요새로, 기존에 조사된 아차산 보루들과 비교가능한 자료를 획득할 수 있다는 점에서 특히 중요하다. 다만, 용마산 제2보루가 유적의 구조 및 활용 부분에서 일부 특이점이 발견되기는 하지만, 전반적으로는 이미 발굴된 아차산 일대의 고구려 보루들과 유사하기 때문에, 6세기 당시 정형화된 고구려 군사시설의 면모를 확인할 수 있으며, 이는 고구려 고고학 연구에 중요한 자료가 되고 있다.

[참고문헌] 서울대학교박물관, 2006, 『용마산2보루 2차 발굴조사 약보고』.

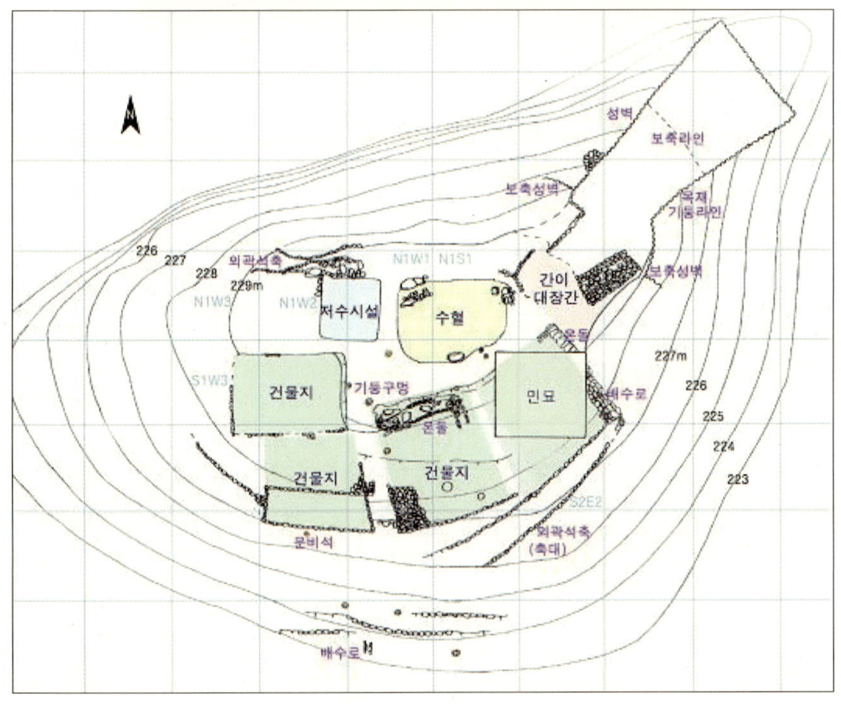

29. 용마산 제3보루 (龍馬山 第3堡壘)

소 재 지 서울특별시 중랑구 면목동 산1-2
시 대 1) 삼국시대 2) 통일신라/발해시대
유적분류 유형문화재 〉 유적 〉 정치국방유적 〉 성곽 〉 진보돈

지하철 7호선 용마산역 면목아파트 뒤편으로 들어가면 용마폭포공원 남측에 난 등산로가 나온다. 능선을 따라 난 등산로 길을 약 350m 정도 오르면 용마산 제6보루가 있는 해발 230m의 작은 봉우리가 나온다. 이 봉우리에서 다시 등산로를 따라 250m 정도 오르면 용마산 제3보루가 위치한 해발 348.2m의 용마산 정상부가 나온다.

용마산 제3보루는 조선총독부의 『朝鮮寶物古蹟調査資料』에 京畿道 高陽郡 纛島面 陵里·面牧里 烽燧로 언급되어 있다. 1994년 구리문화원의 조사에서는 용마산고분으로 명명하기도 하였다. 유적은 장축 북서-남동 방향의 장타원형을 하고 있으며 보루의 둘레는 약 216m, 내부 면적은 1,605㎡이다. 유적 주변에서 다수의 회청색 경질 蓋杯片 등이 수습된 바 있다. 북서쪽으로 뻗어 내려가는 능선의 끝자락에도 석렬들이 노출되어 있는 것으로 보아, 보루 성벽이 잔존하고 있을 가능성도 있으며, 고구려 보루성으로 추정되고 있다.

[참고문헌] 강진갑 外, 1994, 『아차산의 역사와 문화유적』, 구리시·구리문화원.
서울학연구소·한신대학교박물관, 2003, 『서울소재 성곽조사 보고서』, 서울특별시.

범 례

일련번호	지 역	유 적	시 대	주 소
29	서울	용마산3보루	고구려/ 삼국~통일신라	중랑구 면목동 산1-2

좌 표

경 도	위 도
127-5-43.92	37-34-15.27

30. 용마산 제4보루 (龍馬山 第4堡壘)

소 재 지 서울특별시 중랑구 면목동 산1-2
시　　대 삼국시대
유적분류 유형문화재 〉 유적 〉 정치국방유적 〉 성곽 〉 진보돈

용마폭포공원 남측에 난 등산로가 나온다. 능선을 따라 난 등산로를 오르면, 용마산 제3보루가 위치한 해발 348.2m의 용마산 정상부가 나오며, 다시 250m 정도 진행하면 해발 327m 봉우리상에 위치한 용마산 제4보루에 이른다.

유적은 장축 동서 방향의 장타원형을 하고 있으며 보루의 둘레는 약 228m, 내부 면적은 1,848㎡로 아차산과 용마산에 있는 보루 중 가장 큰 규모이다. 유적 서쪽의 헬기장 외곽을 따라 유물들이 수습되며, 헬기장 동쪽의 민묘가 위치한 곳에서는 석렬이 여러 곳에서 확인된다. 동쪽 등산로로 연결되는 지점에는 보루의 성돌을 이용한 것으로 보이는 계단이 있다. 수습토기는 니질태토의 황갈색 토기가 다수로, 직구옹의 구연부와 양이부 동체부편 등이 확인되었다.

2003년도 지표조사에서는 철촉 1점도 보고되었다. 5~6세기 고구려 보루성으로 추정된다.

[참고문헌] 강진갑 外, 1994, 『아차산의 역사와 문화유적』, 구리시·구리문화원.
서울학연구소·한신대학교박물관, 2003, 『서울소재 성곽조사 보고서』, 서울특별시.

0 0.5 1 km

범 례

일련번호	지 역	유 적	시 대	주 소
30	서울	용마산4보루	고구려	중랑구 면목동 산1-2

좌 표

경 도	위 도
127-5-55.90	37-34-19.33

31. 용마산 제5보루 (龍馬山 第5堡壘)

소 재 지 서울특별시 중랑구 면목동 산1-2
시　　대 고구려시대
유적분류 유형문화재 〉유적 〉정치국방유적 〉성곽 〉진보돈

사가정공원 우측 등산로를 따라 오르면 구리시와 경계를 이루는 능선이 나오고, 능선에서 남쪽으로 가면 해발 316.3m의 용마산 제5보루가 위치한 봉우리가 나온다.

용마산 제5보루 봉우리 정상부 북쪽 부분에는 헬기장을 포함한 평탄면이, 남쪽 부분에는 이보다 약간 높은 소구릉이 있다. 석축은 정상부를 돌아가며 축조되어 있으며, 보루의 모양은 북서-남동향을 장축으로 하는 장타원형이다. 크기는 정상부의 장축이 약 60m 이상, 단축은 16m 정도이다. 전체 둘레는 약 110m, 내부면적은 572㎡이다.

북동쪽 경사면에는 성벽으로 추정되는 석축이 노출되어 있으며, 유물은 이 일대 고구려 보루와 같이 고구려 토기편들이 보고된 바 있다. 현재 용마산 제5보루는 위에 헬기장이 조성되어 이미 상당부분이 훼손되었다.

[참고문헌] 서울대학교박물관, 2000,『구리시의 역사와 문화』.
서울학연구소·한신대학교박물관, 2003,『서울소재 성곽조사 보고서』, 서울특별시.

0 0.5 1 km

ı범 례

일련번호	지 역	유 적	시 대	주 소
31	서울	용마산5보루	고구려	중랑구 면목동 산1-2

ı좌 표

경 도	위 도
127-6-3.85	37-34-31.03

32. 용마산 제6보루 (龍馬山 第6堡壘)

소 재 지 서울특별시 중랑구 면목동 산75
시 대 고구려
유적분류 유형문화재 〉 유적 〉 정치국방유적 〉 성곽 〉 진보돈

용마폭포공원 남측에 난 등산로를 따라 오르면 해발 230m의 작은 봉우리가 나온다. 이 작은 봉우리상에 용마산 제6보루가 위치하고 있다.

보루의 전체적인 모양은 북서-남동향을 장축으로 하는 장타원형이며, 둘레는 123m, 내부 면적은 810㎡ 정도이다. 타원형으로 쌓은 석축 시설의 양끝에는 석축이 집중적으로 쌓여 있고 그 윗부분은 우묵하게 꺼져 있다. 보루의 성벽은 대체로 무너져 등산객들에 의해 돌무더기가 쌓여 있는 상태이나 남쪽 성벽 일부에서 몇 단의 석축이 확인되었다. 석축은 자연암반을 이용하여 필요한 곳만 쌓았다. 대체로 고구려 보루들이 적은 석재를 이용, 외곽을 돌아가며 편축식으로 석축을 하는데 비해 훨씬 많은 양의 석재가 사용되고 있다.

유물은 석축의 바깥사면에 산포하고 있으며, 주로 회청색이나 회흑색 경질토기들로 신라계 토기편으로 추정된다.

[참고문헌] 서울학연구소·한신대학교박물관, 2003, 『서울소재 성곽조사 보고서』, 서울특별시.

▮범 례

일련번호	지 역	유 적	시 대	주 소
32	서울	용마산6보루	고구려	중랑구 면목동 산75

▮좌 표

경 도	위 도
127-5-32.41	37-34-12.10

33. 용마산 제7보루 (龍馬山 第7堡壘)

소 재 지 서울특별시 중랑구 면목동 산1-4
시 대 고구려
유적분류 유형문화재 〉 유적 〉 정치국방유적 〉 성곽 〉 진보돈

지하철 7호선 용마산역에서 북쪽 용마산길을 따라 진행하면 용마산 등산로가 나오며, 등산로를 따라 오르면 해발 250m의 작은 봉우리가 나온다. 용마산 제7보루는 봉우리 정상부에 자리하고 있으며, 보루 주변에는 화강암반이 노출되어 있다.

보루는 협소한 작은 봉우리 정상부를 돌아가며 30㎝ 정도의 가공된 화강석으로 축조하였다. 성벽은 전체적으로 무너진 상태이나 남쪽부분 일부에서 석축이 확인된다.

평면 형태는 동-서 방향을 장축으로 하는 장타원형이며, 전체 둘레는 40m 정도이다. 내부 면적은 113㎡로 아차산 일대의 보루 중 가장 작은 규모에 해당한다. 보루 주변에서는 신라계 토기편으로 추정되는 회청색 경질토기편들이 채집되었다. 이 보루는 용마산 정상으로 오르는 등산로 상에 위치하고 있어 훼손이 진행되고 있다.

[참고문헌] 서울학연구소·한신대학교박물관, 2003,『서울소재 성곽조사 보고서』, 서울특별시.

범 례

일련번호	지 역	유 적	시 대	주 소
33	서울	용마산7보루	고구려	중랑구 면목동 산1-4

좌 표

경 도	위 도
127-5-34.55	37-34-23.46

34. 광진구 구의동 아차산 고분군1
(廣津區 九宜洞 阿且山 古墳群1)

소 재 지 서울특별시 광진구 구의동 산3

시 대 1) 삼국시대 2) 통일신라/발해시대

유적분류 유형문화재 〉 유적 〉 무덤유적 〉 고분 〉 고분군

동의초등학교에서 아차산생태공원 쪽으로 가다보면 아차산 능선 방향으로 나있는 등산로가 나온다. 그 등산로를 따라 오르다보면 경기도 구리시와의 경계지점을 중심으로 등산로 좌측에 아차산 고분군1이 위치하고 있다.

1994년도 조사에서는 15기의 석곽묘가 능선 경사면의 남서편으로 약 400여 평에 걸쳐 분포되는 것으로 보고 되었는데, 현장에서 유구로 확연히 판단 가능한 것은 아차산고분군1-2로 명명된 1기 정도이다.

이 석실분은 경사진 풍화암반층을 'ㄴ'자형으로 굴광한 뒤 조성하였고, 북벽과 서남벽의 일부가 전체의 약 1/2정도가 남은 것으로 추정되며, 장축은 남북 방향으로 등고선과 거의 수직이다. 잔존 길이 190㎝, 너비 160㎝, 잔존 높이 64㎝ 내외이다. 북벽은 할석을 3~4단 정도 쌓은 것이 확인되며, 서벽은 특히 바닥과 접한 하부에 상당히 긴 석재를 사용하였다. 시상은 15~20㎝ 내외의 할석을 깔았으며 너비 약 65㎝, 높이 약 5㎝이다.

[참고문헌] 강진갑 外, 1994, 『아차산의 역사와 문화유적』, 구리시·구리문화원.
서울대학교박물관·인문학연구소, 2000, 『구리시의 역사와 문화—지표조사보고서』, 구리시·구리문화원.

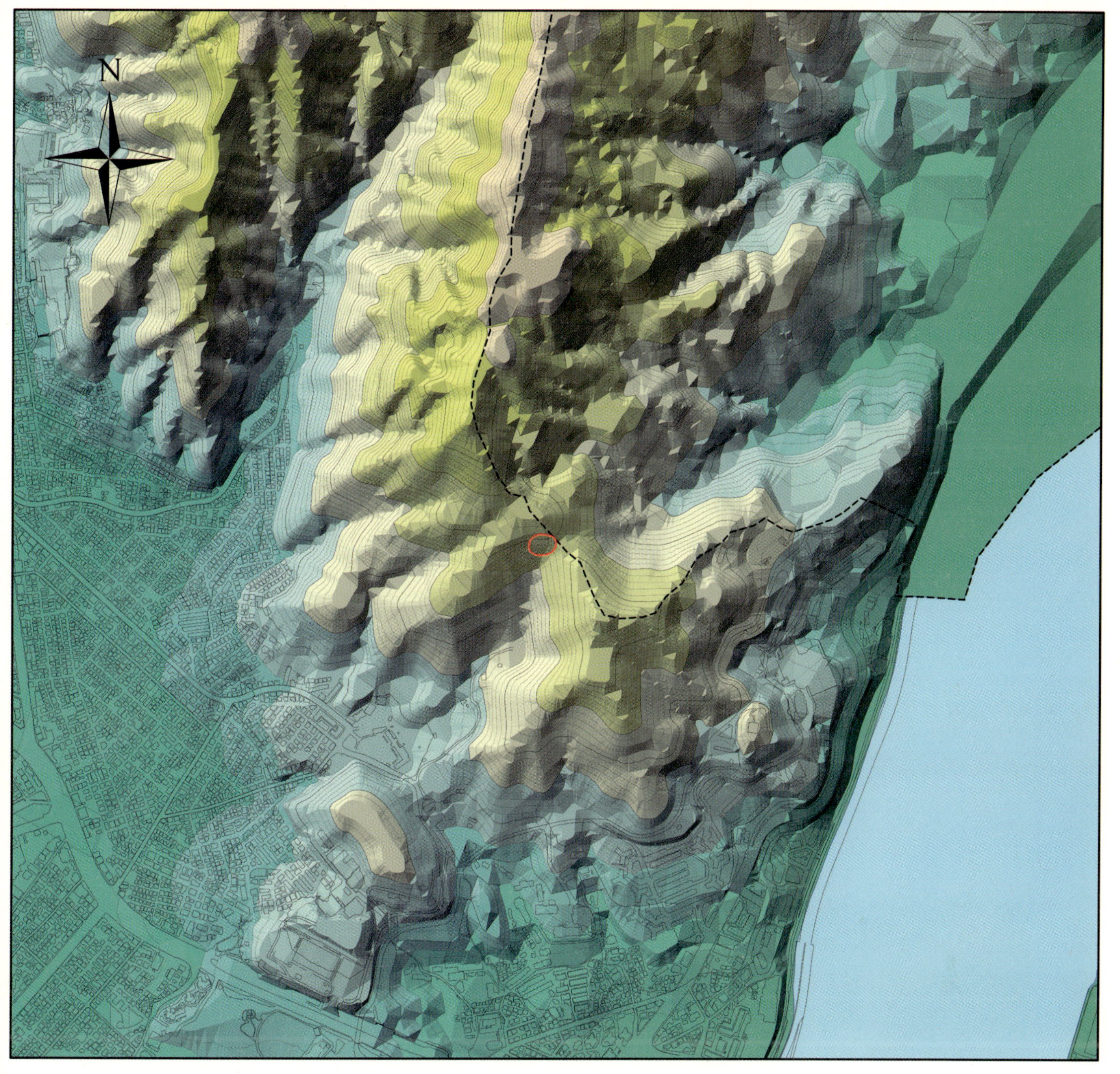

범 례

일련번호	지 역	유 적	시 대	주 소
34	서울	아차산 고분군1	삼국~통일신라	광진구 구의동 산3

좌 표

경 도	위 도
127-6-11.46	37-33-26.53

35. 광진구 구의동 아차산 고분군2 (廣津區 九宜洞 阿且山 古墳群2)

소 재 지 서울특별시 광진구 구의동 산3
시 대 1) 삼국시대 2) 통일신라/발해시대
유적분류 유형문화재 〉 유적 〉 무덤유적 〉 고분 〉 고분군

천호대로 아차산역 사거리에서 아차산 등산로로 서울시와 구리시의 경계부까지 올라가면 아차산 고분군2에 이른다. 고분군2에서 아차산성 방향의 남쪽에는 아차산 고분군1이 위치한다.

1994년도 조사에서는 7기의 석곽묘가 분포되는 것으로 보고되었으나 현장에서 확인 가능한 것은 3기 남짓된다. 이 중 구조를 정확하게 알 수 있는 것은 1기 뿐으로, 등산로상의 서편 구릉지 경사가 다소 완만한 지형에 굴광하여 조성하였다. 장축 방향은 북북서 방향으로, 각 벽체부가 잔존해 있으며 벽체석은 다소 큰 괴석을 사용하였고 편평한 부분이 내부를 향하도록 하였다. 석실의 서쪽에 개석으로 사용되었을 것으로 추정되는 장대석이 놓여 있다. 특징적으로 남벽의 동쪽에 치우쳐 70㎝ 내외의 연도부가 확인된다. 내부 크기는 연도부 포함 245×115㎝이다. 한편 등산로상 동편에 위치한 다른 1기는 노출된 벽체를 통해 규모를 확인할 수 있으며, 또 다른 1기는 등산로변에 위치하는데 정확한 구조를 확인하기 어렵다.

[참고문헌] 강진갑 外, 1994, 『아차산의 역사와 문화유적』, 구리시·구리문화원.
서울대학교박물관·인문학연구소, 2000, 『구리시의 역사와 문화–지표조사보고서』, 구리시·구리문화원.

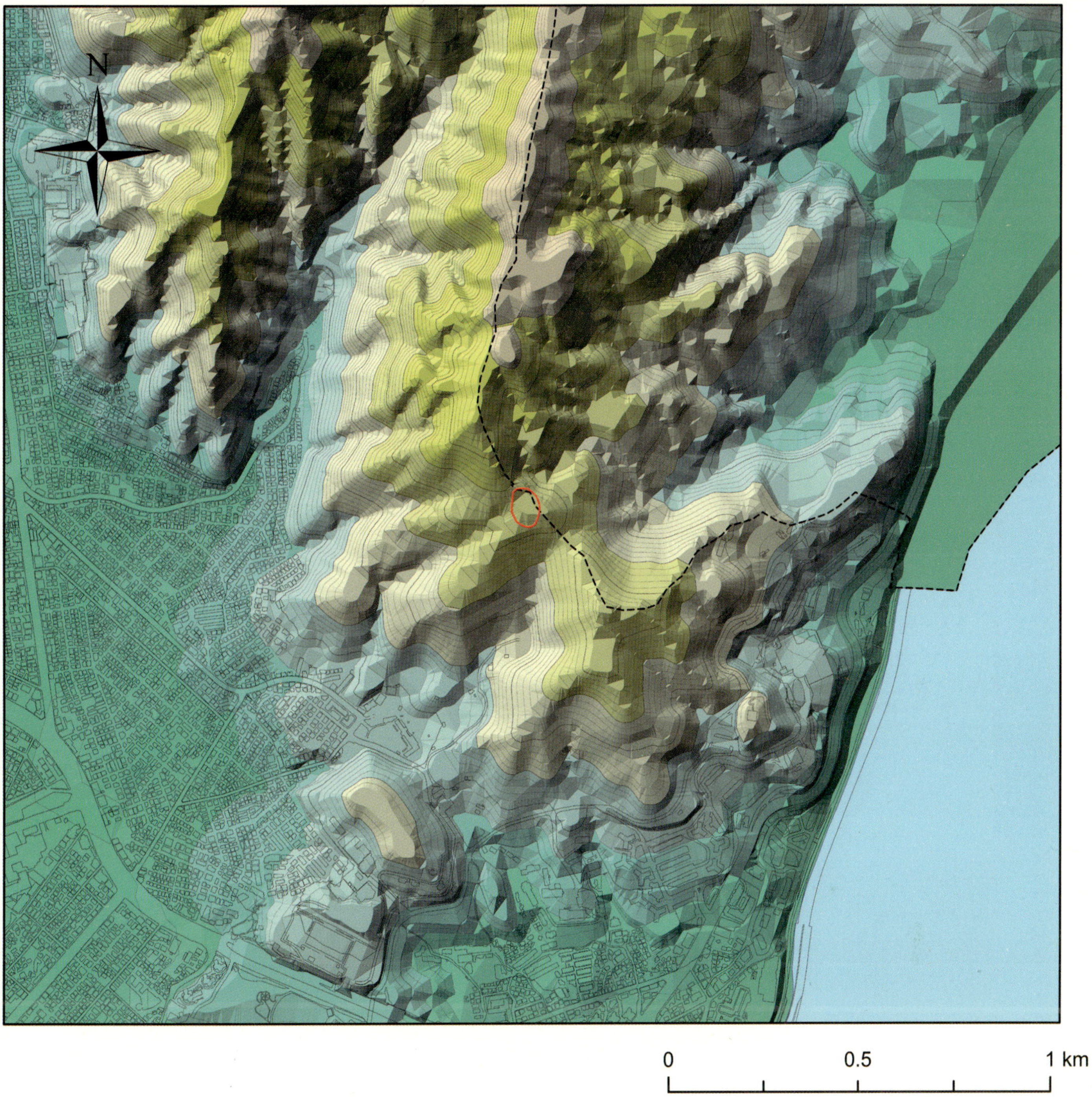

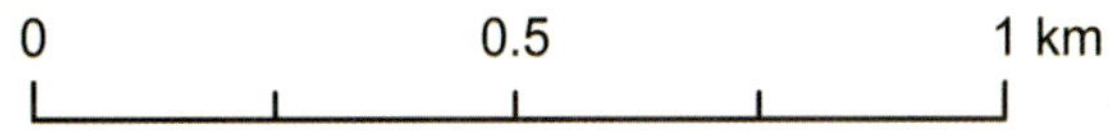

범 례

일련번호	지 역	유 적	시 대	주 소
35	서울	아차산 고분군2	삼국~통일신라	광진구 구의동 산3

좌 표

경 도	위 도
127-6-8.99	37-33-29.41

36. 광진구 중곡동 아차산 고분군3 (廣津區 中谷洞 阿且山 古墳群3)

소 재 지 서울특별시 광진구 중곡동 산1
시 대 1) 삼국시대 2) 통일신라/발해시대
유적분류 유형문화재 〉 유적 〉 무덤유적 〉 고분 〉 고분군

천호대로 아차산역 사거리에서 등산로를 따라 서울시와 구리시의 경계부까지 올라가면 아차산 고분군2에 이르게 되고, 여기서 아차산 능선을 따라 북쪽으로 나있는 등산로를 오르면 등산로 주변에 인접하여 아차산 고분군3이 분포되어 있다.

1994년도 조사에서는 20여 기가 확인된 것으로 보고되었으며, 그중 10여 기는 파괴된 상태로 보고되었다. 주변에는 대형의 석재가 다수 잔존하고 있는데, 정확하게 유구로 확인 가능한 것은 해발 275m의 능선부 등산로 변에 바로 노출되어 있는 1기이다. 유구의 장축은 남북 방향으로 현재는 남벽과 동벽만이 남아 있다. 남벽은 1매의 큰 괴석을 사용하였고, 장벽인 동벽은 2매의 괴석을 사용하여 축조하였다. 잔존 크기는 약 260×180㎝, 남벽 높이 60㎝, 동벽 높이 55㎝이다.

[참고문헌] 강진갑 外, 1994, 『아차산의 역사와 문화유적』, 구리시·구리문화원.
서울대학교박물관·인문학연구소, 2000, 『구리시의 역사와 문화-지표조사보고서』, 구리시·구리문화원.

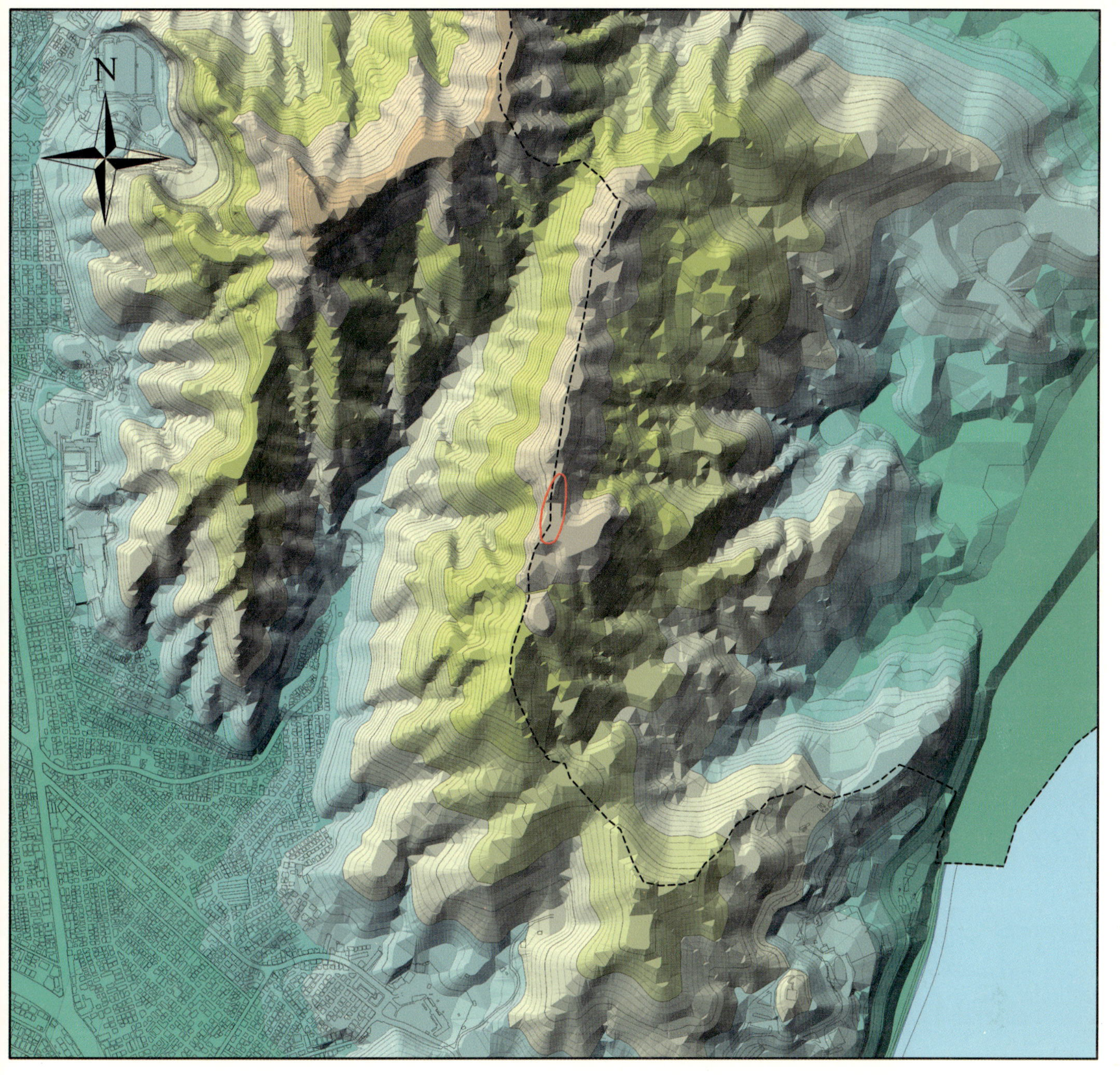

0 0.5 1 km

▮범 례

일련번호	지 역	유 적	시 대	주 소
36	서울	아차산 고분군3	삼국~통일신라	광진구 중곡동 산1

▮좌 표

경 도	위 도
127-6-8.07	37-33-51.25

37. 아차산 제1보루 (阿且山 第1堡壘)

소 재 지 서울특별시 광진구 중곡동 산2-1
시 대 고구려시대
유적분류 유형문화재 〉 유적 〉 정치국방유적 〉 성곽 〉 진보돈

천호대로 아차산역 사거리에서 아차산 등산로로 구리시 경계 능선까지 오르다가, 능선부에서 북쪽으로 난 등산로 길을 따라 오르면 아차산 제1보루에 이른다.

조선총독부의 『朝鮮寶物古蹟調査資料』에 京畿道 高陽郡 纛島面 中谷里 성지로 언급되어 있으며, 1994년과 2003년 지표조사에서 추가로 확인되었다. 유적은 장축 남북 방향의 장타원형을 하고 있으며, 보루의 둘레는 약 103m, 내부 면적은 688㎡이다. 성 내부는 한쪽 끝에 단이 지며 높은 평탄면이 잔존한다. 보루의 남쪽 일부에서 성벽이 노출된 부분도 관찰되며, 성돌은 거칠게 다듬은 석재를 사용하였다. 보루의 동쪽 측면 일부는 등산로 개설 과정에서 훼손된 것으로 보인다. 유물은 주로 체성의 좁은 상면에서 확인되며, 수습토기는 니질태토의 황갈색·회색·흑색이 대부분이다.

조사 성과와 당시의 문헌기록을 통해 볼 때 5~6세기 고구려 보루성으로 추정된다.

[참고문헌] 강진갑 外, 1994, 『아차산의 역사와 문화유적』, 구리시·구리문화원.
서울대학교박물관·인문학연구소, 2000, 『구리시의 역사와 문화-지표조사보고서』, 구리시·구리문화원.
서울학연구소·한신대학교박물관, 2003, 『서울소재 성곽조사 보고서』, 서울특별시.

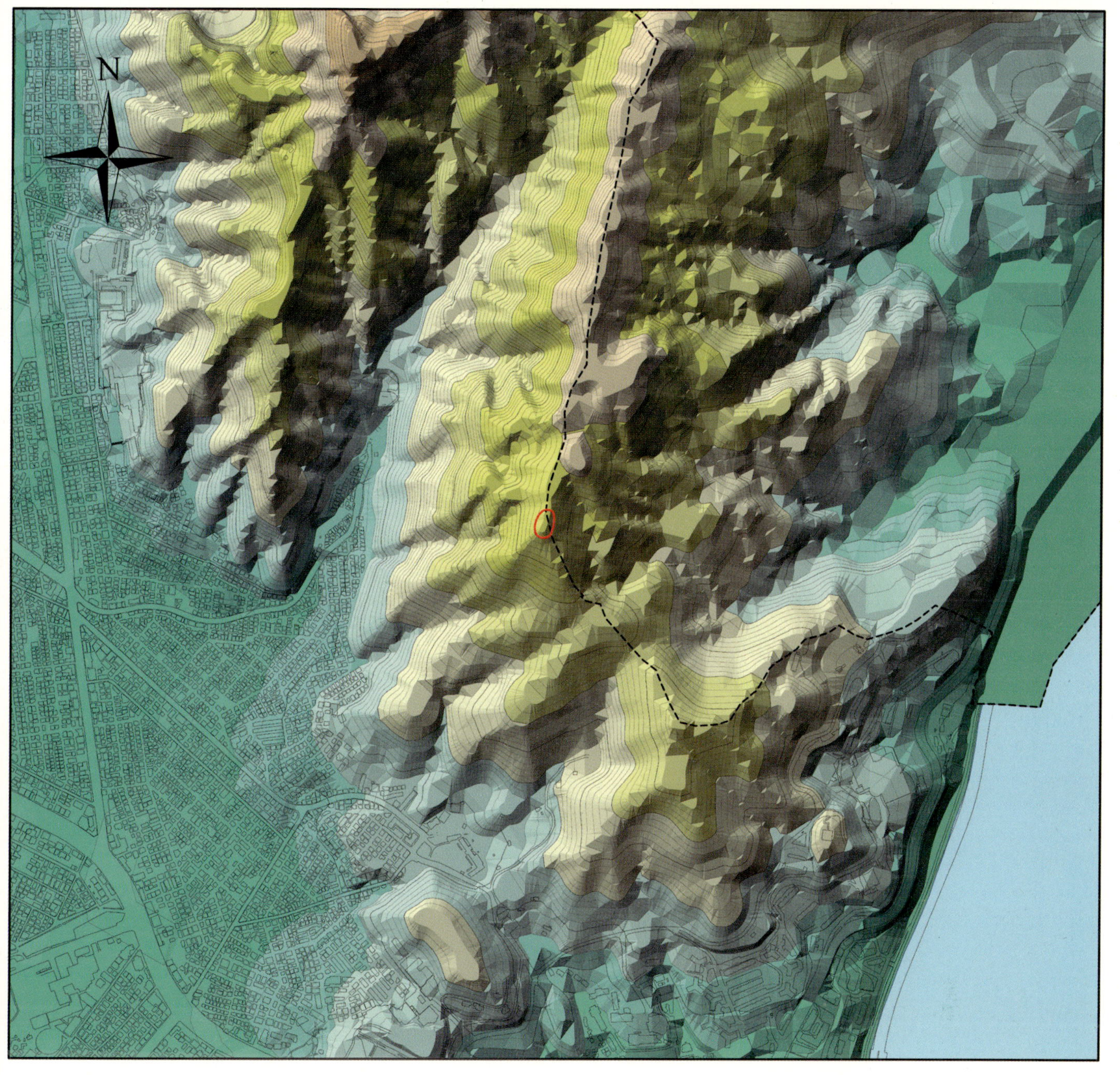

범 례

일련번호	지 역	유 적	시 대	주 소
37	서울	아차산1보루	고구려	광진구 중곡동 산2-1

좌 표

경 도	위 도
127-6-3.33	37-33-37.00

38. 아차산 제2보루 (阿且山 第2堡壘)

소 재 지 경기도 구리시 이천동 산 49-1, 산 54-1
시 대 고구려시대
유적분류 유형문화재 〉 유적 〉 정치국방유적 〉 성곽 〉 진보돈

사적 제455호(아차산일대보루군으로 일괄 지정됨). 경기도 구리시 아천동 산54-1번지에 위치한다. 보루가 위치한 곳은 해발 276.2m의 나지막한 봉우리로 아차산 주 능선에서 동쪽으로 갈라져 나온 곳이다. 보루의 서북쪽으로는 아차산 제3보루, 서쪽으로는 아차산 제6보루, 북쪽으로는 아차산 제4보루가 있으며, 남쪽으로는 아차산 제1보루와 제5보루가 있다. 보루의 동쪽은 화강암반이 노출되어 절벽을 이루고 있으며, 구리시 왕숙천변 일대와 한강 남쪽지역이 잘 조망되는 전략적 요충이다. 사적 제455호로 일괄 지정된 아차산보루군이 위치하고 있는 아차산의 지형적 특징은 아차산 제1보루에 상술되어 있다. 보루의 평면 형태는 원형에 가까우며, 둘레는 조사자에 따라 40m, 또는 58m로 보고되고 있으며, 아차산 보루군 중에서 가장 작은 규모이다. 훼손이 심하여 정확한 보루의 윤곽을 확인하기는 어려우나 보루의 외곽 성벽을 이루는 석축이 곳곳에 남아있으며, 남쪽에는 치(雉)로 추정되는 시설이 확인되기도 한다.

몇 차례의 지표조사를 통하여 고구려 토기가 채집되어 고구려 보루로 추정되고 있다. 채집된 토기류는 인근의 아차산 제3·4보루, 홍련봉 제1·2보루 및 시루봉보루 출토품과 같은 양상이다. 이미 조사된 아차산일대의 고구려 보루들과 마찬가지로 한강유역의 방어를 위해 축조된 것으로 생각되며, 대체로 500년 전후에 축조되어 551년까지 사용된 것으로 보인다.

[참고문헌] 구리문화원, 1994, 『아차산의 역사와 문화유산』.
서울시립대학교 서울학연구소·한신대학교박물관, 2003, 『서울소재 성곽조사 보고서』.
서울역사박물관, 2005, 『서울특별시 문화유적 지표조사 종합보고서』Ⅱ.
국립문화재연구소, 2006, 『남한의 고구려유적』.

범 례

일련번호	지 역	유 적	시 대	주 소
38	서울	아차산2보루	고구려	경기도 구리시 아천동 산 49-1, 산 54-1

좌 표

경 도	위 도
127-6-13.48	37-33-50.17

39. 아차산 제3보루 (阿且山 第3堡壘)

소 재 지 서울특별시 광진구 중곡동 산1
시　　대 고구려시대
유적분류 유형문화재 〉 유적 〉 정치국방유적 〉 성곽 〉 진보돈

천호대로 아차산역 사거리에서 아차산 등산로를 따라 구리시 경계 능선까지 올라, 다시 북쪽으로 난 등산로를 따라 930m 정도 오르면 아차산 제3보루가 위치해 있다.

조선총독부의 『朝鮮寶物古蹟調査資料』에 京畿道 高陽郡 纛島面 中谷里 성지로 언급되어 있으며, 1994년과 2003년 지표조사에서 추가로 확인되었다. 유적은 남북 방향으로 긴 장타원형을 띠고 있다. 성벽의 둘레는 304m, 내부 면적은 3,100㎡로 아차산 일대 보루 중 가장 큰 규모를 보이고 있다. 현재 유적의 동쪽 성벽을 따라 등산로가 나 있어 훼손이 진행되고 있는 상태이다. 유적의 남단으로 들어서기 직전에 동편으로 석축이 4단 정도 확인되며, 유물은 주로 유적 남측 주변에서 확인되고 있다. 토기는 주로 니질태토의 황갈색·적갈색이며 구연부편은 밖으로 말아서 접은 것이 확인된다.

주변 보루 유적들과 마찬가지로 5~6세기 고구려 보루성으로 추정된다.

[참고문헌] 강진갑 外, 1994, 『아차산의 역사와 문화유적』, 구리시·구리문화원.
서울대학교박물관·인문학연구소, 2000, 『구리시의 역사와 문화−지표조사보고서』, 구리시·구리문화원.
서울학연구소·한신대학교박물관, 2003, 『서울소재 성곽조사 보고서』, 서울특별시.

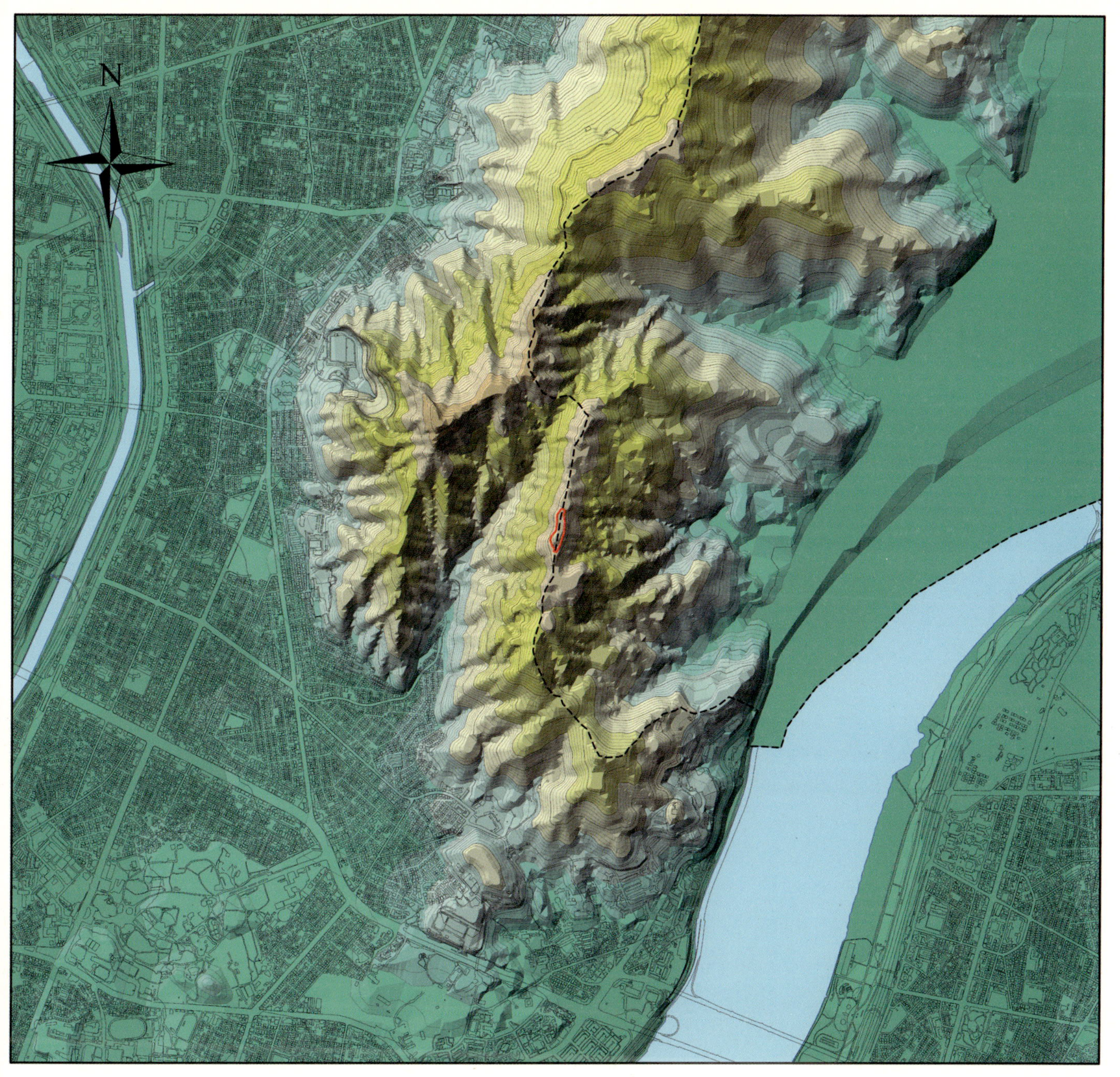

범 례

일련번호	지 역	유 적	시 대	주 소
39	서울	아차산3보루	고구려	광진구 중곡동 산1

좌 표

경 도	위 도
127-6-9.29	37-33-57.18

40. 아차산 제4보루 (阿且山 第4堡壘)

소 재 지 서울특별시 광진구 중곡동 산1
시 대 고구려시대
유적분류 유형문화재 〉 유적 〉 정치국방유적 〉 성곽 〉 진보돈

천호대로 아차산역 사거리에서 아차산 등산로를 따라 구리시 경계 능선까지 오른 후 다시 북쪽으로 난 등산로를 따라 1.5km 정도 오르면 아차산 제4보루에 도달하게 된다. 유적은 아차산 해발 285.8m 정상부에 위치한다.

아차산 제4보루는 조선총독부의 『朝鮮寶物古蹟調査資料』에 京畿道 高陽郡 纛島面 中谷里 성지로 언급되어 있으며, 1994년과 1997~1998년에 조사 발굴되었다. 유적은 북동-남서향의 장타원형을 이루며 성벽의 둘레는 238m, 내부면적은 1,518㎡이다. 동벽은 잘 다듬어진 화강암을 이용하여 정교하게 쌓고, 북벽은 조잡한 석재를 사용하는 등 지점별로 차이를 두었다. 건물지 7기, 온돌시설 13기, 저수시설 2기가 확인되었고, 출토 토기는 황색·흑색·회색이 주를 이루며, 중심연대는 6세기로 보고 있다.

철기류는 무기류·마구류·농공구류·용기류 등을 포함하여 319점이 확인되었으며, 발굴결과를 토대로 한강 유역에서의 교통로 확보를 위한 고구려의 전초기지 및 방어시설로 파악되고 있다.

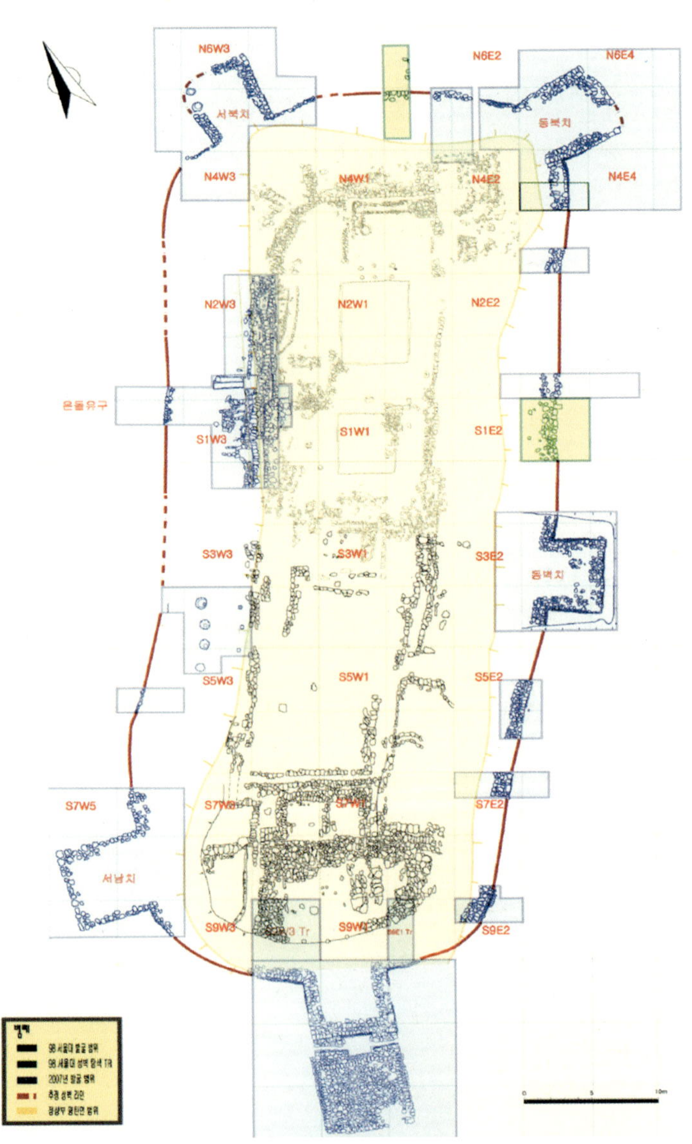

[참고문헌] 서울대학교박물관·인문학연구소, 2000, 『아차산4보루-발굴조사종합보고서』.
서울학연구소·한신대학교박물관, 2003, 『서울소재 성곽조사 보고서』, 서울특별시.

▌범 례

일련번호	지 역	유 적	시 대	주 소
40	서울	아차산4보루	고구려	광진구 중곡동 산1

▌좌 표

경 도	위 도
127-6-14.68	37-34-13.98

41. 아차산 제5보루 (阿且山 第5堡壘)

소 재 지 서울특별시 광진구 중곡동 산1
시 대 고구려시대
유적분류 유형문화재 〉 유적 〉 정치국방유적 〉 성곽 〉 진보돈

아차산 제3보루에서 남쪽에 위치하고 있는 아차산 제5보루는 아차산의 동쪽 일대를 조망하기에 유리한 지형을 갖추고 있다. 유적의 해발은 268.1m로 소규모 봉우리이다.

2004년 '아차산 일대 보루군'으로 지정되면서 아차산 제5보루로 명명되었다. 유적은 장축 북서-남동 방향의 장타원형을 하고 있다. 성 남쪽 끝에는 석재가 높게 쌓여 있는데 주변과 아래 사면에서 유물들이 다수 수습된다. 유적의 진입부는 남쪽의 평탄면보다는 융기된 형태를 띤다. 북쪽 진입부 사면에서 1~2단 내외의 석축이 확인되고 있어 보루성의 기능을 지녔을 것으로 추정된다. 유물은 종집선문이 타날된 회청색 경질토기와 회색 니질태토의 연질토기가 수습된다. 1994년 조사에서는 회청색 경질의 인화문토기의 합뚜껑과 병·호가 수습된 바 있다. 발굴 성과와 당시의 문헌기록을 통해 볼 때 고구려 보루성으로 추정할 수 있으나 보루의 축성과 사용에 신라의 역할이 상당히 관계되었을 개연성을 배제할 수 없다.

[참고문헌] 강진갑 外, 1994, 『아차산의 역사와 문화유적』, 구리시·구리문화원.
서울대학교박물관·인문학연구소, 2000, 『구리시의 역사와 문화-지표조사보고서』, 구리시·구리문화원.
서울학연구소·한신대학교박물관, 2003, 『서울소재 성곽조사 보고서』, 서울특별시.

범 례

일련번호	지 역	유 적	시 대	주 소
41	서울	아차산5보루	고구려	광진구 중곡동 산1

좌 표

경 도	위 도
127-6-6.73	37-33-42.32

42. 아차산 제6보루 (阿且山 第6堡壘)

소 재 지 경기도 구리시 아천동 산 49-1
시　　대 고구려시대
유적분류 유형문화재 〉 유적 〉 정치국방유적 〉 진보돈

이 보루는 구리시 아차산 3보루 근처 1백미터 지점에서 고구려의 디딜방아 시설인 돌(볼씨)이 최근 확인되면서 아차산6보루로 새로 이름 지어졌다. 아차산 3보루에서 처음 고구려 디딜방아 흔적이 발굴된데 이어 두 번째로 고구려 디딜방아 관련 유구가 발견된 것이다. 화강암을 둥그렇게 다듬은 볼씨는 길이 25cm, 홈 길이 5cm로, 두 볼씨의 간격은 약 25cm이다. 이 디딜방아 유구는 정식 발굴로 출토된 것이 아니고 등산로 상에 놓여있어 숱한 등산객들이 오고 간 결과, 흙이 파이면서 모습이 드러났다. 고려대학교 최종택교수가 확인하고 아차산6보루로 명명한 이 유적은 둘레 70~80m의 조그만 보루로서, 주둔 병사는 10여명 정도일 것으로 추정했다.

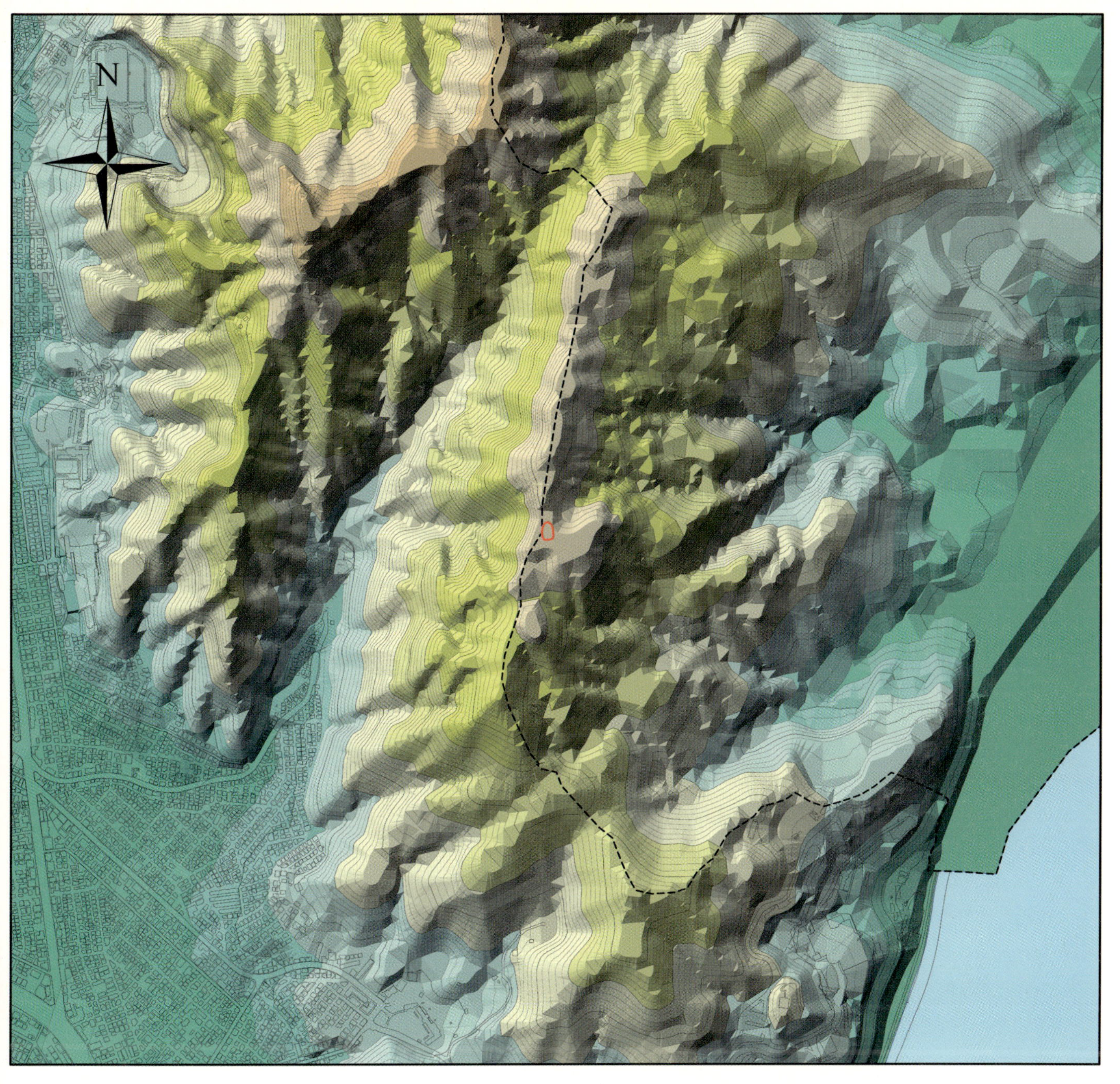

범 례

일련번호	지 역	유 적	시 대	주 소
42	서울	아차산6보루	고구려	경기도 구리시 아천동 산49-1

좌 표

경 도	위 도
127-6-8.17	37-33-49.64

43. 아차산성 (阿且山城)

소 재 지 서울특별시 광진구 광장동 산32
시 대 1) 삼국시대 2) 통일신라/발해시대
유적분류 유형문화재 〉 유적 〉 정치국방유적 〉 성곽 〉 산성

아차산성(阿且山城)은 서울특별시 광진구 워커힐로 117 일대에 위치하고 있다. 산성의 대부분은 서울특별시에 속해 있지만 북벽은 경기도 구리시 아천동에 접하여 있다. 아차산성은 아차산의 줄기가 한강변에 이르러 마지막 봉우리를 이루는 곳에 위치하고, 남쪽으로 강남일대가 한 눈에 들어오며 북쪽으로는 아차산 1보루를 비롯하여 아차산 및 용마산 일대가 조망되는 입지를 가지고 있다.

아차산성의 평면형태는 부정 육각형이며, 평면상 성곽의 전체 둘레는 약 1,043m이고 가장 높은 곳은 망대지가 있는 산성의 북서쪽 돌출부로 해발 203.4m이며, 가장 낮은 곳은 성의 남쪽 배수구가 위치한 곳으로 해발 122m이다. 산성 가운데에는 계곡이 형성되었고 성벽이 계곡을 껴안고 있는 형태를 한 포곡식(包谷式)산성이다. 성벽은 화강암과 편마암을 다듬어서 쌓아 올린 석축(石築)성벽이며 성 내부에서는 건물지와 연지, 배수로 등이 조사되었다. 또한 많은 양의 유물들이 출토되어 산성의 성격을 좀 더 명확하게 파악할 수 있었는데, 분석결과 현재 남아 있는 석축성벽은 6세기 중반 이후 신라가 한강유역에 진출하면서 이 유역을 공고히 하기 위해 축성한 것으로 추정된다.

2016년에는 남문지 및 배수구와 망대지가 조사되었다. 아차산성 망대지는 아차산성 안에서 가장 높은 곳으로 해발 202.80m에 해당된다. 발굴조사 이전에 지표상에서 원형 집석시설과 내·외성벽, 그리고 성벽 바깥에 위치한 치성이 노출되어 있었다. 이를 중심으로 그리드 발굴조사를 실시하였는데, 원형 집석시설을 시작으로 내·외성벽, 치성, 치성 보축1, 치성 보축2, 치성 보축2의 하부 석축, 성내 방대형 시설과 보축 등이 확인되었다.

아차산성 망대지에서 주로 출토되는 유물은 기와이다. 이는 성 내부의 건물지나 여타 유구들을 조사하는 것이 아니라 내외성벽을 비롯한 치성 등 성벽조사를 진행하는 관계로 인한 현상으로 보인다. 그리고 가와들은 연화문수막새를 비롯한 완형의 암·수키와들이 출토되고 있어 단순한 보강재의 용도는 아닌 것으로 추정된다. 그리고 명문기와는 기존에 보고된 "漢", "北漢", "國", "官", "受國" 등이 출토되었고, 특히 아차산성에서 처음으로 출토된 "山城", "北漢山城"의 명문기와가 확인되었다.

아차산성 남문지 및 배수구에서 출토된 유물은 상층의 경우 다양한 종류의 토기와 철기가 확인되는데 비해, 하층에서는 일정 부위가 주로 출토되는 양상을 보이고 있다. 기와는 현재까지 상층에서만 약 3000점 출토되었다. 형태별로 암키와가 2400점, 수키와가 450점 정도이며, 약 90%에서 선조문이 확인된다. 명문기와는 10점 정도로 '北山', '官', '漢' 등이 출토되었다. 또한 연화문화당이 서쪽 입수구 내벽 인근에서 3점 출토되었다. 모두 각각 다른 문양으로 각각 홍련봉 1보루와 호로고루, 아차산성 망대지에서 출토된 것과 흡사한 형태를 보이고 있다. 와당과 더불어 소이빨과 불명의 수골도 내벽 인근에서 확인되었다.

[참고문헌] 한강문화재연구원·광진구, 2016, 「아차산성 망대지 일대 문화재 발굴조사 4차 학술자문회의 자료집」.
한국고고환경연구소, 2016, 「사적 제234호 아차산성 남문지 및 배수구 발굴조사 자문회의 자료(2차)」.

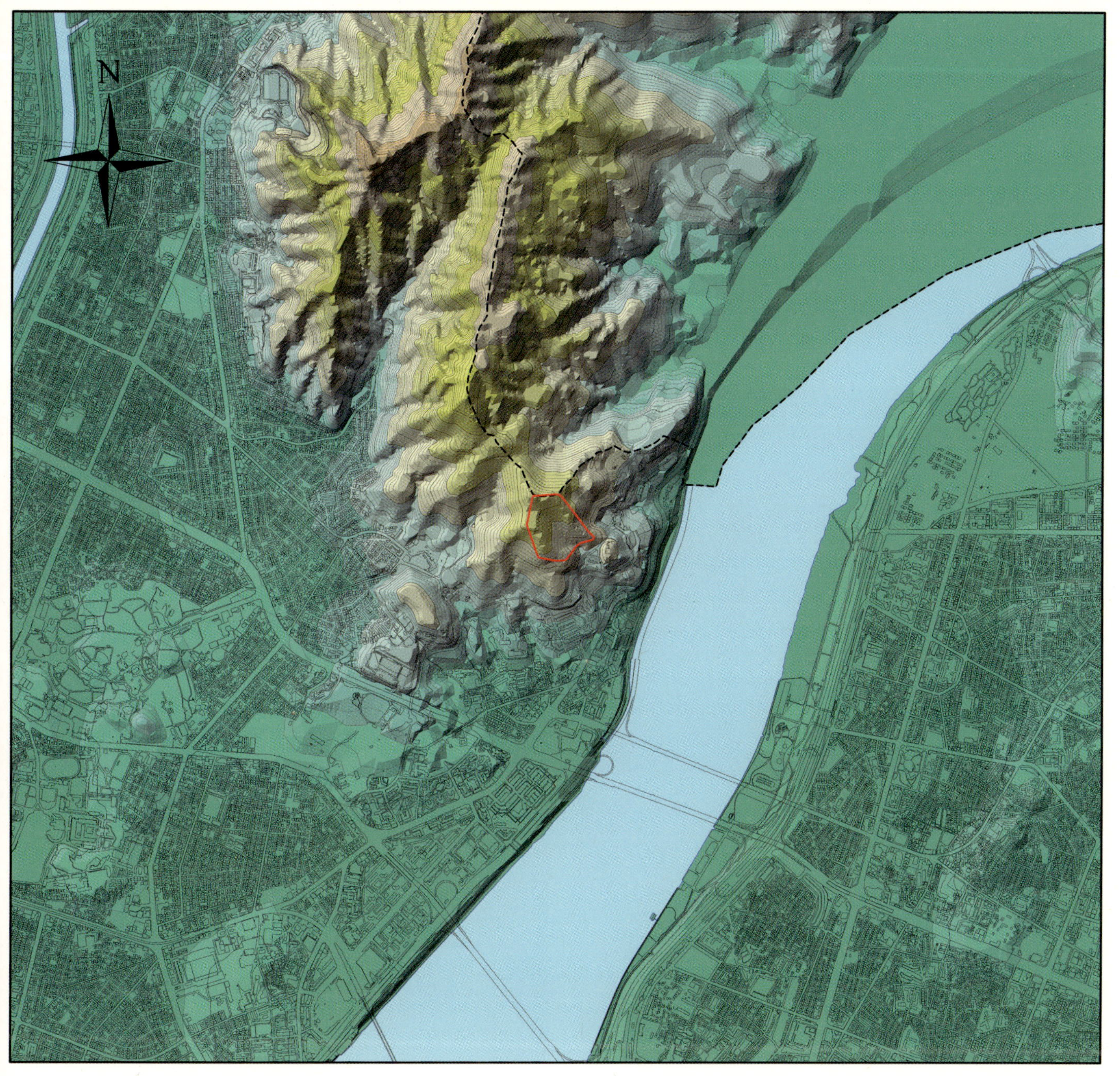

범 례

일련번호	지 역	유 적	시 대	주 소
43	서울	아차산성	삼국~통일신라	광진구 광장동 산31

좌 표

경 도	위 도
127-6-21.56	37-33-16.28

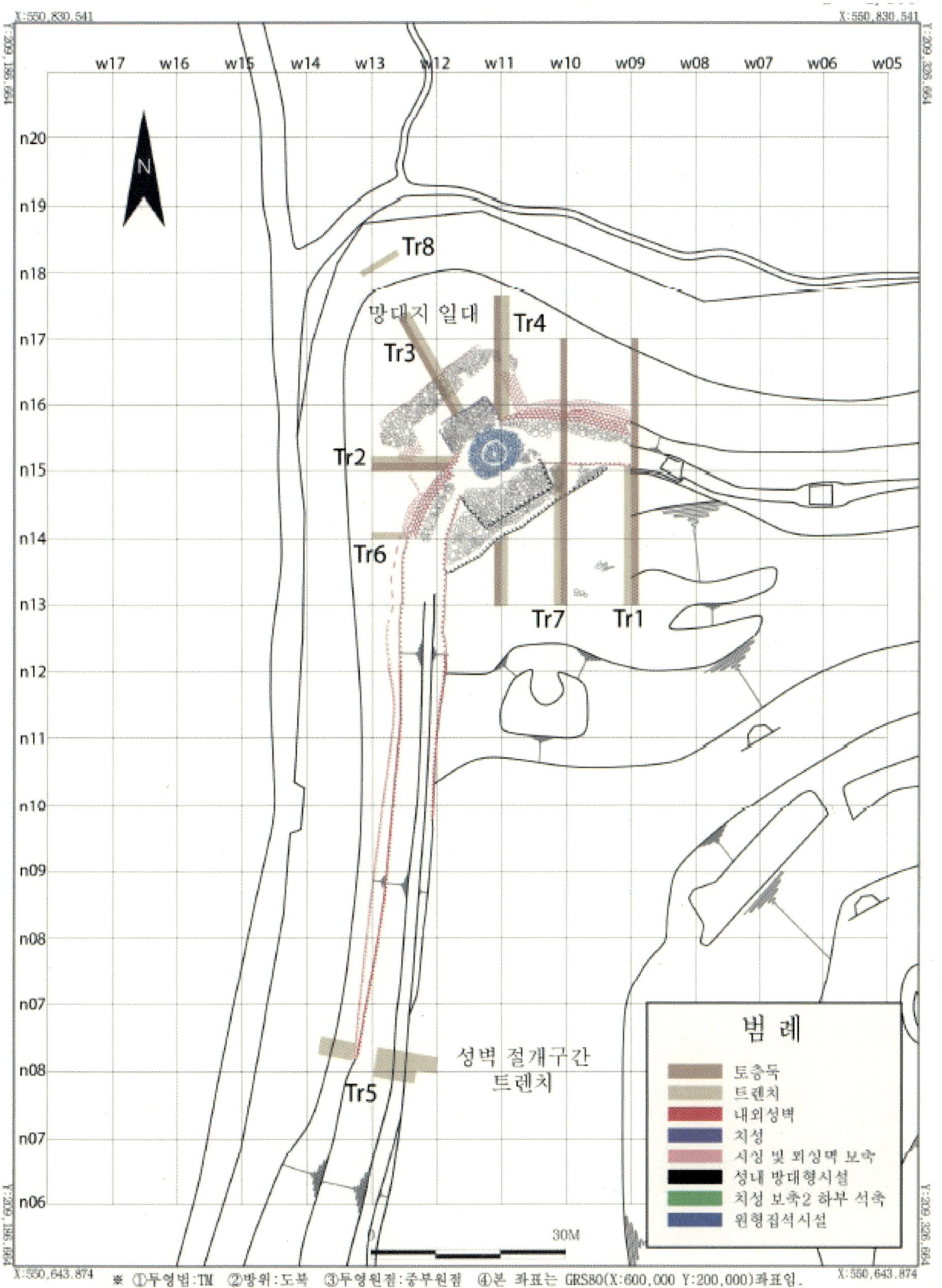
X:550,830,541
X:550,830,541
w17 w16 w15 w14 w13 w12 w11 w10 w09 w08 w07 w06 w05
n20
n19
n18
n17
n16
n15
n14
n13
n12
n11
n10
n09
n08
n07
n08
n07
n06
N
Tr8
망대지 일대
Tr4
Tr3
Tr2
Tr6
Tr7
Tr1
성벽 절개구간
트렌치
Tr5
0
30M
범 례
토층둑
트렌치
내외성벽
치성
시성 및 외성벽 보축
성내 방대형시설
치성 보축2 하부 석축
원형집석시설
X:550,643,874
X:550,643,874
※ ①투영법:TM ②방위:도북 ③투영원점:중부원점 ④본 좌표는 GRS80(X:600,000 Y:200,000)좌표임.

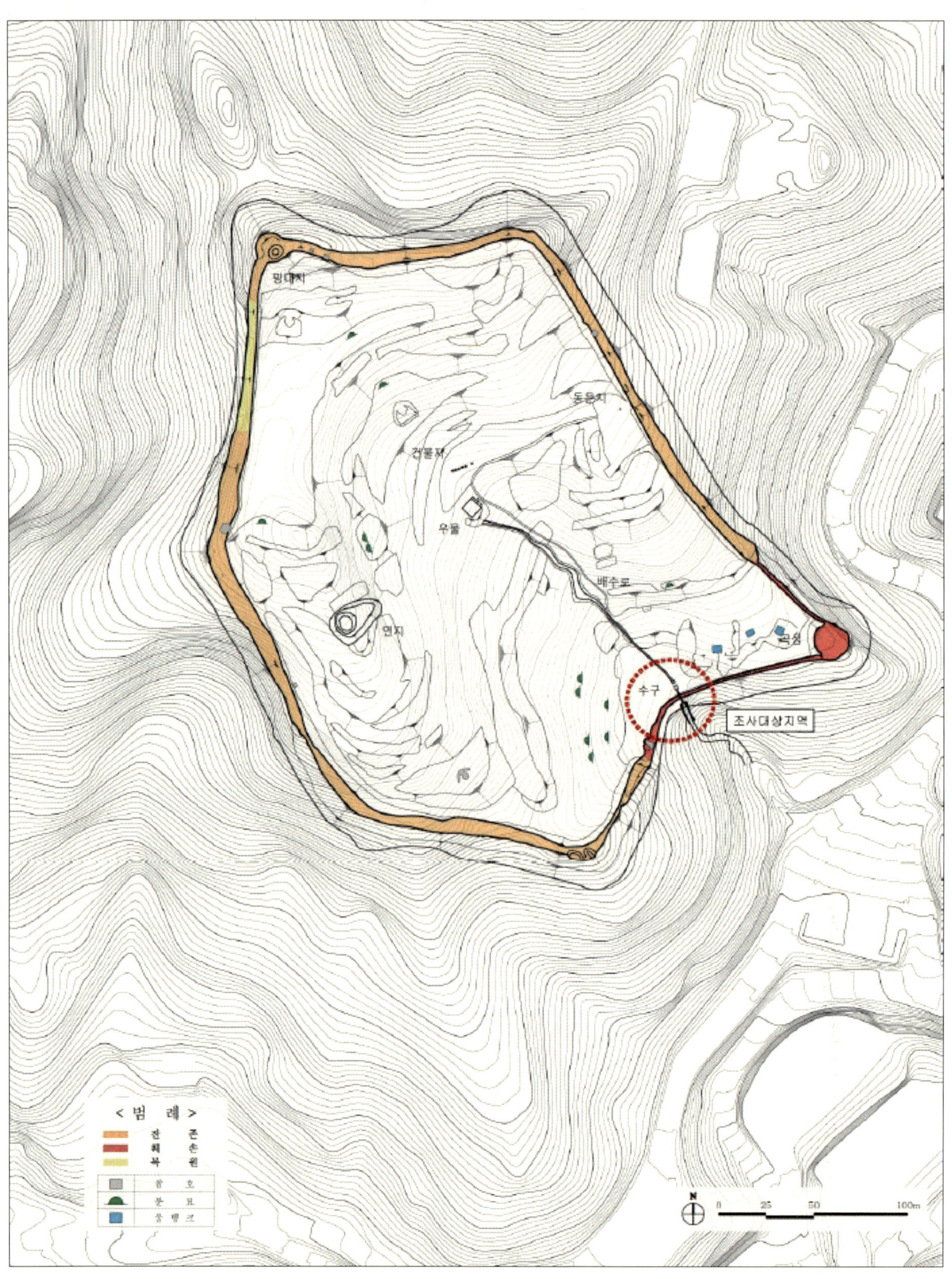
망대지
동문지
건물지
우물
배수로
연지
곡성
수구
조사대상지역
< 범 례 >
잔 존
훼 손
복 원
참 호
분 묘
물 탱 크
N
0
25
50
100m

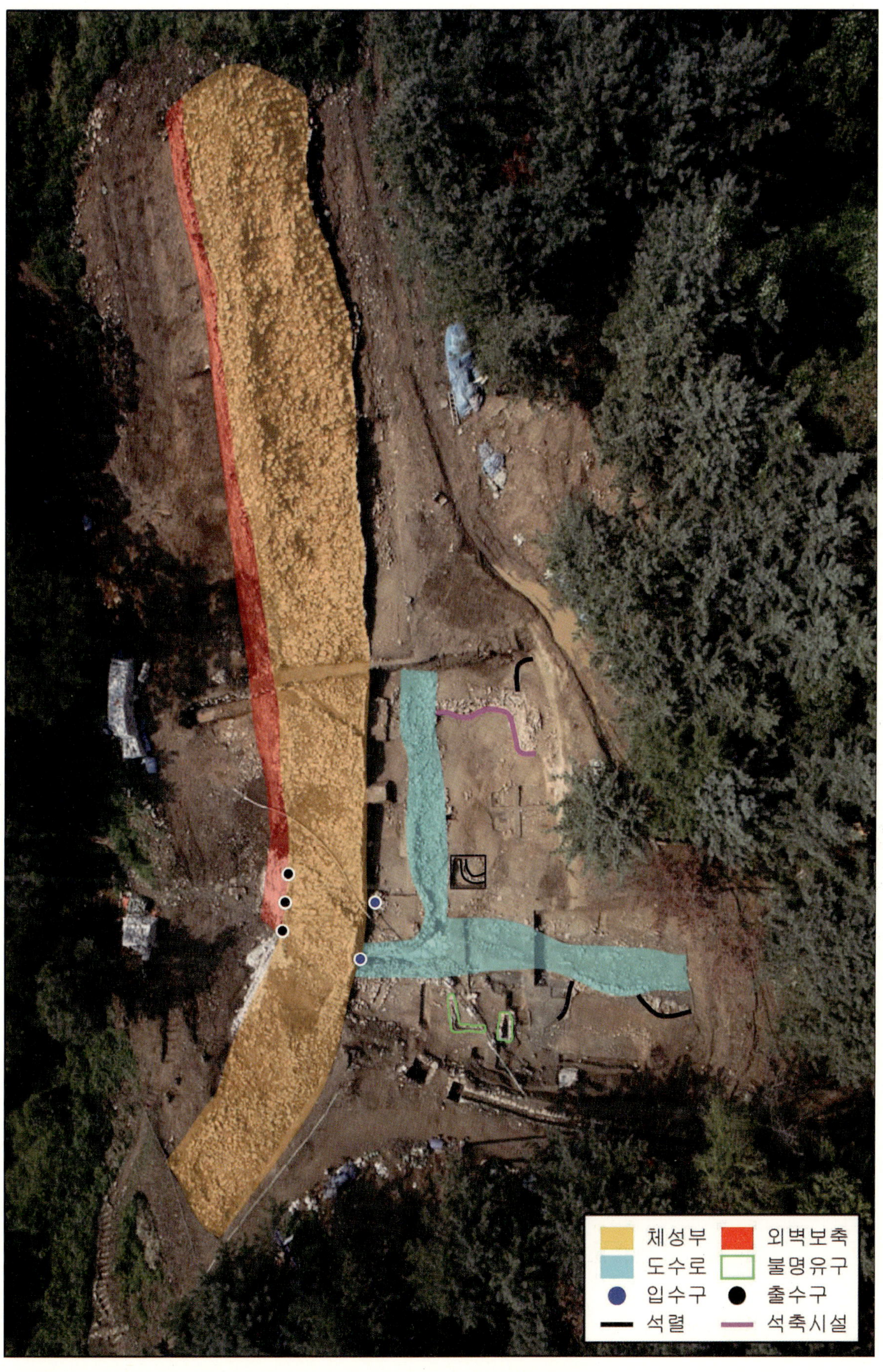
체성부
외벽보축
도수로
불명유구
입수구
출수구
석렬
석축시설

44. 광진구 광장동 유물산포지1 (廣津區 廣壯洞 遺物散布地1)

소 재 지 서울특별시 광진구 광장동 산63
시 대 통일신라/발해시대
유적분류 유형문화재 〉 유적 〉 유물산포지

천호대로 아차산역사거리에서 아차산 방면으로 난 영화사길을 따라 올라가면 동의초등학교가 나온다. 유물산포지는 학교 동남쪽 구릉 일대와 아차산 생태공원 일대를 아우르는 지역이다.

현재 산포지의 남쪽 일원이 생태공원으로 조성되어 있으며, 유적의 동북쪽에는 아차산성이, 남서쪽으로는 홍련봉 제1·2보루가 위치하고 있다.

수습유물은 수적형문·점열문 대부병, 대부완과 격자문을 타날한 토기편도 확인된다. 기와는 태선문 계열이 많이 수습되며, 능형문·어골문·어골격자문 등도 확인된다. 기타 경질과 연질의 도기편도 다량 수습되었다. 유적의 입지여건 및 채집유물로 판단할 때, 통일신라시대를 중심으로 하는 분묘·생활 유적이 잔존하고 있을 가능성이 높을 것으로 판단된다.

범 례

일련번호	지 역	유 적	시 대	주 소
44	서울	광장동 유물산포지1	통일신라	광진구 광장동 산63

좌 표

경 도	위 도
127-6-5.52	37-33-6.94

45. 광진구 광장동 유물산포지2 (廣津區 廣壯洞 遺物散布地2)

소 재 지 서울특별시 광진구 광장동 353
시 대 1) 통일신라/발해시대 2) 고려시대
유적분류 유형문화재 〉 유적 〉 유물산포지

천호대로를 가로지르는 구의교를 지나 북쪽의 아차산 방향으로 올라가면 장로회신학대학교 후문이 나온다. 이 후문 남쪽으로 좌우 산자락의 급경사지가 유물산포지2이다.

유적은 해발 286.8m의 아차산 정상에서 남쪽으로 길게 뻗어 내려온 능선의 최말단부 구릉 일대에 해당된다. 현재는 유적의 중앙으로 장로회신학대학의 후문길이 나 있는 상태인데, 유물의 수습 빈도는 후문길 서쪽이 집중적이다. 도로 아래의 옹벽에서부터 보다 남쪽의 빌라군이 입지하는 곳까지 유물이 수습되고, 2004년 조사 당시 광진구에서 식목일 행사를 위해 경사면에 굴토한 곳에서 많은 수의 기와와 함께 건물 기초 석재도 확인되었다.

수습유물로는 점열문 蓋杯, 대각, 어골문·어골격자문·태선문·세선문 기와편 등이 확인되었다. 기타 청자편이 1점 수습되었는데 자기류는 몹시 드물며 경질·연질 도기편이 다량 수습되었다. 유적의 입지여건 및 채집유물로 판단할 때 통일신라시대에서 고려시대에 해당되는 건물지를 포함한 생활유적이 잔존하고 있을 것으로 추정된다.

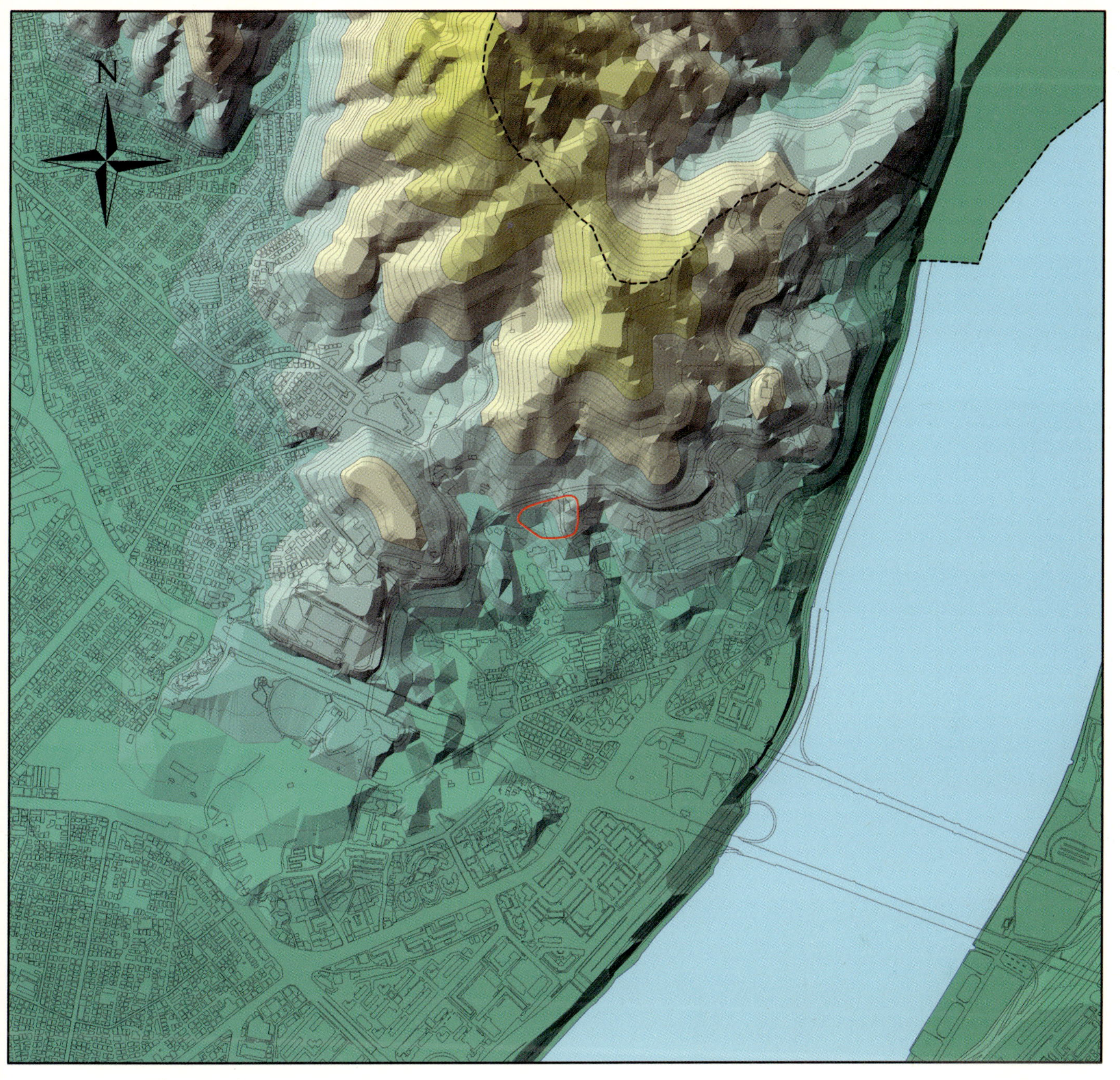

범례

일련번호	지 역	유 적	시 대	주 소
45	서울	광장동 유물산포지2	통일신라~고려	광진구 광장동 353

좌표

경 도	위 도
127-6-10.70	37-33-2.46

46. 광진구 광장동 유물산포지3
(廣津區 廣壯洞 遺物散布地3)

소 재 지 서울특별시 광진구 광장동 378
시 대 1) 통일신라/발해시대 2) 고려시대
유적분류 유형문화재 〉 유적 〉 유물산포지

천호대로를 가로지르는 구의교를 지나 북쪽의 아차산 방향으로 올라가면, 도로 남쪽 광장초등학교 방향으로 연결되는 등산로가 나온다. 이를 중심으로 동서편 일대가 광장동 유물산포지3에 해당된다.

유적은 해발 286.8m의 아차산 정상에서 남쪽으로 길게 뻗어 내려온 능선의 최말단부 구릉 일대에 해당된다. 현재는 광장초등학교 주변의 주택가에서 아차산으로 오르는 등산로가 개설되어 있는데, 유적은 등산로 주변 구릉사면의 밭 경작지 일대에 해당된다.

수습유물로는 점열문이 시문된 대부병이 확인되고 외면에 연판문이 양각된 청자편도 확인되었다. 기와는 태선문을 중심으로 격자문 등도 수습되며 기타 경질 도기편도 많이 확인된다. 한편 광장동 유물산포지3 인근의 동부빌라 내에 석탑 1기가 있으나 정확한 내력은 알 수 없다. 유적의 입지여건 및 채집유물로 판단할 때 통일신라시대에서 고려시대에 해당되는 생활유적이 있을 것으로 추정된다.

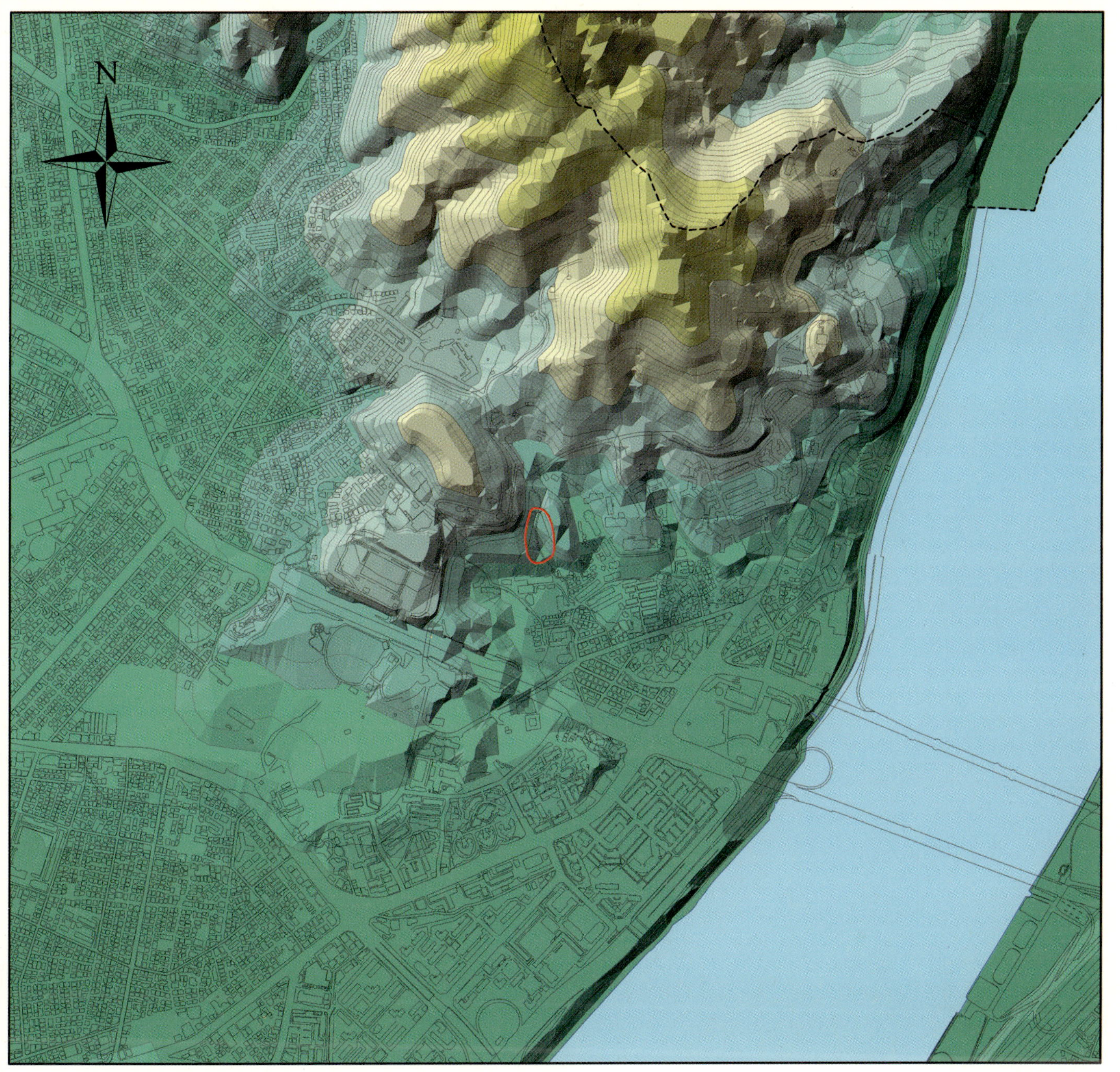

Ⅰ범 례

일련번호	지 역	유 적	시 대	주 소
46	서울	광장동 유물산포지3	통일신라~고려	광진구 광장동 378

Ⅰ좌 표

경 도	위 도
127-6-3.31	37-32-56.77

47. 광진구 광장동 유물산포지4 (廣津區 廣壯洞 遺物散布地4)

소 재 지 서울특별시 광진구 광장동 산81-1
시　　대 통일신라/발해시대
유적분류 유형문화재 〉 유적 〉 유물산포지

천호대로와 구의교가 만나는 지점에서 광장중학교 서쪽의 구릉지 일대가 광장동 유물산포지4에 해당된다.

유적은 위아래에 동쪽으로 뻗어있는 구릉이 있어 이들 구릉 사이의 완만한 경사지에 위치하는데, 현재 텃밭으로 이용되고 있고 산포지의 동쪽 끝에는 주택들이 일렬로 늘어서 있으며, 그 바로 옆으로 광장중학교가 위치하고 있다. 수습유물은 특히 방형점열문·파상문이 시문된 대부병이 수습되고 다수의 경질도기편이 확인된다. 기와는 선조문과 어골문이 다수를 이룬다.

유적의 입지여건 및 채집유물로 판단할 때 통일신라시대를 중심으로 하는 생활유적이 있을 것으로 추정된다.

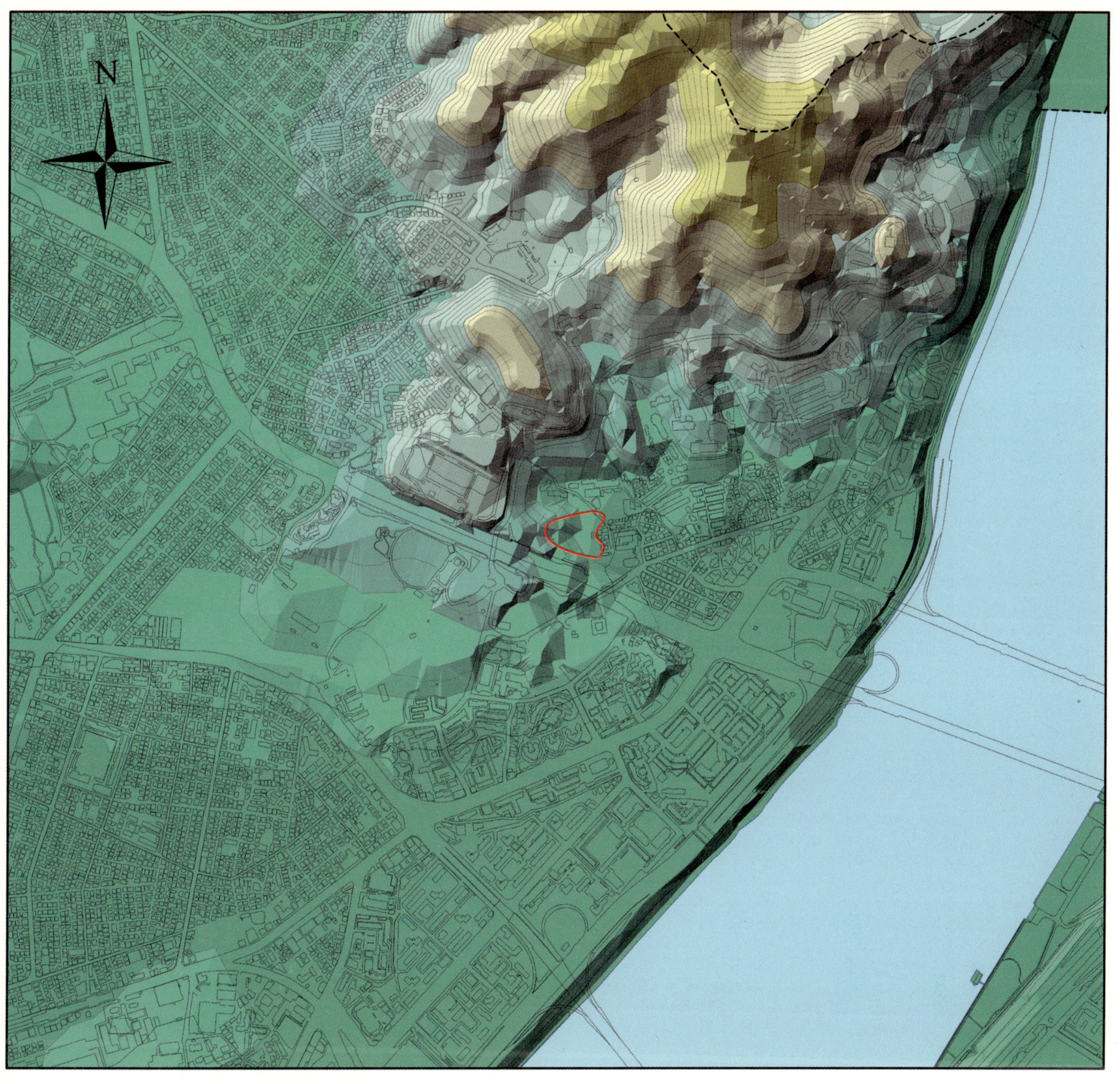

범 례

일련번호	지 역	유 적	시 대	주 소
47	서울	광장동 유물산포지4	통일신라	광진구 광장동 산81-1

좌 표

경 도	위 도
127-6-0.20	37-32-49.35

48. 아차산 홍련봉 제1보루 (峨嵯山 紅蓮峰 第1堡壘)

소 재 지　서울특별시 광진구 구의동 산74-1
시　　대　1) 삼국시대 2) 통일신라/발해시대
유적분류　유형문화재 〉 유적 〉 정치국방유적 〉 성곽 〉 진보돈

아차산 생태공원 입구 맞은편에 홍련봉으로 나있는 소로를 따라 올라가면 능선부에서 갈래길이 나오며, 거기에서 좌측편에 위치한 곳이 홍련봉 제1보루이다.

유적은 아차산에서 남쪽으로 뻗은 능선의 말단부에서 조금 떨어진 독립된 구릉으로 해발 125.1m의 봉우리 주위에 장타원형의 보루를 석축으로 조성하였다. 유적의 규모는 남북 최장 46m, 동서 폭은 37m 정도이고 치를 포함한 성벽의 총연장은 145m 내외이다.

성내에는 8개의 기단시설과 2기의 온돌과 저수시설이 확인되었다. 홍련봉 제1보루에서는 아차산 일대 보루군 중에서 유일하게 기와건물이 축조되었으며, 남한에서는 처음으로 고구려 와당이 출토되었다.

홍련봉 등 아차산 일대 보루는 대략 500년을 전후한 시점에 축조되어 약 50여 년 동안 사용되었으며, 한강을 경계로 하여 중랑천변과 왕숙천변의 평지를 방어하기 위한 목적으로 축조된 것으로 추정된다.

[참고문헌] 서울학연구소·한신대학교박물관, 2003, 『서울소재 성곽조사 보고서』, 서울특별시.
고려대학교 매장문화재연구소, 2004, 『홍련봉1보루 발굴조사 약보고』.

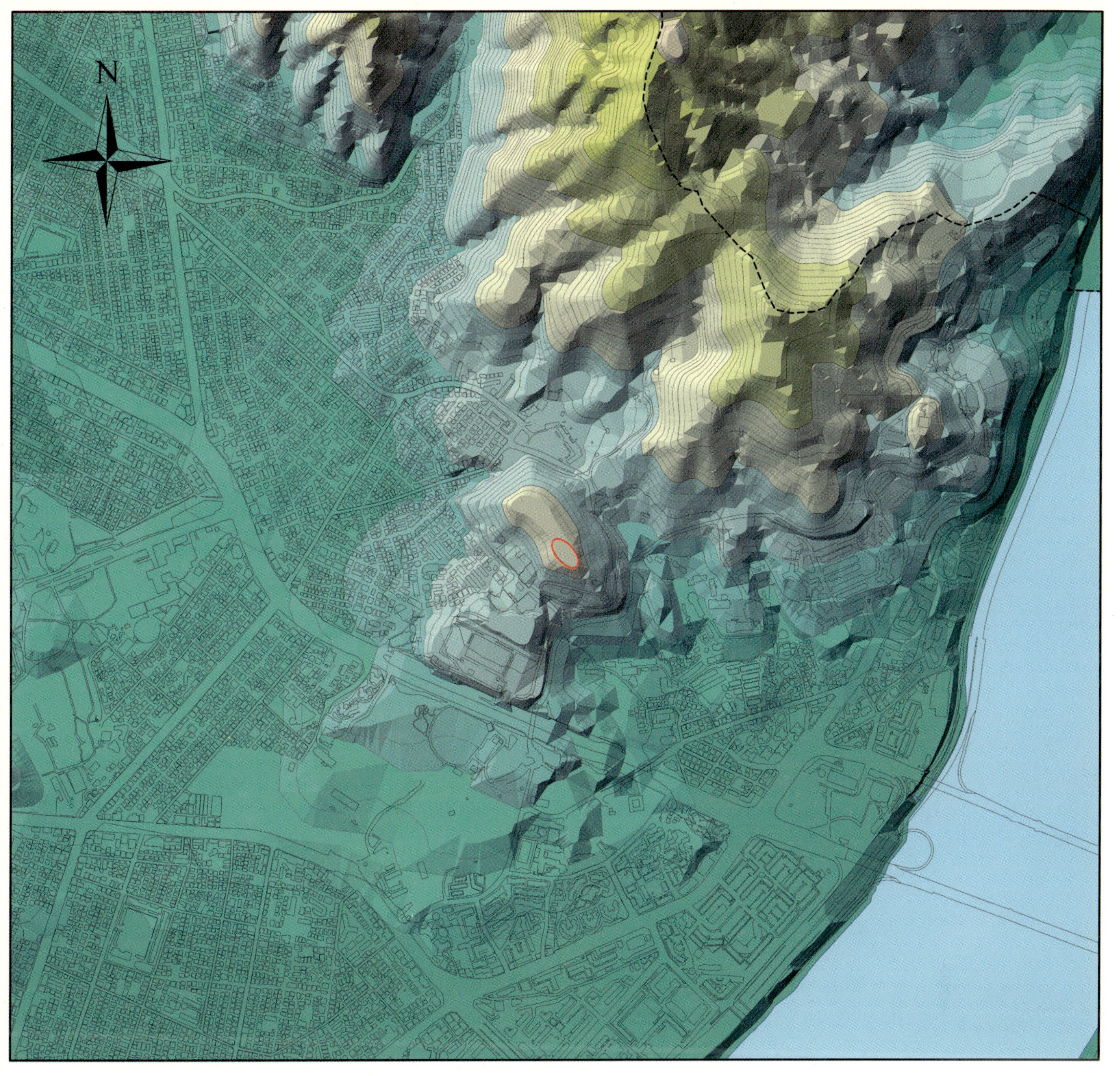

범 례

일련번호	지 역	유 적	시 대	주 소
48	서울	아차산 홍련봉 제1보루	고구려/ 통일신라	광진구 광장동

좌 표

경 도	위 도
127-5-55.51	37-33-1.58

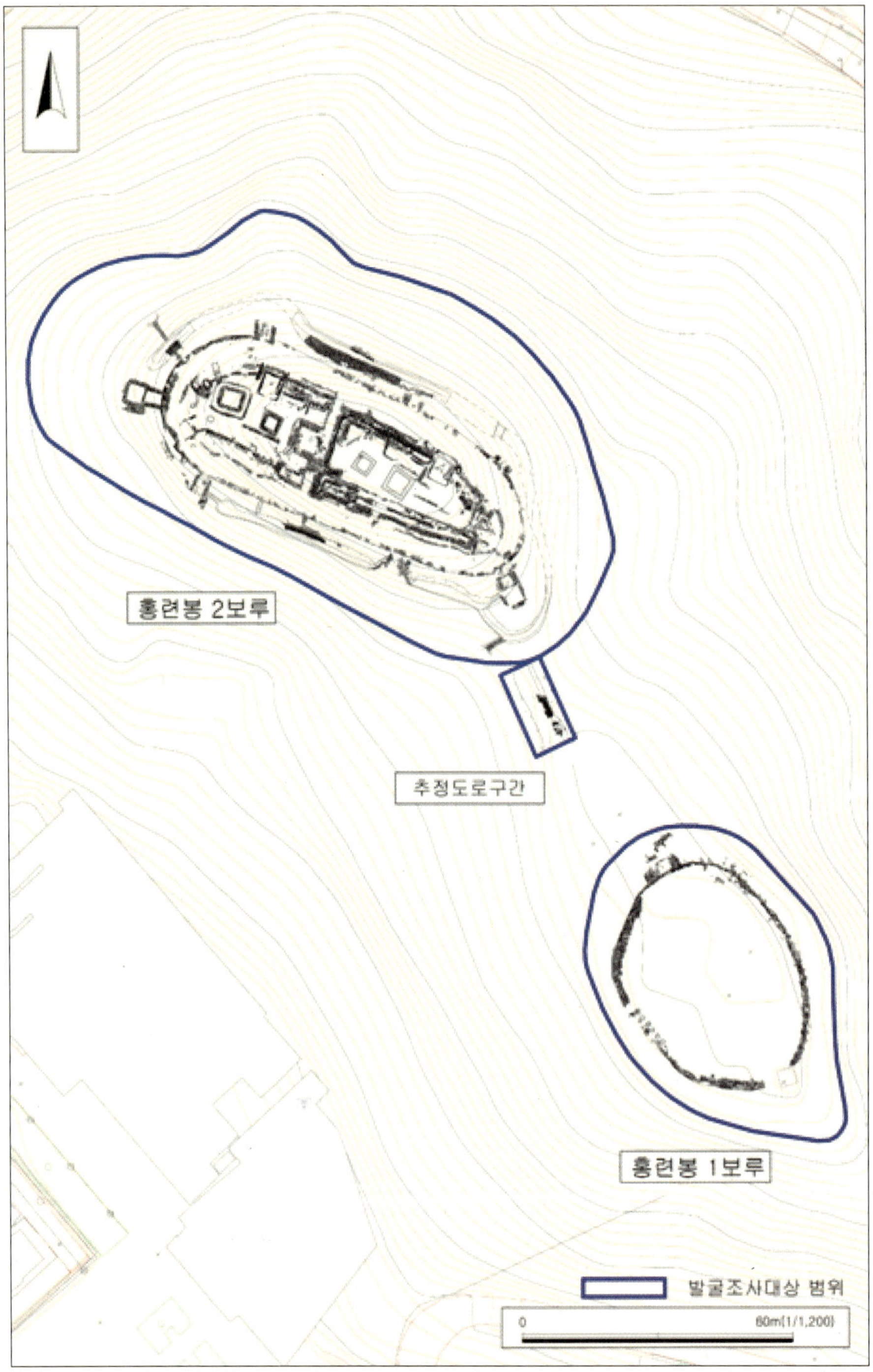

홍련봉 2보루

추정도로구간

홍련봉 1보루

발굴조사대상 범위

0 60m(1/1,200)

N
출입시설
5지점목책열
2호 건물지
6호 건물지
7호 건물지
5호 건물지
11호 건물지
14호 건물지
3호 건물지
4호 건물지
12호 건물지
2호저수시설
3호 건물지
10호 건물지
15호 건물지
2호 수혈유구
4지점목책열
9호 건물지
1호저수시설
1지점목책열
16호 건물지
3지점목책열
17호 건물지
1호수혈
건물지
18호 건물지
2지점목책열
0
15M

49. 아차산 홍련봉 제2보루 (峨嵯山 紅蓮峰 第2堡壘)

소 재 지 서울특별시 광진구 구의동 산10-1
시 대 삼국시대
유적분류 유형문화재 〉 유적 〉 정치국방유적 〉 성곽 〉 진보돈

아차산 생태공원 입구 맞은편에 홍련봉으로 나있는 소로를 따라 오르다, 능선부 갈래 길에서 우측으로 향하면 홍련봉 제2보루에 이른다.

조선총독부의 『朝鮮寶物古蹟調査資料』에 京畿道 高陽郡 纛島面 廣壯里·九宜里 성지로 언급되어 있으며, 1994년과 2003년 지표조사에서 추가로 확인되었다. 유적의 규모는 보루 전체 둘레가 약 190m로 추정되며, 인접한 홍련봉 제1보루에 비해 약간 크다. 보루 내부는 북쪽의 평탄한 고대지와 남쪽 함몰부로 구분되어 있다. 유적의 규모는 남북으로 최장 85m, 동서 방향의 폭은 약 42m 정도가 된다. 온돌을 포함한 건물지 3기와 2기의 저수시설, 토기가마 시설(추정)과 집수정, '庚子'·'官瓮'銘 토기편 출토 등으로 홍련봉 제2보루가 주변 일대 보루군과 구별되는 병참기지 역할을 하였을 것으로 추정되며, 아차산 일대 보루군의 연대가 5~6세기에 해당됨을 증명하고 있다.

[참고문헌] 강진갑 外, 1994 ,『아차산의 역사와 문화유적』, 구리시·구리문화원.
서울학연구소·한신대학교박물관, 2003, 『서울소재 성곽조사 보고서』, 서울특별시.
고려대학교 고고환경연구소, 2005, 「홍련봉2보루 1차 발굴조사 약보고」.

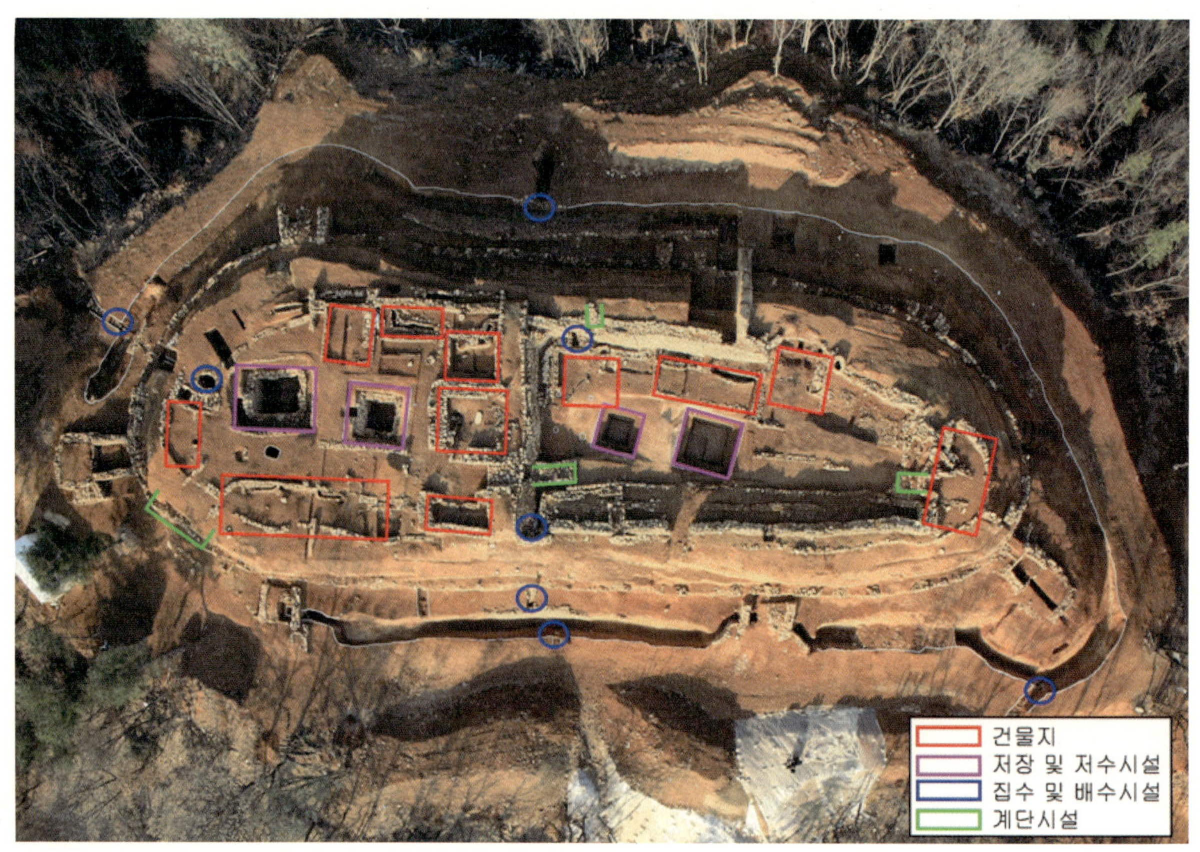

범 례

일련번호	지 역	유 적	시 대	주 소
49	서울	아차산 홍련봉 제2보루	삼국	광진구 구의동 산10-1

좌 표

경 도	위 도
127-5-52.02	37-33-5.32

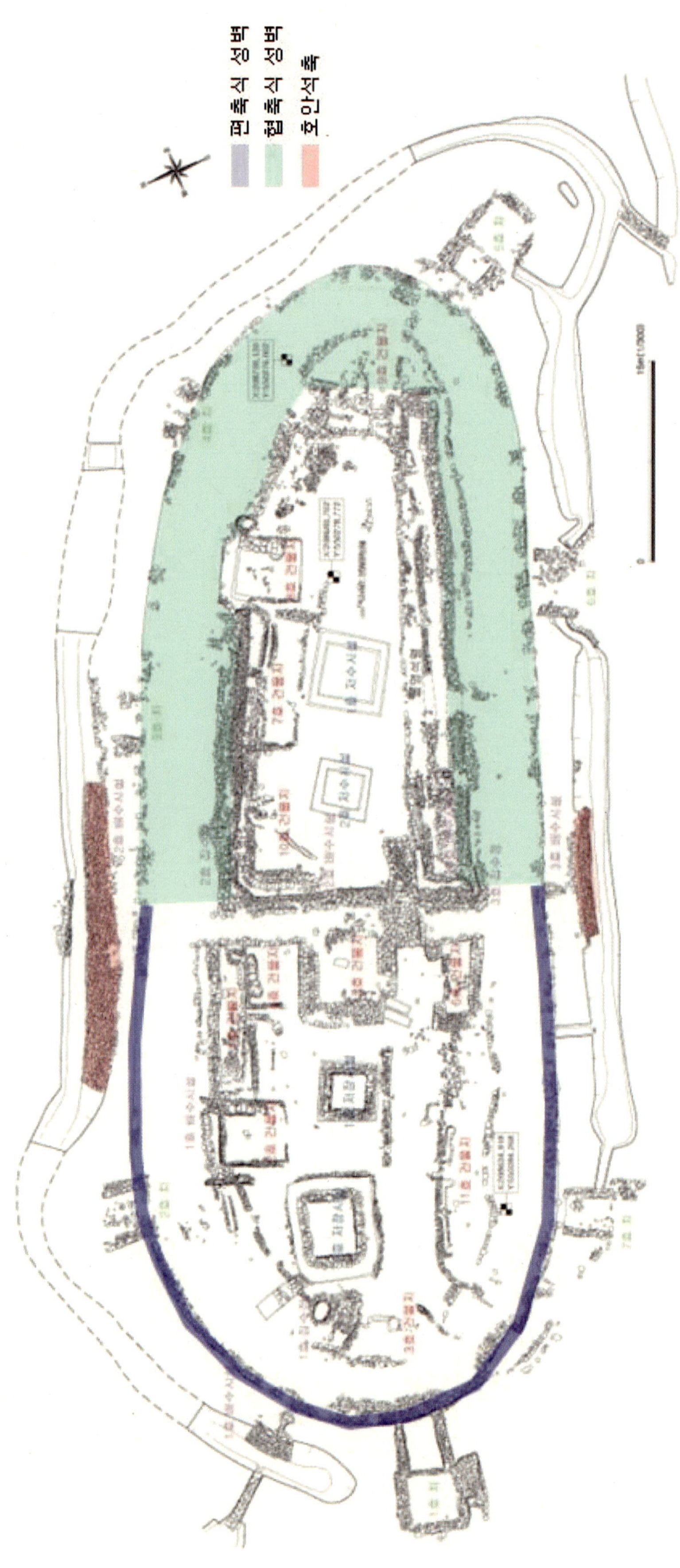
편축식 성벽
협축식 성벽
호안석축

성동 NJ 52-9-12
망우리 공동묘지
망우산보루
시루봉보루
아차산 고분군4
용마산보루
아차산 고분2
아차산 고분1
아차산보루
아차산성
1km
2km
3km
암사선사유적지
홍련봉보루
광장동보루
유강원지
화양정지
구 서북학회 회관
구의동보루
풍납토성
낙천정지
자양동보루
몽촌토성
방이동고분군
석촌동고분군
0
1,000
2,000
3,000m

50. 광진구 구의동 고구려 유적 (廣津區 九宜洞 高句麗 遺蹟)

소 재 지 서울특별시 광진구 구의동 산10-1
시 대 고구려시대
유적분류 유형문화재 〉 유적 〉 정치국방유적 〉 성곽 〉 진보돈

천호대로 구의교에서 아차산 방향으로 올라가면 정립회관 입구에 이른다. 입구 남쪽으로 나있는 길을 따라 올라가면 넓은 운동장을 비롯하여 각종 체육시설이 나오는데, 이 배후에 있는 구릉에 보루 유적이 위치했던 것으로 추정된다.

유적은 해발 100m 내외의 완만한 독립 구릉상에 위치하며 홍련봉 제1보루와는 정립회관을 사이에 두고 마주보고 있으며 직선거리로 200m 떨어져 있다.

1994년도 지표조사에서 '정립회관 배수장 고구려유적'으로 언급된 광장동 보루는 군사용 시설물 공사가 진행되어 파괴된 것으로 보고됐다. 현재는 정상부 일대에 군부대가 들어서 있어 접근이 어렵고 대부분 삭토되어 유구의 흔적을 찾기 어렵지만 정상부의 군부대 철조망 부근에서 소량의 유물을 확인할 수 있었다. 1994년도 지표조사에서 황갈색·회갈색의 연질토기편들이 다수 수습되었고 이번 조사에서도 황갈색 토기편을 확인한 바 있다. 일대 보루 유적 발굴 성과와 당시의 문헌기록을 통해 볼 때 고구려 보루성으로 추정되지만, 현재는 거의 훼손되어 정확한 양상을 확인하기 어렵다.

[참고문헌] 강진갑 外, 1994, 『아차산의 역사와 문화유적』, 구리시·구리문화원.

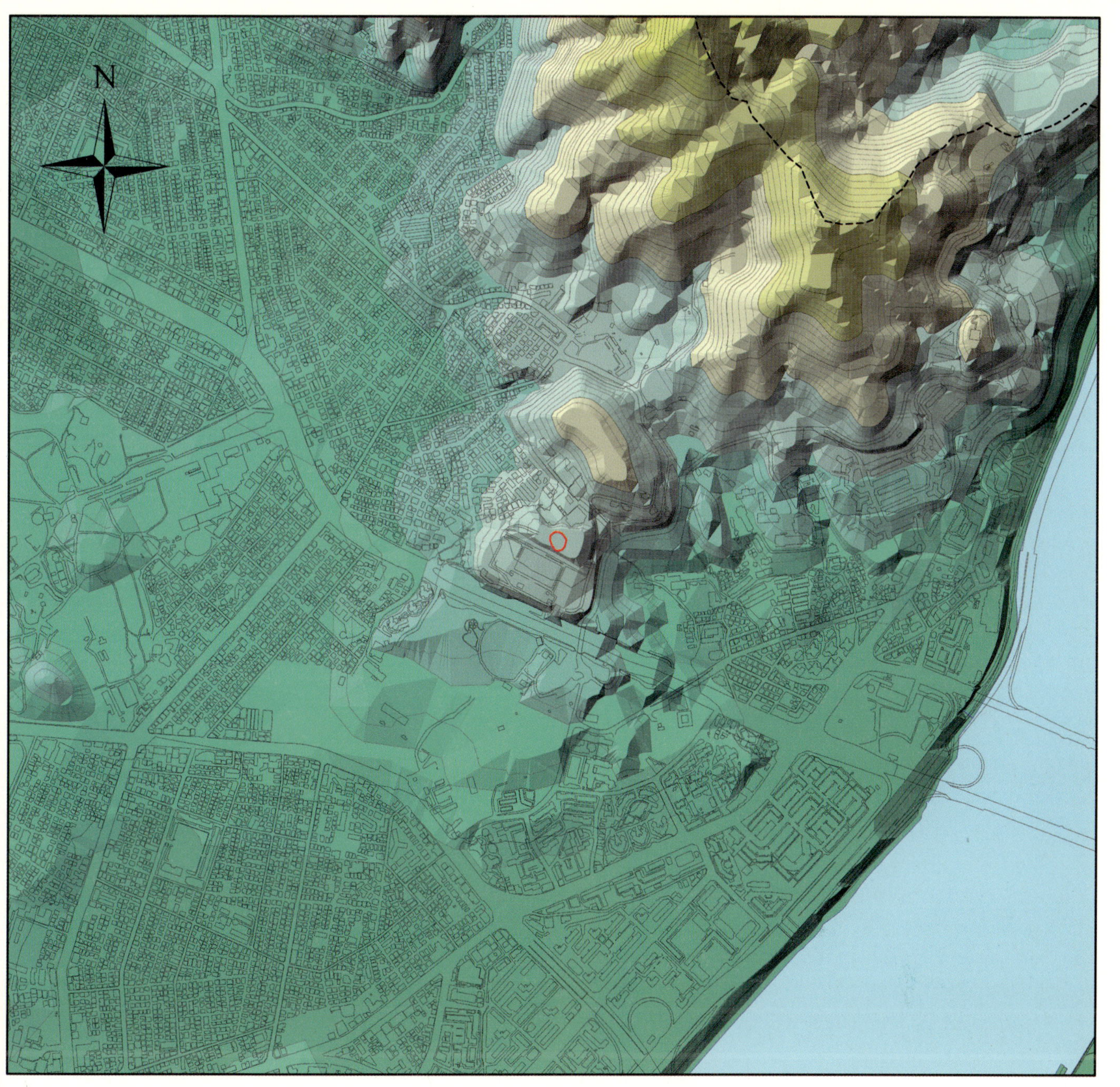

범 례

일련번호	지 역	유 적	시 대	주 소
50	서울	구의동유적	고구려	광진구 구의동 산10-1

좌 표

경 도	위 도
127-5-49.73	37-32-56.10

51. 구의동 보루

소 재 지 광진구 구의동 695번지
시 대 고구려시대
유적분류 유형문화재 〉 유적 〉 정치국방유적 〉 성곽 〉 진보돈

구의동 보루는 잠실대교 북단의 자양로 동쪽 현재의 한양아파트를 포함한 주변 일대로 추정된다. 유적은 한강변의 해발 53.0m의 독립구릉에 위치하는데 주변 지형은 낮아서 인근 지역을 조망하기가 수월하다. 이 소봉은 주민들에 의해 '태봉', '말무덤' 또는 '장군총'으로 불리었는데 '태봉'은 발굴 결과 비석과 태항아리편이 발견되어 입증된 바 있다. 남쪽으로는 풍납토성과 몽촌토성이 위치하고 북쪽으로는 홍련봉 제1·2보루를 필두로 아차산·용마산일대의 보루군 18개소가 위치한다.

유적은 1977년 5월~7월까지 화양동 토지구획정리사업의 일환으로 화양지구 유적조사단이 구성되어 구의동 유적을 중심으로 3천여 평의 면적에 대하여 실시하였다.

발굴 당시 A지구로 불린 보루 지역은 남북으로 긴 장타원형 또는 말각장방형 평면을 이루며, 깎여서 평평해진 정상 부분은 말각사다리꼴 평면을 나타내고 있었다. 보루의 석축은 평면 직경이 14.8m 내외의 원형을 나타내나 평면형이 정연하지 않고 석축은 안쪽으로 기울여서 쌓아올려 바닥 부분에 비해 안쪽으로 80~90cm 들어갔고, 윗부분은 직경 13m 내외의 원형 평면을 보인다. 쌓는 방식은 바닥에 비교적 큰 할석을 놓고 그 위로 7~8단의 할석을 쌓은 다음 다시 그 위로 천석을 6~8단 쌓아서 축조하였다. 석축부의 높이는 자연 산사면을 따라 쌓아서 일정하지 않지만 대체로 1m 내외이나 가장 높은 곳은 1.85m를 나타낸다.

성벽의 3개 지점에서 치로 보이는 돌출부가 확인되며 북동쪽에 2개소, 남쪽에 1개소가 있다.

석축 시설의 내부에는 소토부로 보고된 수혈집자리형태의 생활면 유구가 확인된다. 석축의 중앙에 위치하고 평면형은 원형 평면의 남쪽에 장방형의 화장부가 있는 형태로 원형부는 직경0.75m, 확장부는 폭1.7m, 길이 2.0m이다. 생활면은 60~70cm를 파서 바닥을 조성했고, 벽체는 직경 12cm 내외의 통나무를 20여개 듬성듬성 세우고 가로로 두께 3.5cm, 폭 13cm의 각목으로 통나무 사이를 잇고, 각목 아래에는 두께 0.6~0.8cm, 길이 13~14cm, 폭 7~8cm의 판자를 박은 다음 판자와 판자 사이의 5cm 내외의 틈에는 예새를 섞은 흙을 발랐다. 지붕은 직경 13cm 내외의 서까래 기둥과 두꺼운 판자를 이용하였고, 판자 위에 천석이나 기와가 발견되어 기와를 올렸을 가능성이 높다.

생활면의 내부에는 온돌 유구가 확인되었는데, 크기는 전체 길이의 3.4m, 내부 폭 0.40m, 외부 폭 0.75m로 서북-남동 방향으로 길게 조성되었다. 서북쪽 끝에는 8단의 천석을 방형으로 쌓아 폭 0.40m, 길이 0.30m 크기의 굴뚝시설을 두었고 통로의 벽석은 0.40m 높이의 할석을 측면에 세웠고 그 위에 판상석을 덮었다. 남동쪽 아궁이부에는 측벽을 세우지 않고 길이 0.60m, 두께 0.15cm의 할석을 세로로 걸쳐 놓았는데 아궁이에서 쇠솥과 쇠항아리가 확인되었다. 배수시설은 회갈색의 점토층을 15~20cm 파내고 외부폭 40cm내외, 내부 폭 25~30cm 크기로 070m 길이로 만들었다.

출토 토기는 일부를 제외하고는 모두 니질태토이고 표면색은 전체의 77%가 황갈색을 나태내고 13%가 회색, 10%가 흑색을 띠고 있다. 모두 19개 기종에 최소 개체수 369점에 달한다. 옹류와 동이류가 각기 20%로 가장 많고 장동호류·뚜껑류가 10% 안팎을 차지하고 있다. 특히 완류나 접시류의 바닥면에는 「井」, 「小」, 「工」과 같은 표식이 음각 또는 양각된 경우도 있는데, 홍련봉이나 아차산 제4보루와 비슷한 양상이다.

철기는 1,300여 점에 달하는 철촉과 50여점, 15종에 달하는 무기류, 농구류, 이기류 등이 수습되었다.

유적의 성격은 초기 백제의 분묘유적으로도 추정되었으나 그 후 유적의 입지, 유구와 출토유물의 성격에 대한 고찰을 통해 고구려 보루성으로 보고되었다. 유적의 연대는 여러 정황을 고려할 때 상한은 고구려가 한강 이남을 점령하기 이전인 4세기 중엽, 폐기시점은 신라가 한강유역을 차지한 6세기 중엽으로 추정되고 있다.

[참고문헌] 최종택, 1993, 『구의동-토기류에 대한 고찰』, 서울대학교박물관.
강진갑 등, 1994, 『아차산의 역사와 문화유적』, 구리시·구리문화원.
구의동보고서간행위원회, 1997, 『한강유역의 고구려요새-구의동유적 발굴조사 종합보고서』, 도서출판 소화.
서울대학교박물관, 2000, 『고구려-한강유역의 요새』.

0 1 2 km

범 례

일련번호	지 역	유 적	시 대	주 소
51	서울	구의동 보루지	고구려	광진구 구의동

좌 표

경 도	위 도
127-5-26.09	37-31-53.75

52. 자양동 보루

소 재 지 광진구
시　　대 고구려시대
유적분류 유형문화재 〉 유적 〉 정치국방유적 〉 성곽 〉 진보돈

지금은 사라졌지만 일제 강점기에 조사된 자료에 의하면 중랑천과 한강이 만나는 뚝섬 근처에 자양동보루가 있어 아차산 일대와 한강변 평지를 조망할 수 있었다. 구의동~뚝섬~자양동으로 연결되는 한강변의 낮은 구릉에는 보루가 쭉 있어 아차산 일대를 포함하여 전체적으로 1500~2000명 정도의 고구려 군사가 있었을 것으로 추정된다.

서울과 고구려의 경계를 이루고 있는 아차산은 용마봉과 망우산 주변 산지를 포함하고 있다. 아차산 동쪽으로 왕숙현, 서쪽으로 중랑천이 남쪽의 한강으로 흘러 들고 있어 육로 교통은 물론, 수로 교통에도 아주 중요한 위치를 차지한다.

해발 285m의 아차산은 그리 높은 산지는 아니지만, 충적 평야지대와 한강에 인접하여 위치하고 있어 주변 지역을 살피는데 최상의 위치라고 할 수 있다. 이러한 까닭에 아차산은 고대부터 현대에 이르기까지 군사적으로 중요한 자리를 차지하고 있다.

한편, 자양동보루는 구의동보루가 잘못 인지된 것으로 보아, 실제로는 존재하지 않았던 것으로 보는 견해가 있다.

[참고문헌] 최종택, 2013, 『아차산 보루와 고구려 남진경영』, 서경문화사.

0 0.5 1 km

범 례

일련번호	지 역	유 적	시 대	주 소
52	서울	자양동보루	고구려	광진구

좌 표

경 도	위 도
127-4-59.56	37-31-40.59

53. 암사동 선사주거지 (岩寺洞 先史住居址) 및 암사동 유적

소 재 지　서울특별시 강동구 암사동 139-2
시　　대　1) 신석기시대 2) 청동기시대 3) 삼국시대
유적분류　유형문화재 〉 유적 〉 생활유적 〉 주거유적 〉 수혈주거지

광진교와 강동대교 중간 지점, 한강변 하안단구 대지에 유적이 있다.

유적에는 표토층·검은모래층(백제문화층)·흑회색모래층(청동기문화층)·황색모래층(문화층 없음)·붉은갈색모래층(신석기문화층)·생토층의 6개 층위가 있으며, 세 개의 문화층에서 20여 기의 주거지가 확인되었다. 이 중 신석기문화층에서 모두 12기의 집터가 조사되었다. 출토 유물은 빗살무늬토기·돌도끼·돌화살촉·긁개·그물추·갈돌·갈판 등의 생활도구, 탄화된 도토리 등이다. 또한 보습·돌낫 같은 농기구도 출토되어, 이곳에서 수렵 및 식물 채집 말고도 밭농사가 이루어진 흔적을 보이고 있다. 중심 연대는 5,000B.P. 정도이며, 토기 편년상 區分界全面施紋形이기 때문에 비교적 이른 시기의 신석기시대 유적으로 보고 있다.

[참고문헌] 國立中央博物館, 1994, 『岩寺洞』/國立中央博物館, 1999, 『岩寺洞』Ⅱ.

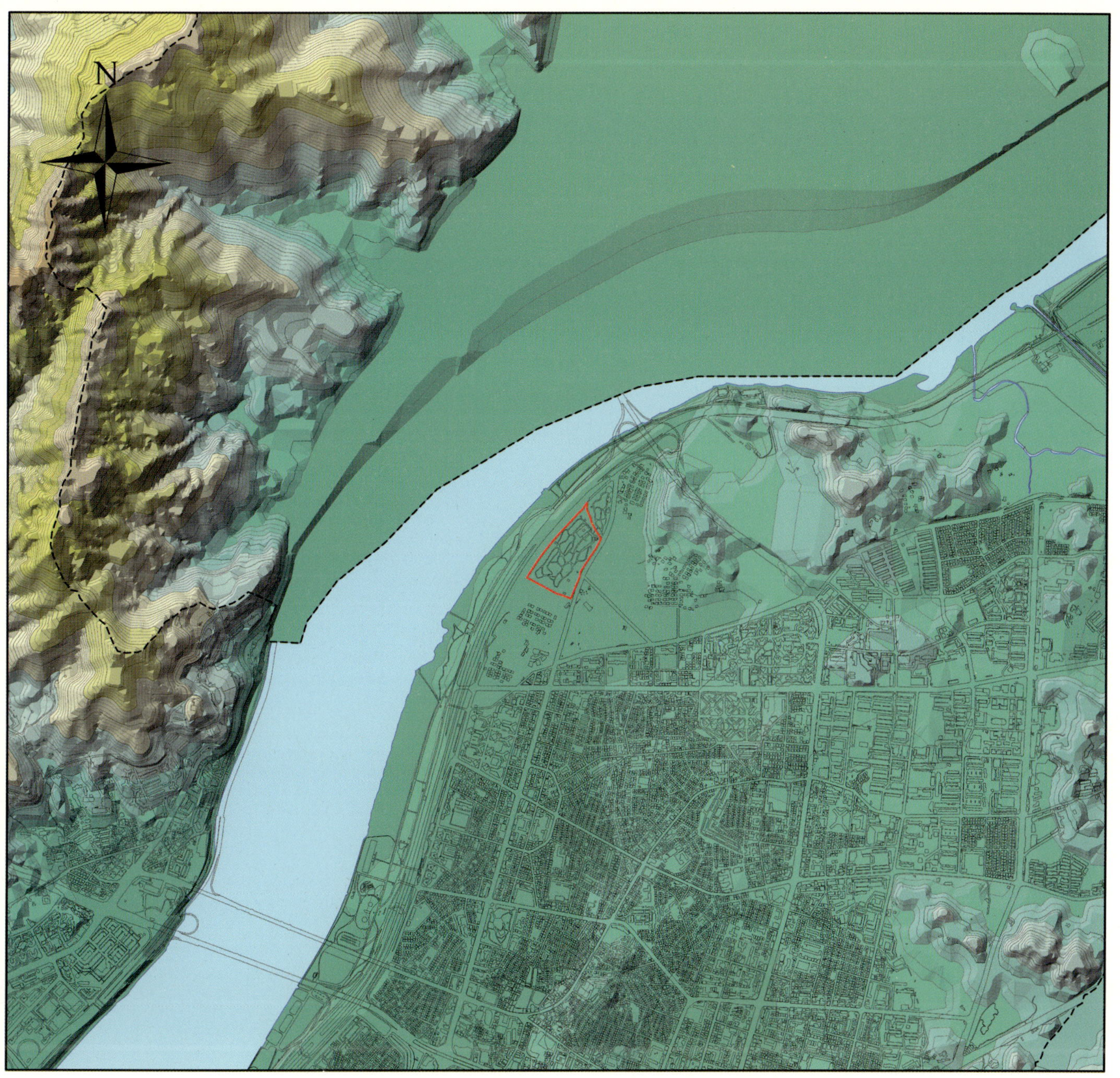

범 례

일련번호	지 역	유 적	시 대	주 소
53	서울	암사동 선사주거지	백제	강동구 암사동 139-2

좌 표

경 도	위 도
127-7-48.94	37-33-36.24

53. 서울 암사동유적 (서울 岩寺洞遺蹟)

조사사유 1925년 을축년 대홍수로 인하여 확인된 유적의 성격을 확인하기 위한 학술발굴.

조사연혁 발굴조사: 1975.04.07.~1975.06.05. (국립중앙박물관)

유적위치 서울특별시 강동구 암사동 153~157번지
경·위도 127°7′49.63″E/37°33′29.69″N, GPS 127.130454/37.558248

유적입지 한강변에서 700~800m 정도 떨어져 있는 지역으로서 강변에 평행하여 동서로 놓인 해발 약 25m의 좁고 긴 대지에 위치한다.

유구현황 삼국시대= 옹관묘(2)
기 타= 신석기시대 수혈주거지(11)·적석유구(1)·추정 원형저장공(1), 건물지 일부

주요유물 장란형토기, 단경호

시대·성격 옹관으로 사용된 장란형토기는 전형적인 백제 한성기 토기로서, A.D.4세기 무렵 조영된 것으로 보인다. 보고서 유구 배치도에서 옹관 위치는 확인할 수 없었다.

서울 암사동 유적 유구배치도

서울 암사동 유적 전경(위성사진)

54. 강동구 암사동 암사지 (江東區 岩寺洞 巖寺址)

소 재 지 서울특별시 강동구 암사동 산1-1
시 대 1) 삼국시대 2) 통일신라/발해시대 3) 고려시대 4) 조선시대
유적분류 유형문화재 〉 유적 〉 종교신앙유적 〉 사지

龜巖書院이 있던 곳과 같은 자리에 해당한다. 현재 이곳에는 대로변에 '바위절터' 표석이 있고, 강 쪽으로 龜巖亭과 俎豆舊基碑 1기가 있다.

巖寺는 百濟代에 창건되었다고 전해지며, '백제절'이라는 뜻으로 伯仲寺라고도 불렀다. 그러나 1987년 조사에서 대부분 통일신라 말~고려 초의 유구와 유물이 보고되고 있어, 백제절이라고 단정할 수는 없다. 출토된 유물은 기와를 비롯하여 각종 토기류와 자기·금속품 등이다. 이 중에서 기와류는 鬼面紋과 蓮花紋 수막새, 雙鳥紋·雲紋·官銘唐草紋·寶相唐草紋 암막새 등이, 자기류는 唐三彩를 비롯하여 청자·분청사기·백자편이 출토되었다고 한다. 그리고 석탑 옥개석도 확인되었다.

[참고문헌] 동국대학교 한강변 문화유적 발굴조사단, 1987, 『한강변문화유적발굴조사보고』.
서울특별시립박물관, 2001, 『서울 강동지역 문화유적지표조사 보고서』.
세종대학교박물관, 2004, 『江東區의 歷史와 文化遺蹟』.

범 례

일련번호	지 역	유 적	시 대	주 소
54	서울	암사동 암사지	삼국/ 나말여초	강동구 암사동 산1-1

좌 표

경 도	위 도
127-8-22.57	37-34-0.27

55. 강동구 암사동 유물산포지1 (江東區 岩寺洞 遺物散布地1)

소 재 지 서울특별시 강동구 암사동 산30-1
시 대 1) 청동기시대 2) 삼국시대 3) 조선시대
유적분류 유형문화재 〉 유적 〉 유물산포지

암사동 선사주거지 동편에 인접해 있는 야산(해발 65.5m) 일대가 유물산포지이다.

야산의 정상부는 비교적 편평하며, 경사면과 谷部 등 야산 북측과 남측 일대에 경작지가 있다.

채집된 유물은 토기편·자기편·기와편 등이며, 주로 양지마을 뒤쪽에 있는 밭과 능선 사면, 그리고 야산의 남쪽인 섬말 뒤의 밭 일대에 산포하고 있다. 섬말 쪽에서는 주로 조선시대에 속하는 것들이 채집되었으며, 양지마을 뒤쪽 능선 위에서는 간석기편 1점이 채집되었다.

채집 유물과 지형 조건 등으로 보아 양지마을 쪽에는 청동기시대·삼국시대와 관련된 유구가, 섬말 쪽에는 조선시대 분묘와 관련된 유구가 있을 것으로 추정된다.

[참고문헌] 세종대학교박물관, 2004,『江東區의 歷史와 文化遺蹟』.
육군사관학교 화랑대연구소 국방유적연구실, 2004,
『암사대교 건설구간 기본설계-문화재 지표조사 보고서-』.

범 례

일련번호	지 역	유 적	시 대	주 소
55	서울	암사동 유물산포지1	삼국	강동구 암사동 산30-1

좌 표

경 도	위 도
127-8-12.41	37-33-41.38

56. 강동구 암사동 유물산포지3 (江東區 岩寺洞 遺物散布地3)

소 재 지 서울특별시 강동구 암사동 330-1
시　　대 1) 청동기시대 2) 삼국시대 3) 통일신라/발해시대 4) 고려시대 5) 조선시대
유적분류 유형문화재 〉 유적 〉 유물산포지

현재 재건축 공사 중인 강동아파트 1단지 북쪽에 비닐하우스 단지가 밀집한 경작지가 있다. 이곳의 동쪽에 있는 구릉지와 암사정수장 남단이 접하는 지역이 유물산포지이다.

유물이 수습되는 곳은 정수장 울타리와 인접한 경사면을 이용한 경작지로, 소나무 한 그루가 하우스 경계 지점에 서 있다. 이곳에는 圓首形 묘비 1기가 쓰러져 방치되어 있으며, 채집된 유물은 半月形石刀片과 삼국~조선시대에 이르는 토기편·자기편 등이다.

채집된 유물의 성격과 유적 서쪽에 '암사동 유물산포지1'이 인접해 있는 점 등을 고려해 보면, 청동기~조선시대에 이르기까지 관련 유구가 있을 것으로 보인다.

[참고문헌] 육군사관학교 화랑대연구소 국방유적연구실, 2004, 『암사대교 건설구간 기본설계-문화재 지표조사 보고서-』.

범 례

일련번호	지 역	유 적	시 대	주 소
56	서울	암사동 유물산포지3	삼국~조선	강동구 암사동 330-1

좌 표

경 도	위 도
127-8-32.37	37-33-33.92

57. 강동구 고덕동 유물산포지1 (江東區 高德洞 遺物散布地1)

소 재 지 서울특별시 강동구 고덕동 산94-1
시 대 1) 삼국시대 2) 통일신라/발해시대 3) 고려시대 4) 조선시대
유적분류 유형문화재 〉 유적 〉 유물산포지

고덕동뒷길 고덕근린공원 삼거리에서 가재골길로 들어서면, 북쪽으로 올림픽대로와 접한 가재골로 들어가게 된다. 유물산포지는 가재골의 산사면 경작지를 중심으로 동쪽과 남쪽 일대 능선을 포함한 넓은 지역에 해당한다.

유물은 대부분 조선시대에 속하는 도기편·백자편·기와편들이 채집되었는데, 북동쪽 지역에서는 삼국시대 타날문토기편들도 채집되었다.

한편, 유물산포지의 남측 일대가 1961·1962년 청동기시대 유물이 채집 보고된 지점으로 추정되고 있다. 또한 유적 내 서편 능선상에 지석묘 2기가 있다. 이러한 유적의 지형 조건과 채집 유물로 보아 이곳은 청동기시대부터 줄곧 사람들의 생활터전이었던 것으로 추정된다.

[참고문헌] 육군사관학교 화랑대연구소 국방유적연구실, 2004, 『암사대교 건설구간 기본설계-문화재 지표조사 보고서-』
김정학, 1967, 「한국무문토기문화의 연구」, 『백산학보』 3.

▮범 례

일련번호	지 역	유 적	시 대	주 소
57	서울	고덕동 유물산포지1	삼국	강동구 고덕동 산94-1

▮좌 표

경 도	위 도
127-8-56.13	37-33-48.89

58. 강동구 고덕동 유물산포지4 (江東區 高德洞 遺物散布地4)

소 재 지 서울특별시 강동구 고덕동 산4
시 대 1) 선사시대 2) 고려시대 3) 조선시대
유적분류 유형문화재 〉 유적 〉 유물산포지

고덕동 동명근린체육공원 운동장에서 고덕동뒷길 건너 북서쪽에 해발 63.9m의 낮은 야산이 있다. 이 야산의 남서 사면과 남사면이 유물산포지에 해당한다.

남서 사면에는 음식점이 들어서 있는데, 여기서 능선 정상으로 올라가는 등산로 초입에서 무문토기편이 채집되었다. 음식점 주변 밭 일대에서도 상당량의 고려시대 기와편과 백자편 등이 채집되었다. 그리고 음식점 뒤편 계곡부에서는 백자편과 소량의 무문토기편이 채집되었는데, 무문토기편은 계곡 위쪽에서 흘러내려 온 것으로 보인다. 길과 접한 유적의 남사면은 현재 밭으로 경작되고 있으며, 이곳에서도 소량의 무문토기편이 채집되었다.

한편, 산포지 내 서북단 일대 사면에 姜世琛(1508~1571년) 등 晉州姜氏 묘역이 있었으나 현재는 모두 이장을 한 상태이다.

[참고문헌] 세종대학교박물관, 2004, 『江東區의 歷史와 文化遺蹟』.

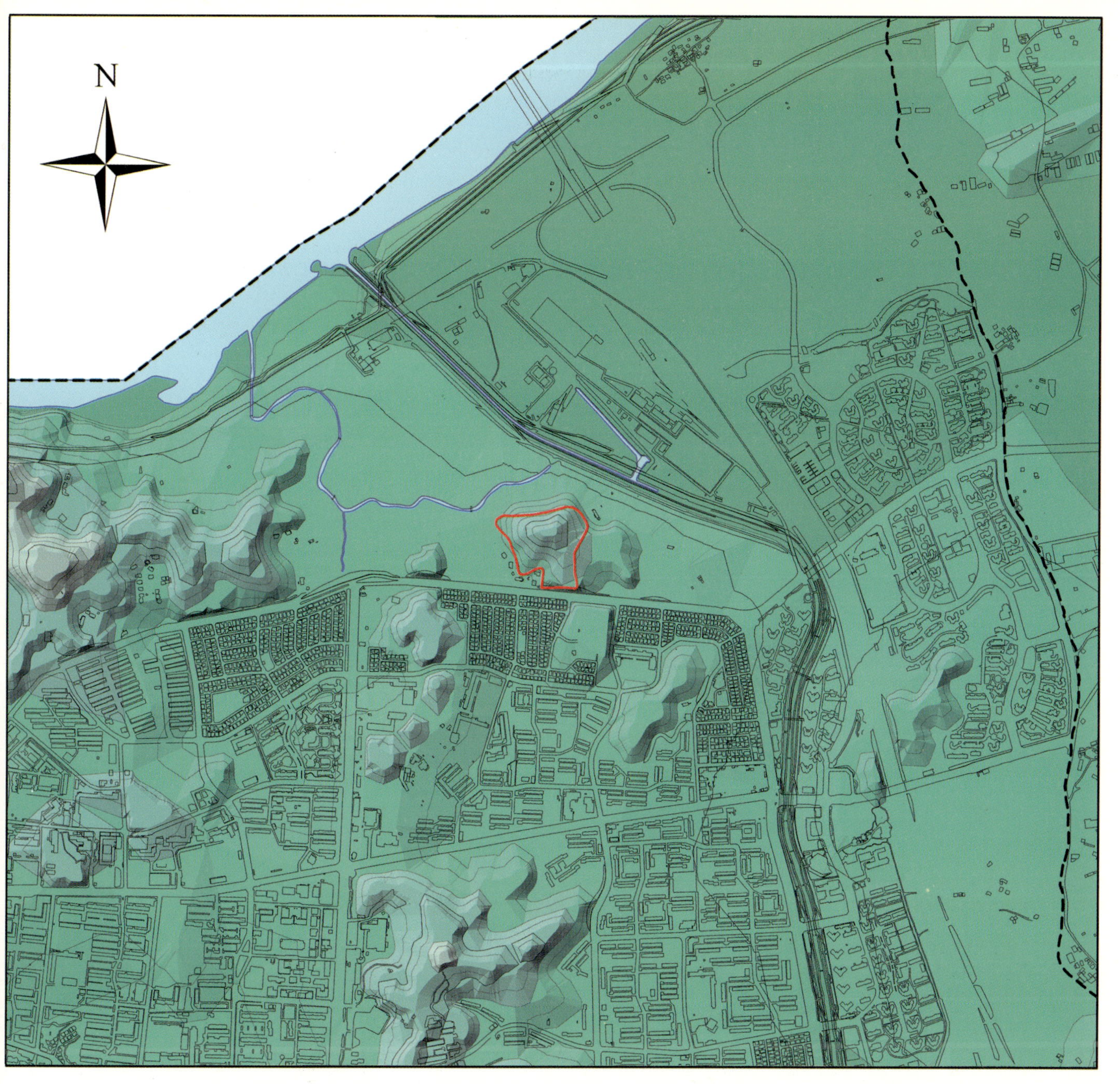

범 례

일련번호	지 역	유 적	시 대	주 소
58	서울	고덕동 유물산포지4	삼국	강동구 고덕동

좌 표

경 도	위 도
127-9-48.58	37-33-48.23

59. 강동구 고덕동 지석묘 1호 (江東區 高德洞 支石墓 1號)

소 재 지 서울특별시 강동구 고덕동 산94-1

시 대 청동기시대

유적분류 유형문화재 〉 기념물 〉 거석기념물 〉 고인돌:선사분묘

고덕동뒷길 고덕근린공원 삼거리에서 가재골길을 따라 오르면, 능선을 깎아 만든 고갯길이 있다. 고개를 넘기 전 서편 참호 시설 옆에 고덕동 지석묘 1호가 있다.

표면에 드러나 있는 1호 지석묘의 평면 형태는 네모꼴이며, 가장자리는 손질한 흔적이 있다. 덮개돌의 윗면에는 3~4군데 정도의 星穴이 관찰되는데, 지름이 3~5㎝이다. 이 지석묘는 편마암 종류의 석재를 사용하였으며, 크기는 122×115×30㎝ 정도이다.

현재 군사용 참호와 방공호 시설로 주변 지형이 훼손되어 있다. 지석묘 또한 군사시설이 들어서는 과정에서 위치가 이동된 것으로 보인다.

[참고문헌] 세종대학교박물관, 2004,『江東區의 歷史와 文化遺蹟』.

범 례

일련번호	지 역	유 적	시 대	주 소
59	서울	고덕동 지석묘 1호	선사시대	강동구 고덕동 산7-9, 산94-1

좌 표

경 도	위 도
127-8-53.62	37-33-48.85

60. 강동구 고덕동 지석묘 2호 (江東區 高德洞 支石墓 2號)

소 재 지 서울특별시 강동구 고덕동 산94-1
시 대 청동기시대
유적분류 유형문화재 〉 기념물 〉 거석기념물 〉 고인돌:선사분묘

고덕동 지석묘 2호는 1호 지석묘에서 남쪽으로 20m 정도 떨어진 등산로 초입에 있다.

능선 경사면에 지석묘 일부가 묻혀 있어 정확한 하부구조를 알기 어렵다. 지표에 드러난 평면 형태는 긴 네모꼴이며, 가장자리는 1호에 비해 둥글게 손질되어 있다. 윗면에는 星穴이 8군데 있으며, 크기와 모양은 1호 지석묘와 대부분 유사하나 지름이 좁고 약간 깊은 것도 있다. 이 지석묘 또한 편마암 계통의 석재를 사용하였으며, 크기는 220×140×20~30㎝이다.

이 지석묘 역시 주변 군사용 참호와 방공호 시설이 들어서는 과정에서 위치가 이동된 것으로 보인다. 한편, 지석묘가 위치한 지점의 남쪽과 북쪽 밭 일대에서 삼국시대~조선시대에 걸치는 유물이 채집되었다.

[참고문헌] 세종대학교박물관, 2004,『江東區의 歷史와 文化遺蹟』.

범 례

일련번호	지 역	유 적	시 대	주 소
60	서울	고덕동 지석묘 2호	선사시대	강동구 고덕동 산7-9, 산94-1

좌 표

경 도	위 도
127-8-53.61	37-33-48.17

61. 강동구 하일동 유물산포지1 (江東區 下一洞 遺物散布地1)

소 재 지 서울특별시 강동구 하일동 26-1
시　　대 1) 선사시대 2) 삼국시대
유적분류 유형문화재 〉 유적 〉 유물산포지

강동공영차고지를 지나 하일오거리에서 가래여울길을 따라 직진하면, 올림픽대로 하부를 지나 가래여울마을이 나온다. 이 마을 동편에 한강변을 따라 유물산포지가 있다.

현재 이곳은 대부분 복토를 하여 경작지로 사용하고 있으며, 원래의 지형이 많이 훼손된 상태이다. 그러나 마을 동쪽 일부에는 복토를 하지 않은 곳이 있어, 원지형인 砂質土가 남아 있다.

이 사질토가 있는 곳에서 빗살무늬토기편·무문토기편·삼국시대 토기편 등 주요 유물이 채집되었다. 한편 복토된 흙에서는 기와와 백자편들이 나오고 있다.

[참고문헌] 서울특별시립박물관, 2001,『서울 강동지역 문화유적지표조사 보고서』.
세종대학교박물관, 2004,『江東區의 歷史와 文化遺蹟』.

범 례

일련번호	지 역	유 적	시 대	주 소
61	서울	하일동 유물산포지1	선사/삼국	강동구 하일동 26-1

좌 표

경 도	위 도
127-10-16.52	37-34-36.34

62. 강동구 하일동 유물산포지2 (江東區 下一洞 遺物散布地2)

소 재 지 서울특별시 강동구 하일동 산11-1
시　　대 1) 선사시대 2) 구석기/중석기시대 3) 신석기시대 4) 청동기시대 5) 철기/삼한/원삼국시대 6) 삼국시대 7) 통일신라/발해시대 8) 고려시대 9) 조선시대
유적분류 유형문화재 〉 유적 〉 유물산포지

지하철 5호선 상일동역 삼거리에서 하일동 능골 방면으로 가다 보면 강일육교가 나온다. 이 육교 동·서편으로 나뉘어 있는 야산(해발 45.7m)이 유물산포지이다.

채집된 유물은 구석기시대 뗀석기와 무문토기편·백자편 등이다. 뗀석기는 야산의 북동쪽 지역에 있는 묘목 밭에서 채집되었다. 무문토기편은 북서쪽 사면에서, 백자편을 포함한 나머지 유물들은 뗀석기가 채집된 묘목 밭 주변과 경작지 일대에서 채집되었다.

이 일대는 서울 지역에서 보기 드문 구석기시대 뗀석기 채집지일 뿐만 아니라, 고토양층이 잘 발달되어 있는 지역이라 주목되는 바이다.

[참고문헌] 상명대학교박물관, 2003, 『강동권역 도시개발사업 文化遺蹟 地表調査報告書』.
세종대학교박물관, 2004, 『江東區의 歷史와 文化遺蹟』.

범 례

일련번호	지 역	유 적	시 대	주 소
62	서울	하일동 유물산포지2	삼국	강동구 하일동 산11-1

좌 표

경 도	위 도
127-10-31.46	37-33-29.52

63. 명일동 주거지

소 재 지 강동구 명일동 일원
시 대 선사시대
유적분류 유형문화재 〉 유적 〉 생활유적 〉 주거유적 〉 수혈주거지

명일동 주거지는 청동기시대 집다리유적으로 1961년 고려대학교박물관에 의해 발굴조사되었다. 보고서에 의하면, 유적은 해발 42m의 낮은 야산 위에 있으며, 이미 많은 부분이 파괴된 상태였다고 한다. 현재 보고서에는 지번이 적혀 있지 않아 정확한 발굴조사 지점을 파악하기 힘든 상태이다.

당시 발굴조사 내용에 따르면, 집자리는 지름 6m 정도의 원형으로 벽선을 따라 기둥구멍이 있었고, 집자리 바닥에는 숯이 깔려 있었다고 한다.

집자리 안에서는 토기와 석기류들이 출토되었는데, 토기는 비교적 두터운 편으로 가락동 유적에서 나온 토기들과 유사하지만 작은 파편으로 출토되어 기형을 알 수 없는 것이 많다. 석기는 돌검, 돌화살촉, 숫돌, 갈판 등이 출토되었다. 간돌검은 길이 18cm의 이단병식이다. 화살촉은 모두 7점이 나왔는데, 1점은 유경식이며, 3점은 6각형 평면형태에 밑부분이 홈처럼 파인 형식이다. 출토유물로 보아 유적의 연대를 청동기시대 중기로 추정하고 있다.

한편, 청동기시대 유물산포지가 고덕동에서도 지표조사되었다. 그리고 하남시와 하일동 경계지역인 상일동(15번지)에서도 세형동검과 검파두식이 발견되었다. 세형동검이 발견된 장소는 황산 고개에 이르기 약 150m전, 도로 왼편으로 10여m 들어간 곳인데, 비닐하우스를 짓기 위한 기초공사 중에 유물을 발견하였다고 한다.

[참고문헌] 김정학, 1962, 「광주 명일리주거지 발굴 보고」, 『고문화』 1.
한병삼, 1968, 「새로 발견된 세형동검」, 『고고학』 1.

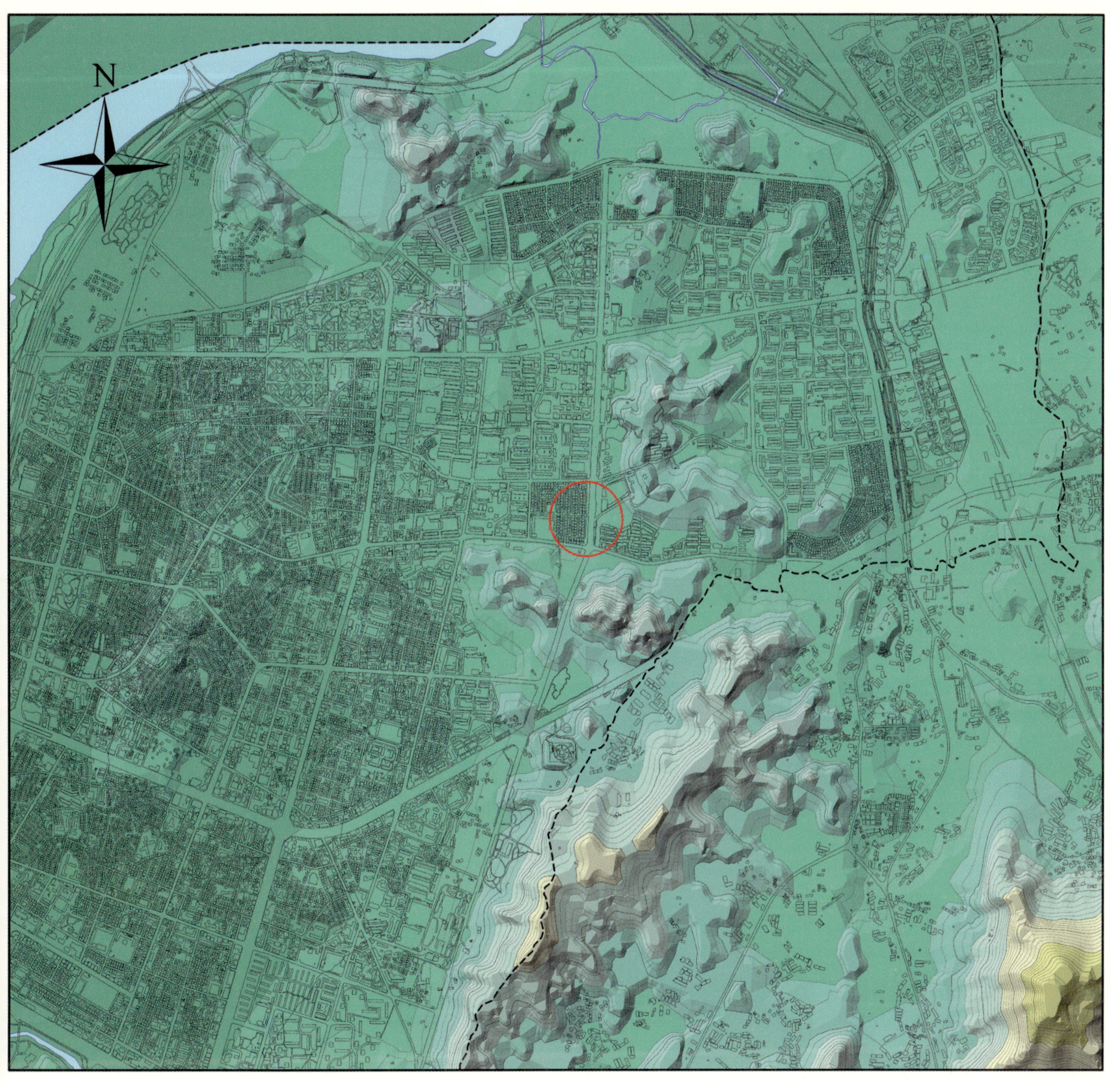

범 례

일련번호	지 역	유 적	시 대	주 소
63	서울	명일동 주거지	선사시대	강동구 명일동

좌 표

경 도	위 도
127-9-19.90	37-32-48.45

64. 강동구 길동 유물산포지2 (江東區 吉洞 遺物散布地2)

소 재 지 서울특별시 강동구 길동 285
시　　대 1) 삼국시대 2) 통일신라/발해시대 3) 고려시대 4) 조선시대
유적분류 유형문화재 〉 유적 〉 유물산포지

둔촌동 서울보훈병원 북·동쪽에 있는 경작지와 一字山 사면 일대가 해당 지역이다. 이곳은 일자산 서쪽 사면에 해당하며, 도로(방아다리길)가 남북으로 관통하고 있다.

도로 서편, 서울보훈병원 북쪽에 접한 곳은 경작지로 이용되고 있다. 대부분 복토한 지형이나 선린맨션 동쪽에 접한 1,500여 평의 경작지는 원지형으로 보인다. 이곳에서 백제 초기의 格子紋 大壺 동체부편, 연질·경질 토기편 등이 수습되었다. 한편, 도로 동편의 일자산 사면 남쪽 지역에는 배드민턴 경기장이 있다. 이 일대 평탄지와 경사면에서 다량의 조선시대 와편·자기편·토기편·도기편 등이 수습되고 있다.

이곳에서 남서쪽으로 약 2.5㎞ 떨어진 지점에 몽촌토성 유적이 있고, 수습되는 유물 등으로 보아 삼국시대부터 생활유적이 있었을 것으로 보인다.

[참고문헌] 육군사관학교 화랑대연구소 국방유적연구실, 2005,
『서울 강동구 길동 진흥아파트 재건축부지-문화재지표조사 보고서-』.
건국대학교박물관, 2006,『서울 강동구 일자산 자연공원 조성사업 예정부지 문화재 지표조사 보고서』.

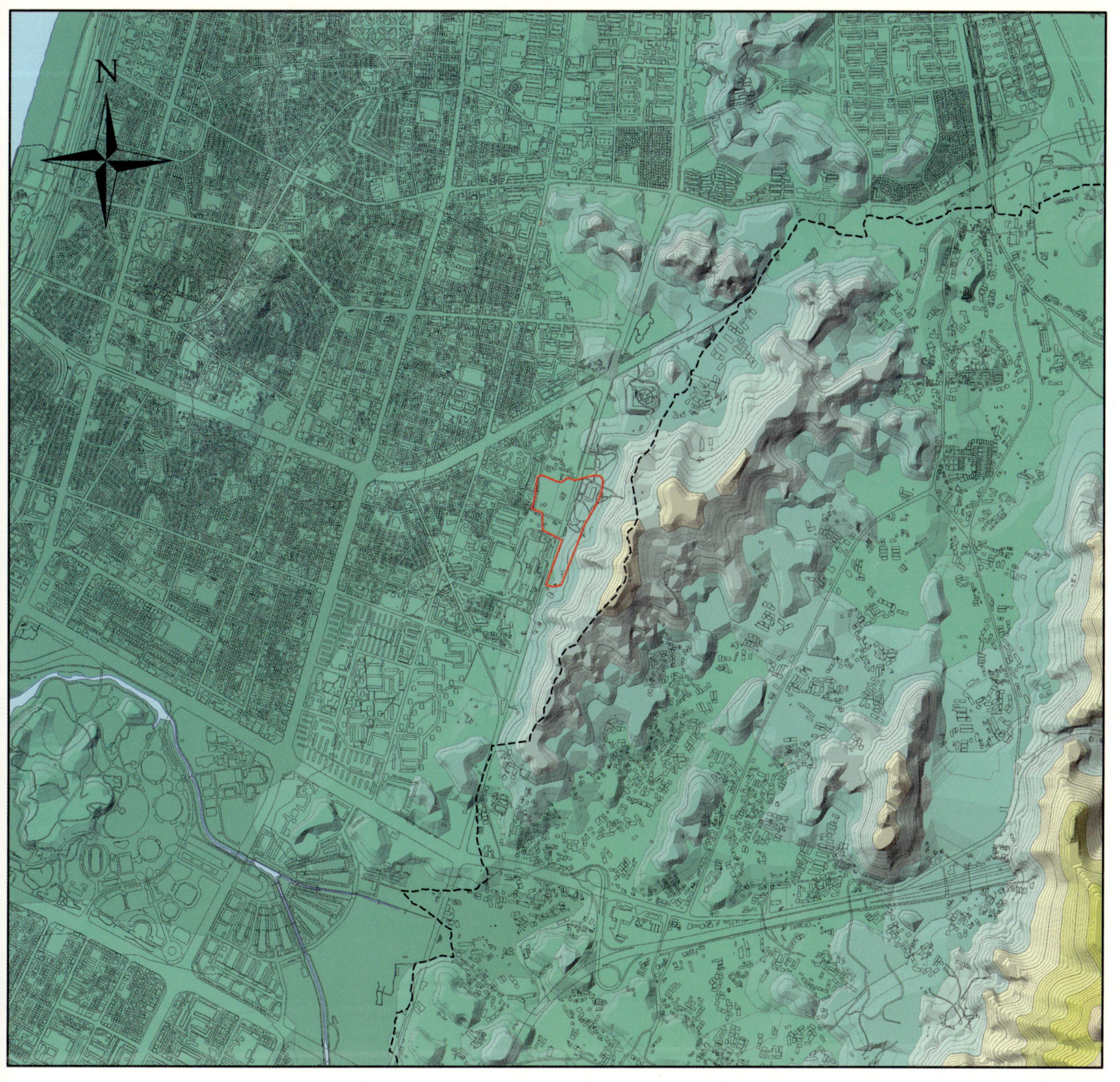

범 례

일련번호	지 역	유 적	시 대	주 소
64	서울	길동 유물산포지2	백제	강동구 길동 285

좌 표

경 도	위 도
127-8-58.66	37-31-53.81

65. 풍납토성(風納土城)

소 재 지 서울특별시 송파구 풍납동 222-14

시　　대 삼국시대

유적분류 유형문화재 〉 유적 〉 정치국방유적 〉 성곽 〉 도성

1. 백제 하남위례성(한성) 의 경관

한성의 경관을 구성하는 주요 인공 구조물은 풍납토성·몽촌토성 등의 성과 그 남쪽에 위치한 석촌동 고분군이다. 성벽 취락과 고분군으로 구성되는 취락유형은 한반도 고대국가 출현기의 공통된 양상 가운데 하나이다. 백제의 경우는 2개의 성으로 나뉘어져 있다는 점이 특이하지만, 유사한 예는 중국의 춘추시대에도 확인된다.

풍납토성과 몽촌토성은 지금까지의 고고학적 조사 결과로만 보면 모두 3세기 중·후엽 경에 등장하였던 것으로 추정되나 당시의 성 이름이나 기능에 대해서는 아직 분명하지 않은 점이 많다. 한성 함락 시점의 사정을 전하는『삼국사기(三國史記)』나『일본서기(日本{書紀)』의 기사에 의하면 백제 당시 도성의 명칭은 "위례(慰禮)" 혹은 "위례성(慰禮城)"이었으며, 그 가운데 풍납토성은 북성(北城) 혹은 대성(大城)으로 몽촌토성은 남성(南城) 혹은 왕성(王城)으로 불렸다. 한성 함락 당시인 475년에는 몽촌토성이 왕이 거처하던 것으로 볼 수 있지만, 규모로 보아 풍납토성 내부에 왕궁이 있었을 가능성이 높다. 관련 자료가 아직 부족하나 풍납토성에는 정궁(正宮)이, 몽촌토성에는 일단 유사시 왕이 이어(移御)하던 별궁(別宮{)이 있었을 가능성이 있으며,『삼국사기(三國史記)』에 아신왕(阿莘王)이 태어난 곳으로 기록된 "한성별궁(漢城別宮)"이 그에 해당될 것이다. 몽촌토성을 근초고왕 26년(371)에 이도(移都)한 "한산(漢山)"으로 비정하는 견해를 따른다면 3세기 중·후엽에 초축된 몽촌토성은 371년 이후 일정기간 왕궁이 있는 왕성으로 위상이 높아졌다가 아신왕이 태어나는 시점에는 이미 정궁은 풍납토성으로 다시 옮겨지고 별궁으로 위상이 격하되었던 것으로 볼 수 있다.

풍납토성의 동성벽 주변에는 성내천의 지천(支川)을 이용한 해자가 설치되었던 것으로 보이며, 서성벽은 한강이 그 역할을 하였을 것이다. 2002년도에 조사된 삼표산업 사옥 부지에서 드러난 한강천변의 모습은 그러한 추정을 뒷받침한다.

풍납토성이나 몽촌토성의 주변에는 당시의 일반 백성들이 거주하던 취락이 분포하였던 것으로 추정된다. 풍납토성 동벽 바깥에서 확인된 목제 우물지는 그러한 모습을 잘 보여주고 있으며, 발굴조사가 이루어지지는 않았으나 암사동 일대에서 출토되는 한성기 유물들은 그러한 취락들의 흔적으로 이해된다.

2. 풍납토성의 현황

서울특별시 송파구 풍납동에 위치하고 있는 이 성은 몽촌토성과 더불어 백제 한성시기 도성을 구성하였던 대표적인 성이다. 성의 전체적인 평면 형태는 긴 변의 가운데가 팽창한 장방형에 가까운 것으로 마치 한강과 평행하게 놓인 배모양과 흡사하다. 1925년 대홍수로 인해 한강에 면하는 서쪽 성벽이 거의 전부 유실되어 남아 있는 성벽의 길이는 2,200m 가량되나 당초의 전체 길이는 3,470m 정도로 추정된다. 성벽 기저부의 최대폭은 43m에 달하고, 남아 있는 성벽의 최대 높이는 약 11m에 이른다. 성벽을 포함한 성 내부의 면적은 약 759,000㎡(약 230,000坪)이다. 1963년도에 사적(史蹟) 제11호로 지정 보호되어 왔으나 그 대상이 성벽부분만이어서 한국전쟁 이후 급격히 늘어난 서울의 인구 및 도시화의 급진전으로 인해 성내부는 가옥등의 건물이 포화를 이루고 있는 실정이다.

1925년 대홍수 시에 용수병수제각청동초두 1점, 횡장병수제각청동초두 1점,금동과대금구 등 유물이 수습되어 백제의 하남위례성(河南慰禮城)으로 비정하는 일본인 아유카이(鮎貝房之進)의 견해가 제기되었으나,『삼국사기(三國史記)』

범 례

일련번호	지 역	유 적	시 대	주 소
65	서울	풍납토성	고구려/ 원삼국~삼국/ 백제 (한성기)	송파구 풍납동 일원

좌 표

경 도	위 도
127-6-56.57	37-32-1.81

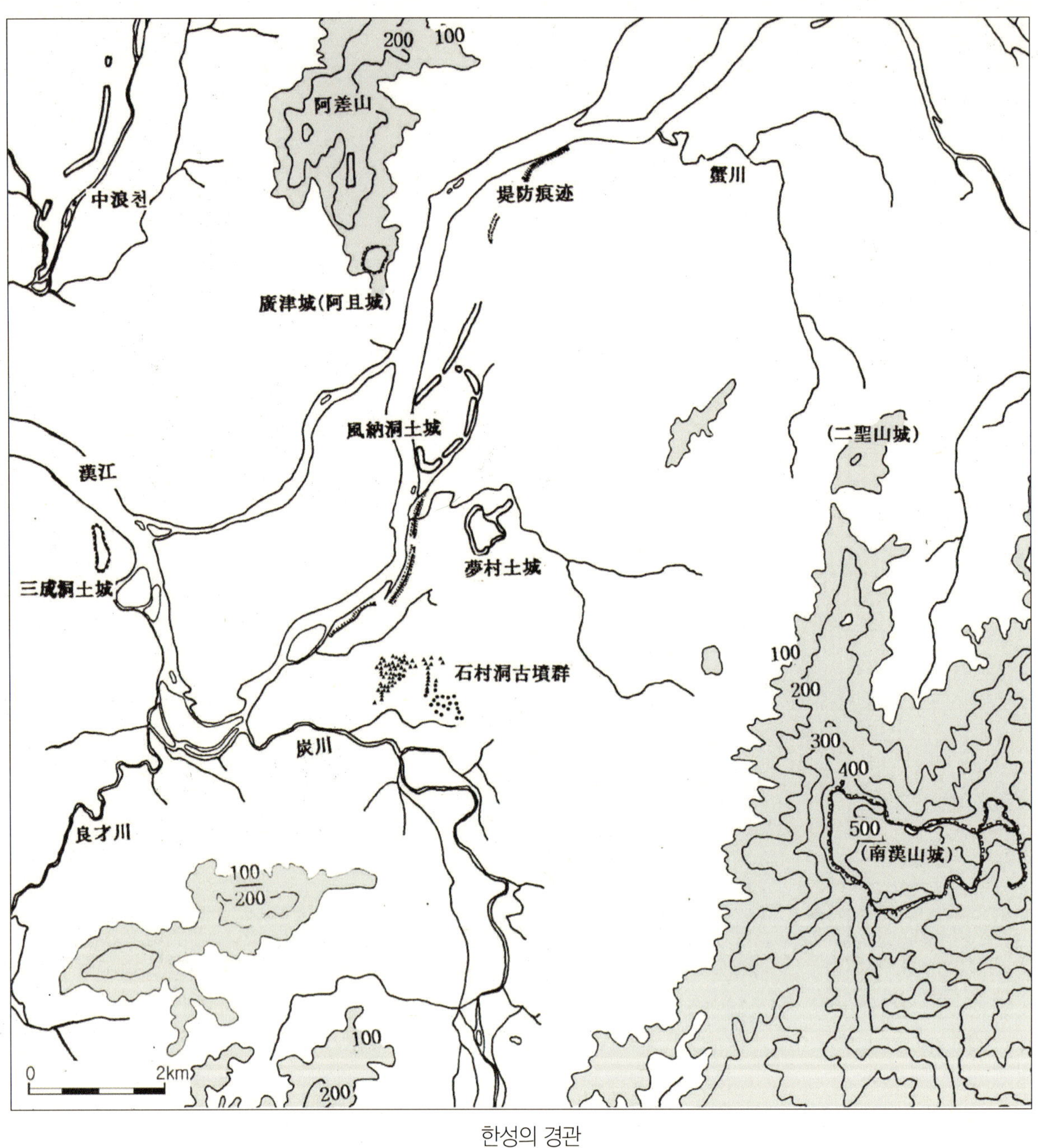

한성의 경관

백제본기 책계왕(責稽王) 즉위년(286) 기사에 나타나는 고구려 공격에 대비한 방수성(防戍城)인 "사성(蛇城)"으로 보는 이병도(李丙燾) 주장이 우세를 점하여 왔다. 이런 가운데 1964년 10월 19일~11월 4일(17일간)에 걸쳐 서울대학교 고고인류학과 김원용(金元龍) 교수에 의해 성내부에 대한 탐색갱 조사가 있었다.

김원용의 풍납토성 내부 포함층 조사를 통해 성의 점유와 관련되는 백제생활층의 존재가 부분적으로 확인되었고, 이를 근거로 그는 당시 유력한 방수성설을 전면적으로 부정하지는 않았지만 "防衛用城이라고는 하지만 平時에는 많은 一般民이 살고 있었던 半民半軍的邑城이었다"는 견해와 함께 『삼국사기』 개로왕 21년(475)조의 한성(漢城) 함락 과정에 등장하는 왕도(王都)의 북성(北城)으로 비정하였다. 나아가 출토 토기로 보아 그 시기를 당시의 고고학적 편년에서의 "김해시기"와 대비되는 것으로 보는 한편, 토성의 축조 실연대는 "『삼국사기』의 기록대로 그 初築을 제1세기경으로" 추

풍납토성 동벽 외부 출토 우물

정하게 된다. 풍납토성 포함층 조사에 대한 이러한 견해를 바탕으로 그 때까지 믿지 않는 것을 관행으로 하던 백제나 신라의 건국과 관련한 이른바 『삼국사기』 초기기사에 대한 신빙 가능성을 제기하면서 고고학 편년체계 상에 "원삼국시대(原三國時代)" 개념을 주창하게 된다. 삼국사기의 기록상으로는 "백제(百濟)"나 "신라(新羅)"가 건국한 것으로 되어 있으나 아직 완전한 국가에 이르는 도중에 있던 국가 성립의 과도기라는 것이다.

한국고대사 및 고고학에서 중요한 원삼국이라는 시대개념을 도출하게 한 계기를 제공하기도 하였던 풍납토성에 대한 관심은 이후 30년 기간 동안 실종되었다가 1997년도 토성내의 아파트 신축 공사장에서 백제시대 유구면이 남아 있음이 알려지면서 다시 고조되어 지금에 이르고 있다. 2008년 현재 풍납토성 내부 혹은 인접지점에 대한 발굴조사가 이루어진 곳은 모두 11개 지점에 이르는데, 성 내부 전체 면적에 대비할 때 약 10% 가량 된다.

그간의 주요 조사 성과로는 우선, 토성 축조 이전 단계에 존재하였던 환호취락의 확인을 들 수 있다. 3중으로 둘러 진 환호취락 내부에는 한강유역 원삼국시대의 전형적인 주거지 형태인 여(呂)자형 혹은 철(凸)자형 주거지가 확인되었으며, 환호 내부 출토 토기로 보아 그 폐기 시점은 3세기 중엽경까지 올려 볼 수 있다. 환호취락 이전 단계의 청동기시대 유구나 유물은 전혀 확인된 바 없어 인접한 하남 미사리유적의 경우와 달리 풍납동 일원은 앞 선 시기의 취락이 없던 곳에 새롭게 형성된 원삼국시대 후기의 신흥 취락으로 이해된다. 이 취락이 이후 성벽을 두르는 성곽취락으로 발전하였다. 환호의 폐기시점과 성벽 절개조사 시 성벽 축조토 내부에 혼입된 토기 등의 유물을 통해 볼 때 성벽의 초축 시기는 3세기 중·후엽을 더 올라 갈 수는 없음이 분명하지만, 한강유역에서 이처럼 성이 등장하는 정치·사회적 배경은 역시 백제의 국가 성립을 빼고 달리 생각하기 어려움은 물론이다. 성벽 축조에 동원되었을 인력 규모가 연 인원 약 100만명으로 추산되는 점을 감안하면 국가 성립 당시의 백제의 정치적 역량을 짐작할 수 있다. 이후 조사를 통해 다량의 기와가 사용되었을 것으로 추정되는 대형주거지, 제사 등과 관련될 것으로 추정되는 건물지, 도로 등의 유구와 더불어 중국제 수입 도자기, 오수전, "대부(大夫)"토기, 지방에서 유입된 토기 등의 유물이 속속 확인됨으로써 풍납토성의 위상이 점차 확립되고 있다.

지금까지의 조사 내용으로 볼 때 풍납토성은 인접한 몽촌토성과 더불어 백제의 한성시기 도성을 구성하던 2개의 성 가운데 "북성" 혹은 "대성"에 해당되며, 이 성에는 왕을 비롯한 귀족관료, 사서(士庶), 장인층등 국가 경영의 핵심계층이 거주하였을 것으로 이해된다. 이에 반해 몽촌토성은 규모는 작으나 방어면에서는 풍납토성에 비해 유리한 점 등으로 미루어 일단 유사시 왕을 비롯한 귀족관료 등이 입보(入保)하였던 성으로 볼 수 있다. 한성 함락 시의 사정을 전하는 『삼국사기』나 『일본서기』의 관련 기사의 내용으로 보면 "북성(北城)" 또는 "대성(大城)"인 풍납토성에 대비되는 "남성(南城)" 혹은 "왕성(王城)"으로 추정된다.

풍납동 197번지 대형 건물지

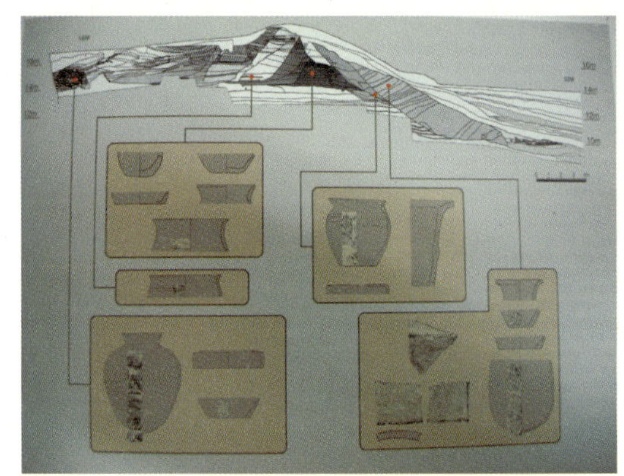

풍납토성 성벽 절개 A지점 토층단면 및 출토유물

3. 풍납토성 내부 공간 구획

4세기 후반 및 한성 함락 직전 일정 기간을 제외한 한성시기 전 기간에 걸쳐 정궁이 있었던 것으로 추정되는 풍납토성은 현재까지 남아 있거나 알려진 바에 의하면 동 성벽에 3개의 문지가 있다. 서벽은 유실되어 알 길이 없었으나 2006년 풍납동 197번지 조사에서 문지와 연관되는 일종의 내옹성(內甕城) 성벽이 일부 확인되어 대체로 동벽의 문지와 대응하는 문지가 있었을 가능성이 높다. 그러나 현재 북 성벽을 관통하는 도로는 1960년대 성내에 민가가 많이 들어서면서 주민들이 뚫은 것으로 본래의 성문은 아니다. 최근 북문의 존재를 상정한 풍납토성 내의 공간 구획안을 제시한 견해도 있으나 이는 잘못이다.

최근까지의 발굴조사 결과로 보면 유실된 서 성벽 가운데 부분에 인접한 풍납동 197번지에서 드러난 ├ 모양의 도로 유구와 동 성벽 3개의 문지 가운데 가장 북쪽의 성문과 대응되고 있어 각 성문에서 서 성벽에 이르는 동서 방향의 도로가 있었을 가능성이 있다. 잔 자갈을 깐 도로면의 폭은 약 5m 가량 된다. 이러한 동서도로가 존재하였다면 성내는 대략 4개의 구획으로 나뉘어졌을 것으로 추정된다. 편의상 북쪽부터 북구역, 중북구역, 중남구역, 남구역으로 한다면, 2008년에 조사된 대형주거지는 중북구역의 서쪽부분에 해당되며, 제의(祭儀) 관련 건물지로 추정되는 경당지구 방형 건물지 및 제사갱(1999년 한신대학교박물관 조사 9호 수혈) 북구역의 중간 부분에 해당된다. 그리고 1997년도 조사 삼중환호 지점의 주거지들은 중남구역에 해당된다. 그러나 남구역에 대해서는 아직까지 조사된 바 없다. 이러한 단편적인 자료를 종합해보면 왕궁은 북성벽에 인접하는 북구역에 있었을 가능성이 가장 높은데, 이 부분은 1925년 대홍수 시에 북성벽과 서성벽이 만나는 지점에서 동남방향으로 물길이 나면서 성내부 퇴적토가 많이 유실된 부분이다. 청동초두 2점을 비롯한 위세품은 바로 이 구역에서 노출된 것이어서 북구역의 성격을 짐작하게 한다. 경당지구제의 건물은 종묘(宗廟) 혹은 사직(社稷)과 관련이 있을 것으로 추정된다. 중북구역은 서쪽 일부가 조사된 것이지만 대형 주거지와 더불어 다량의 기와 및 중국제 청자등이 출토된 점으로 보아 귀족들의 거주구역일 가능성이 높다. 그에 비해 중남구역의 주거지들은 상대적으로 작아서 그보다 격이 낮은 사서인의 거주구역으로 볼 수 있다. 현재까지 확인된 대부분의 주거지는 출입구가 남쪽으로 되어 있어 일정한 규칙성이 감지된다.

4. 풍납토성 출토 위세품

한성시기 백제 관료체계의 일단을 보여주는 자료로는 풍납토성 경당지구 9호 수혈 출토 "대부(大夫)"명 직구단경호(直口短頸壺)가 있다. 주(周)의 종법(宗法)에는 천자(天子)의 적장자(嫡長子)는 왕(王), 그 밖의 자제(子弟)는 제후(諸侯), 제후의 적장자는 제후, 중자제(衆子弟)는 대부(大夫), 대부의 적장자는 대부, 중자제는 사(士)가 된다. 제후국에서는 국군(國君) 아래 경(卿)·대부·사의 3개 신분 등급이 있었으며, 이는 또한 일반 관원의 통칭(通稱)이 되기도 하였다.

경당지구 44호 건물지

풍납동 197번지 도로유구

진한(秦漢)이후 삼공(三公) 반열의 어사대부(御史大夫)와 경관(京官)의 광록대부(光祿大夫) 등이 있었다. 수당(隋唐)이후 대부는 고위 관품의 칭호였으며, 당송(唐宋)대에도 어사대부 및 간의대부(諫議大夫)등 관직이 있었으나 명청(明清) 이후 폐지되었다. 한성시기 대부의 관계상의 위치나 역할에 대해서는 관련 문헌사료가 없어 분명하지 않으나 시기적인 병행관계로 보아 한대(漢代) 이후의 대부와 유사한 직임이었을 것으로 추정된다.

[참고문헌] 金元龍, 1967, 『風納里包含層調査報告』, 서울 大學校考古人類學科.
漢陽大學校博物館, 1996, 『風納土城隣接地域試掘調査報告書』.
국립문화재연구소, 2001, 『風納土城I-현대연합주택 및 I지구 재건축 부지-』.
국립문화재연구소, 2002, 『風納土城II-東壁發掘調査報告書-』.
李南珪외, 2003, 『風納土城III-삼화연립 재건축 사업부지에 대한 조사보고-』, 한신大學校博物館.
權五榮외, 2004, 『風納土城IV-慶堂地區9號遺構에 대한 發掘報告-』, 한신大學校博物館.
國立文化財研究所, 2005, 『風納土城 V-삼표산업 사옥 신축예정부지 발굴조사 보고서-』.
權五榮·韓志仙, 2005, 『風納土城 VI-慶堂地區中層101號遺構에 대한 報告-』,
국립문화재연구소·한신大學校博物館.
權五榮외, 2006, 『風納土城 VII-慶堂地區上層廢棄場遺構에 대한 發掘報告-』, 한신大學校博物館.

대부명 직구단경호

풍납토성 출토 중국 회유도기

풍납토성 출토 유송대 초두

풍납토성 출토 호남지역계 토기

풍납토성 출토 가야계토기

풍납토성 출토 가야계 토기 뚜껑

1972년도 풍납토성 전경 (오른쪽 아래는 몽촌토성)

66. 몽촌토성 (夢村土城)

소 재 지 서울특별시 송파구 방이동 88-3
시 대 고구려 / 백제(한성기)시대
유적분류 유형문화재 〉 유적 〉 정치국방유적 〉 성곽 〉 도성

백제의 국가 형성에 대한 고고학적 접근의 계기를 촉발한 유적으로서 학사적 의미가 큰 이 유적은 사적(史蹟) 제297호로 지정되어 있다. 『고려사(高麗史)』·『신증동국여지승람(新增東國輿地勝覽)』 등 조선 전기의 문헌기록에는 "몽촌(夢村)"이라는 지명과 함께 "고원성(古垣城)", 즉 옛 토성이 있는 것으로 나타나고 있으나 학계에 소개된 것은 1916~1917년 조선총독부 식산국(殖産局) 산림과에 의해 실시된 바 있는 전국 임야 중 고적에 대한 조사를 통해서였다. 그 후 오랜 동안 학계의 관심 밖에 있다가 1975년 이기백(李基白)에 의해 하남위례성(河南慰禮城) 후보지로 거론된 것을 계기로 학계의 주목을 받기 시작하였다. 1983년에 이르러 1986년 아시아경기대회 및 1988년 서울 올림픽 등을 준비하는 과정에서 유적 정비 복원을 위한 지표조사가 실시되고, 이어서 1984년도에는 단국대학교, 서울대학교, 숭실대학교, 한양대학교 등이 연합으로 시굴조사를 하였으며, 1985·1987·1988·1989년도에 각각 서울대학교 박물관이 발굴조사를 실시하였다.

일련의 조사를 통해 잔구상의 자연 지형을 최대한 활용하여 다짐 성토 방식으로 축조한 성벽은 전체 길이가 2,285m, 성벽의 높이 12~17m이며, 성내의 총면적은 216,000㎡(약 67,400坪)으로 알려졌다. 2개소의 성벽 절개조사에 의해 최초 축성 시점은 3세기 후반경으로 추정할 수 있었으며, 5세기 전반경에 부분적인 수축(修築)이 있었던 것으로 드러났다. 초축 시점 비정의 주요한 근거는 1985년도 동북지구 성벽절개 조사 시에 확인된 성내측에 퇴적된 성벽 붕락토(崩落土) 속에서 수습된 중국제 회유(灰釉) 전문도기(錢文陶器)였다. 전문도기는 서진(西晉: 265~316년)대의 것으로 알려져 있었는데, 최근까지의 자료에 의하면 3세기 중엽경부터 4세기 1/4분기까지 장강(長江) 중하류지역에 분포하던 것으로 이해된다.

연차적인 조사에서 확인된 것으로는 여(呂)자형 대형주거지를 비롯한 일련의 수혈주거지, 투석(投石)용 돌무더기, 다수의 저장공, 저수지 등의 유구와 더불어 백제토기, 중국제 도자기, 기와 및 와당, 고구려토기 등의 유물이 있다. 특히, 고구려토기의 확인은 구의동유적 출토 토기를 비롯한 한강유역 고고학자료 인식에 대한 재검토를 가능하게 하였던 중요한 계기가 되었다.

몽촌토성의 역사적 성격에 대해서는 최근까지 다양한 견해가 제시된 바 있으나, 풍납토성과 더불어 한성시기 백제의 도성을 구성하였던 2개의 성 가운데 하나임은 틀림없다. 『삼국사기(三國史記)』 개로왕 21년조 및 『일본서기(日本書紀)』 웅략기(雄略紀) 20년조 등 문헌사료로 보아 풍납토성에 남쪽에 위치한 "남성(南城)"으로서 한성 함락시점에는 왕이 이 성에 거주하고 있던 "왕성(王城)"으로도 불렸다. 근초고왕 26년(371) 고구려의 평양성을 공격하고 돌아와 옮긴 "한산(漢山)"으로 비정하는 견해도 있다.

몽촌토성 출토 금동(金銅) 규형과대금구(圭形帶端金具)는 남경(南京)이나 무한(武漢) 등지에서 동진대(東晋代)의 황제 혹은 고위 관료의 무덤에서 출토된 바 있어 한성기 백제의 왕 또는 고급 관료가 착장하였던 것으로 추정된다.

최근 2013년부터 한성백제박물관에서 북문지 내외를 중심으로 학술 발굴조사가 진행중이다.

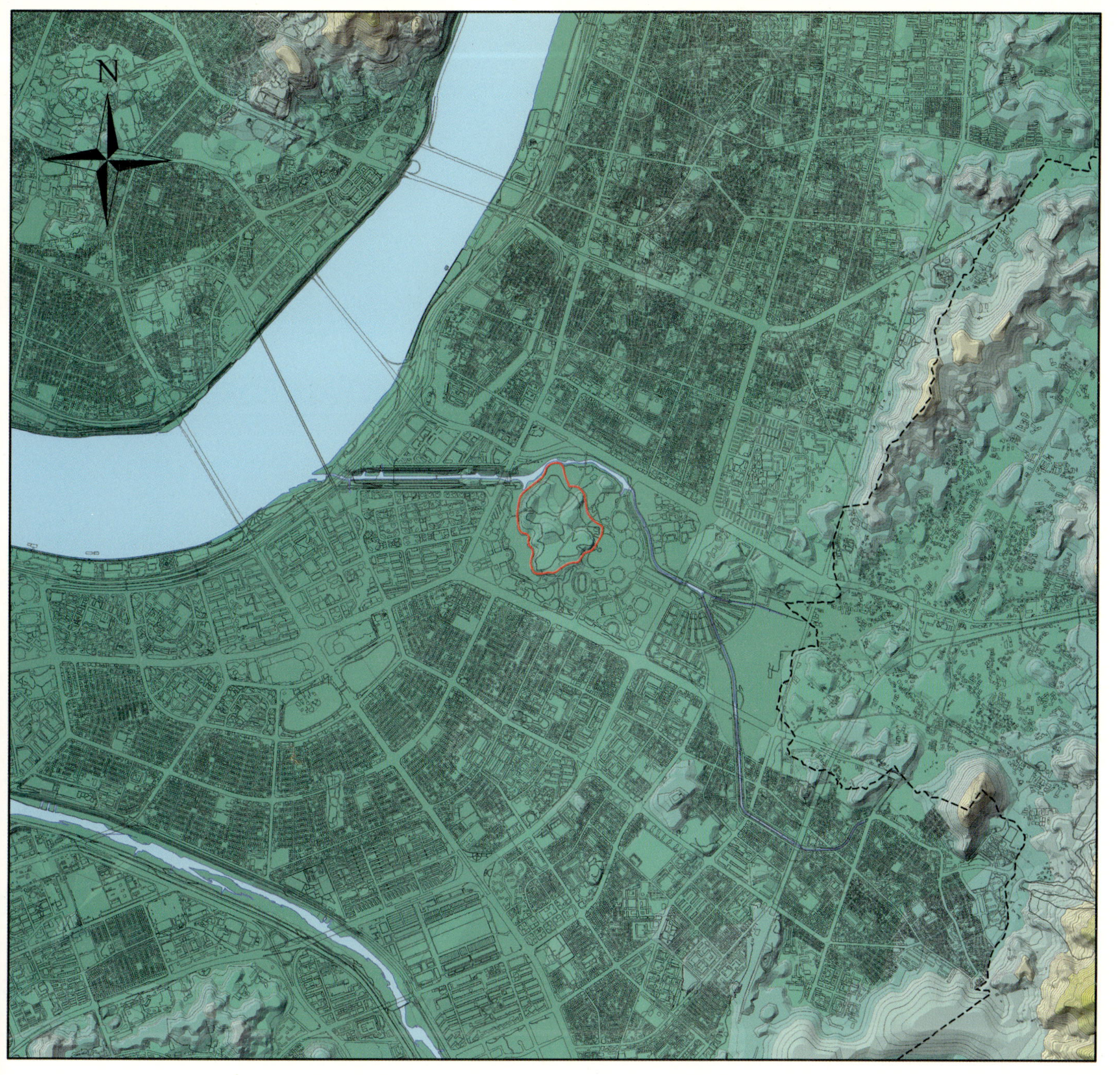

0 1.5 3 km

범 례

일련번호	지 역	유 적	시 대	주 소
66	서울	몽촌토성	고구려/ 백제(한성기)	송파구 방이동 88-3

좌 표

경 도	위 도
127-7-14.15	37-31-13.29

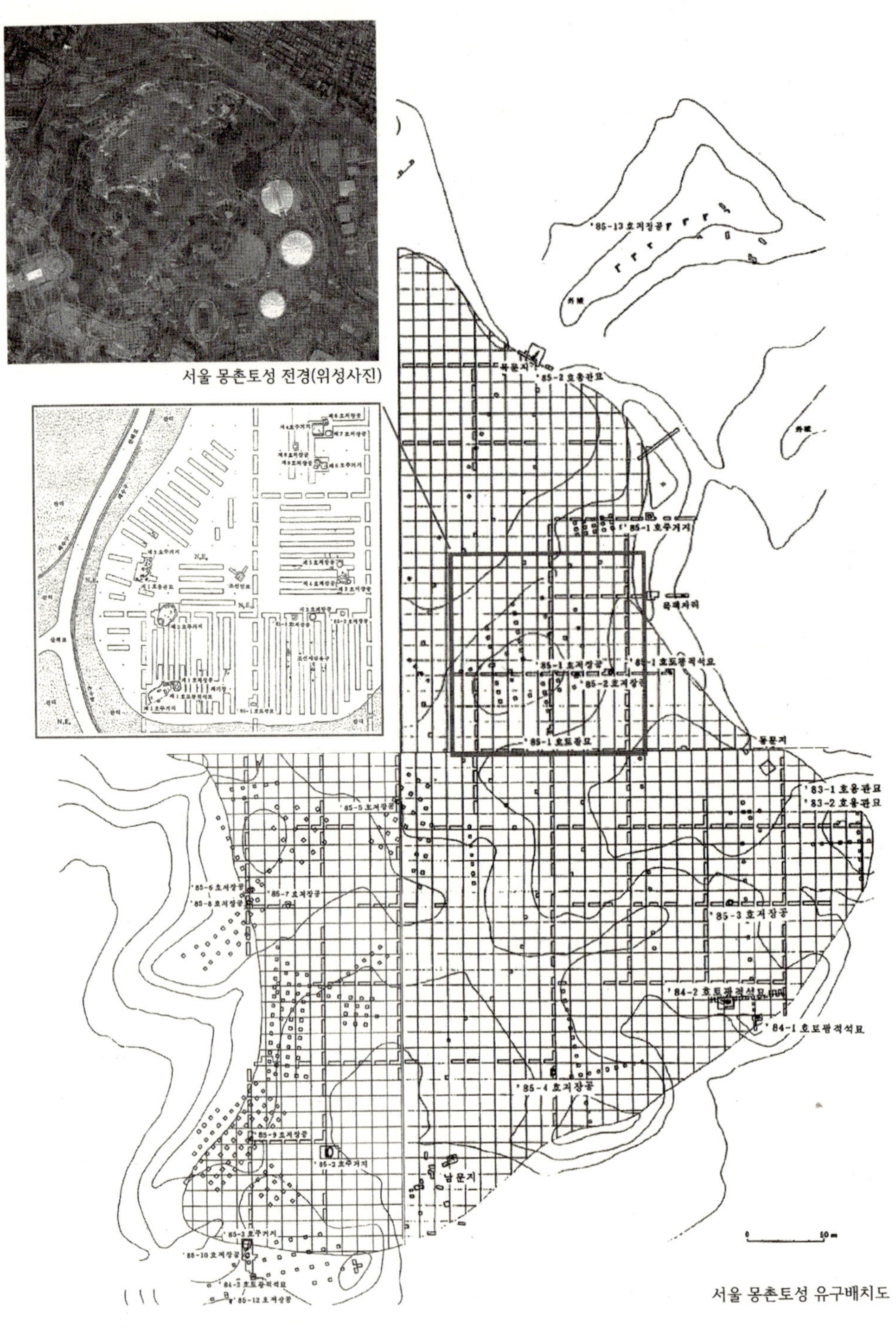

서울 몽촌토성 전경(위성사진)

서울 몽촌토성 유구배치도

서울 몽촌토성 유구배치도

몽촌토성 출토 금동규형과대금구

몽촌토성 출토 청자 벼루

몽촌토성 출토 스에키 개배

몽촌토성 출토 논산계 토기

몽촌토성전경

몽촌토성 출토 고구려토기

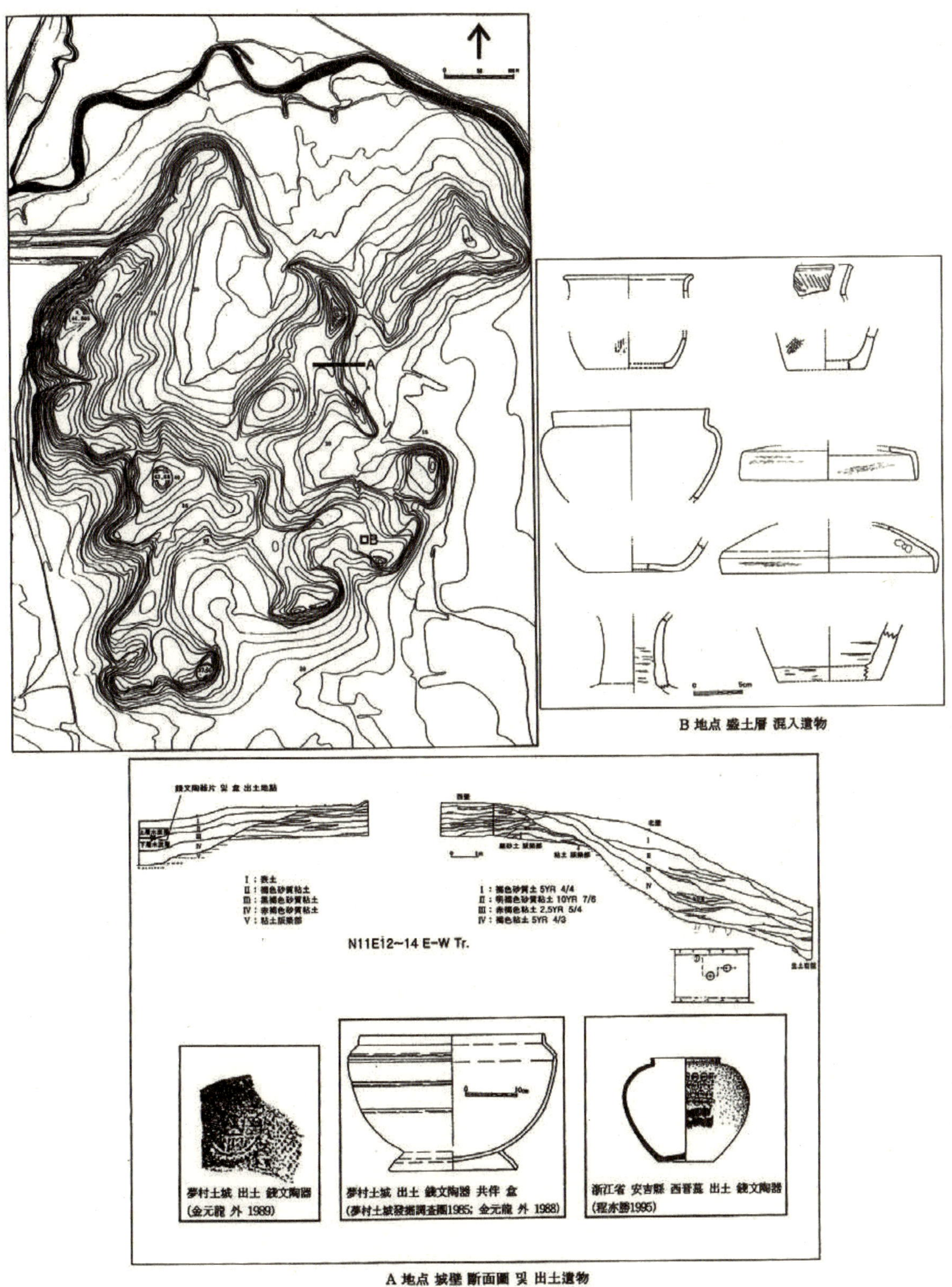

B 地点 盛土層 混入遺物

夢村土城 出土 錢文陶器 (金元龍 外 1989)

夢村土城 出土 錢文陶器 共伴 盒 (夢村土城發掘調査團1985; 金元龍 外 1988)

浙江省 安吉縣 西晉墓 出土 錢文陶器 (程亦勝1995)

A 地点 城壁 斷面圖 및 出土遺物

동북지구 성벽절개 층위 및 전문도기편 출토 위치

몽촌토성 북문지 내측 2016년도 발굴조사 유구 현황도

몽촌토성 2016년도 출토 '관(官)'명 직구단경호 편

2016년 몽촌토성 북문지 안쪽에서 발굴된 기대(그릇받침)편

67. 송파구 석촌동 가옥잔구 및 송파나루 추정지

소 재 지 서울특별시 송파구 석촌동
시   대 삼국시대 / 조선시대
유적분류

1970년에 석촌동에서 발견되어 1972년에 조사된 가옥잔구라는 유구는 주거지의 상부구조라기 보다는 선착장과 관련된 시설이거나 호안시설일 가능성이 있다. 그 위치는 현재 확실하게 알기 어려우나 석촌호수의 남쪽으로 추정되어 수치지형도상에서는 석촌호수 서호 남쪽에 표시하였다.

한편, 예전 '송파나루'가 있었던 곳은 석촌호수 동호 남단 서쪽으로 추정되어, 현재 이곳에 표석이 건립되어 있다. 본래 이곳은 한강의 본류였다. 옛날 잠실 쪽 한강에는 토사가 쌓여 형성된 부리도(浮里島)라는 섬이 있었는데 부리도를 중심으로 남쪽 물길과 북쪽 물길, 즉 송파강과 신천강을 이루는 샛강이 흘렀다. 1971년 4월 부리도의 북쪽 물길을 넓히고 남쪽 물길을 폐쇄하는 등 섬을 육지화하는 대공사가 시작되기 전 일이다. 물막이 공사를 하면서 한강의 물줄기는 바뀌었다. 섬이었던 잠실을 육지로 만들어 도시화했고, 상습적인 강물 범람 지역에 제방을 쌓아 물줄기를 직선화했다. 퇴적물이 더 쌓이는 것을 막으면서 홍수 재난까지 피할 수 있었다. 그때 폐쇄한 남쪽 물길을 남겨놓았다가 1980년대 초 호수공원으로 정비한 것이 석촌호수이다. 송파나루는 서울과 남한산성·광나루에서 약 5km씩 떨어져 있던 교통 중심지였다. 경기도 광주의 읍치(읍소재지)가 남한산성으로 옮겨진 1636년 병자호란 직후부터 서울과 삼남 지방, 경기도 광주, 강원도를 잇는 중요한 나루터가 되었다. 땔나무와 담배·쌀·숯·소·곡식·채소·어물 등을 서울에 공급했다. 이곳을 거쳐간 물건이 많아 '임금님께 진상하는 꿀병도 송파를 거친다'는 속담이 생겼을 정도이다. 당시 송파는 나루터보다 시장으로서의 기능이 더 컸는데, 송파장은 조선시대 전국 10대 상설시장 중 하나로 꼽혔다. 하지만 1925년 을축년에 있었던 대홍수와 광진교 신축으로 배 없이도 서울 통행이 쉬워지는 등 교통이 발달하면서 송파의 시장 기능이 쇠퇴하였다. 나루터는 1960년대까지 뚝섬과 송파를 잇는 정기선이 운항되어 그 명맥을 유지하였으나, 1960년대 말 강남 지역 개발이 진행되면서 샛강 매립과 교량 건설로 인해 나루터 기능까지 잃게 되었다. 현재 석촌호수 동호 남쪽 언덕에 오르면 송호정(松湖亭)이라는 정자가 있고, 부근에 송파나루 유래에 관한 내용을 새긴 '송파나루터(松坡津址)' 비석이 있다.

[참고문헌] 김원룡, 1972, 「석촌동 발견 원삼국시대의 가옥 잔구」, 『고고미술』 113·114합.

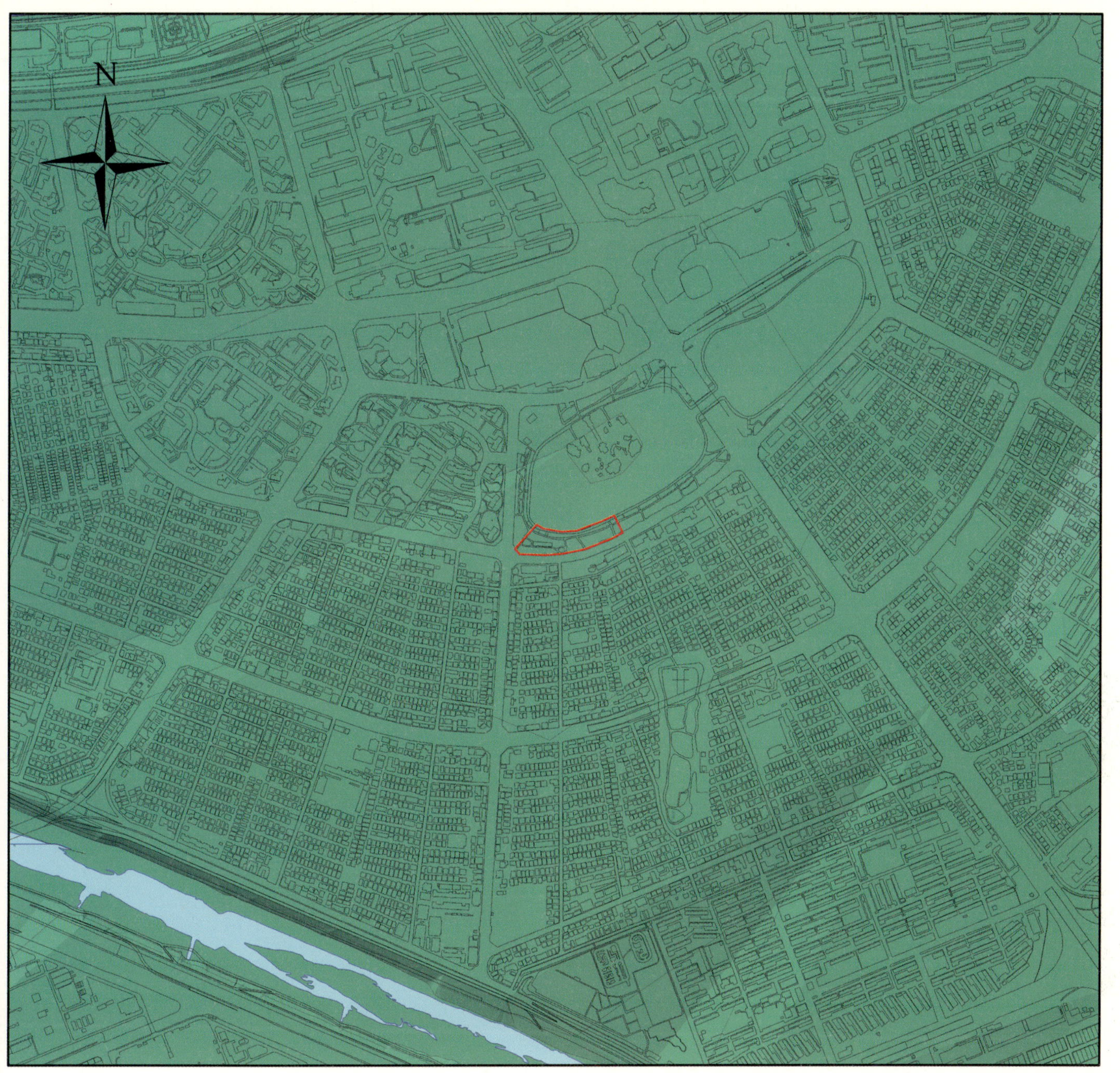

▮범 례

일련번호	지 역	유 적	시 대	주 소
67	서울	송파구 가옥잔구	삼국	송파구

▮좌 표

경 도	위 도
127-5-54.86	37-30-23.04

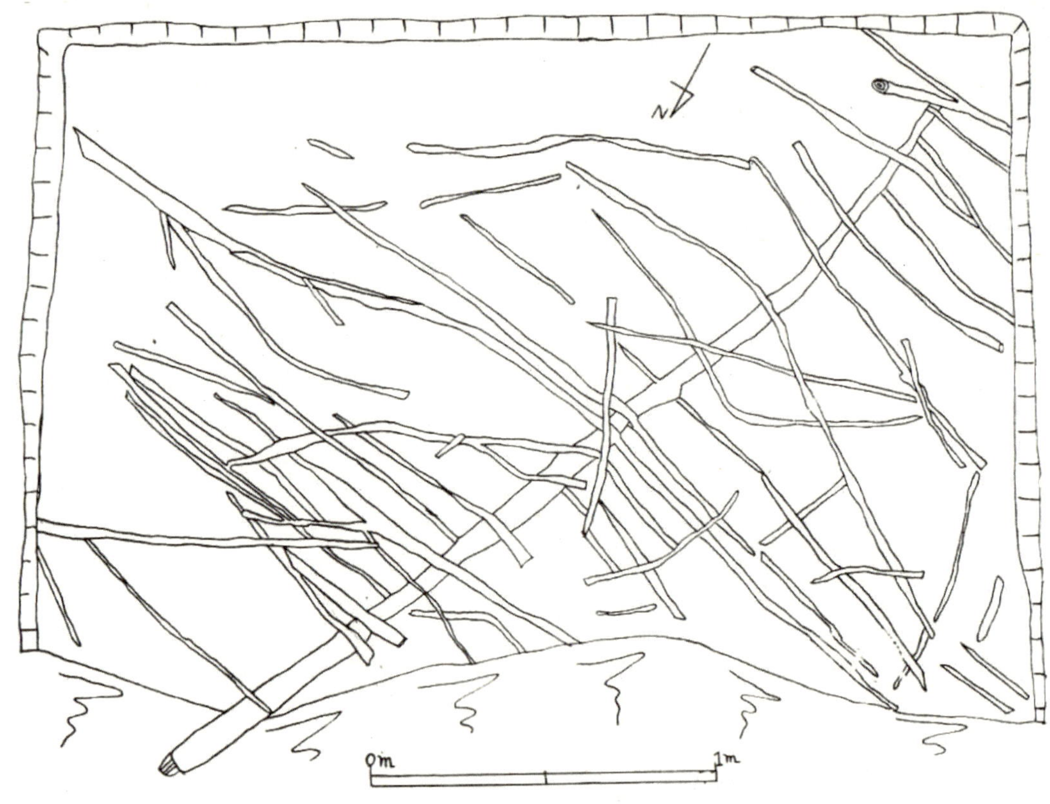

석촌동 가옥잔구 유적

1930년대의 송파진

송파진에서 벌어졌던 송파 산대놀이

68. 서울 석촌동고분군 (서울 石村洞古墳群)

조사사유 1. 古蹟及遺物保存規則 제정 일환(일제강점기).
2. 백제건국 관련 유적조사 계획에 따른 학술발굴(1969).
3. 잠실지구개발사업으로 인한 구제발굴(1974·1976).
4. 백제유적 정화·보존사업의 기초자료 확보를 위한 학술발굴(1983·1984·1987).
5. 백제고분공원 정화·복원계획에 따른 지하차도 건설을 위한 구제발굴(1986).

조사연혁 발굴조사 : 1917. (朝鮮總督府)
1969.08.24.~1969.09.23. (고려대학교박물관)
1974.09.21.~1974.11.11. (서울대학교박물관)
1976.06.24.~1976.07.21. (서울대학교박물관)
1983.05.16.~1983.07.02. (서울대학교박물관)
1984.03.17.~1984.04.10. (서울대학교박물관)
1984.07.05.~1984.08.21. (서울대학교박물관)
1986.07.02.~1986.09.02. (서울대학교박물관)
1987.03.02.~1987.05.28. (서울대학교박물관·숭실대학교박물관·경희대학교박물관)
2015.10.28.~ (한성백제박물관)

유적위치 서울특별시 송파구 석촌동·가락동 일원
경·위도 127°6′7.70″E/37°30′6.89″N, GPS 127.102139/37.501913

유적입지 잠실대교를 남쪽으로 건너 송파대로를 약 2km 내려가면 백제고분로와 교차하게 되는데 여기서 우측으로 꺾어 200m쯤 가면 도로 북쪽에 석촌동 3호분, 도로 남쪽에 4호분이 서로 마주보고 있다. 석촌동 고분군을 중심으로 가락동·방이동 일대는 백제 초기의 고분이 밀집 분포하고 있고, 한강을 따라 동북쪽으로 2~4km를 거슬러 올라가면 몽촌토성과 풍납토성 등이 분포하고 있다.

유구현황 삼국시대 = 계단식적석총(2) : 3호분, 4호분
기단식적석총(6) : 1호분, 2호분, 87-A호적석총, 87-2호석곽묘, 87-4호석곽묘, 87-5로 석곽묘
즙석봉토분(5) : 5호분, 86-B지역 즙석봉토분, 86-B지역 파괴적석총, 가락동 1·2호분
석곽묘(5) : 87-1호석곽묘, 87-3호석곽묘, 87-6호석곽묘, 87-7호석곽묘, 87-8호석곽묘
토광묘(15) : 86-A지역 1호토광묘, 2호토광묘, 3호토광묘, 4호토광묘, 5호토광묘, 6호토광묘,
7호토광묘, 8호토광묘, 9호토광묘, 10호토광묘, 11호토광묘, 86-B지역대형토광묘,
87-1호토광묘, 87-2호토광묘, 87-3호토광묘
토광적석묘(4) : 86-B지역 토광적석묘, 87-1호토광적석묘, 87-2호토광적석묘, 87-3호토광적석묘
옹관묘(3) : 86-A지역 2호옹관묘, 86-B지역 6호옹관묘, 87-1호옹관묘
기타(3) : 76-파괴분, 86-A지역 인골, 86-B지역 화장유구
기　　타 = 삼국시대 옹관묘(7)

주요유물 흑색마연토기, 직구단경호, 고배, 심발형토기, 완, 중국제자기, 철검, 철모, 금제이식, 칠기, 목제노

시대·성격 백제 한성기 왕실 및 최고 지배층의 집단 모역으로서, A.D.4~5세기에 적석총, 토광묘, 석곽묘, 옹관묘, 분구묘 등 다양한 묘제가 확인되어 백제 중앙의 장제와 묘제를 알 수 있는 중요한 자료이다. 일제강점기까지 石塚과 土塚으로 나뉘어 수백여기가 분포하고 있던 것으로 알려졌으나, 지금은 소수만 남아 있다. 발굴조사된 무덤들은 주로 A.D. 4~5세기 대에 조영되었으며, 극히 일부 유구가 3세기 대까지 소급될 수 있다.

범 례

일련번호	지 역	유 적	시 대	주 소
68	서울	석촌동고분군	백제(한성기)	송파구 석촌동 248

좌 표

경 도	위 도
127-6-5.98	37-30-7.12

이 고분군은 행정구역상 서울특별시 송파구 석촌동·가락동에 걸쳐 있는 것으로서 한성시기 백제의 중심 분묘역이다. 1916년도 발간『조선고적도보(朝鮮古蹟圖譜)』에 게재된 분포도에 의하면 당시 지상에서 그 존재를 확인할 수 있는 분묘는 "갑총(甲塚)"으로 명명된 봉분이 토축(土築)으로 된 것이 23기, 그리고 "을총(乙塚)"으로명명된 봉분이 적석으로 된 것이 66기였다.

발굴조사는 1911년 9월 야츠이(谷井濟一) 등에 의해 처음으로 이루어졌다. 봉분의 경사가 완만한 원분(圓墳)으로서 봉분 표면 일면에는 냇돌을 입혔으며, 매장주체부는 석곽이 없이 지면 상에 목관만을 안치하고 흙을 덮은 양상으로 토기 파편 등이 발견되었다고 간략히 언급되어 있다. 그 후 1916년도에 조사된 석촌동 "제 1적석총(積石塚)"은 높이 약 6m, 직경 약 27m의 규모로 기록되어 있을 뿐 그 밖의 자세한 양상은 알려져 있지 않으며, 1917년도 조사된 "석촌리 6호분", "석촌리 7호분"은 봉분이 서로 연결된 것으로서 6호분은 매장주체부를 적석하고 봉토를 덮은 후에 분구 표면을 할석으로 즙석(葺石)한 방대형(方臺形)이고, 7호분은 매장주체부에는 적석이 없으나 분구면에는 역시 할석이 즙석되어 있었다 한다. 이 때 "가락리(可樂里) 2호분"도 함께 조사되었는데, 이 고분은 산사면에 입지한 중앙 연도식의 횡혈식석실묘로서 출토유물은 소개되어 있지 않다. 1975년도 잠실지구유적 발굴조사의 일환으로 조사된 가락동 3·4·5·6호분과 같은 성격의 6세기 중엽 이후의 신라 횡혈식석실묘로 판단된다. 1969년도에는 봉토분인 가락동 1호분과 2호분이 발굴조사 되어, 석촌동·가락동 고분군 봉토분의 구조를 구체적으로 파악할 수 있었다. 목관 또는 옹관 등 다수의 매장주체부가 서로 다른 시점에 조영된 후 하나의 봉토를 덮어 씌워 표면을 즙석한 것인데, 이는 1911년 최초로 조사된 것과 같은 구조임을 알 수 있다. 역시 이와 동일한 봉토분으로는 1976년도에 조사된 석촌동 5호분과 석촌동 파괴분이 있다. 1974년에는 서울대학교박물관·고고학과에 의해 일제강점기부터 그 존재가 잘 알려져왔던 석촌동 3호 및 4호 적석총에 대한 발굴조사가 있었다. 3호분에 대해서는 정비 복원을 위하여 1983년과 1984년에 재조사가 있었다. 그 결과 3호분은 기단부의 폭이 55.5m×43.7m에 달하는 기단식적석총(基壇式積石塚)으로서 후대의 교란이 심하여 매장주체부는 확인하지 못하였으나, 축조 기반층으로 판단되는 점토 섞인 자갈층에서 동진대(東晋代)의 청자 반구호 구연부편이 출토되어 근초고왕릉(近肖古王陵)으로 비정되기도 한다. 4호분은 제 2기단 위에 평면형이 횡혈식석실묘와 유사한 유구가 남아 있으나 훼손이 심하여 자세하지 않다. 보고자들은 횡혈식석실묘를 상징적으로 표현하고 그 내부에 묘광을 파 석곽을 만들고 그 속에 목관을 안치한 것으로 이해하였으나, 기단면 상에서 출토되는 기와편 등으로 미루어 횡혈식석실이 파괴되고 그 기초만 잔존한 것일 가능성이 있다. 출토유물 가운데 견부 문양대가 없는 경질의 직구단경호편이 있는 점으로 보아 한성 II기의 비교적 늦은 시기에 해당하는 것으로 비정할 수 있다.

1986년도에는 석촌동 3호분 정비복원과 관련하여 민가 등이 철거된 그 동쪽 일대에 대한 발굴조사가 이루어졌다. 토광목관묘·즙석봉토묘·옹관·석관묘·파괴적석총 등의 다양한 묘제가 확인되었다. 그리고 1987년도에는 4호분과 5호분 사이의 정비 복원지역을 대상으로 조사가 진행되어 석촌동 1·2호분 등의 적석묘와 함께 여러 유구가 조사되었다. 이러한 과정을 통해 석촌동 고분군에서는 토광묘·옹관묘·봉토묘·기단식적석묘 등 다양한 백제의 묘제가 확인되었다. 현재까지 알려진 것 가운데 가장 이른 시기의 것은 3세기 이후의 토광목관묘이며, 3세기 중·엽경에는 여러 개의 매장주체부를 하나의 봉분으로 덮은 목관봉토묘가 등장하고, 4세기 후반경에 고구려 기단식적석총과 동일한 형태의 적석묘가 출현하는 것으로 이해된다. 급격한 도시화에 따른 훼손으로 인해 유구의 파악이 어려운 부분이 많아 묘제의 유형 파악이나 각 묘제의 출현 시점 등을 둘러싼 논란의 여지가 남아 있다.

1986년 아시아경기대회 및 1988년 서울올림픽 준비 과정에서 고분군을 관통하던 도로 ("백제고분로")를 지하화하고 석촌동 3호분·4호분·5호분 등을 복원하는 한편 발굴과정에서 새로 발견된 적석총 등을 정비·공원화하여 사적 제 243호로 지정 관리되고 있다.

최근 2014년부터 한성백제박물관에서 1호분과 2호분 사이 구역을 중심으로 학술발굴조사가 진행중이다.

[참고문헌] 谷井濟一, 1912, 「彙報: 朝鮮通信」, 『考古學雜誌』 第3卷 4號.
野守健·神田惣藏, 1935, 「忠淸南道公州宋山里古墳調査報告」, 『昭和二年度古蹟調査報告』 二.
尹世英, 1973, 「可樂洞百濟古墳第一號·第二號發掘調査略報」, 『考古學』 3.
서울大學校博物館·同考古學科, 1975, 『石村洞積石塚發掘調査報告』.
村洞遺蹟發掘調査團, 1984, 『石村洞3號墳(積石塚) 復元을 爲한 發掘報告書』.
서울大學校博物館, 1986, 『石村洞3號墳東쪽 古墳群整理調査報告』.
石村洞發掘調査團, 1987, 『石村洞古墳群發掘調査報告』.
서울大學校博物館, 1989, 『石村洞1·2號墳』.

석촌동 3호분 동쪽 고분군 목관봉토묘(즙석봉토분) 모습(경기도박물관, 2006, 『한성백제』, 전재)

석촌동 3호분 동쪽 고분군토광목관묘
(경기도박물관, 2006 전재)

석촌동 고분군 출토 중국 청자

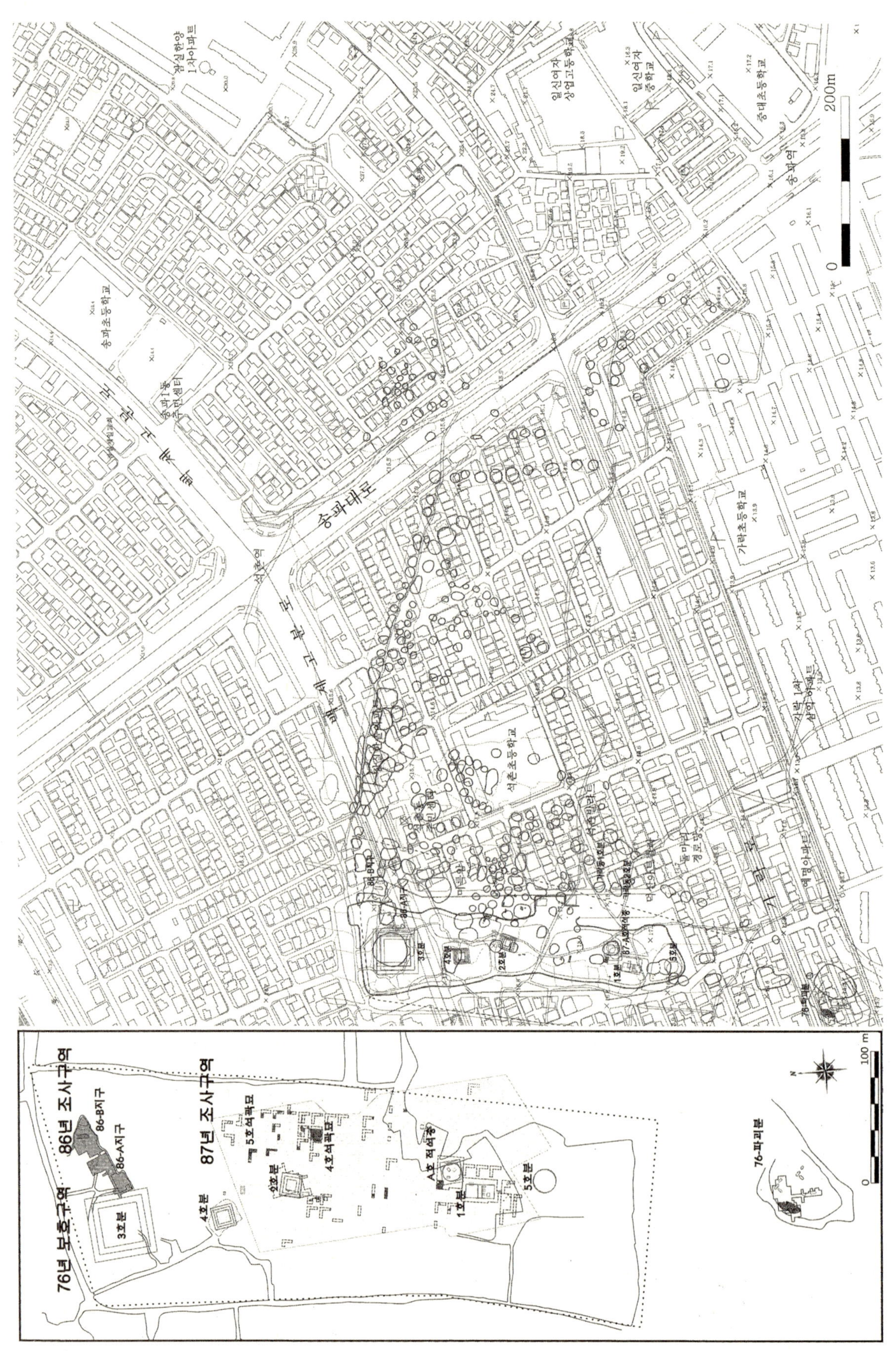

현재 수치지형도와 석촌동 고분군과의 관계(조가영 2012)

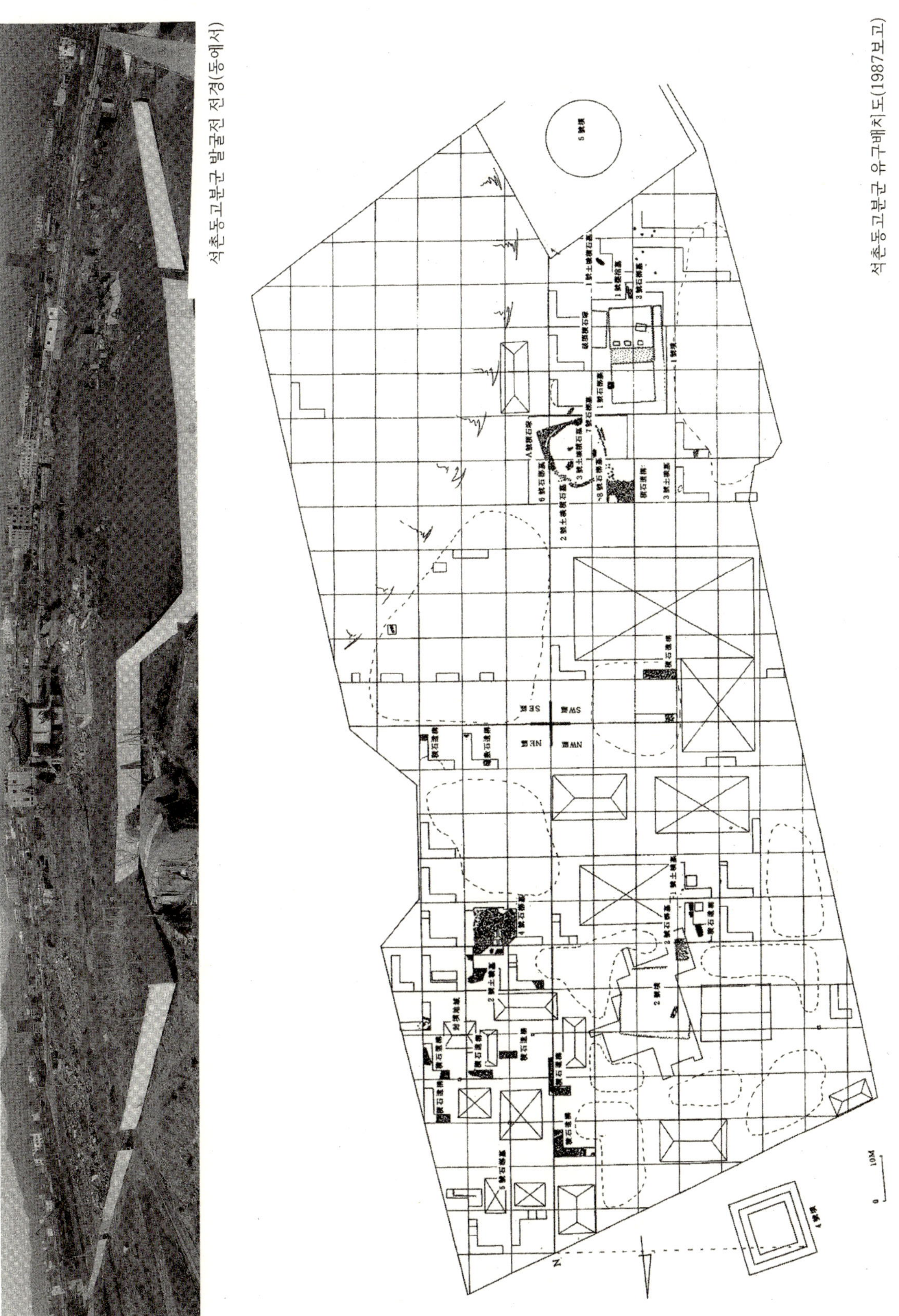

석촌동고분군 발굴전 전경(동에서)

석촌동고분군 유구배치도(1987보고)

석촌동 고분군 유구배치도(1987보고)

석촌동 고분군 2016년 발굴조사구역 위치도

석촌동 고분군 2016년 발굴조사구역 위치도

석촌동고분군 2016년 발굴조사 출토 와당

석촌동고분군 2016년 발굴조사 출토 세환 및 영락

석촌동고분군 2016년 발굴조사 출토 와당

69. 방이동 백제고분군 (芳荑洞 百濟古墳群)

소 재 지 서울특별시 송파구 방이동 125
시 대 삼국시대
유적분류 유형문화재 〉 유적 〉 무덤유적 〉 고분 〉 봉토분

오금사거리에서 오금로를 따라 방이동 방면으로 가는 길에 있다. 현재 이곳은 공원화되어 있으며, 지정 면적은 31,154㎡이다.

고분들은 해발 30~50m의 낮은 구릉사면에 있는데, 서북쪽 언덕 경사면에 4기(제1·2·3·6호), 동남쪽 낮은 언덕 경사면에 4기(제7·8·9·10호분)가 있다. 이 중 제1·2·3·6·7·8호 6기를 사적으로 지정·보호하고 있다. 무덤의 분구 형태는 모두 원형이고, 내부 구조는 竪穴式 石槨과 橫穴式 石室의 두 형식이 있다. 백제 전기(4세기 초~475년)에서부터 고구려와 신라때까지 만들어진 무덤으로 보고 있다.

[참고문헌] 趙由典, 1975, 「芳荑洞遺蹟發掘報告」, 『文化財』 9.
蠶室地區遺蹟發掘調査團, 1978, 「蠶室地區遺蹟 發掘調査報告-1976年度(第3次)」, 『한국고고학보』 4, 한국고고학회.

범 례

일련번호	지 역	유 적	시 대	주 소
69	서울	방이동 고분군	백제(한성기)/ 신라	송파구 방이동 산 47-4

좌 표

경 도	위 도
127-7-5.28	37-30-26.57

70. 송파구 송파동 가락동 고분군 (松坡區 松坡洞 可樂洞 古墳群)

소 재 지 서울특별시 송파구 송파동 151
시 대 삼국시대
유적분류 유형문화재 〉 유적 〉 무덤유적 〉 고분 〉 고분군

송파동 잠실여자고등학교에서 한양아파트 일대를 아우르는 지역으로 추정되고 있다. 초기 백제 고분이 있던 이곳에서 1969년 가락동 제1·2호분이, 1975년에는 제3·4·5·6호분이 조사되었다. 제1·2호분은 土壙墓로 축조 시기는 2~3세기로 보고 있으며, 葺石封土墳으로 판단된다. 黑陶缸·灰色硬質土器·小鐵刀·鐵矛··꺾쇠·띠고리 등이 2호분에서 출토되었다.

제3·4·5호분은 橫穴式 石室墳으로, 축조 연대는 4~5세기 중엽으로 보고 있다. 方形 石室의 크기는 순서대로 각각 3.7×3.65m, 2.6×2.3m, 2.8×2.25×1.7m이다. 출토 유물은 토기뚜껑·굽다리접시 뚜껑편·완·短頸壺·灰青色硬質大壺片·繩蓆紋灰黃色軟質土器片·金銅環·鐵刀·鐵釘·瓦片 등이며, 3호분에서는 人骨片이 출토되기도 하였다. 제6호분은 圓形 護石을 갖춘 석실분으로 호석의 지름은 10.5m이며, 장방형 석실의 크기는 2.23m×1.9m이다.

[참고문헌] 尹世英, 1974,「可樂洞 百濟古墳 第1, 2號墳 發掘調査 略報」,『考古學』3.
蠶室地區遺蹟發掘調査團, 1977,「蠶室地區遺蹟發掘調査報告-1975年度」,『韓國考古學報』3, 韓國考古學會.

범 례

일련번호	지 역	유 적	시 대	주 소
70	서울	가락동 고분군	백제(한성기)/ 신라	송파구 가락동 일대

좌 표

경 도	위 도
127-6-55.85	37-30-15.65

71. 송파구 송파동 가락동 선사유적지 (松坡區 松坡洞 可樂洞 先史遺蹟址)

소 재 지 서울특별시 송파구 송파동 151
시 대 청동기시대
유적분류 유형문화재 〉 유적 〉 생활유적 〉 주거유적 〉 수혈주거지

송파동 잠실여자고등학교에서 한양아파트 일대를 아우르는 지역으로 추정되고 있다.

1970년대까지 낮은 야산과 저평한 구릉들이 있던 곳으로, 1963년과 1975년에 청동기시대 주거지가 조사되었다.

1963년에 조사된 주거지는 장방형 반수혈식(10.0×7.0×0.1~0.5m) 1기였으며, 출토 유물은 鉢形토기·壺形토기·변형팽이형토기(가락식 토기)·돌낫·석촉·돌송곳·석제 방추차·숫돌 등이 있다. 1975년에는 장방형 수혈주거지(3.4×1×0.8m, 2×5m) 2기, 敷石한 抹角正方形 주거지 1기, 원형 주거지(지름 6m×깊이 10㎝) 1기, 타원형 수혈주거지(동서 3m×남북 4.5m) 1기 등이 조사되었다. 출토 유물은 平底鉢形無文土器·孔列土器·粘土帶土器·豆形土器·마제석촉·반월형석도·그물추·숫돌·돌도끼·돌끌 등이 있다.

[참고문헌] 金廷鶴, 1963, 「廣州 可樂里 住居址 發掘報告」, 『古文化』 2.
蠶室地區遺蹟發掘調査團, 1977, 「蠶室地區遺蹟發掘調査報告-1975年度」, 『韓國考古學報』 3, 韓國考古學會.

범 례

일련번호	지 역	유 적	시 대	주 소
71	서울	송파동,가락동 선사유적지	청동기시대	송파구 송파동 151

좌 표

경 도	위 도
127-6-53.60	37-30-15.86

72. 송파구 방이동 유물산포지1 (松坡區 芳荑洞 遺物散布地1)

소 재 지 서울특별시 송파구 방이동 433-20
시 대 삼국시대
유적분류 유형문화재 〉 유적 〉 유물산포지

방이동 창덕여자고등학교 동북편으로 서하남IC입구 사거리와 접한 언덕이 있다. 이 언덕 남사면에 있는 밭 일대가 유물산포지이다.

이곳은 남서편으로 低平한 지형을 이루고 있으며, 성내천과 성내천으로 흘러드는 실개천이 물길을 내고 있다. 기타 방향으로는 나지막한 구릉지가 형성되어 있으며, 북서쪽으로는 1.5km 정도 거리에 몽촌토성이 있다.

언덕 아래에 있는 넓은 밭 일대에서 유물이 채집되고 있으며, 수습 유물은 삼국시대 회청색 경질토기편과 도기편 등이다. 주변 지형과 유물의 성격으로 보아 삼국시대 주거지가 있었을 가능성이 크다.

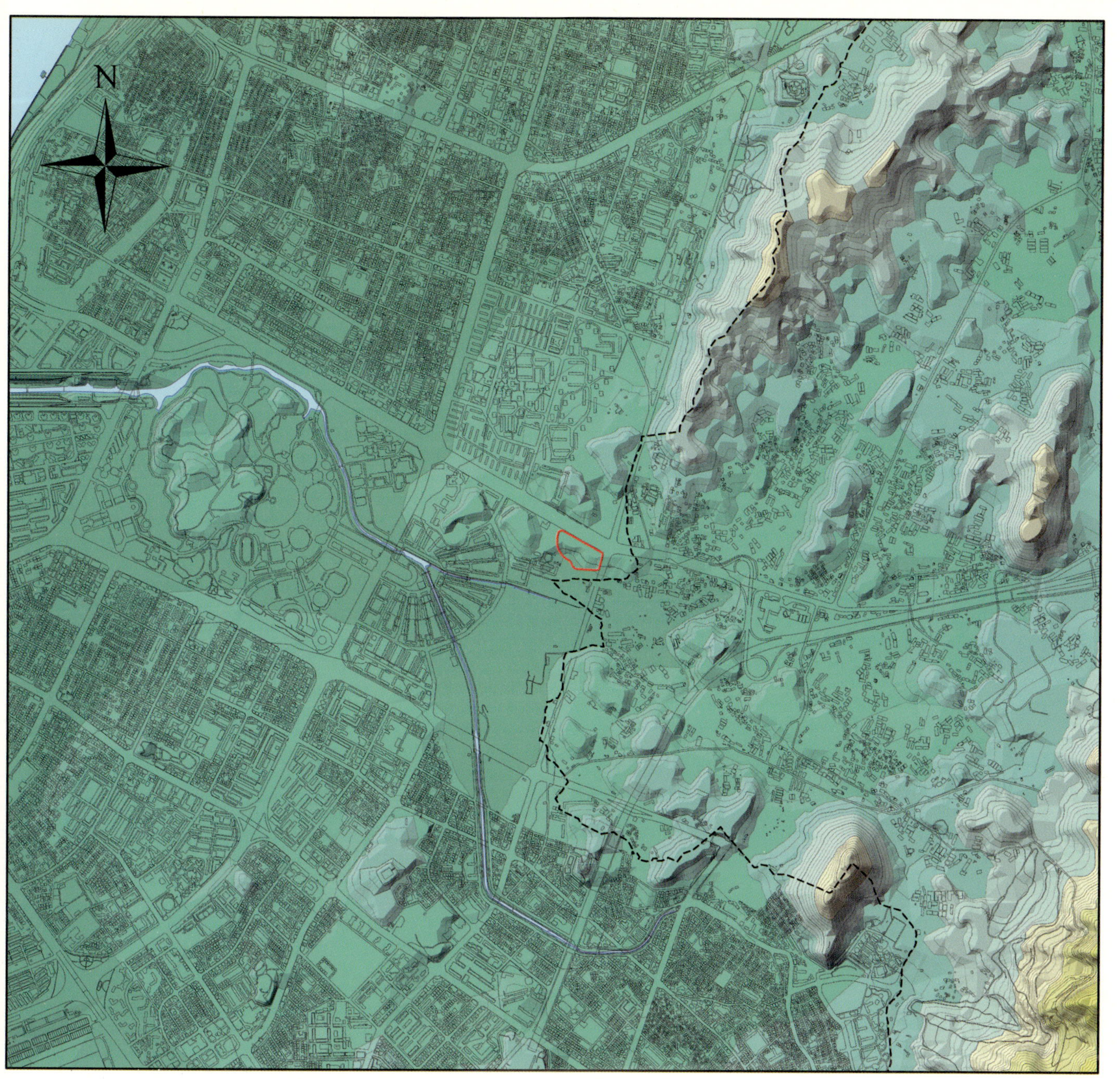

0 1 2 km

범 례

일련번호	지 역	유 적	시 대	주 소
72	서울	방이동 유물산포지1	삼국	송파구 방이동 433-20

좌 표

경 도	위 도
127-8-30.38	37-30-58.60

73. 송파구 방이동 유물산포지2 (松坡區 芳荑洞 遺物散布地2)

소 재 지 서울특별시 송파구 방이동 439-8
시 대 1) 삼국시대 2) 통일신라/발해시대
유적분류 유형문화재 〉 유적 〉 유물산포지

서하남IC입구 사거리와 오륜삼거리 중간에는 방이동 생태계 보존지역이 있다. 이곳으로 들어가는 입구에는 농원과 테니스장이 있는데, 테니스장 주변이 유물산포지이다.

유물은 주로 테니스장의 동쪽과 북쪽 부분에 있는 밭에서 채집되었는데, 모래흙이 남아 있는 곳에 유물이 산포하고 있다. 채집된 유물은 삼국시대 적갈색 연질토기와 회청색 경질토기편, 인화문토기편, 기와편 등이다.

현재 유물산포지 주변의 밭들은 복토로 인하여 지형 변화가 심한 상태이지만, 주변 지형으로 보아 삼국시대와 통일신라시대 주거 유적이 있었을 가능성이 매우 높다.

범 례

일련번호	지 역	유 적	시 대	주 소
73	서울	방이동 유물산포지2	삼국/ 통일신라	송파구 방이동 439-8

좌 표

경 도	위 도
127-8-24.60	37-30-45.00

74. 송파구 오금동 유물산포지1 (松坡區 梧琴洞 遺物散布地1)

소 재 지 서울특별시 송파구 오금동 51
시 대 1) 선사시대 2) 고려시대 3) 조선시대
유적분류 유형문화재 〉 유적 〉 유물산포지

지하철 5호선 오금역 동편으로 오금공원이 있는데, 이 일대가 유물산포지이다.

유물은 대체로 세 곳에 산포하고 있다. 북쪽 봉우리 정상부 주변에서 무문토기 동체부편과 간석기편이 채집되었고, 서쪽 봉우리 아래에 있는 거창신씨 묘역 주변에서 扁瓶片을 포함한 도기편과 백자편 등이 채집되었다. 그리고 운동장 주변에서 자기편과 기와편 등이 채집되었다. 한편, 서쪽 등산로에서도 주먹도끼 1점이 채집되었다.

이곳은 동쪽으로 몽촌토성으로 흘러드는 성내천이 흐르고 있어 유적이 입지하기에 적합한 지형조건을 갖추었다. 그러나 현재 주변의 택지개발과 공원 내의 체육시설 및 배수지 등 각종 시설물들로 인하여 많이 훼손된 상태이다.

범 례

일련번호	지 역	유 적	시 대	주 소
74	서울	오금동 유물산포지1	삼국	송파구 오금동 51

좌 표

경 도	위 도
127-7-47.33	37-30-5.07

75. 송파구 오금동 유물산포지2
(松坡區 梧琴洞 遺物散布地2)

소 재 지 서울특별시 송파구 오금동 산3-11
시 대 1) 삼국시대 2) 조선시대
유적분류 유형문화재 〉 유적 〉 유물산포지

오금동 거여초등학교 동쪽으로 야산이 접해 있으며, 이곳이 유물산포지에 해당한다. 산포지 남쪽으로는 누에머리공원이 접해 있다.

야산(해발 50m)은 서울외곽순환도로가 생기면서 동쪽 부분이 잘려 독립된 구릉이 되었다. 유물산포지는 이 야산의 남·서사면에 해당하며, 현재 밭으로 경작되고 있다.

유물은 주로 밭 일대에서 채집되었는데, 수습된 유물은 삼국시대에 해당하는 회청색 경질토기편과 분청사기편 등이다.

현재 유물산포지는 주변에 학교와 공원이 들어서면서 심하게 훼손된 상태이다.

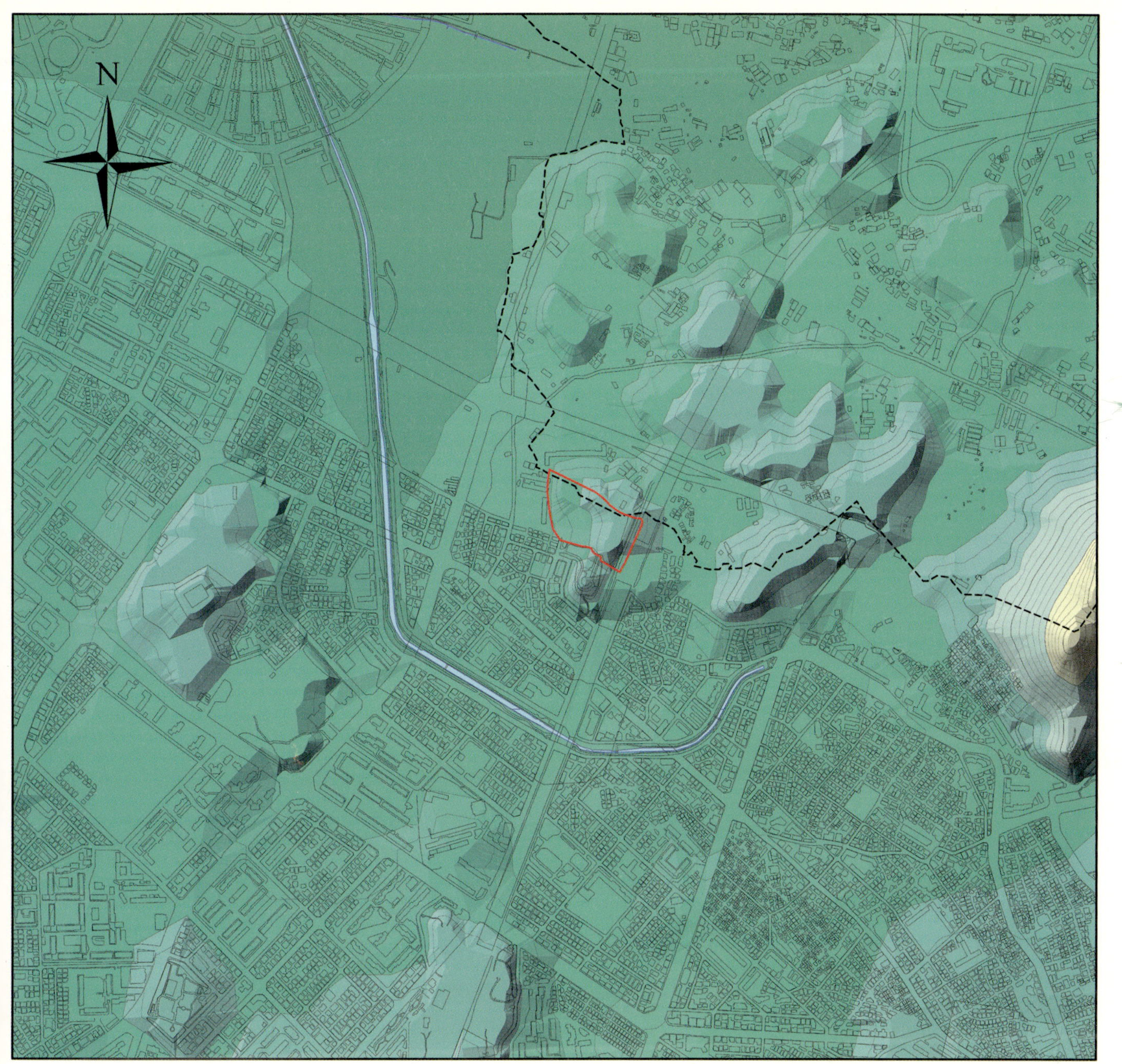

▎범 례

일련번호	지 역	유 적	시 대	주 소
75	서울	오금동 유물산포지2	삼국	송파구 오금동 산3-11

▎좌 표

경 도	위 도
127-8-31.69	37-30-13.20

76. 송파구 마천동 유물산포지1 (松坡區 馬川洞 遺物散布地1)

소 재 지 서울특별시 송파구 마천동 산1-8
시 대 1) 청동기시대 2) 철기/삼한/원삼국시대 3) 삼국시대 4) 통일신라/발해시대 5) 고려시대 6) 조선시대
유적분류 유형문화재 〉 유적 〉 유물산포지

마천동 남천초등학교에서 성내천 복개도로를 따라 남쪽으로 가다 보면 금호베스트빌 아파트가 있다. 아파트 옆으로 난 길을 가면 '어린이 안정공원'이 나오며, 이 일대가 유물산포지이다.

근린공원 내에 있는 운동장 북측에 버려진 민묘들이 있으며, 유물은 운동장 남동쪽에 접한 낮은 구릉사면에서 주로 채집되었다. 수습된 유물은 점줄무늬토기의 구연부편과 청자편 등이며 산포량은 적은 편이다.

한편, 이곳은 하남시와 경계 지역으로 '감이동 유물산포지'와 중첩되는 곳이다. 또한 유물산포지 북쪽으로 인접해서 하남시계 내에 '감이동 고인돌' 3기가 보고되고 있다.

주변 지형과 채집 유물로 보아 분묘와 관련된 유구가 있었을 것으로 보인다. 하지만, 유적 서남편에 축구장·근린공원이 조성되는 등 상당 부분 훼손되었다.

[참고문헌] 건국대학교박물관, 2004, 『서울 송파 마천 국민임대주택단지 개발사업예정부지 문화재 지표조사 보고서』.
河南市·世宗大學校博物館, 2005, 『文化遺蹟分布地圖-河南市-』.

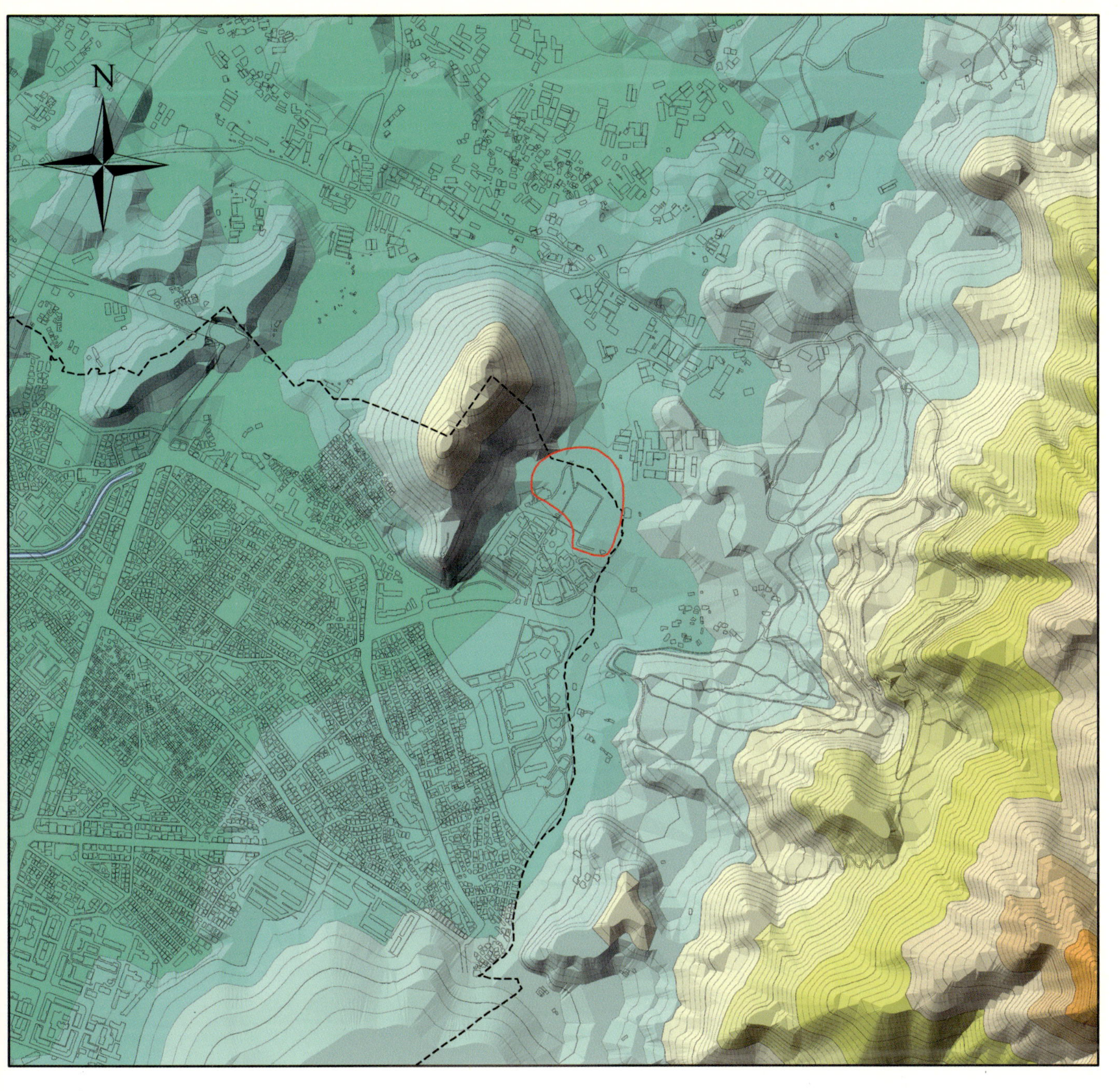

범 례

일련번호	지 역	유 적	시 대	주 소
76	서울	마천동 유물산포지1	삼국	송파구 마천동

좌 표

경 도	위 도
127-9-35.33	37-29-59.55

77. 송파구 마천동 유물산포지2 (松坡區 馬川洞 遺物散布地2)

소 재 지 서울특별시 송파구 마천동 4-4
시 대 1) 삼국시대 2) 고려시대 3) 조선시대
유적분류 유형문화재 〉 유적 〉 유물산포지

성내천 성내 제2교 북단에 신동아아파트가 있으며, 아파트 남측으로 난 마천공원길을 따라가면 마천공원이 나온다.

공원 북쪽에는 하남시와 경계를 이루고 있는 낮은 능선이 있는데, 유물산포지는 이 능선부에 해당한다. 현재 밭으로 경작 중인 이곳은 남쪽으로 성내천을 바라보고 있다.

유물은 주로 하남시와 경계를 이루는 능선 윗부분과 하남시 쪽에서 수습된다. 수습된 유물은 청자편을 비롯하여 삼국시대의 적갈색 연질토기와 회청색 경질토기편, 기와편 등이다. 한편, 산포지 서북편 경작지 내에는 버려진 床石·香爐石·文人石 등이 있어 분묘 유적의 흔적을 보이고 있다.

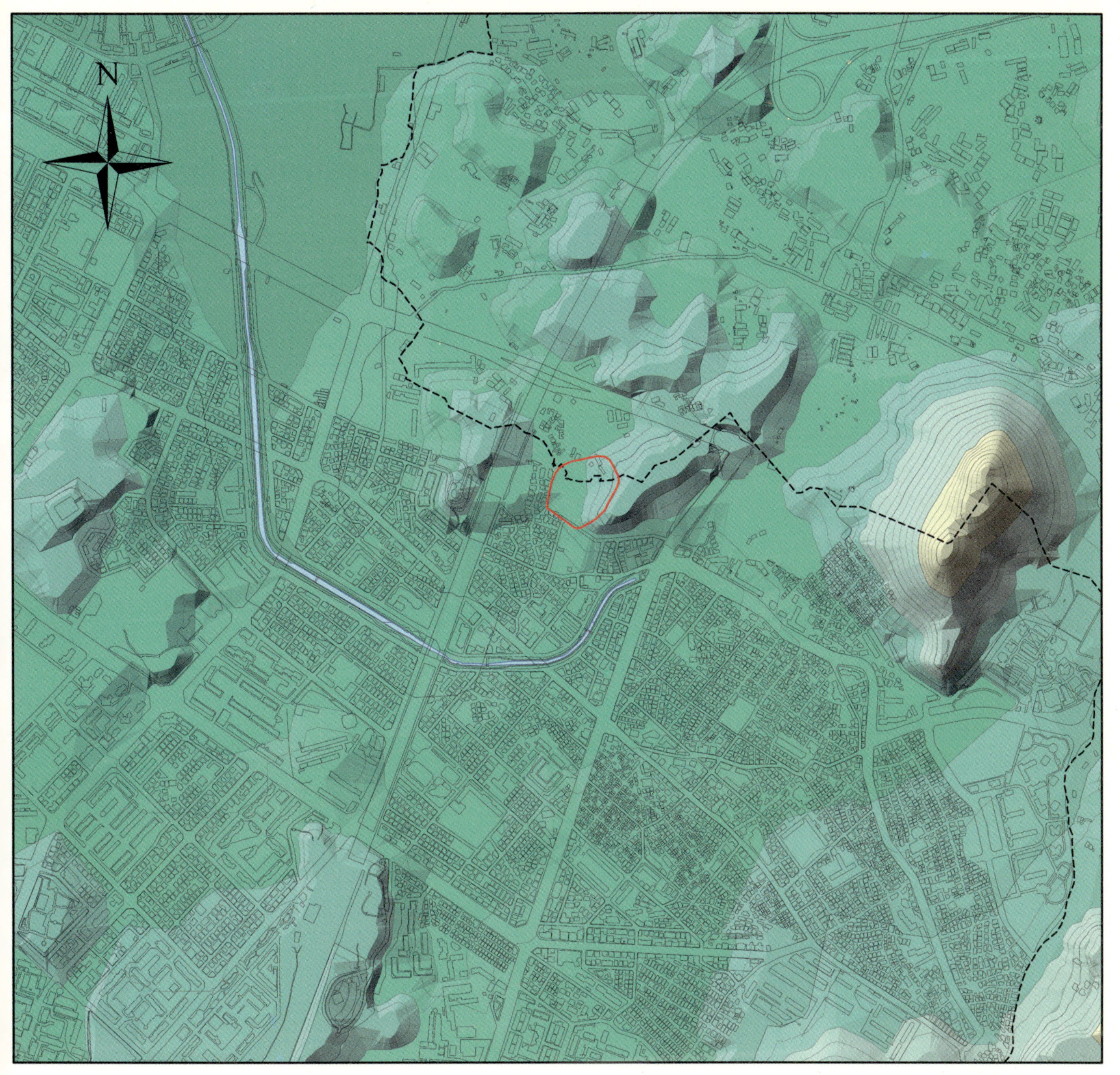

범 례

일련번호	지 역	유 적	시 대	주 소
77	서울	마천동 유물산포지2	삼국	송파구 마천동 4-4

좌 표

경 도	위 도
127-8-43.79	37-30-8.60

78. 송파구 마천동 유물산포지3 (松坡區 馬川洞 遺物散布地3)

소 재 지 서울특별시 송파구 마천동 68-1
시 대 1) 삼국시대 2) 고려시대
유적분류 유형문화재 〉 유적 〉 유물산포지

마천동 남천초등학교와 북동쪽으로 접한 곳에 양파를 가공하는 비닐하우스 시설물들이 있다. 이 일대 경작지가 유물산포지에 해당한다.

이곳은 넓은 능선 사면 지형이며, 현재 밭으로 경작되고 있다. 이 능선의 윗부분은 서울시와 경기도 하남시의 경계이며, 남천초등학교 앞으로는 성내천이 흐르고 있다.

수습된 유물은 삼국시대의 회청색 경질토기편과 청자편 등이 있는데, 토기는 능선 사면의 아래쪽인 남천초등학교 뒤편 밭과 농원 뒤편에 자리한 밭 일대에서 채집되었다.

주변 지형과 채집 유물의 성격으로 보아 삼국시대 주거지나 분묘 유적이 있을 가능성이 크다.

범 례

일련번호	지 역	유 적	시 대	주 소
78	서울	마천동 유물산포지3	삼국	송파구 마천동

좌 표

경 도	위 도
127-9-5.35	37-30-6.45

79. 송파구 장지동 주거유적지 (松坡區 長旨洞 住居遺蹟址)

소 재 지 서울특별시 송파구 장지동 산26-1
시 대 1) 청동기시대 2) 조선시대
유적분류 유형문화재 〉 유적 〉 생활유적 〉 주거유적 〉 수혈주거지

문정동 한림여자실업고등학교 동편에 접해 있는 야산(해발 45m) 일대이다.

서울외곽순환도로 건너 동쪽에 있는 해발 75.5m 야산 정상에서 서쪽으로 뻗은 가지 능선의 말단부에 해당하는 이곳에서는 청동기시대 주거지 1기, 우물지 1개소, 토광묘 2기, 시대미상 주거지 2기, 竪穴遺構 5기, 기타 柱穴遺構 및 燒成遺構 1기 등이 조사되었다. 유물은 무문토기류 6점, 석기류 3점, 자기류 9점, 경질토기 2점 등이 출토되었다.

청동기시대 주거지 이외의 유구들은 대부분 조선시대로 추정되는 것들이며, 주변에 관리상태가 좋지 못한 분묘들이 조성되어 있는 것으로 보아 분묘 유적과 조선시대 유구들은 밀접한 관련이 있는 것으로 추정된다.

[참고문헌] 중앙문화재연구원, 2005, 『송파 장지택지개발지구 내 송파 장지동유적』.

범 례

일련번호	지 역	유 적	시 대	주 소
79	서울	장지동 주거유적지	선사시대	송파구 장지동 산25~산27번지

좌 표

경 도	위 도
127-8-3.00	37-29-3.48

80. 강남구 삼성동 삼성동토성(江南區 三成洞 三成洞土城)

소 재 지 서울특별시 강남구 삼성동 74-4
시 대 삼국시대
유적분류 유형문화재 〉 유적 〉 정치국방유적 〉 성곽 〉 산성

삼성동 경기고등학교 자리가 유적에 해당한다. 탄천과 한강의 합수 지점에 있는 테뫼식 토성으로, 한강을 바라보는 언덕 정상부에 있다. 일제강점기에 이미 그 존재가 알려졌지만 유적의 구조와 성격을 밝혀 줄 만한 조사가 이루어지지 않아서, 막연히 백제가 축조하였을 것으로 추측해 왔다. 토성 내부는 학교가 들어서면서 대부분 인멸된 것으로 보이며, 주택단지와 접한 북벽과 경기고등학교 출입문이 나있는 동벽과 서벽도 훼손이 심하여 원상을 확인하기 어려운 실정이다. 그러나 봉은사로 이어지는 남벽은 원래의 지형을 유지하고 있는 부분도 있어 문화층이 남아 있을 가능성이 있다.

2016년에 한성백제박물관에서 시굴조사를 하였으며, 2017년부터 발굴조사를 진행할 예정이다.

[참고문헌] 서울학연구소, 2003, 『서울소재 성곽조사보고서』.

범 례

일련번호	지 역	유 적	시 대	주 소
80	서울	삼성동토성	백제(한성기)	강남구 삼성동

좌 표

경 도	위 도
127-3-19.96	37-31-0.48

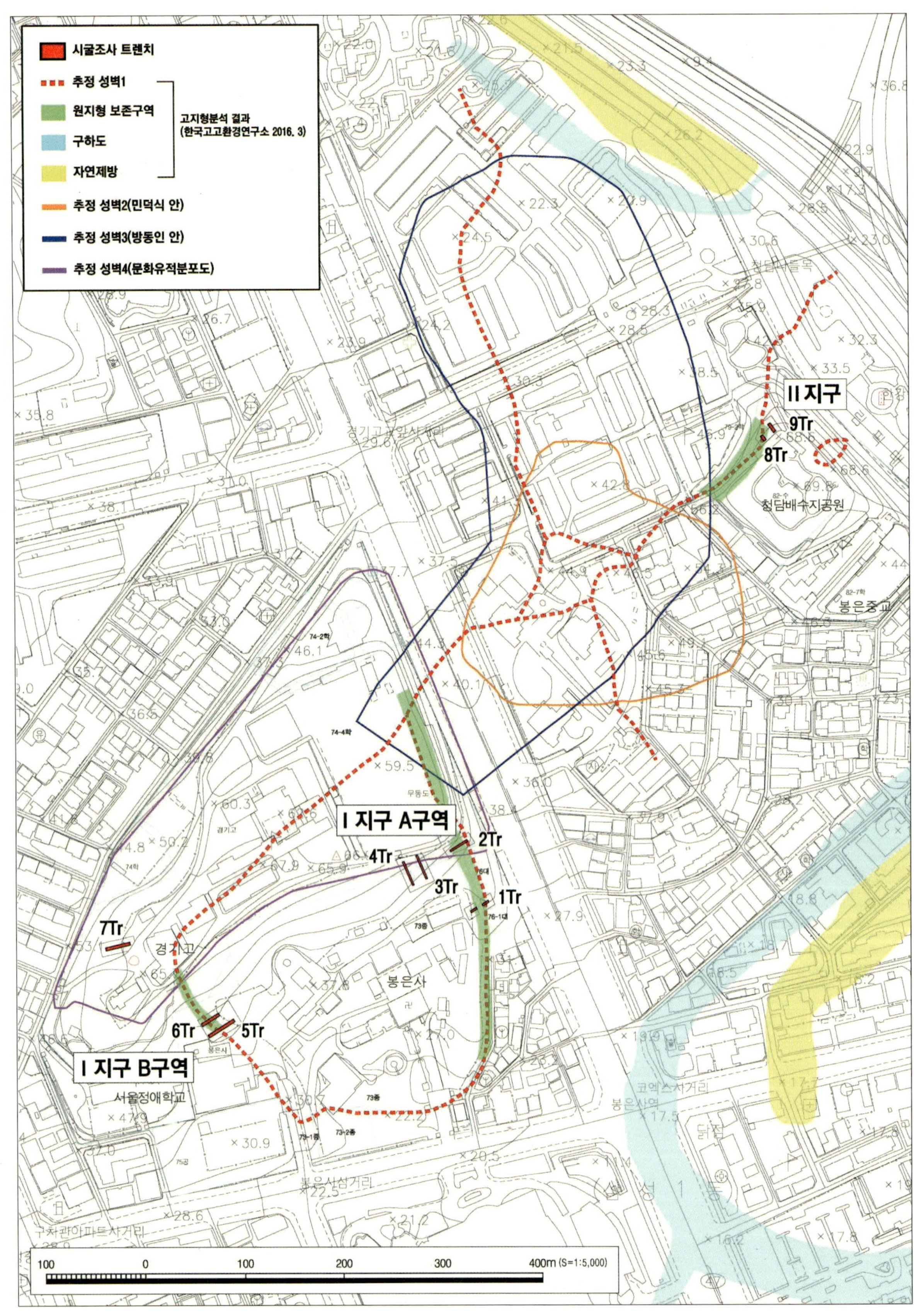

삼성동토성 추정지 2016년 시굴 트렌치 배치도(한성백제박물관)

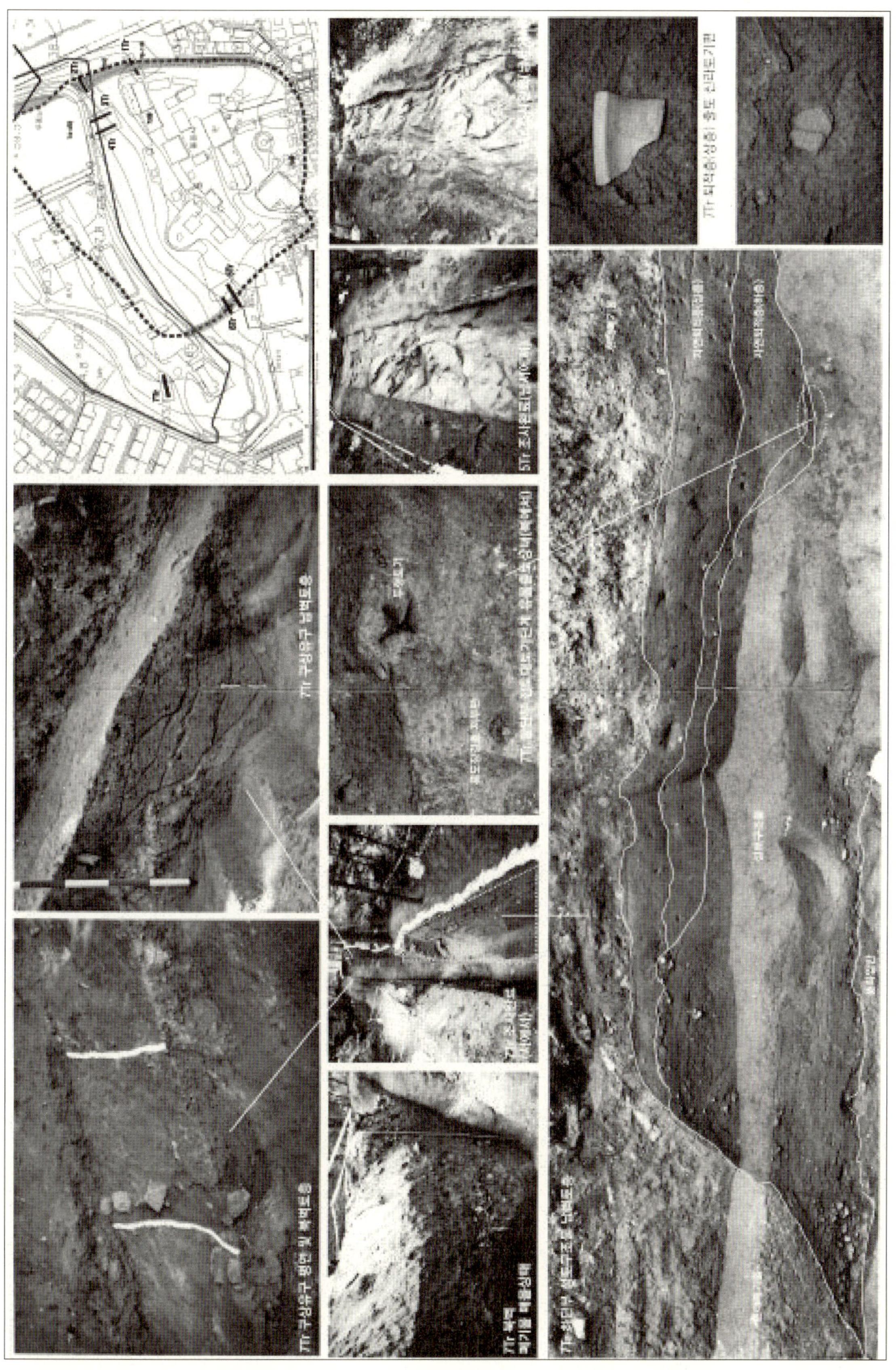

삼성동토성 추정지 조사 현황 (봉은사 일원)–한성백제박물관(2016)

81. 강남구 삼성동 선사유물출토지 (江南區 三成洞 先史遺物出土地)

소 재 지 서울특별시 강남구 삼성동 50
시 대 1) 선사시대 2) 삼국시대
유적분류 유형문화재 〉 유적 〉 유물산포지

삼성동 차관아파트 사거리에 있는 AID차관2단지아파트 재건축 현장이 유물출토지이다.

유적은 봉은사가 있는 수도산 능선의 말단 구릉지에 있으며, 북쪽에서 남쪽으로 완만하게 경사를 이루고 있다. 이곳은 풍화암반 지대로 일찍이 아파트가 들어서면서 토지의 형질변경이 심한 상태였으나, 유물출토지 서남편에서 제4기 고토양층(홍적세층)과 용도 미상의 타원형 수혈유구(잔존 크기 가로 180×세로 160×깊이 43㎝)가 드러났다.

제4기 고토양층에서는 맥석영제 뗀석기가 여러 점 출토되었으며, 수혈유구 내부에서는 무문토기편과 삼국시대 토기편 일부가 조사되었다. 한편, 수혈유구 상부 지표에서는 빗살무늬토기편 2점이 수습되었으며, 기타 지표에서도 간석기(공이) 등이 확인되었다.

[참고문헌] 상명대학교박물관, 2004, 「서울 삼성동 영동차관아파트 재건축 예정부지 문화유적 시굴조사 의견서」.

0 0.5 1 km

범 례

일련번호	지 역	유 적	시 대	주 소
81	서울	삼성동 선사유물출토지	삼국	강남구 삼성동 74-4

좌 표

경 도	위 도
127-3-3.62	37-30-49.20

82. 강남구 도곡동 역삼동 선사유적지 (江南區 道谷洞 驛三洞 先史遺蹟址)

소 재 지 서울특별시 강남구 도곡동 산32-1
시 대 1) 청동기시대 2) 통일신라/발해시대 3) 조선시대
유적분류 유형문화재 〉 유적 〉 생활유적 〉 주거유적 〉 수혈주거지

지하철 3호선 매봉역 북쪽에 매봉산(독고리산, 해발 94.5m)이 있으며, 산 정상부에서 1966년 청동기시대 長方形 竪穴住居址 1기가 조사되었다.

당시 조사된 주거지는 북동-남서 장축의 장방형(길이 16m, 너비 3m, 깊이 0.5~0.6m)으로서 면적이 약 48㎡에 달하는 대형 주거지였다. 그 연대는 坡州 玉石里 주거지, 驪州 欣岩里 주거지 등에서 측정된 방사성탄소연대측정 등을 감안하여 볼 때 기원전 7~4세기로 편년되고 있다.

출토된 석기는 양날도끼·돌대팻날·有莖式 돌화살촉·無莖式 돌화살촉·반달돌칼·갈판·숫돌 등이 있다. 토기는 深鉢形 土器 1점, 短頸壺 1점, 붉은간토기 2개체분 등이 출토되었다.

한편, 유적 서남단의 경작지 일대와 동·서쪽 봉우리 주변 등산로에서도 무문토기편·인화문토기편·도기편·백자편·기와편 등이 채집되고 있다.

[참고문헌] 金良善·林炳泰, 1968, 「驛三洞 住居址 發掘報告」, 『史學硏究』 20, 韓國史學會.

범 례

일련번호	지 역	유 적	시 대	주 소
82	서울	도곡동 역삼동선사유적지	통일신라	강남구 도곡동 산32-1

좌 표

경 도	위 도
127-2-38.50	37-29-24.92

83. 강남구 일원동 대모산성 (江南區 逸院洞 大母山城)

소 재 지 서울특별시 강남구 일원동 산63-28
시 대 1) 청동기시대 2) 삼국시대
유적분류 유형문화재 〉 유적 〉 정치국방유적 〉 성곽 〉 산성

대모산성은 대모산의 8~9부 능선 위에 축조한 테뫼식 석축산성이다. 총 둘레는 583m 가량이며, 내부 면적은 대략 6,334㎡이다. 평면 형태는 동서 방향을 중심축으로 하는 장타원형으로, 신라의 한강 진출 이후 축조된 것으로 추정하고 있다.

산성 일부 구간에서 석축 성벽이 뚜렷하게 드러나며, 城址에서 신라계 토기인 透窓이 있는 短脚高杯類, 臺附碗, 연질·경질의 각종 壺 및 蓋·杯類 등이 출토되었다.

한편, 성의 축조 시기와는 큰 관련성이 없으나 粘土帶土器가 출토된 주거지 1기가 조사된 바 있다. 현재 대모산성은 급경사면 위에 축조되어 있고 성 안에 헬기장과 송신탑이 들어서 있어 훼손이 심한 상태이다.

[참고문헌] 漢陽大學校博物館, 1999, 『大母山 文化遺蹟 試掘調査 報告書』.
서울학연구소, 2003, 『서울소재 성곽조사보고서』.

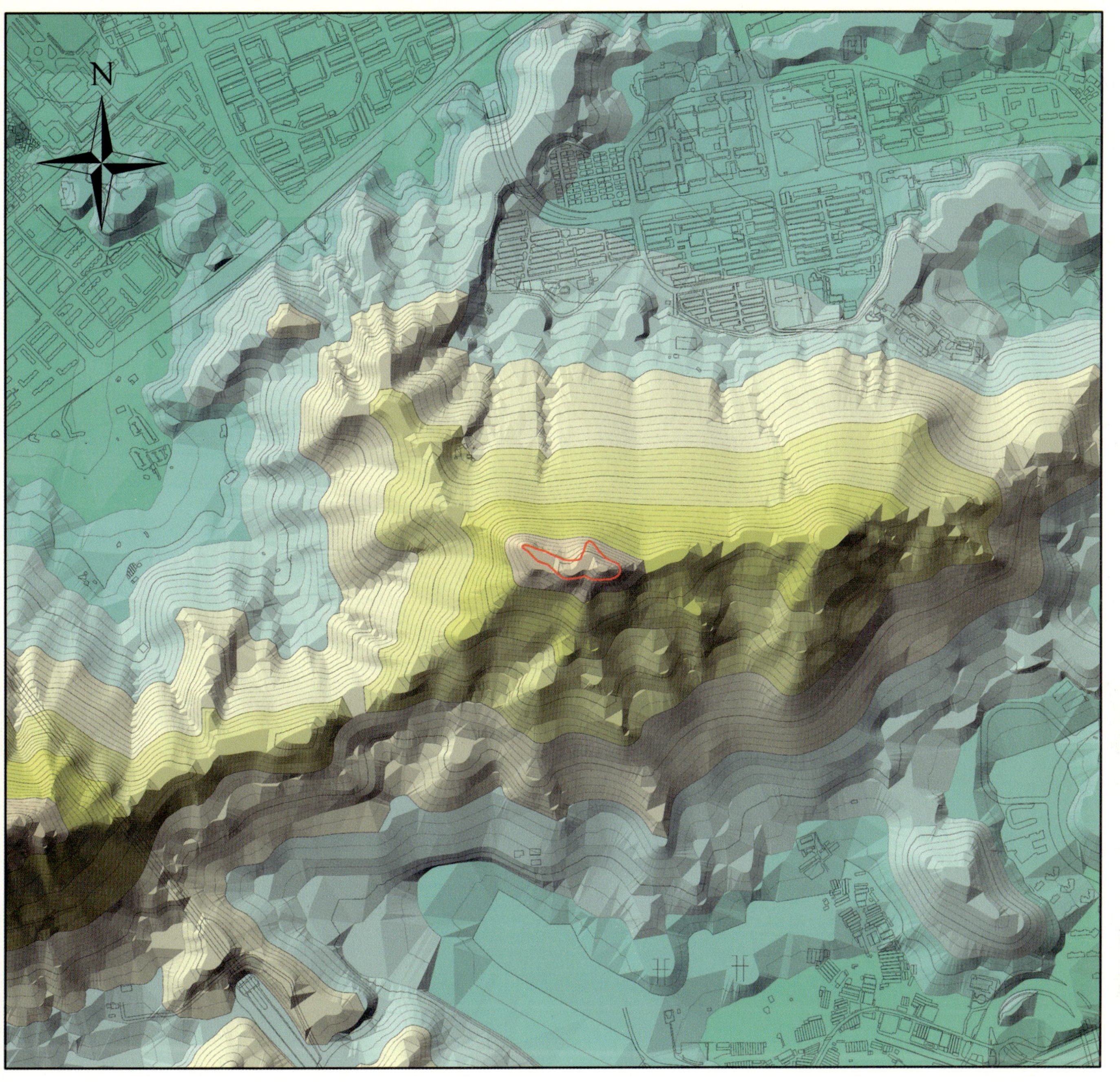

범 례

일련번호	지 역	유 적	시 대	주 소
83	서울	일원동 대모산성	신라	강남구 일원동 산63-28

좌 표

경 도	위 도
127-4-38.63	37-28-28.22

84. 강남구 일원동 대모산 유물산포지 (江南區 逸院洞 大母山 遺物散布地)

소 재 지 서울특별시 강남구 일원동 산63-28
시　　대 청동기시대
유적분류 유형문화재 〉 유적 〉 유물산포지

동서로 길게 뻗어 있는 大母山 정상(해발 293.0m)에 大母山城이 있다. 이곳에서 동쪽으로 등산로를 따라 500m 정도 가면 봉우리(해발 255.8m)가 있으며, 그 정상부가 유물산포지이다.

현재 이곳에는 의자가 놓인 등산객 쉼터가 있고, 북측에는 군사용 방공호와 참호가 있다.

유물은 봉우리 전체에서 골고루 채집되고 있지만 봉우리 자체가 넓지 않아 산포 범위는 좁다. 채집된 유물로는 무문토기 바닥과 동체부편, 그리고 숫돌과 석재편 등이 있다.

대모산성 서편 무선통신망 기지국 부지에서 粘土帶土器를 동반한 주거지 1기가 조사된 바 있으며, 채집된 유물의 성격과 지형 조건으로 보아 점토대토기와 관련된 유구가 있을 것으로 추정된다.

[참고문헌] 漢陽大學校博物館, 1999,『大母山 文化遺蹟 試掘調査 報告書』.

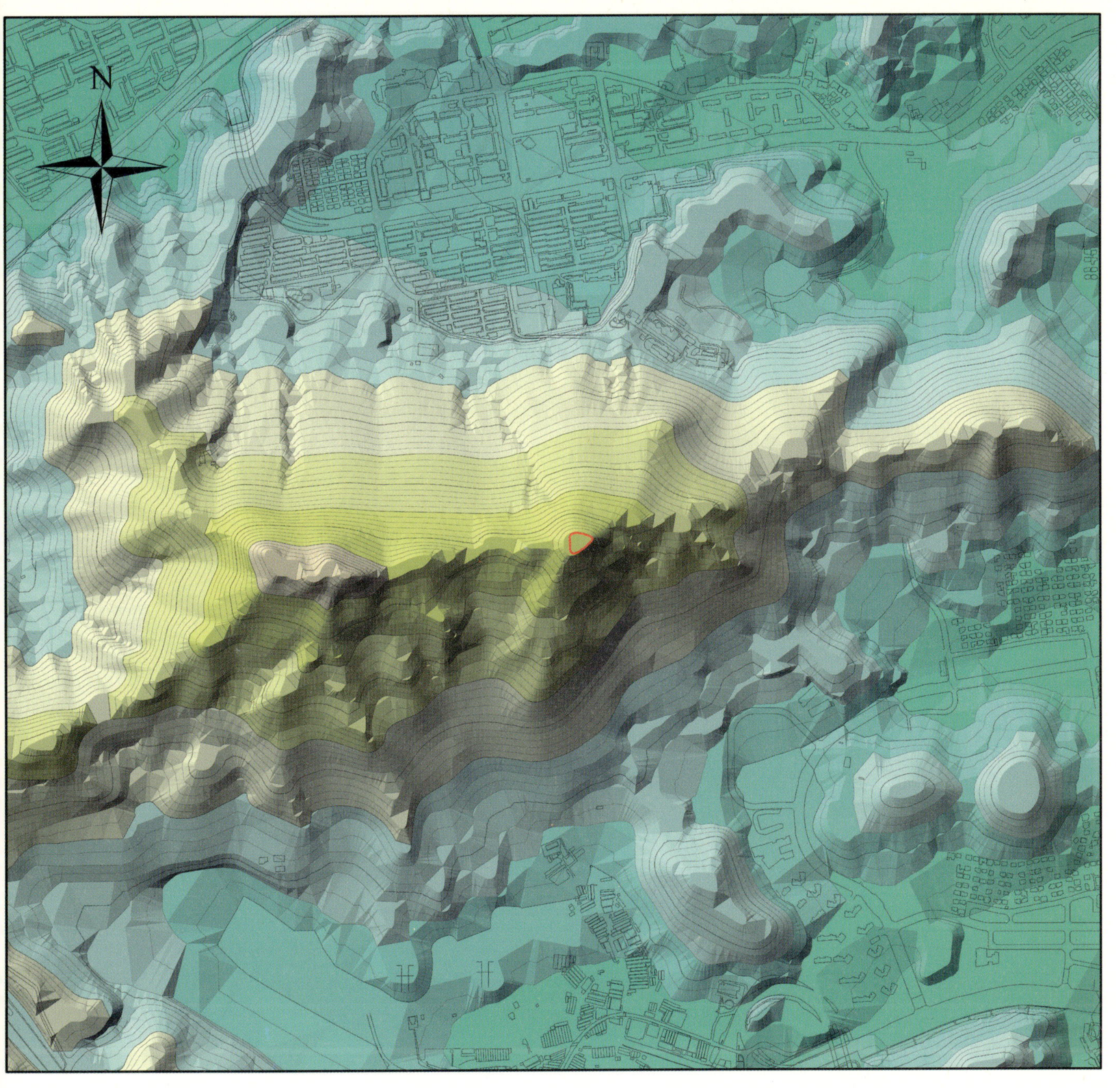

범 례

일련번호	지 역	유 적	시 대	주 소
84	서울	대모산 유물산포지	선사시대	강남구 일원동 산63-28 서초구 내곡동 산13-1

좌 표

경 도	위 도
127-5-5.38	37-28-30.67

85. 강남구 자곡동 지석묘 (江南區 紫谷洞 支石墓)

소 재 지 서울특별시 강남구 자곡동 산32
시　　대 선사시대
유적분류 유형문화재 〉 기념물 〉 거석기념물 〉 고인돌:선사분묘

지하철 3호선 수서역에서 세곡동 방향으로 가다 보면, 오른편으로 쟁골마을로 들어가는 길이 있다. 이 길을 따라 가다 못골마을1로로 가면, 길이 끝나는 곳에 있다.

이곳은 동서로 뻗어 있는 大母山(해발 293.0m)의 동남쪽으로, 산 사면이 완경사로 흐르는 지점에 있다. 주변에는 지석묘와 같은 암질의 큰 돌들이 많이 흘러내려 드러나 있다.

지석묘는 기울어진 상태로 놓여 있으며, 위치가 이동된 것으로 보인다. 모양은 불규칙한 타원형이며, 암질은 주변에서 흔히 볼 수 있는 편마암 계통이다. 지표상에 노출된 크기는 180×120×10㎝ 정도이나 아래쪽이 묻혀 있어 정확한 크기는 알 수 없다. 지석묘의 윗면에는 성혈 5개가 보인다. 성혈의 모양은 圓形이며, 큰 것이 지름 10㎝, 깊이 6㎝ 정도이다.

[참고문헌] 서울역사박물관, 2003,『서울 한강이남 문화유적 지표조사 보고서』.

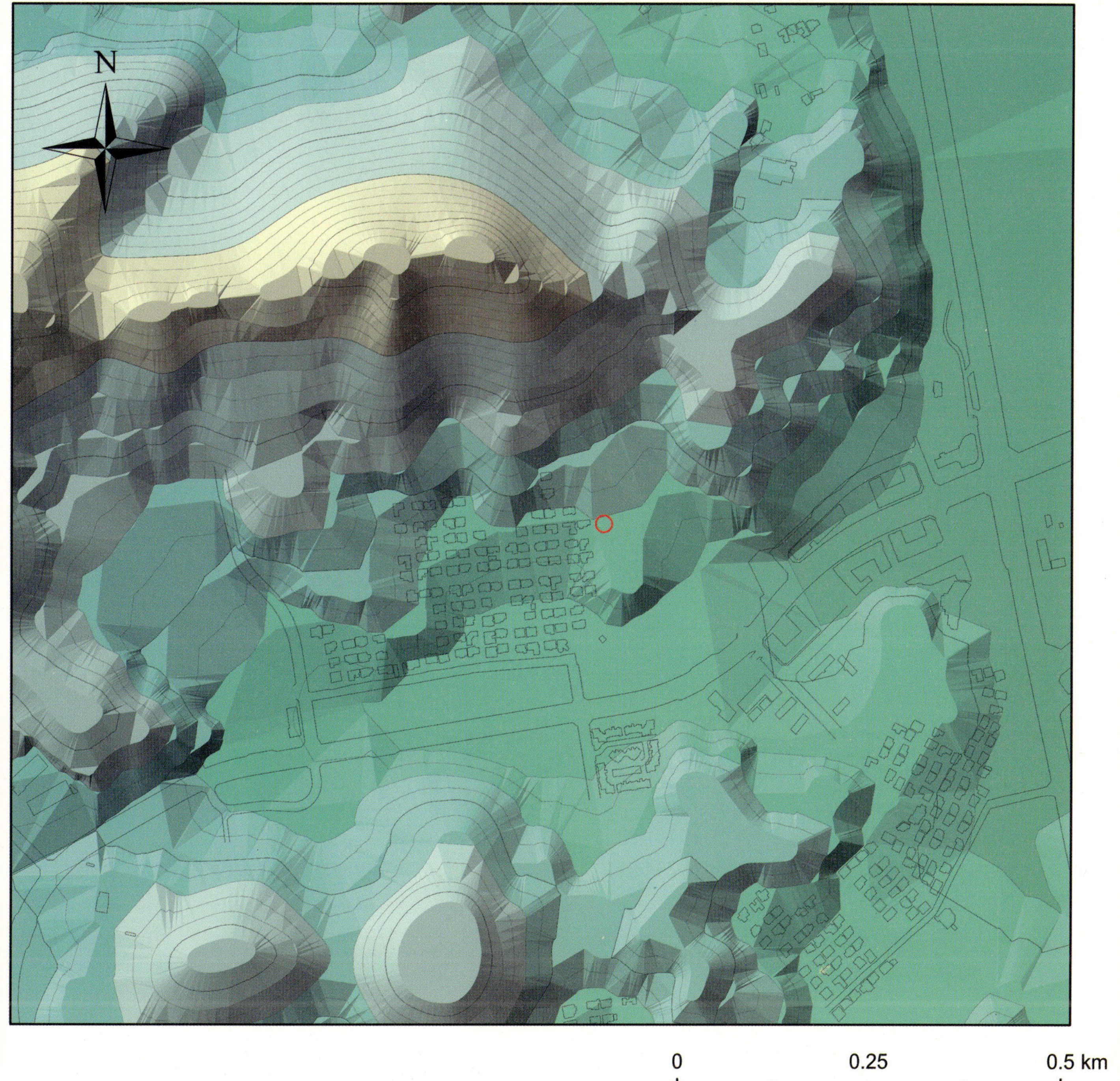

범 례

일련번호	지 역	유 적	시 대	주 소
85	서울	자곡동 지석묘	선사시대	강남구 자곡동 산32

좌 표

경 도	위 도
127-5-58.06	37-28-29.32

86. 강남구 자곡동 유물산포지 (江南區 紫谷洞 遺物散布地)

소 재 지 서울특별시 강남구 자곡동 산55

시 대 1) 선사시대 2) 구석기/중석기시대 3) 신석기시대 4) 청동기시대 5) 철기/삼한/원삼국시대 6) 삼국시대 7) 통일신라/발해시대 8) 고려시대 9) 조선시대

유적분류 유형문화재 〉 유적 〉 유물산포지

세곡동 사거리에서 수서역 방면으로 가다 보면 방죽마을길이 나온다. 이 길로 들어서서 다시 방죽마을3로를 따라 가면, 쟁골마을로 넘어가는 작은 고개가 있다.

유물산포지는 이 고개길을 넘어가기 전 길 서쪽 부분에 위치한 봉우리(해발 55.9m) 주변과 동편에 있으며, 이곳은 쟁골마을의 남쪽에 해당한다.

채집된 유물로는 무문토기 동체부편, 삼국시대 토기편, 盤口瓶片을 포함한 도기편과 백자편 등이 있다. 또한 고개 정점에서 동쪽의 가지 능선 끝 부분에는 荷葉形 비석과 文人石 2기가 방치되어 있다.

[참고문헌] 서울역사박물관, 2003, 『서울 한강이남 문화유적 지표조사 보고서』.

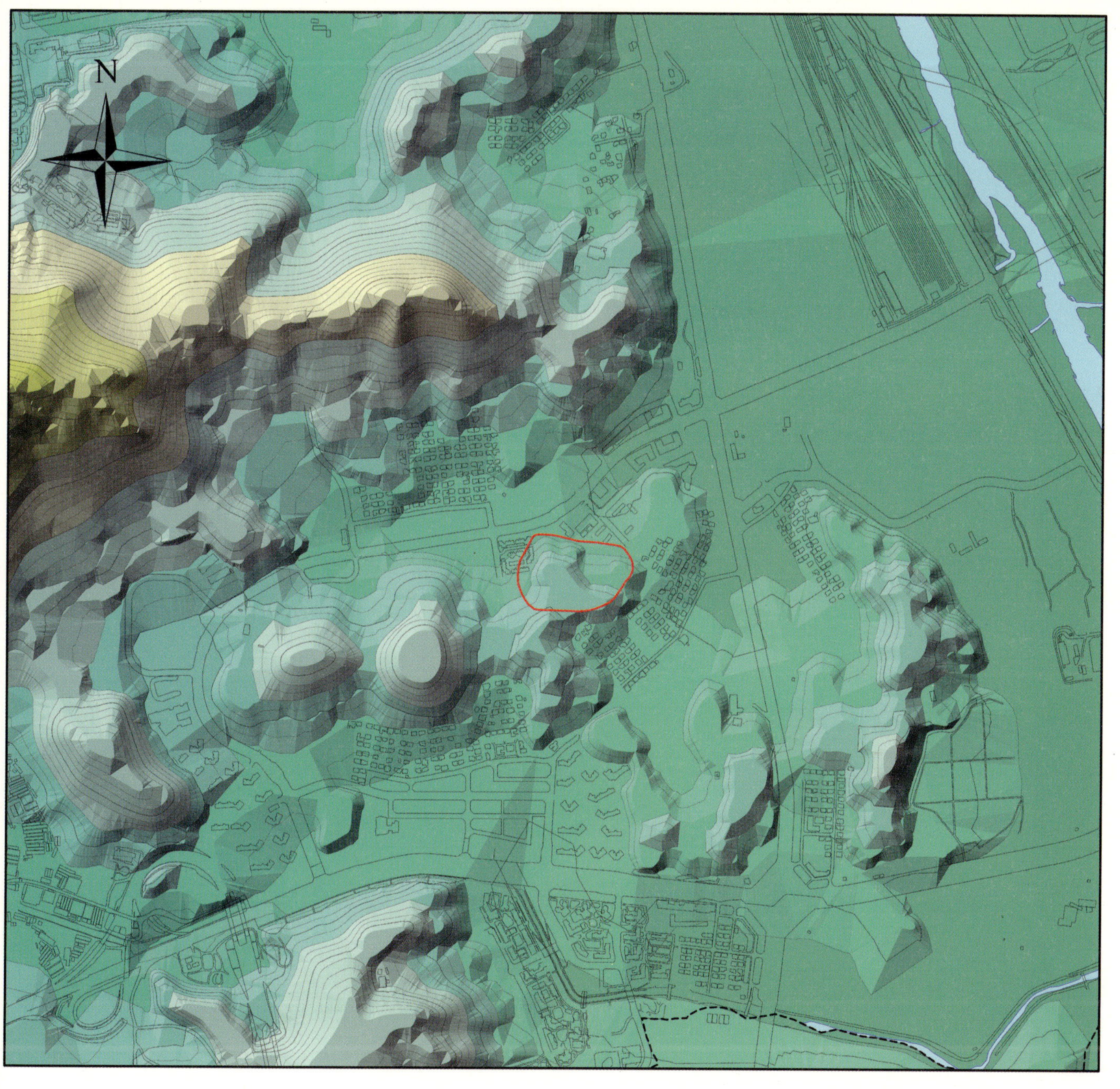

범 례

일련번호	지 역	유 적	시 대	주 소
86	서울	자곡동 유물산포지	삼국	강남구 자곡동 산55

좌 표

경 도	위 도
127-6-5.75	37-28-17.39

87. 강남구 세곡동 유물산포지1 (江南區 細谷洞 遺物散布地1)

소 재 지 서울특별시 강남구 세곡동 산50-13

시 대 1) 선사시대 2) 구석기/중석기시대 3) 신석기시대 4) 청동기시대 5) 철기/삼한/원삼국시대 6) 삼국시대 7) 통일신라/발해시대 8) 고려시대

유적분류 유형문화재 〉 유적 〉 유물산포지

세곡동 사거리에서 양재 방향으로 가다 보면 세곡동 은곡마을 진입로가 나온다. 이 길로 들어가면 주택지가 끝나는 곳에 완경사면의 경작지가 있으며, 이 일대가 유물산포지이다.

유물은 주로 밭에서 채집되는데, 수습된 유물로는 뗀석기 1점을 포함하여 많은 양의 기와편·도기편·자기편 등이 있다. 산포지 앞에는 탄천으로 흘러드는 세곡천이 있고, 밭의 서쪽 부분에는 약 1.5m 정도의 단면이 있는데, 이곳에는 고토양층이 노출되어 있다.

이곳은 서울지역에서 구석기시대 뗀석기와 고토양층이 발견된 몇 안 되는 산포지이나, 현재 중장비를 이용하여 삭토한 흔적이 보이는 등 많이 훼손된 상태이다.

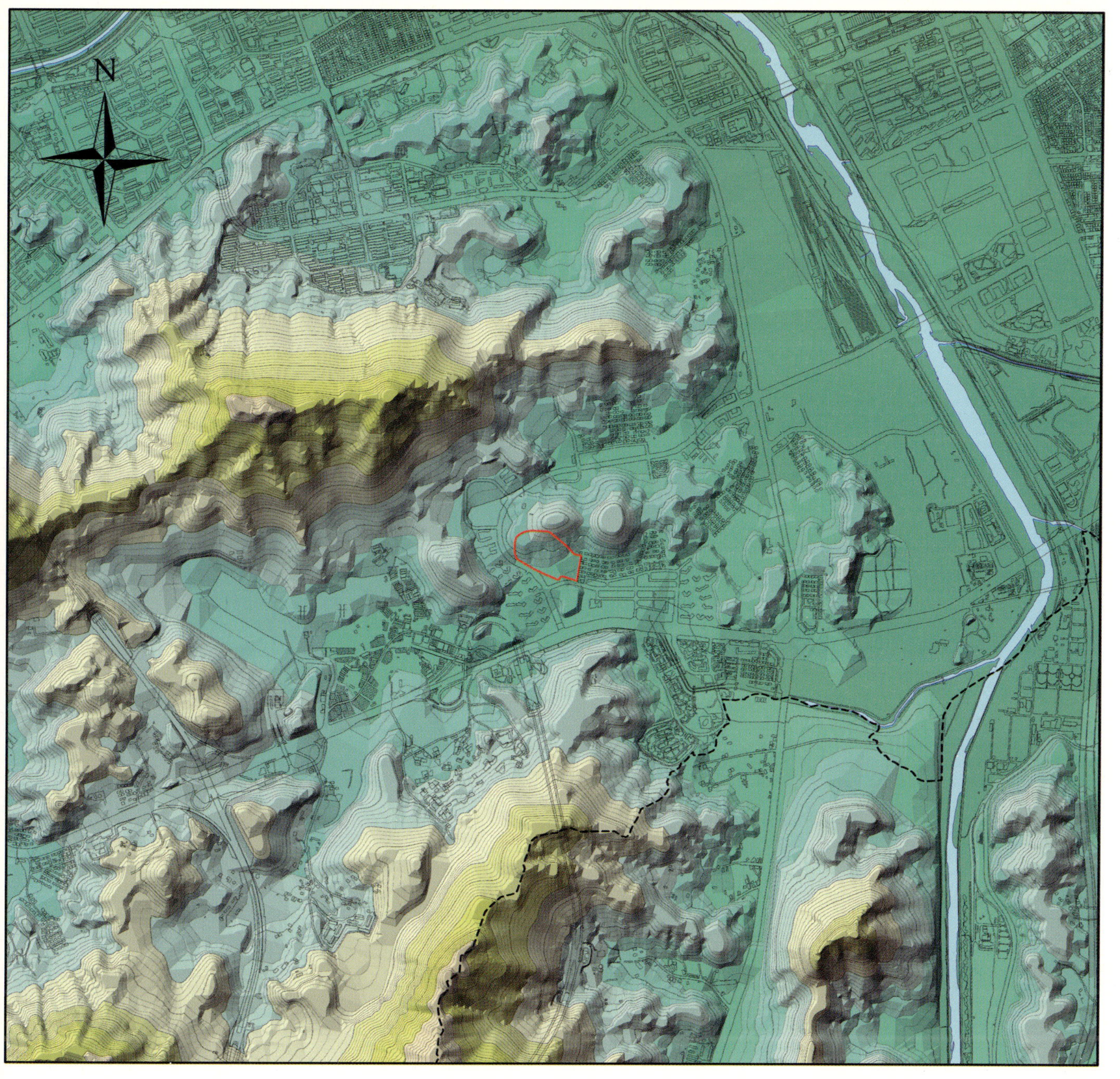

범 례

일련번호	지 역	유 적	시 대	주 소
87	서울	세곡동 유물산포지1	삼국	강남구 세곡동

좌 표

경 도	위 도
127-5-37.42	37-28-5.43

88. 강남구 세곡동 유물산포지2 (江南區 細谷洞 遺物散布地2)

소 재 지 서울특별시 강남구 세곡동 190-9

시 대 1) 선사시대 2) 구석기/중석기시대 3) 신석기시대 4) 청동기시대 5) 철기/삼한/원삼국시대 6) 삼국시대 7) 통일신라/발해시대 8) 고려시대 9) 조선시대

유적분류 유형문화재 〉 유적 〉 유물산포지

헌릉로 세곡동 사거리 서쪽에 있는 대왕초등학교 서남편으로 세곡천이 지난다. 이 세곡천을 중심으로 남·북쪽에 있는 경작지 일대이다.

세곡천 남측 지역은 서편으로 범바위산과 연결되는 낮은 구릉 지대로, 비닐하우스가 밀집되어 있다. 유적의 남단에는 비교적 높은 구릉지가 형성되어 있으며, 이 일대에서 무문토기편·타날문토기편·자기편 등의 유물이 수습되었다. 그리고 이곳에 약 50여 기의 민묘군도 있는데, 폐기된 古塚에서부터 비교적 최근의 무덤까지 상당한 시기적 편차를 보이고 있다.

세곡천 북측의 경작지 일대에서는 특별히 수습된 유물이 없으나 세곡천의 범람과 반복된 퇴적의 결과, 先人이 살았던 매장문화재가 분포할 가능성이 있는 지역으로 추정되고 있다.

[참고문헌] 상명대학교박물관, 2005, 『강남권역 택지개발사업 세곡지구 문화유적 지표조사 보고서』.

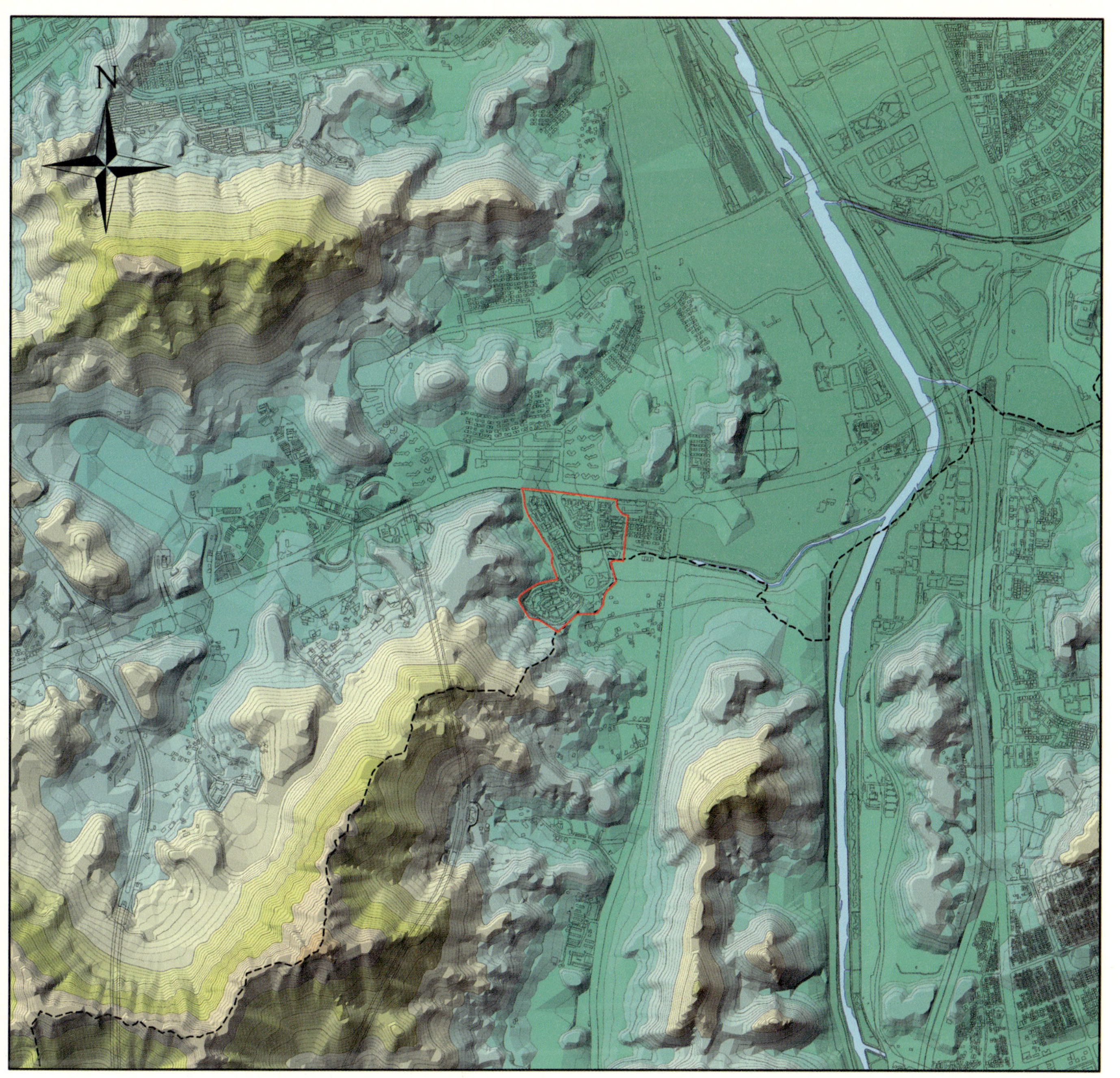

범 례

일련번호	지 역	유 적	시 대	주 소
88	서울	세곡동 유물산포지2	삼국	강남구 세곡동

좌 표

경 도	위 도
127-6-7.32	37-27-43.22

89. 서초구 내곡동 후미안골 유물산포지 (瑞草區 內谷洞 후미안골 遺物散布地)

소 재 지 서울특별시 서초구 내곡동 산13-1
시　　대 통일신라/발해시대
유적분류 유형문화재 〉 유적 〉 유물산포지

獻陵·仁陵의 동쪽 후미안골마을에 엘림동산 청소년 수련원이 있다. 이곳 남쪽 테니스장 옆에 민가가 있는 주변 밭 일대이다.

대모산의 남사면으로 경사도가 완만한 능선 말단부에 해당한다. 옆 능선에는 헌릉이 자리한다. 수집된 유물은 대부분 도기편들이다. 이 중 회청색 경질의 토기 병 저부편은 모래가 약간 포함되었으며, 속심은 자색이다. 내저면이 깊은 곡면이며 측면은 사선을 이루고, 외면에는 주름문이 시문되어 있다.

범 례

일련번호	지 역	유 적	시 대	주 소
89	서울	내곡동 후미안골 유물산포지	통일신라	서초구 내곡동 산13-1

좌 표

경 도	위 도
127-5-2.38	37-28-1.37

90. 서초구 염곡동 염통골 유물산포지1
(瑞草區 廉谷洞 염통골 遺物散布地1)

소 재 지 서울특별시 서초구 염곡동 76-3
시 대 1) 통일신라/발해시대 2) 고려시대
유적분류 유형문화재 〉 유적 〉 유물산포지

염곡동 언남초등학교의 북서쪽에 인접하고 있다.

주변의 마을 앞에는 염곡천의 작은 지류가 흐르고 있으며, 뒤로는 구룡산(해발 283.2m)이 있다. 유물산포지는 구룡산 정상의 남서쪽 사면에 해당하며, 현재 밭 일대이다. 수습된 유물은 주로 도기편들이다. 주변 지형과 채집 유물로 보아 통일신라시대나 고려시대의 건물지가 자리했을 가능성이 있다.

범 례

일련번호	지 역	유 적	시 대	주 소
90	서울	염곡동 염통골 유물산포지1	통일신라, 고려	서초구 염곡동 76-3

좌 표

경 도	위 도
127-2-57.72	37-27-50.91

91. 서초구 염곡동 염통골 유물산포지2 (瑞草區 廉谷洞 염통골 遺物散布地2)

소 재 지 서울특별시 서초구 염곡동 271-1
시 대 1) 통일신라/발해시대 2) 고려시대
유적분류 유형문화재 〉 유적 〉 유물산포지

내곡동 동사무소 뒤편 구릉 말단부에 해당하는 곳이다. 염곡동 염통골 유물산포지1과는 남서쪽으로 150m 정도 떨어져 있다. 이곳은 구룡산의 서남쪽 가지 능선의 말단부로, 지형 조건은 염곡동 염통골 유물산포지1과 같으며, 현재 밭으로 경작하고 있다.

수습된 유물은 주로 線紋·格子紋·魚骨紋 기와 등 기와편이다. 이 밖에 청자편과 도기편 등도 채집되었다. 지형 조건과 채집 유물로 보아 통일신라시대나 고려시대에 속하는 건물지가 자리했을 가능성이 있다.

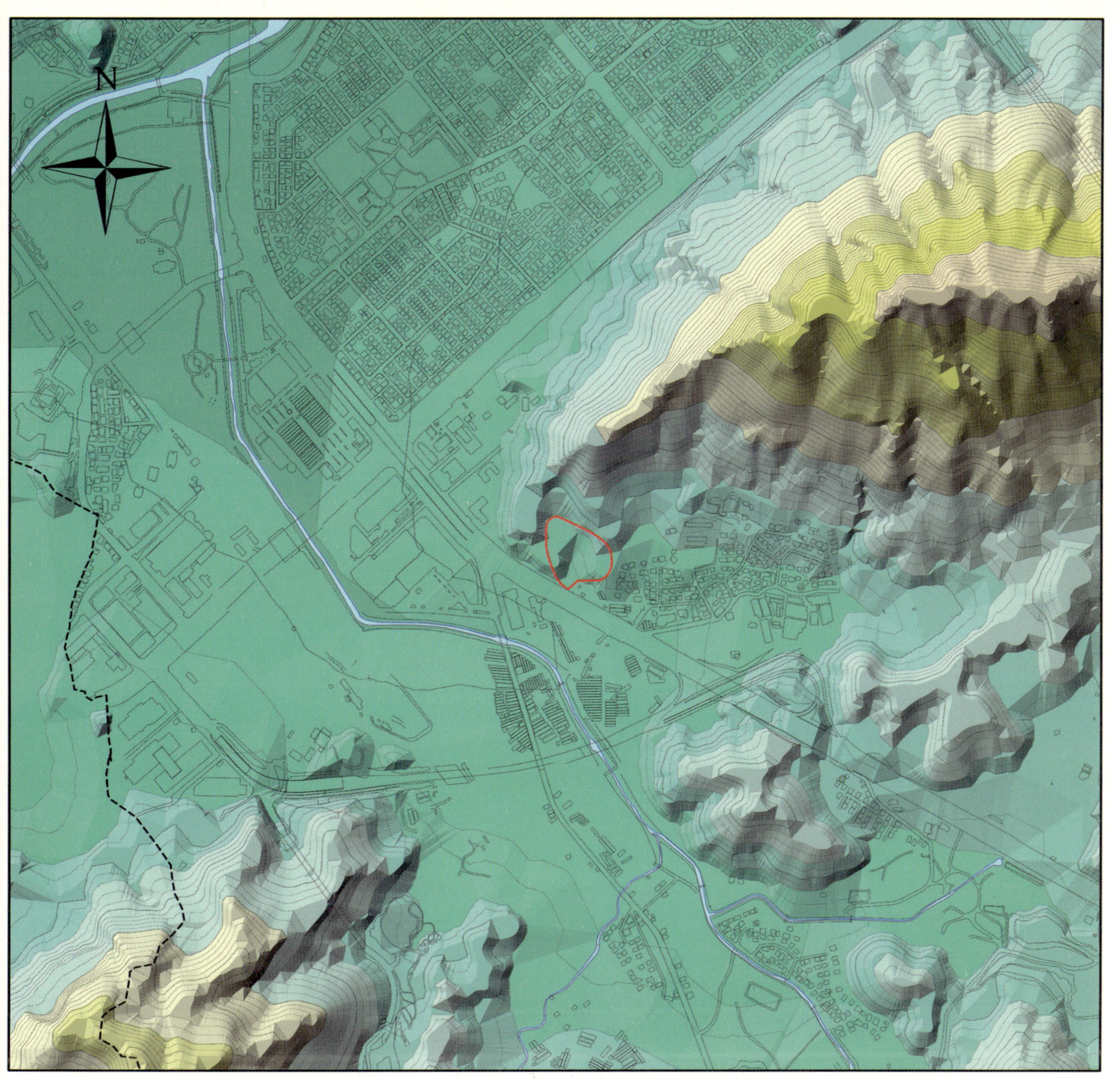

0 0.5 1 km

범 례

일련번호	지 역	유 적	시 대	주 소
91	서울	염곡동 염통골 유물산포지2	통일신라, 고려	서초구 염곡동 271-1

좌 표

경 도	위 도
127-2-51.21	37-27-46.79

92. 서초구 염곡동 탑골 유물산포지 (瑞草區 廉谷洞 탑골 遺物散布地)

소 재 지 서울특별시 서초구 염곡동 산60
시 대 1) 청동기시대 2) 통일신라/발해시대
유적분류 유형문화재 〉 유적 〉 유물산포지

강남대로 염곡IC에서 헌릉로를 따라 성남 방향으로 가면 오른편에 탑골로 들어가는 작은 길이 나온다. 길 초입에 새마을회관이 있는데, 회관 뒤편의 밭 일대가 유물산포지이다.

이곳은 해발 93.2m 야산의 동쪽 사면이며, 앞쪽에는 양재천으로 흐르는 염곡천이 있다. 주변 지형으로 보아 헌릉로 개설 이전에는 3면이 산이고, 동남쪽이 터진 작은 골짜기였을 것으로 추정된다. 유물은 주로 밭 일대에서 채집되었다. 무문토기와 도기편들이 산포하고 있으며, 도기편 중에는 인화문도기편도 보인다. 지형 조건과 채집 유물로 보아 청동기시대 주거지 및 통일신라시대 분묘 유적이 자리했을 가능성이 있다.

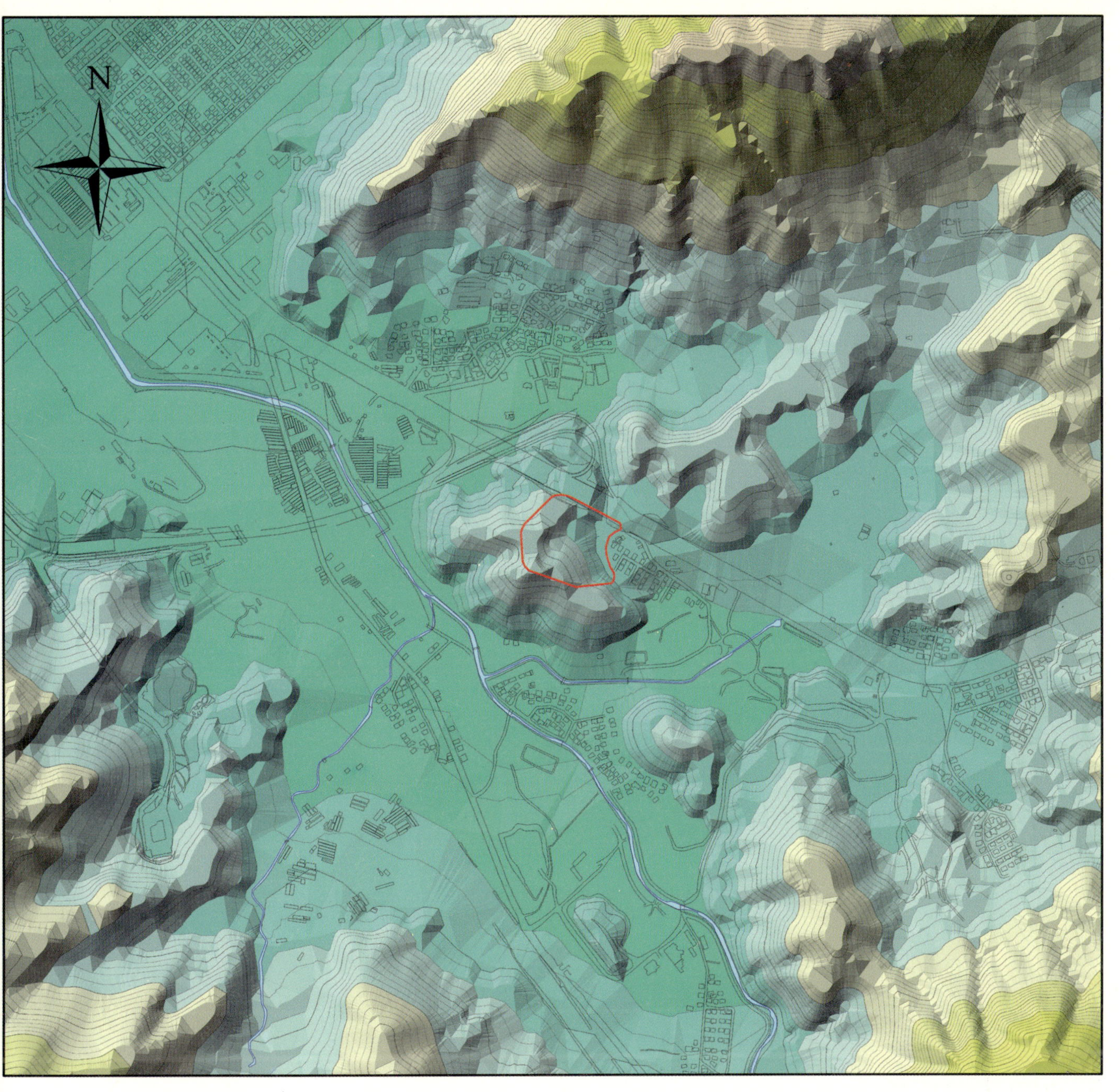

0 0.5 1 km

▮범 례

일련번호	지 역	유 적	시 대	주 소
92	서울	염곡동 탑골 유물산포지	통일신라	서초구 염곡동 산60

▮좌 표

경 도	위 도
127-3-12.95	37-27-28.83

93. 서초구 우면동 유물산포지1 (瑞草區 牛眠洞 遺物散布地1)

소 재 지 서울특별시 서초구 우면동 282-2
시　　대 1) 청동기시대 2) 삼국시대
유적분류 유형문화재 〉 유적 〉 유물산포지

KT연구개발본부 앞을 지나 태봉로를 따라 가면 태봉이 있는 곳이다.

우면산에서 뻗어 내린 산줄기를 따라 이어진 갓배산이 북쪽을 감싸고, 태봉로를 사이에 두고 동서로 양분된 지형이다. 이곳에는 화훼단지의 비닐하우스가 밀집하고 있다.

2005년 상명대학교박물관에서 도로를 기준으로 동서 2개 지점으로 분할하여 지표를 조사하였다. 조사 결과, 태봉을 중심으로 한 낮은 구릉 지대인 조사1구역의 지표상에서 청동기시대 무문토기편과 백제 타날문토기가 수습되었다. 수습된 유물과 전체적인 지형 입지조건을 볼 때 매장 문화재가 분포하고 있을 가능성이 크다. 특히 태봉을 둘러싼 구릉 지대는 석영맥암층이 도처에 있어 제4기 갱신세층과 구석기 시대 유적의 발견 가능성도 있다. 태봉로 동쪽의 조사 2지역에서는 무문토기편과 타날문토기 등이 수습되었다.

[참고문헌] 상명대학교박물관, 2005,「강남권역 택지개발사업 우면2지구 문화유적 지표조사 보고서」.

범 례

일련번호	지 역	유 적	시 대	주 소
93	서울	우면동 유물산포지1	백제	서초구 우면동 282-2

좌 표

경 도	위 도
127-1-24.34	37-27-49.98

94. 서울 우면동유적 (서울 牛眠洞遺蹟)

조사사유 강남권역 국민임대주택단지 조성사업을 위한 구제발굴.

조사연혁 지표조사: 2005. (상명대학교박물관)
시굴조사: 2008.11.14.~2009.02.01. (한얼문화유산연구원)
발굴조사: 2009.05.11.~2010. (한얼문화유산연구원)

유적위치 서울특별시 서초구 우면동 451임 일원
경·위도 127°1′10.99″E/37°27′45.92″N, GPS 127.019719/37.462755

유적입지 우면동은 서초구의 중앙에 위치하며 남쪽으로 과천시와 접하고 있고, 우면산은 관악산의 지맥으로 북쪽의 서초동, 방배동과 자연적 경계를 이루고 있는 침식성산지이다. 유적은 우면산 아래에 위치한 형촌마을 해발 45~47m의 서쪽 구릉과 남쪽의 저지대에 위치하고 있으며 남으로 양재천이 흐르고 있다.

유구현황 삼국시대 = 가지점: 석실묘(2)
기　　타 = 구석기시대 문화층(2), 신석기시대 문화층(1)·집석노지(2), 삼국시대 주거지(6)·수혈(9)·구상유구(1)·주혈(1)·야외노지(1), 신라 석실묘(5), 통일신라시대 수전(2), 근대 추정 취수장(1), 시대미상 석곽묘(1)·수혈(6)·주혈(4)·노(1)

주요유물 철도자, 물미, 살포

시대·성격 이 유적에서는 삼국시대의 생활유적과 분묘유적 뿐만 아니라 조선시대 토광묘·건물지·집석유구·소형수혈·구와 근대의 도로유구 등 다양한 유구가 확인되었다. 가지점 능선부에서 삼국시대 주거지 5동과 석실묘 7기, 석곽묘 1기, 수혈과 성격미상 유구 각 1기 등이 확인되었다. 이 중 2호와 7호 석실묘는 출토유물과 구조로 보아 백제 한성기의 횡혈식석실묘로 추정되며, 1호·3~6호 묘는 A.D.6세기 후반대 이후의 신라 횡구식석실묘이다.

우면동 유적은 우면산(해발313m)에서 남동으로 뻗은 구릉의 정상부에 백제시대의 주거지가, 말단부(해발45~35m 내외)의 남서 사면에는 분묘가 분포하고 있다. 분묘는 백제시대의 횡혈식석실묘 2기를 포함하여, 신라시대의 횡구식석실묘 6기 등 모두 10기가 조사되었다. 조사된 분묘는 2개의 묘역으로 구분되는데, 1호분(백제)을 중심으로 3호와 4호(신라)가 하나의 묘역, 2호분(백제)을 중심으로 신라시대의 5호와 8호가 또 하나의 묘역을 이루고 있다. 또한 특징적으로 1호 횡혈식석실묘를 포함하여 3호와 6호에는 주구가 부가되어 있다.

유물은 백제시대의 횡혈식석실묘에서는 살포 도자 철부 등의 철기유물이 주로 출토된 반면, 신라시대의 횡구식석곽묘에서는 단각고배와대부직구호 등을 포함한 토기류가 다수를 점하고 있다.

전체적인 주변 지형과 분포로 볼 때, 서쪽에 연접한 남-북을 관통하는 도로를 개설하는 과정에서 상당수의 분묘가 유실되었을 가능성이 높다.

[참고문헌] 최병현, 2015, 「중부지방 백제 한성기 축조·신라 재사용 석실분과 고구려·신라 연속조영 고분군」, 『고고학』 14-2호.

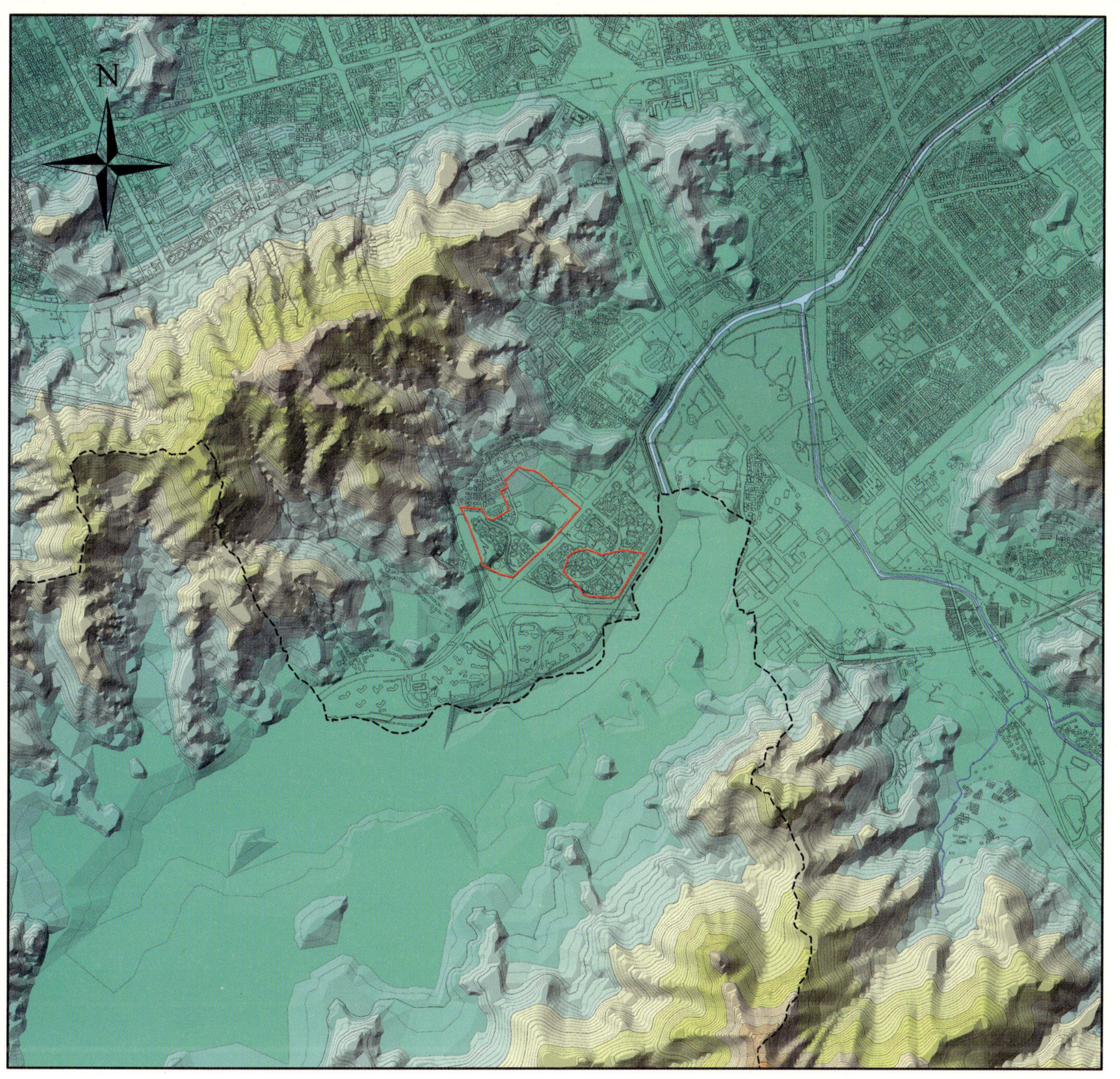

0 1 2 km

▮범 례

일련번호	지 역	유 적	시 대	주 소
94	서울	우면동유적	원삼국~백제 한성기/ 신라/ 통일신라	서초구 우면동 451임 일원

▮좌 표

경 도	위 도
127-1-16.09	37-27-50.06
127-1-32.49	37-27-42.11

서울 우면동유적 유구배치도

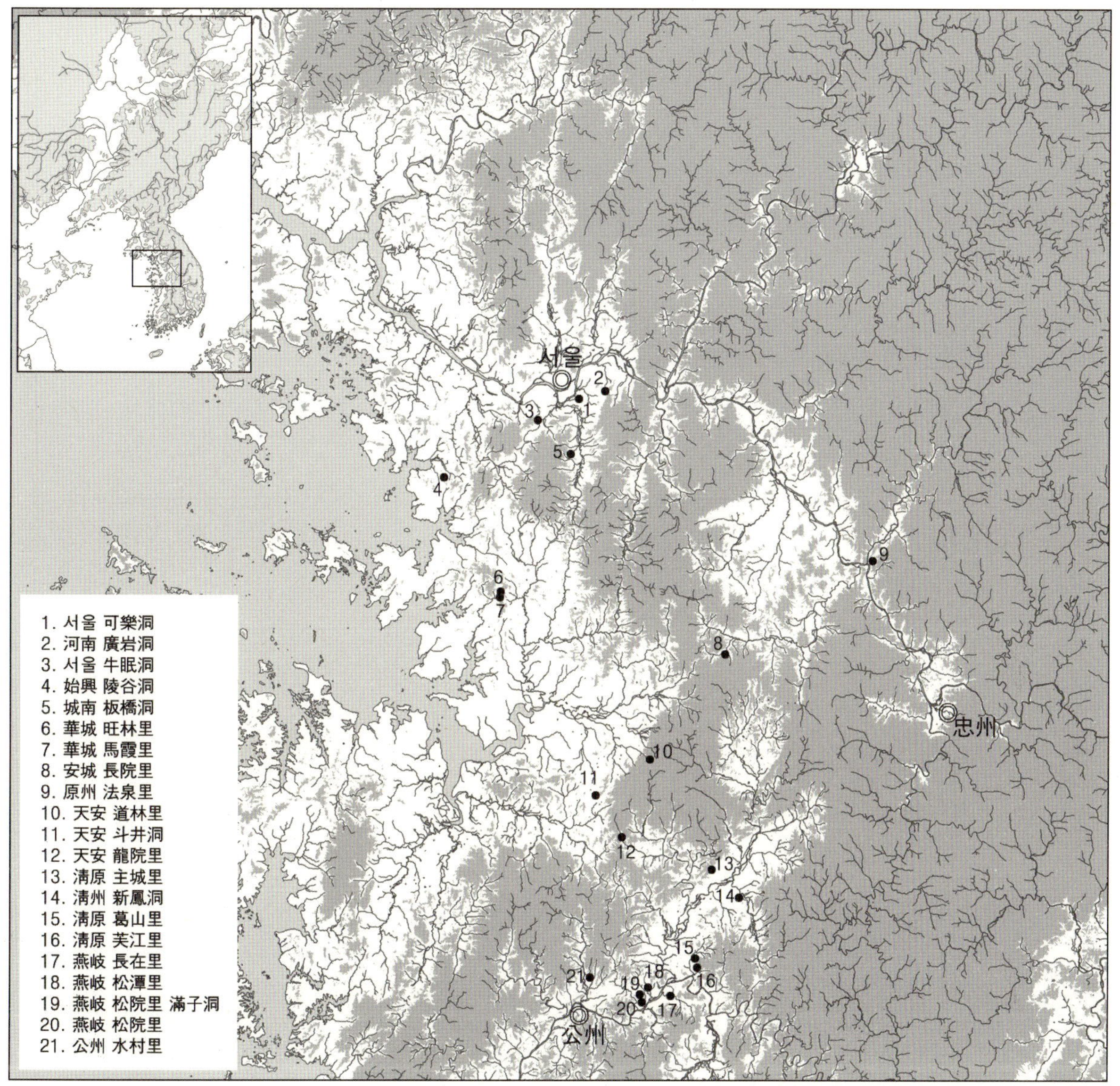

백제 한성기 횡혈식석실분 분포

95. 서초구 양재동 유물산포지 (瑞草區 良才洞 遺物散布地)

소 재 지 서울특별시 서초구 양재동 산41
시 대 선사시대
유적분류 유형문화재 〉 유적 〉 유물산포지

서초구청 뒤의 해발 100.2m인 야산에 있다. 현재 이 산은 동-서로 뻗은 우면산의 동쪽 끝 부분에 해당하는데, 경부고속도로 개설로 인해 양쪽으로 갈라져 있다.

유물은 산의 남동쪽 가지 능선에서 채집되었다. 이곳은 양 옆으로 큰 가지 능선들이 뻗어 내려와 감싸고 있고, 정면에는 양재천이 흐르고 있어 유적이 입지하기에 알맞은 지형 조건을 가지고 있다. 수습된 유물은 無紋土器 저부편과 동체부편들이다. 정상부에서 동쪽으로 이어지는 등산로에서도 把手片 1점을 채집하였다. 지형 조건과 채집 유물로 보아 청동기시대 유적이 있었을 가능성이 높다.

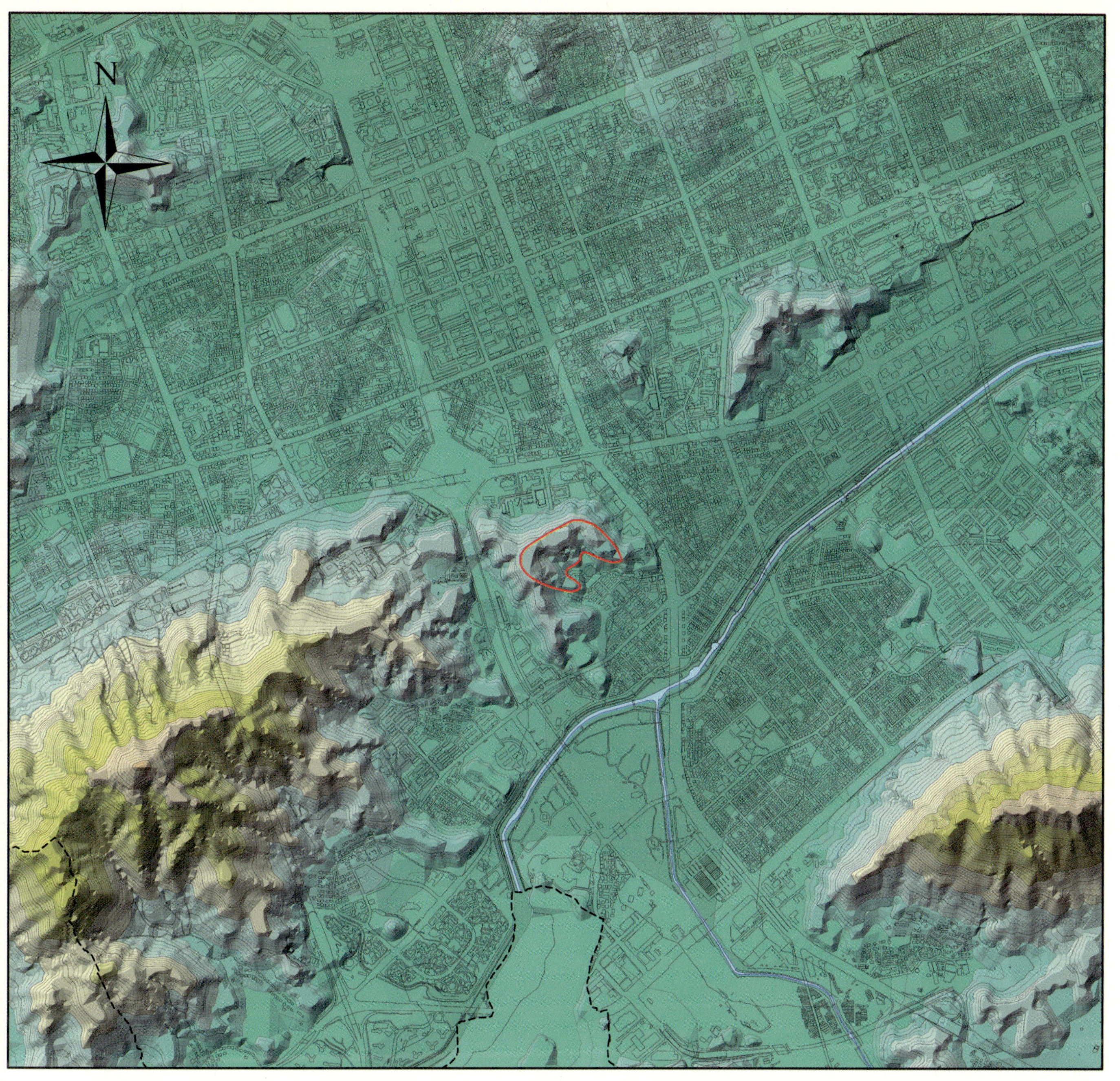

0 1 2 km

범 례

일련번호	지 역	유 적	시 대	주 소
95	서울	양재동 유물산포지	선사시대	서초구 양재동 산41

좌 표

경 도	위 도
127-1-55.37	37-28-49.35

96. 사당동 백제요지 (舍堂洞 百濟窯址)

소 재 지 서울특별시 관악구 남현동 538-1
시 대 통일신라/발해시대
유적분류 유형문화재 〉 유적 〉 산업생산유적 〉 요업 〉 토기

지하철 2호선 사당역에서 관악등기소 방향, 남서편으로 200여 m 떨어진 주택가에 백제요지 근린공원이 있는데, 이곳 구릉의 말단부 일대이다.

평탄한 경작지 일대에서 도기편, 요벽편들이 집중적으로 수습되었고, 구릉 상부에서도 수습된다. 수습 유물은 점열문이 찍힌 蓋杯, 구연부 直下에 횡선이 돌아가는 광구병, 덧띠무늬병, 내외면에 細格子紋을 打捺한 경질·연질의 도기편이 수습되었다. 생토층을 제외한 모든 층에 통일신라시대 토기편이 섞여 있다.

2006년 조사에서 통일신라시대의 요지와 관련된 폐기장임이 확인되었고, 토기 퇴적 구(溝)와 붉은 소토 유구(추정)가 확인되었다. 가마의 운영 시기는 통일신라시대(9세기)로 추정된다.

[참고문헌] 김원룡·곽승훈, 1973, 「서울 사당동요지의 신라토기」『대구사학』 7·8합, 대구사학회.
서울대학교박물관, 2006, 「사당동 백제요지 시굴조사 약보고서」.

▮범 례

일련번호	지 역	유 적	시 대	주 소
96	서울	사당동 백제요지	통일신라	관악구 남현동 538-1

▮좌 표

경 도	위 도
126-58-42.80	37-28-28.46

97. 관악구 남현동 사당동 신라요지 (冠岳區 南峴洞 舍堂洞 新羅窯址)

소 재 지 서울특별시 관악구 남현동 1080-1
시 대 통일신라/발해시대
유적분류 유형문화재 〉 유적 〉 산업생산유적 〉 요업 〉 토기

사당초등학교 울타리의 동편과 남편 주택가 일대였으나, 현재는 흔적을 찾아보기 어렵다.

窯의 바닥은 생토면이고, 자연 경사도는 약 17°로 東~西로 향하고 있으며, 경사면에 단을 지운 흔적은 확인되지 않았다. 출토 유물 중 토기편에서「縣器村何支爲 舍知作」,「性音」명문이 보이고, 기타「干」,「山」,「出」,「七」,「九」도 보고되었다. 窯의 크기는 4.5×0.7m 내외이며, 동쪽에는 점토를 두껍게 바른 반구상의 火口가 확인되었다. 苦杯가 없는 점, 대부유경호류가 극소수인 점, 소발·유개소완 등이 골호로 사용되는 형식을 감안할 때 7세기 후반 8세기 말의 유적으로 추정된다.

[참고문헌] 김원룡·이종선, 1977,「사당동 신라토기요지 발굴조사약보」,『문화재』11, 문화재관리국.
김원룡·곽승훈, 1973,「서울 사당동요지의 신라토기」,『대구사학』7·8합, 대구사학회.

0 0.5 1 km

범 례

일련번호	지 역	유 적	시 대	주 소
97	서울	사당동 신라요지	통일신라	관악구 남현동 1080-1

좌 표

경 도	위 도
126-58-26.39	37-28-26.40

98. 서울 독산동 유적 (서울 금천구심 도시개발사업구역 내 유적)

소 재 지 서울특별시 금천구 독산동 441-6번지
시 대 통일신라
유적분류 유형문화재 〉 유적 〉 생활유적 〉 주거유적 〉 수혈주거지

Ⅰ. 조사개요

조 사 명 : 서울 금천구심 도시개발사업구역 내 유적 발굴조사
조사지역 : 서울시 금천구 독산동 441-6번지 일원
조사기간 : 2011년 10월 24일 ~ 2013년 11월 19일
조사면적 : 36,053㎡

Ⅱ. 유적의 입지 및 환경

조사지역은 서울의 남서부에 해당하며, 서쪽의 안양천에 인접한 해발 11~14m 내외의 충적지에 입지하고 있다. 일제시대 지도상에서 논으로 표시되어 있고, 최근까지 군부대가 주둔하였던 곳이다.

안양천 주변의 삼국~통일신라시대 유적은 호암산성(통일신라 7~8세기 초, 이격거리 2.5km), 광명 도덕산 보루군(백제 후기 추정, 이격거리 2.7km), 광명 소하동 유적(백제 4세기 후반~5세기 초·중반경으로 추정, 이격거리 3.2km), 의왕 모락산성(백제 4세기 후반~5세기 중·후반에 사용됨, 이격거리 12km) 등이 있다.

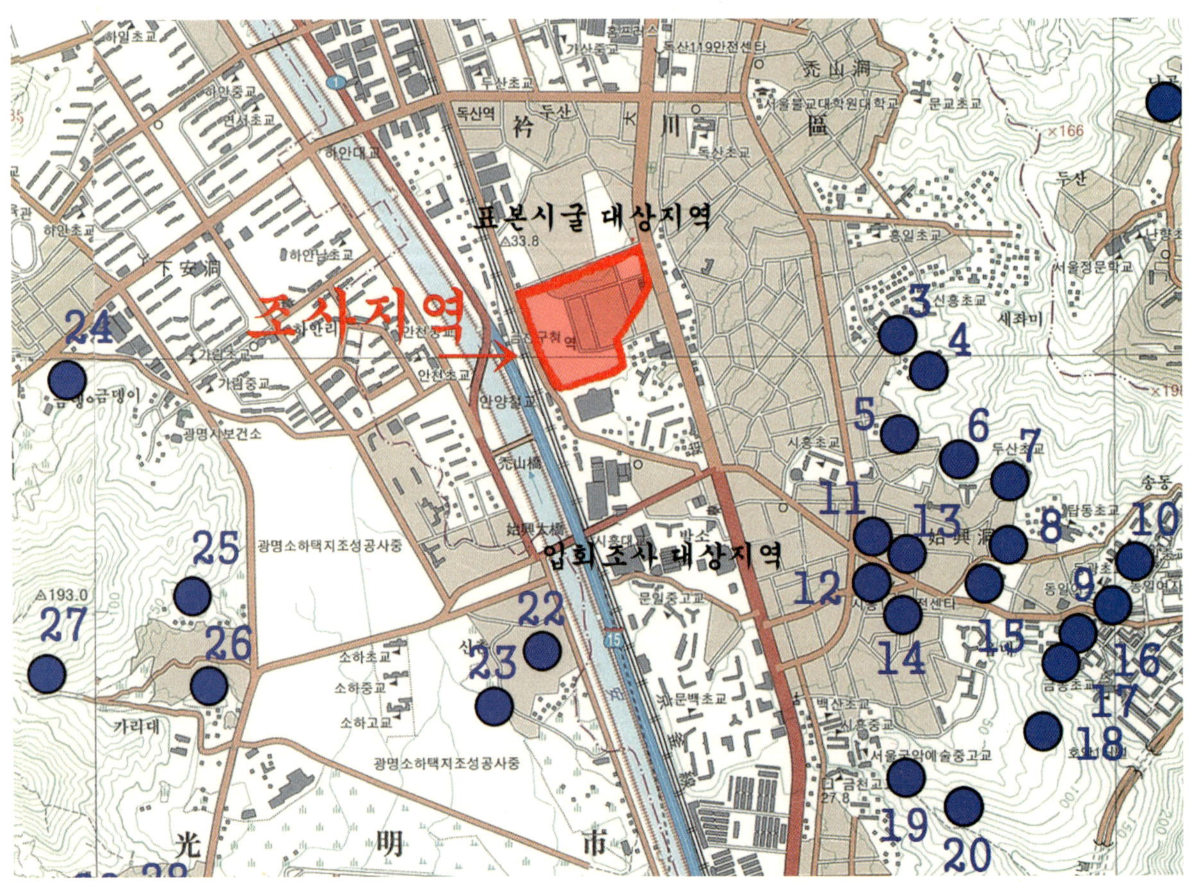

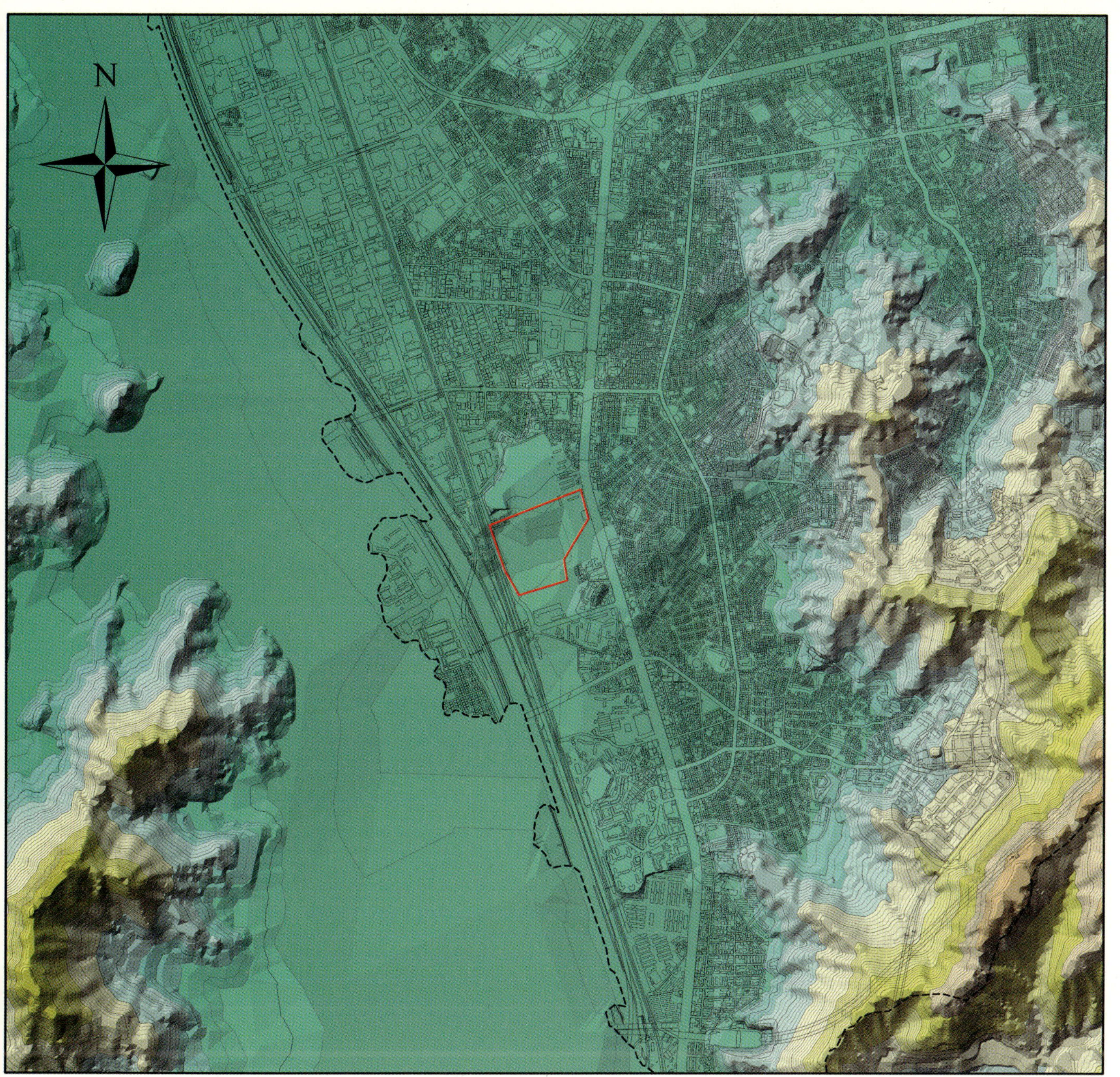

범 례

일련번호	지 역	유 적	시 대	주 소
98	서울	서울 독산동 유적	신라	금천구 독산동 441-6번지

좌 표

경 도	위 도
126-53-41.20	37-27-36.12

Ⅲ. 조사내용

1. 층 위

조사지역의 원지형은 서쪽의 안양천 방향으로 점차 낮아지는 지형이다. 층위 양상은 부분적으로 다소 차이는 있지만, 크게 6개층으로 나눌 수 있다. I층은 군부대 주둔과 관련한 성토층, II층은 연녹색니질층(근대 경작층), III층은 황색점토층, IV층은 황적갈색점토층, V층은 갈색 및 암갈색사질점토층(문화층), VI층은 연황색사질점토층(자연층)이다. 북서쪽으로 갈수록 III~V층은 미세하게 남아있으며, I층(성토층)과 II층(근대 경작층)이 VI층(자연층) 바로 상층에서 확인되어 유구의 잔존 상태가 좋지 않다.

2. 유 구

조사결과, 도로유구 5기, 수혈건물지 23기, 굴립주건물지 85기, 초석건물지 3기, 구상유구 73기, 우물 4기, 집수시설 2기, 소성유구, 수혈유구 등이 확인되었다.

1) 도로유구 및 수레바퀴흔

조사지역의 경계부에서 동-서 방향과 남-북 방향의 도로유구가 격자형으로 연결되어 확인되었다. 동-서 도로의 전체 길이는 280m 가량이며, 동-서 도로의 양 끝단에서 'T'자형의 교차로를 이루며 남-북 도로가 연결되고 있다. 동쪽의 남-북 도로는 88m 가량, 서쪽의 남-북 도로는 151m 가량 잔존한다. 또한 동-서 도로의 중앙부인 약 140m 지점에서 남-북 내부도로가 51m 가량, 그 남쪽에서 남서-북동 도로가 67m 가량 확인되었다.

노면의 가장자리에 중복된 수레바퀴자국이 나타나며, 노면 양측에 배수시설인 측구가 설치되어있다. 기반층을 굴토하고 갈색사질토를 깔아 노면을 조성하였다. 노면 폭은 서쪽의 남-북 도로와 남서-북동 내부도로가 4.5~6.3m, 동-서 도로와 동쪽의 남-북 도로가 3.5~4.5m, 남-북 내부도로가 2.5~3.3m 가량이다. 도로 단면 조사에서 남서-북동 내부도로를 제외한 모든 동-서, 남-북 도로에서 최소 2시기의 중복과 개·보수 양상이 확인된다.

한편, 조사지역 내 곳곳에서 도로유구와는 별개의 수레바퀴흔이 다수 확인되었다. 시기차가 크지는 않지만, 후대 도로유구로 추정된다. 다만 잔존 상태가 좋지 않아, 측구를 두고 노면을 구획하여 사용했는지는 명확하지 않다.

2) 수혈건물지

수혈건물지는 총 23기로, 특정 구역에 밀집 분포하는 양상이다. 평면형태는 방형이며, 면적 10㎡ 내외의 소규모로, 대부분 잔존 상태가 좋지 않다. 단면은 완만하게 굴착하였으며, 바닥면에 암갈색사질점토 및 암갈색사질점토가 혼입된 사질토를 깔아 정지하였다. 내부에서 노지가 확인되며, 8호 수혈건물지는 길이 3m, 폭 30~40cm의 구들시설이 비교적 잘 남아있다.

3) 굴립주건물지

굴립주건물지는 85기가 확인되었다. 다수의 주혈들이 밀집되어 분포하고, 증·개축 및 중복 양상을 보여 명확한 규모를 파악하기 어려운 경우가 많다. 건물의 규모가 비교적 뚜렷한 경우에는 4주식과 6주식이 주를 이루며, 8주식과 10주식 등 다양하게 확인되었다. 다수의 주혈에서 목주편 및 목주흔이 확인된다.

4) 구상유구

구상유구는 총 73기가 조사되었다. 구상유구는 배수 기능뿐만 아니라 전체적으로 유적 내부공간을 구획 조성하여 건물지 등의 유구가 입지하는 양상을 보인다. 또한 부분적으로 수혈건물지와 굴립주건물지 주변으로 구를 조성하여 배수기능을 하였다.

5) 기타유구

이외에도 초석건물지, 우물, 집수시설, 소성유구, 수혈유구 등이 확인된다.

초석건물지는 총 3기로, 할석을 이용한 적심 1단이 확인되나 잔존 상태가 좋지 않다. 1×1칸규모이며, 주칸 거리가 약 365~385cm 정도이다.

우물은 총 4기로, 평면형태는 원형이고, 규모는 상단부가 직경 1m 내외, 깊이는 130~ 150cm이다. 축조방식은 20~70cm의 할석을 이용하여 상부쪽이 점차 넓게 불규칙하게 쌓아 벽을 조성하였다. 이 중 1기에서 벽석 안쪽에 타원형의 통나무 목통(70×50×70cm)을 설치한 것이 확인되었다.

집수시설은 조사지역 동쪽에서 2기가 조사되었다. 평면형태는 방형으로, 규모는 1호 집수시설이 15×11×0.5m이며, 2호 집수시설은 12×10.5×0.5m이다. 내부에서 토기 및 기와가 다량 출토되었다.

Ⅳ. 조사결과

1. 조사지역은 서울시 금천구 독산동 441-6번지 일원으로, 안양천에 인접한 해발 11~14m 내외의 충적지에 입지하고 있다. 발굴조사는 36,053㎡를 대상으로 하였다.
2. 조사결과, 도로유구 5기, 수혈건물지 23기, 굴립주건물지 85기, 초석건물지 3기, 구상유구73기, 우물 4기, 집수시설 2기, 소성유구, 수혈유구 등이 확인되었다. 도로유구는 노면 양측에 배수시설인 측구를 설치하고, 노면에 사질토를 깔아 축조하였다. 건물지는 대부분 굴립주건물지로 조성되었고, 증·개축으로 인해 중복된 양상을 보인다. 유물은 6세기 후반에서 7세기 초로 편년할 수 있는 신라 토기와 기와 등이 출토되었다.
3. 출토유물과 유적의 성격으로 볼 때, 조사지역은 신라가 한강유역으로 진출하던 시기에 형성된 유적으로, 한강 유역에서 확인되는 여타 신라 관련 유적 등과의 비교 연구에 중요한 가치를 지닐 것으로 판단된다.

서울 독산동유적 동서 도로유구

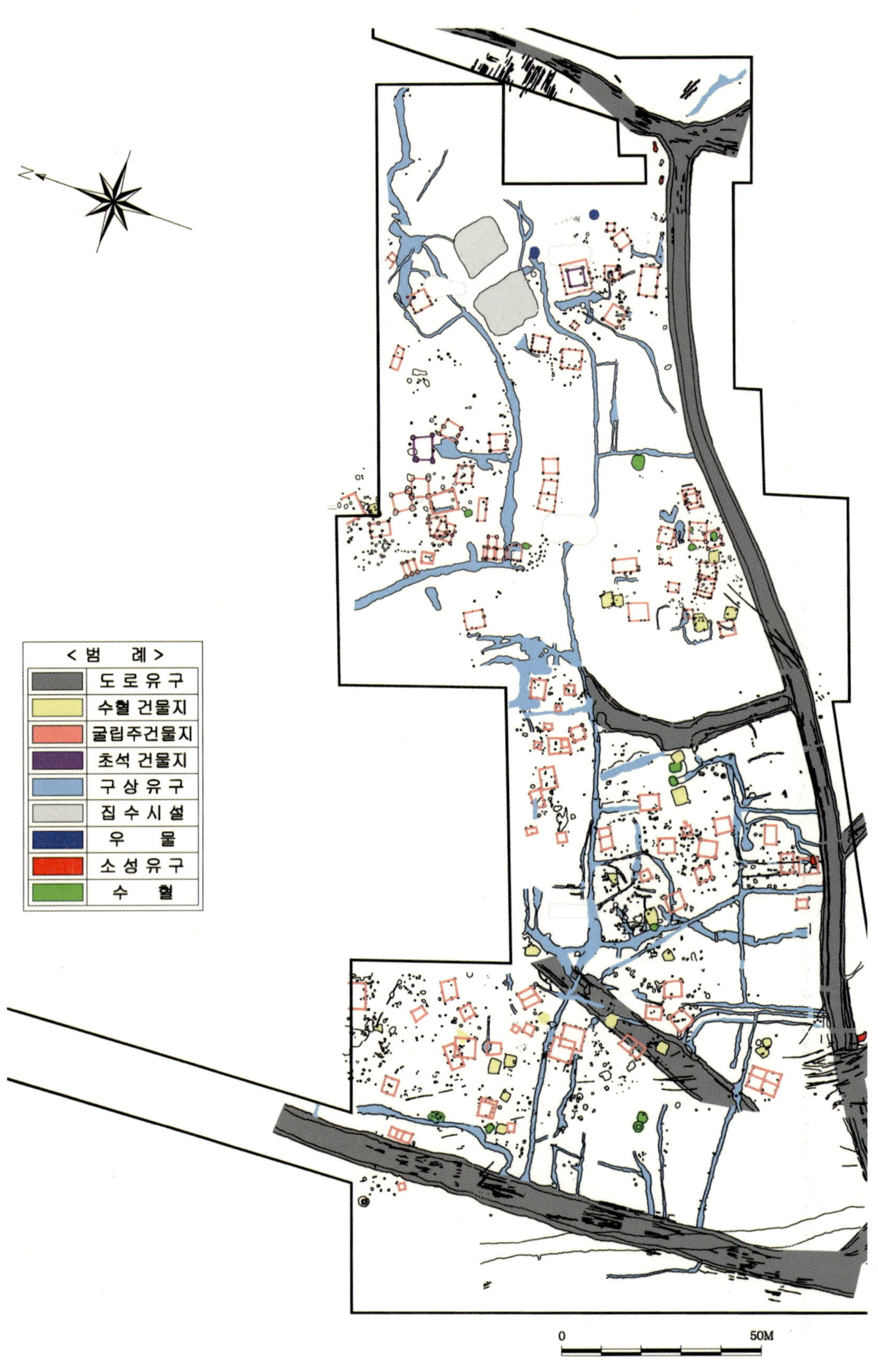

서울 독산동유적 유구배치도

서울 독산동유적 항공사진

99. 금천구 시흥동 유물산포지4 (衿川區 始興洞 遺物散布地4)

소 재 지 서울특별시 금천구 시흥동 산108-4
시 대 1) 통일신라/발해시대 2) 고려시대
유적분류 유형문화재 〉 유적 〉 유물산포지

시흥동 관악산 벽산타운아파트 쪽으로 오르면 현대아파트로 가는 길이 나온다. 현대아파트까지 오르면 나오는 탑동초등학교와 아파트 북쪽 야산 일대이다.

유적은 해발 476m의 삼성산 북서편의 순흥안씨 묘역에 이르기 전, 남쪽으로 내려오는 가지 능선의 말단부이다. 금천초등학교와 현대아파트 사이의 등산로 주변 일대에서 魚骨紋·正格子紋·菊花紋 등의 기와편과 고려백자·청자편이 다량 수습되었다.

현대아파트 동북쪽 작은 계곡부 휴게의자가 있는 곳과 현대아파트 뒤편 경작지를 중심으로 인화문토기의 구연부편을 비롯한 토기 동체부편, 도기 동체부편, 청자 저부편, 암·수키와편, 병으로 추정되는 회청색 경질의 토기편이 수습되었다.

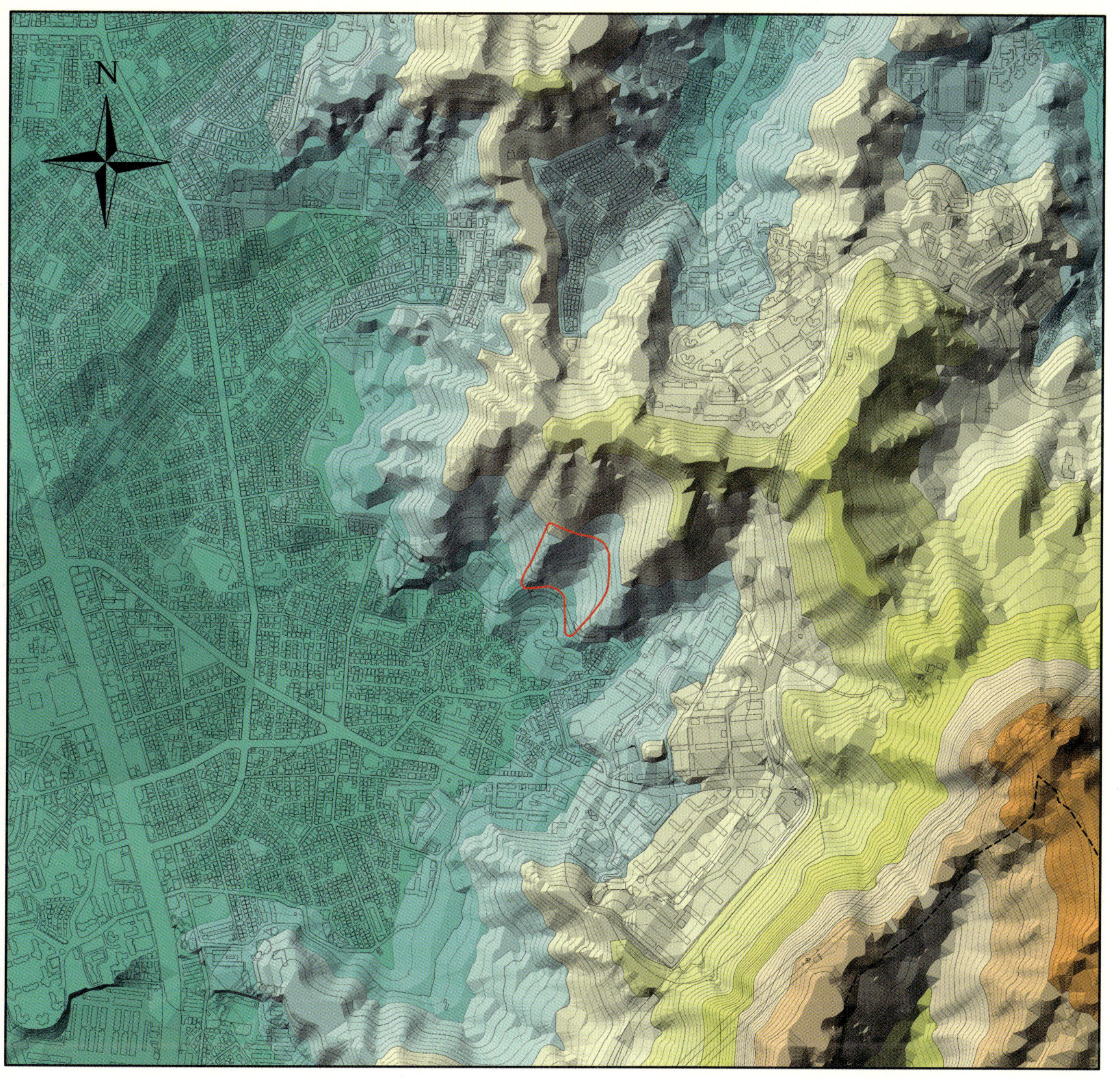

범 례

일련번호	지 역	유 적	시 대	주 소
99	서울	시흥동 유물산포지4	통일신라~고려	금천구 시흥동 산108-4

좌 표

경 도	위 도
126-54-51.63	37-27-18.48

100. 한우물 및 주변산성지

소 재 지 서울특별시 금천구 시흥동 산83-1외
시 대 1) 통일신라/발해시대
유적분류 유형문화재 〉 유적 〉 정치국방유적 〉 성곽

한우물은 호암산성 안에 있는 연못이다. 호암산성은 산마루를 둘러 쌓은 통일신라시대의 테뫼식 산성으로 둘레는 1,250m이며, 그 중 약 300m 구간에 성의 흔적이 남아있다. 발굴조사에서 연못 2개 · 건물지 4개가 확인되었고 많은 유물들이 출토되었다. 조선시대의 한우물은 동서 22m, 남북 12m, 깊이 1.2m이고 그 아래의 신라시대 석출지도 확인되었다. 다른 우물지에서는 '잉벌내력지내미(仍伐內力只內未)'라는 글이 있는 청동숟가락이 나왔다. 우물지 근처에서 개 모양의 동물상(석수상)이 발견되었는데, 이것은 조선시대 서울에 화재가 생기는 것을 막기 위해 세웠다는 설화와 관련 있는 것으로 보인다. 한우물 근처에서 석구지(石拘池)라고 새겨진 돌이 발견되었는데, 아마도 이 연못이 석수상과 관련되어 석구지라고 불려진 것이라고 보여진다.

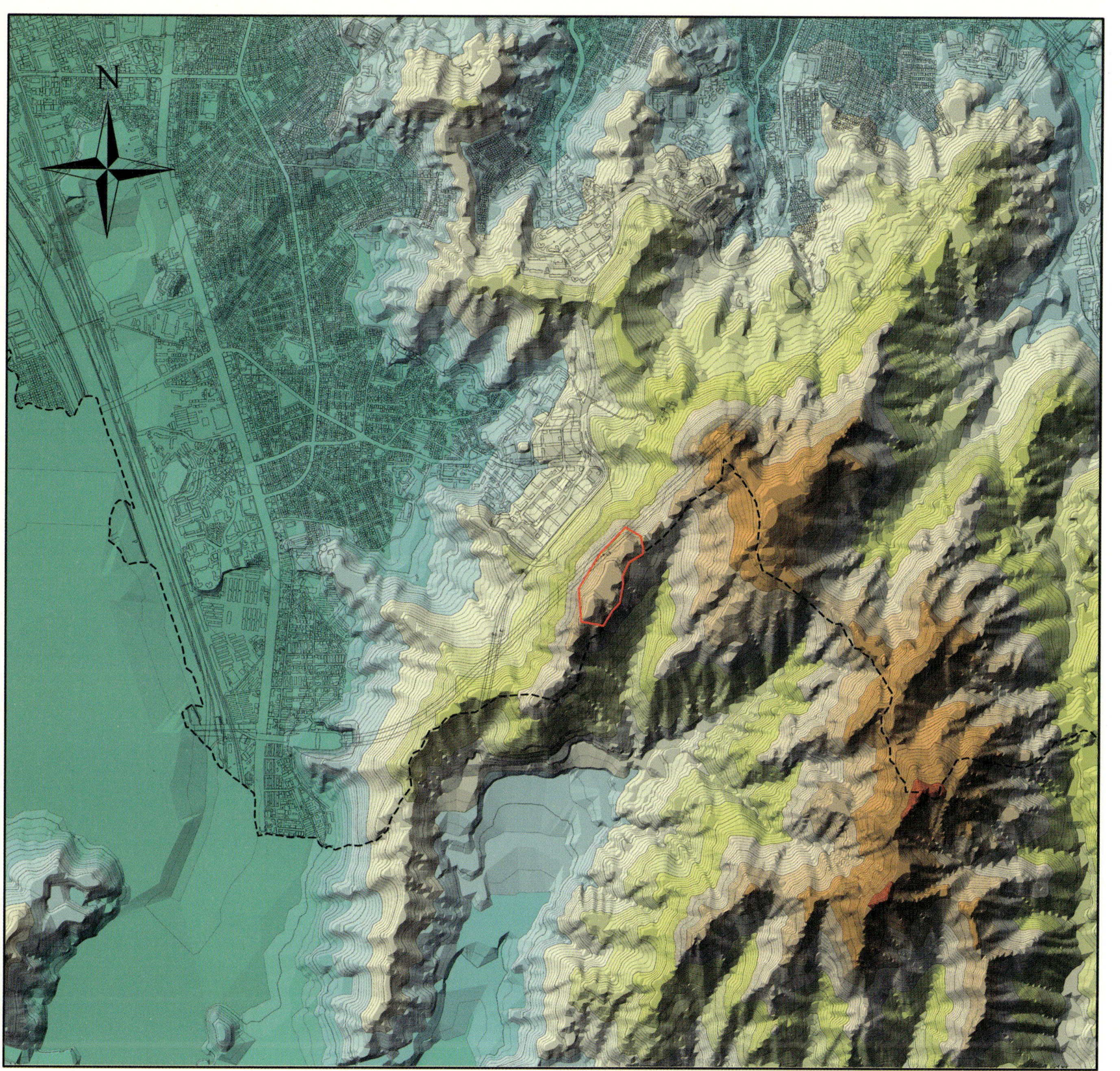

0 1 2 km

범 례

일련번호	지 역	유 적	시 대	주 소
100	서울	한우물및주변산성지	통일신라	금천구 시흥동 산93-2

좌 표

경 도	위 도
126-55-16.37	37-26-43.82

101. 호암산성지(虎巖山城址)

소 재 지 서울특별시 금천구 시흥동 산93-2
시 대 통일신라/발해시대
유적분류 유형문화재 〉 유적 〉 정치국방유적 〉 성곽 〉 산성

해발 476m의 벽산타운아파트 뒤 삼성산의 정상부이다.

城內는 북동~남서쪽으로 긴 장타원형이며, 고저차는 크지 않다. 성벽의 길이는 1,440m, 성내 면적은 62,714㎡이며, 표고 310~320m 내외의 능선을 따라 연결된 테뫼식 산성이다. 주로 산성의 동쪽 부분만 석축을 하였다. 성벽의 아래는 큰 석재를 쌓고 위로 올라가면서 작아지게 '臣'字形 들여쌓기를 하였다. 외벽만을 석축하고 내부는 片築 혹은 內托法을 사용하였다.

유구는 통일신라시대의 蓮池 2개소·建物址 4개소·門址로 추정되는 곳 1개소가 있으며, 조선시대의 蓮池 1개소와 石獸像 1기가 있다. 성내 건물지는 시기와 규모를 달리하는 3기 이상의 건물이 겹쳐서 조성되었다. 제2우물지에서 나온 청동 숟가락에서「仍伐內力只乃末ㅁㅁㅁ」라는 명문이 확인되었다.

[참고문헌] 서울대학교박물관, 1990,「한우물-호암산성 및 연지 발굴조사보고서」.

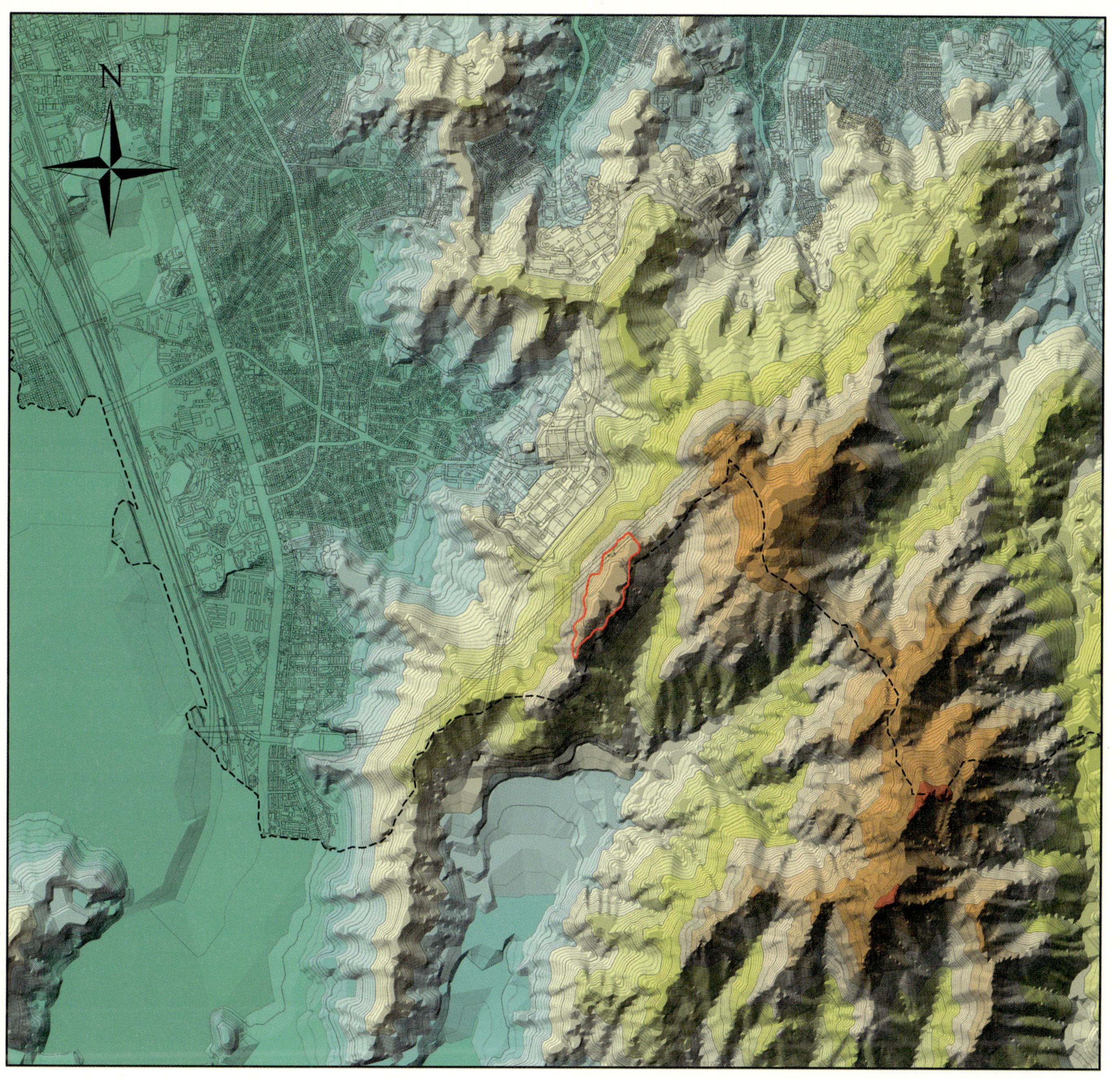

범 례

일련번호	지 역	유 적	시 대	주 소
101	서울	호암산성지	신라/ 통일신라	금천구 시흥동 산83-1

좌 표

경 도	위 도
126-55-15.19	37-26-42.11

102. 동작구 동작동 지장사 (銅雀區 銅雀洞 地藏寺)

소 재 지 서울특별시 동작구 동작동 305
시　　대 통일신라/발해시대
유적분류 유형문화재 〉 건축물/건축물군 〉 종교건축 〉 불교건축(사찰)

국립현충원 내 자리하고 있는 사찰이다. 통일신라시대 말에 道詵國師가 창건하였다고 한다.

대웅전에 아미타삼존불과 그 좌우에 阿彌陀會上圖(서울시 유형문화재 제114호)·甘露王圖(서울시 유형문화재 제116호)·極樂九品圖(서울시 유형문화재 제115호)·神衆圖(서울시 유형문화재 제118호)를 봉안하였다. 三聖閣에는 치성광여래상을 중심으로 七星圖(서울시 문화재자료 제5호)·獨聖圖(서울시 문화재자료 제6호)·山神圖(서울시 문화재자료 제7호)를 봉안하였다. 能仁寶殿은 철불좌상을 중심으로 관음보살과 대세지보살이 脇侍하고 있고, 後佛幀畵(서울시 문화재자료 제3호)·神衆圖(서울시 문화재자료 제4호)가 봉안되어 있다. 이외에도 掛佛(서울시 유형문화재 제113호)·地藏十王圖(서울시 유형문화재 제117호)·現王圖(서울시 유형문화재 제119호)·八相圖(서울시 유형문화재 제120호) 등이 있다.

[참고문헌] 사찰문화연구원, 1994, 『전통사찰총서4-서울』.
서울특별시사편찬위원회, 2003, 『서울의 문화재』 3.

범 례

일련번호	지 역	유 적	시 대	주 소
102	서울	동작동 지장사	통일신라	동작구 동작동 305

좌 표

경 도	위 도
126-57-51.43	37-29-54.72

103. 영등포구 당산동3가 당산동 유적지 (永登浦區 堂山洞3街 堂山洞 遺蹟址)

소 재 지 서울특별시 영등포구 당산동3가 370-4
시 대 선사시대
유적분류 유형문화재 〉 유적 〉 민속유적 〉 제사유적 〉 제의유적

지하철 2호선 영등포구청역과 지하철 5호선 영등포구청역 사이의 영등포구청 별관, 인곡빌딩, 영등포경찰서 당산지구대, 당산근린공원 일대이다.

일제강점기 영등포구 당산동에 있던 영등포공업학교(현 영등포구청 별관) 부근에서 細形銅劍 1점과 銅鑿 2점이 출토된 것으로 전한다. 세형동검은 길이 31.3㎝, 중앙부 너비 2.55㎝, 중앙부 두께 1.1㎝로 단면은 능형을 띠고 있다. 동착은 동일한 형식으로 大·小 2개가 있다. 큰 것은 길이 10.7㎝, 공부 직경 1.85㎝, 인부 폭 1.2㎝, 작은 것은 길이 7.4㎝, 공부 직경 1.5㎝이다. 숭실대학교박물관 초대관장을 지낸 김양선의 기증품으로 숭실대학교박물관에서 소장하고 있다.

[참고문헌] 榧本杜人, 1980,「朝鮮の考古學」, 同明舍.
국립중앙박물관, 1992,『한국의 청동기문화』, 범우사.

0　　0.5　　1 km

범 례

일련번호	지 역	유 적	시 대	주 소
103	서울	당산동 유적지	선사시대	영등포구 당산동3가 370-4

좌 표

경 도	위 도
126-53-42.68	37-31-30.61

104. 구로구 천왕동 유물산포지5 (九老區 天旺洞 遺物散布地5)

소 재 지 서울특별시 구로구 천왕동 산13-1
시 대 선사시대
유적분류 유형문화재 〉 유적 〉 유물산포지

지하철 7호선 천왕역을 지나면 연세사회복지관이 나온다. 복지관 뒤편 개웅산의 정상부에서 남서쪽으로 뻗어 내린 두 갈래의 구릉 말단부와 골짜기이다.

구릉 남쪽으로는 농경지이고, 동남쪽으로는 안양천의 지천인 목감천이 흐른다. 일직선으로 길게 늘어선 연지마을 주택가의 구릉 동쪽 사면과 주택가 북쪽의 구릉 일대에서 청동기시대의 무문토기편이 수습되고, 주택가 서쪽의 맞은편 구릉 일대에서도 무문토기 저부편이 수습되었다. 입지 여건과 지형 및 수습 유물로 볼 때 청동기시대 생활 유적이 분포하였을 가능성이 매우 높다.

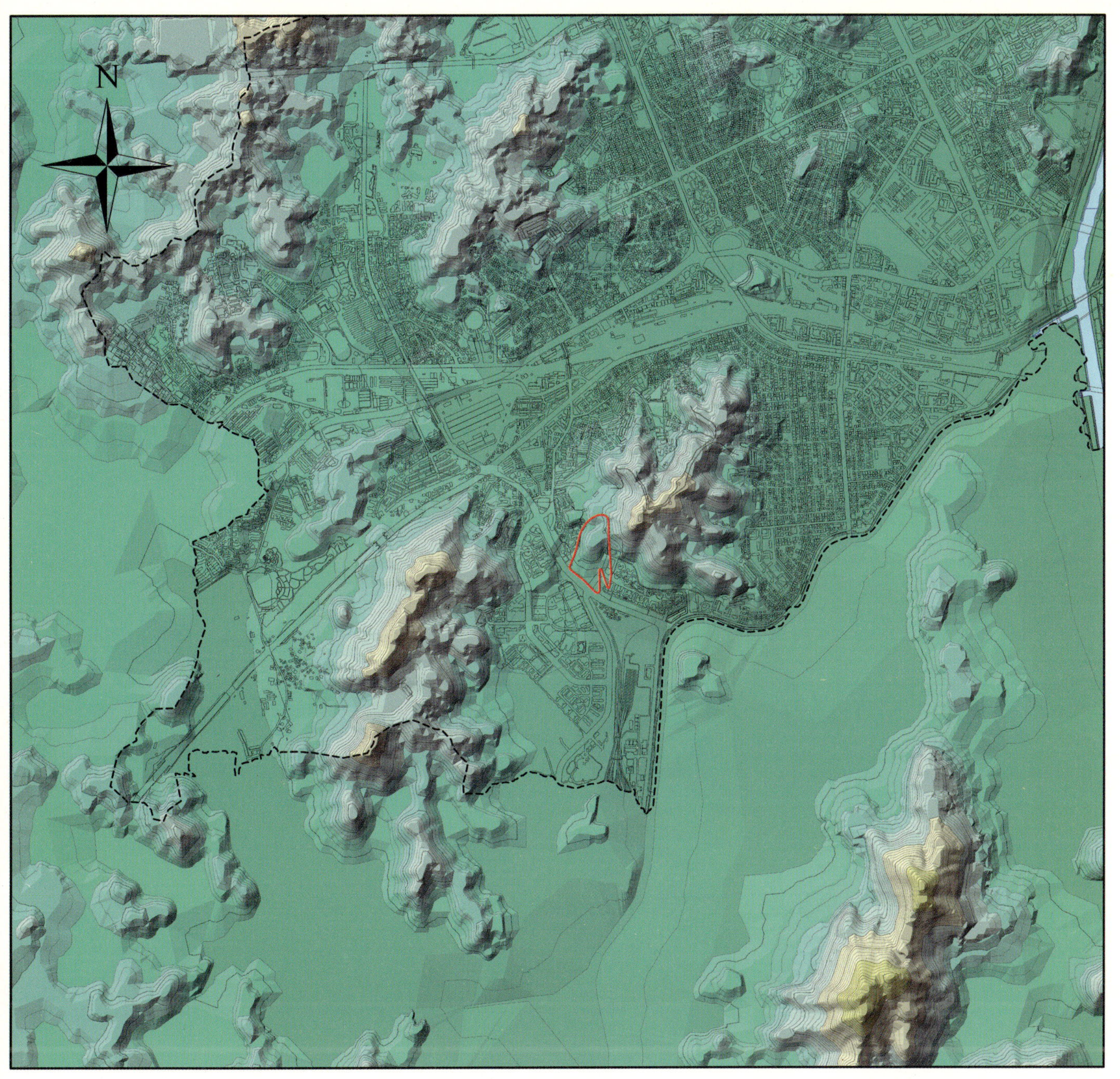

범 례

일련번호	지 역	유 적	시 대	주 소
104	서울	천왕동 유물산포지5	선사시대	구로구 천왕동 산13-1

좌 표

경 도	위 도
126-50-28.70	37-29-8.08

105. 구로구 오류동 진주류씨 묘역 (九老區 梧柳洞 晋州柳氏 墓域)

소 재 지 서울특별시 구로구 오류동 산43-31
시 대 1) 통일신라/발해시대 2) 조선시대
유적분류 유형문화재 〉유적 〉무덤유적 〉고분 〉분묘군

경인로 동부제강 사거리에서 7호선 천왕역으로 가면 동보아파트가 나오는데, 그 서편에 있다. 묘역 입구에 柳順汀 神道碑가 있고, 우측에 菁川府院君 順汀과 配位인 安東權氏 묘가, 서쪽에 泓·焞·重光·師弼 묘가 있다. 묘역 중앙에는 柳泓 神道碑와 柳師弼 墓碣이 있다. 묘갈에는「有明朝鮮國通訓大夫行溫陽郡守洪州鎭營兼兵馬同僉節制使柳公墓碣銘并序」라고 새겼다. 입석 연대는「萬曆元年二月日立」(1573년, 선조 6)이고, 크기는 옥개석 110×65×36.5㎝, 비신 64×148×21.5㎝, 비좌 118×66 ×56㎝이다. 주변에서 청자편·경질도기편·선형문 기와편이 수습되는데, 기와는 통일신라시대의 양상을 띤다.

[참고문헌] 서울특별시, 2000,『서울金石文大觀』3.
晋州柳氏世譜編纂委員會, 1986,『晋州柳氏世譜』.

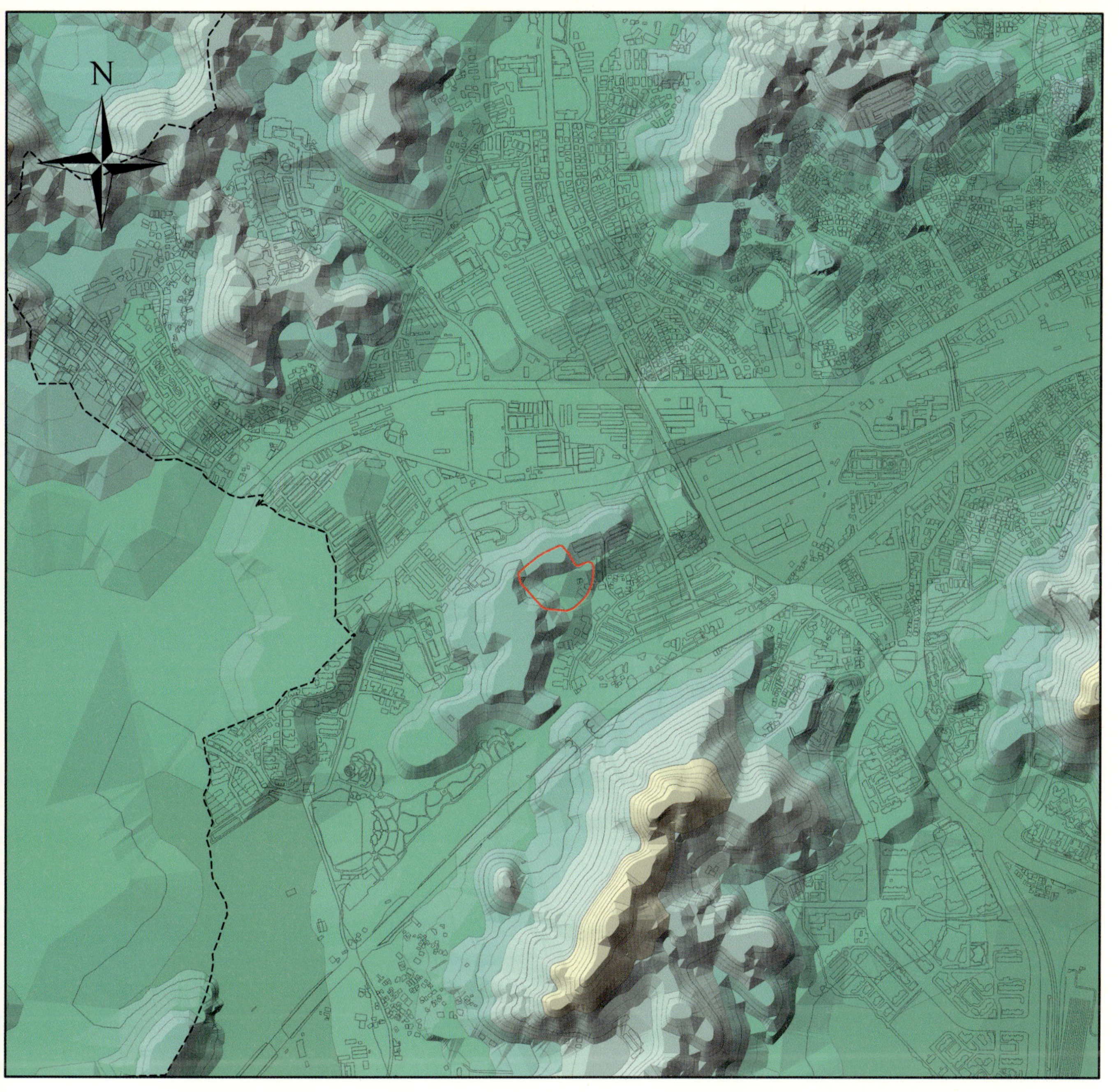

범 례

일련번호	지 역	유 적	시 대	주 소
105	서울	오류동 진주류씨 묘역	통일신라	구로구 오류동 산43-31

좌 표

경 도	위 도
126-49-43.88	37-29-22.76

106. 구로구 항동 유물산포지1 (九老區 航洞 遺物散布地1)

소 재 지 서울특별시 구로구 항동 산23-2
시　　대 1) 삼국시대 2) 통일신라/발해시대 3) 고려시대 4) 조선시대
유적분류 유형문화재 〉 유적 〉 유물산포지

경인로 동부제강 사거리에서 천왕동 방향으로 200m 정도 가면 서쪽으로 난 길이 나오고, 이 길의 끝까지 가면 철길이 있다. 이 철길의 북쪽으로 축사가 있는 곳이다.

안오리골의 나지막한 야산 남쪽 구릉 일대로 지금은 밭 경작지와 사육장으로 이용하고 있다. 유물은 사육장과 밭의 경계 부근에 집중적으로 분포한다.

수습된 유물 대부분이 조선시대 백자편과 연질도기편이나, 삼국시대 從集線紋 打捺의 회청색 경질토기편도 있다. 입지 여건이나 채집 유물들로 미루어 보아 조선시대 생활 유적이 존재하였을 가능성이 있다. 또한 삼국시대 주거·분묘 유적도 남아 있을 가능성도 있다.

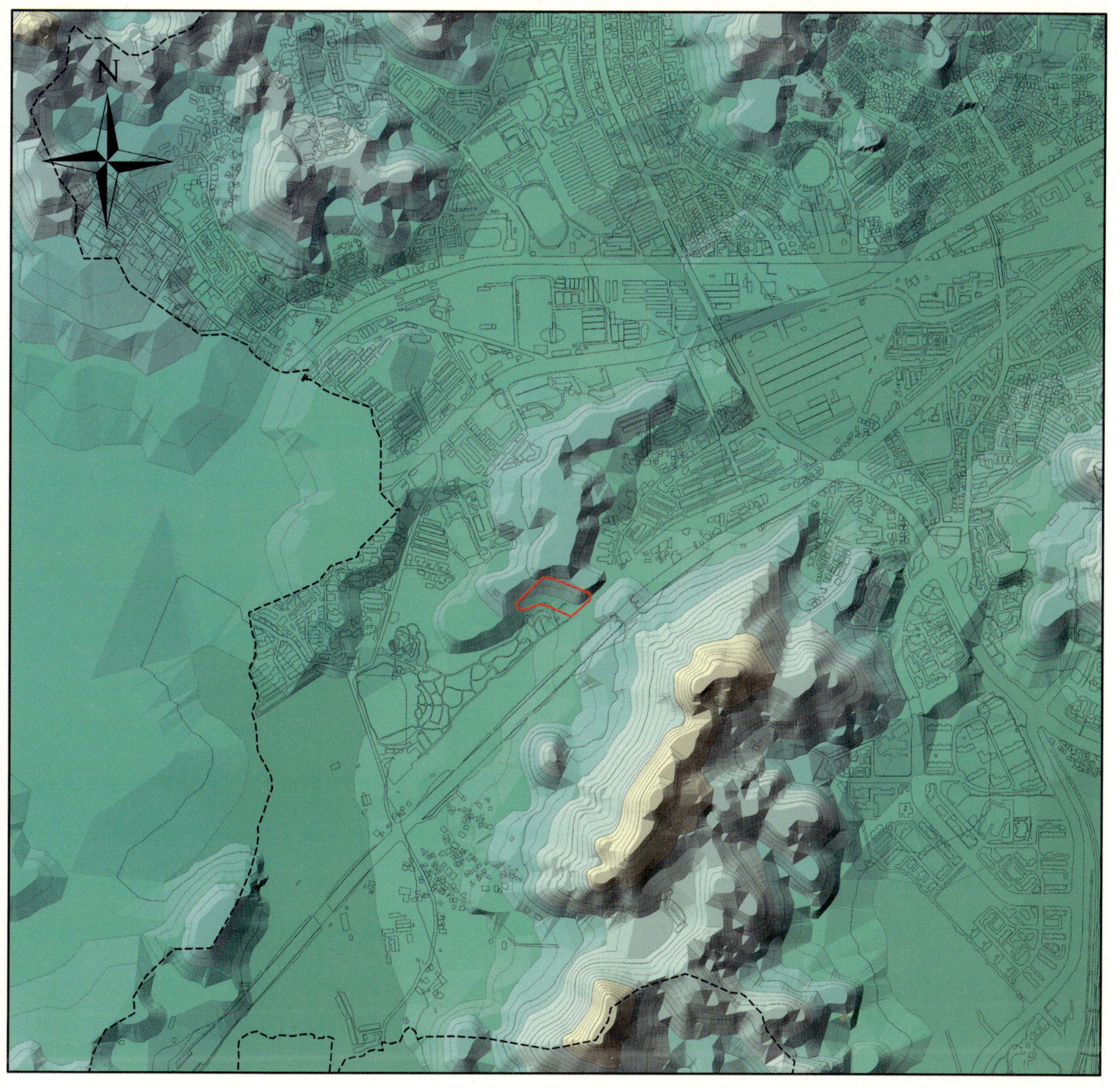

0 0.5 1 km

범 례

일련번호	지 역	유 적	시 대	주 소
106	서울	항동 유물산포지1	삼국~조선	구로구 항동 산23-2

좌 표

경 도	위 도
126-49-38.86	37-29-11.88

107. 구로구 항동 유물산포지2 (九老區 航洞 遺物散布地2)

소 재 지 서울특별시 구로구 항동 18-2

시 대 1) 삼국시대 2) 통일신라/발해시대 3) 고려시대 4) 조선시대

유적분류 유형문화재 〉 유적 〉 유물산포지

성공회대학교 오른쪽 길로 400m 정도 가면 골프 연습장이 나온다. 이곳의 남쪽 구릉 일대이다. 굴봉산 맞은편의 나지막한 구릉 지대의 서쪽 말단부로 남쪽으로는 항동저수지가 있다.

지금은 밭으로 이용되고 있다. 유물은 넓은 밭에서 비교적 고르게 분포한다.

수습된 유물은 주로 고려~조선시대의 자기와 도기편인데, 從集線紋이 타날된 회청색 경질토기편도 수습되었다. 유적의 입지 여건 및 채집 유물이 주로 생활 유물임을 미루어 판단할 때 고려~조선시대의 생활 유적이 부존하였을 가능성이 있다. 또한 삼국시대 주거·분묘 유적도 포함되어 있을 가능성도 있다.

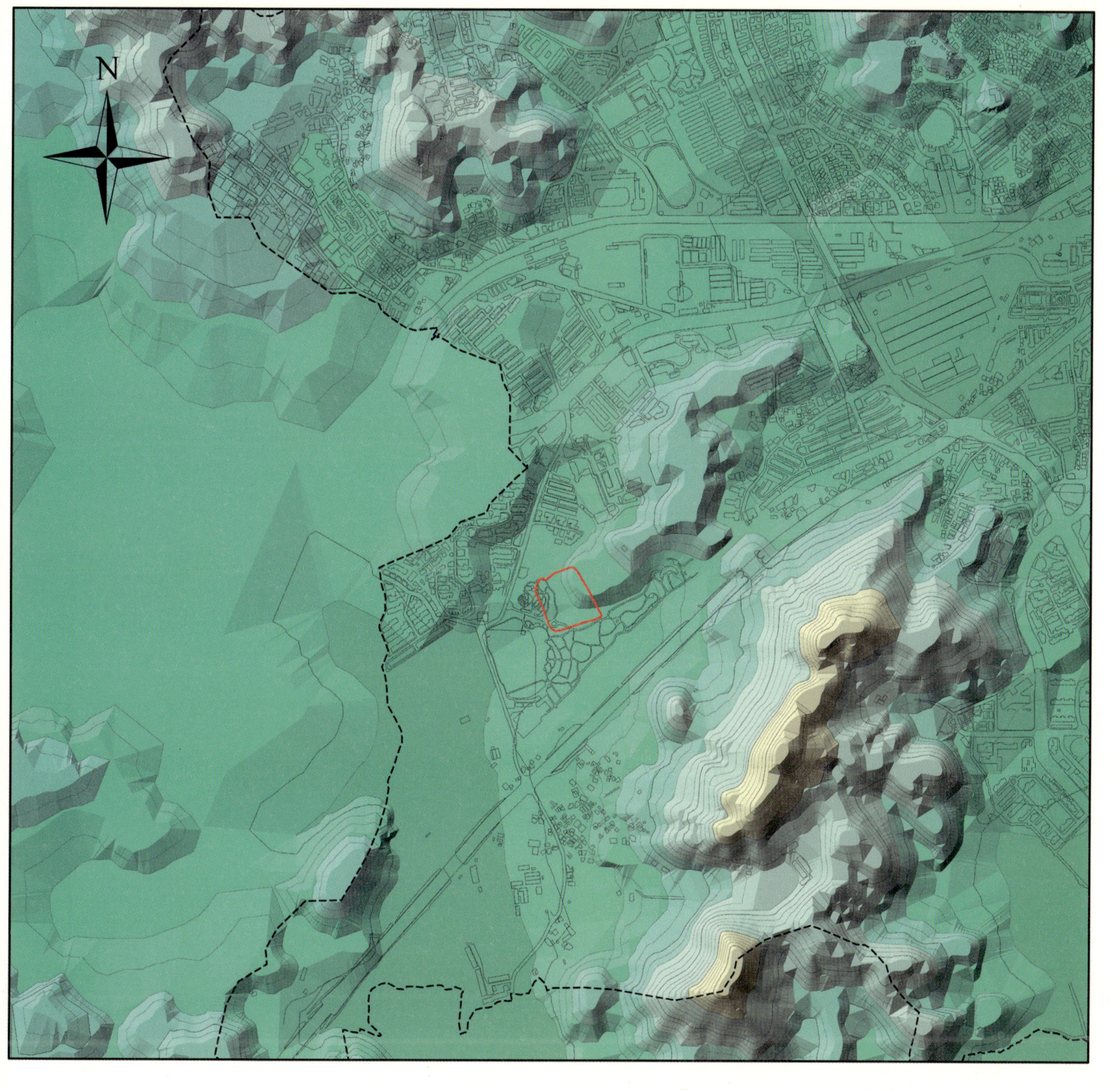

범 례

일련번호	지 역	유 적	시 대	주 소
107	서울	항동 유물산포지2	삼국~조선	구로구 항동 18-2

좌 표

경 도	위 도
126-49-26.91	37-29-8.00

108. 구로구 고척동 유물산포지 (九老區 高尺洞 遺物散布地)

소 재 지 서울특별시 구로구 고척동 1-6
시 대 1) 삼국시대 2) 통일신라/발해시대 3) 고려시대 4) 조선시대
유적분류 유형문화재 〉 유적 〉 유물산포지

함양여씨 묘역 북동쪽의 계남초등학교 길 건너편에 계남공원으로 오르는 등산로가 있다. 등산로 진입 지점에서 남쪽으로 고물상 뒤편에서부터 비탈진 산 바로 아래 지점까지다.

원래는 주택 앞에 작은 텃밭이었다고 한다. 현재는 밭 경작지로도 사용하지만, 주로 산업 폐기물을 쌓아놓았다.

수습된 유물은 토기와 도기·자기 조각이다. 토기 조각은 외반된 구연부로, 구연부 두께가 두툼하고 몸통으로부터 직각으로 꺾여 있다. 도기 조각은 회청색을 띠며 겉면에 격자문이 시문되어 있다. 자기는 백자 조각으로 유백색을 띠는데, 시유 상태가 좋지 못하며 굽 접지면에 모래 받침을 사용한 것이다.

범 례

일련번호	지 역	유 적	시 대	주 소
108	서울	고척동 유물산포지	삼국~조선	구로구 고척동 1-6

좌 표

경 도	위 도
126-51-26.43	37-30-33.36

109. 서울 천왕동 유적

소 재 지 서울특별시 구로구 천왕동 산13-1
시 대 통일신라시대
유적분류 유형문화재 〉 유적 〉 무덤유적 〉 고분

천왕동유적에서 확인된 통일신라시대 석실묘는 모두 3기이다. 조사지역내 하단부의 완만한 사면에 조성되었는데, 해발 고도 36m의 동일한 등고선 상에 위치한다. 각 석실묘간의 간격은 1호와 2호가 5.7m, 2호와 3호는 6m로 거의 동일한 간격으로 배치되어있다. 주향은 정남향에 가깝다. 봉분의 흔적은 확인되지 않았고, 상부시설 또한 파괴되어 정확한 구조는 알 수 없다. 특히 3호는 북동쪽 모서리부분을 중심으로 묘실의 바닥부까지 훼손된 상태였다.

평면형태는 3기가 'ㄱ'자형의 횡혈식석실묘이며, 연도부는 남쪽에 우편재형으로 조성되었다. 측벽은 가공하지 않은 할석과 내부면과 상면을 거칠게 가공한 석재를 사용하여 면을 맞추어 평면 1~2열로 축조하였다.

이러한 석실묘는 형태나 배치양상, 주향, 벽석의 축조방식 등에서 유사하지만, 묘실에서 연도까지 이어지는 암거시설의 유무, 시상대의 축조방식, 추가장의 유무, 출토유물에 따라 다른 양상을 보이고 있다. 즉, 1호·2호는 3호와 전혀 다른 양상을 나타낸다.

우선 암거시설은 1호와 2호에서 묘실 북쪽에서 시작하여 잔존하는 연도부까지 남아있고, 3호는 암거가 시설되지 않았다. 1차 시상대는 1호와 2호 묘실 좌측에 장방형으로 마련하였으며, 20㎝ 내외의 할석재를 사용하였다. 반면에 3호

서울 천왕동 3호 석실묘

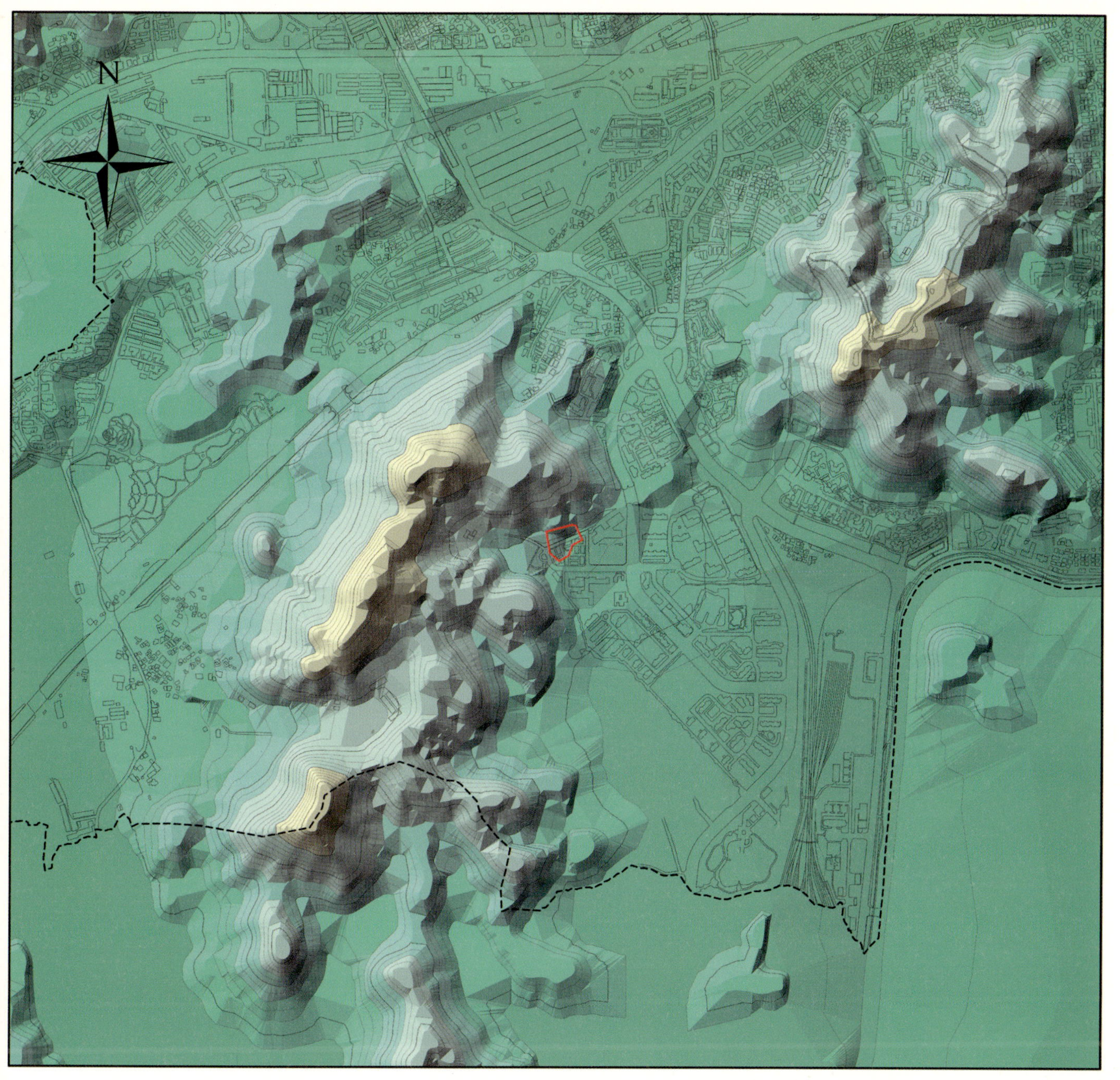

범 례

일련번호	지 역	유 적	시 대	주 소
109	서울	서울 천왕동 유적		구로구 천왕동

좌 표

경 도	위 도
126-50-10.61	37-28-57.09

는 묘실 바닥 전면에 15㎝내의 할석재를 깔았다. 추가장은 1호와 2호에서만 확인되었는데, 묘실 우측 벽면에 붙어 시설하였다. 3호에서는 추가장의 흔적은 없다.

석실묘 출토 토기류는 모두 14점이다. 이중 1호 석실묘에서는 병 1점, 2호 석실묘에서는 소병 2점, 완 10점, 대부완 1점이 확인되었으며, 3호 석실묘에서는 금제이식 등 금속 유물 외에 토기류는 출토되지 않았다.

토기류 중 병은 1·2호 석실묘에서 총 3점이 출토 되었다. 이중 1호 석실묘에서 출토된 병은 경질이며 무문이다. 구연은 상단부 직경이 하단보다 좁아 내측을 향해 사선으로 이룬다. 구연 내면에 턱이 형성되어 있다. 완은 총 11점이 출토되었다. 석실묘에서 출토된 토기류 중 가장 많은 양을 차지하며, 모두 2호 석실묘에서 출토되었다.

천왕동 유적의 토기류는 연질토기가 다른 유적에 비해 비교적 높은 비중을 차지하는 점, 경질토기 중에는 뒤틀린 것이 많은 점, 외반구연 완이 출토되는 점 등에서 다른 통일신라 요지보다 용인 성복동 통일신라 요지의 토기류와 비슷한 양상을 보인다. 따라서 천왕동 유적의 토기류는 성복동 요지와 시기적으로 비슷할 것으로 생각되며, 시기적으로 인화문 토기가 쇠퇴하고 고려도기로 넘어가는 단계의 것으로 생각된다. 출토된 토기가 대부분 무문이거나 무늬가 쇠퇴한 점은 이를 뒷받침 한다. 따라서 시기는 9세기 경으로 생각된다.

서울 천왕동 3호 석실묘 출토유물

서울 천왕동 석실묘 출토유물

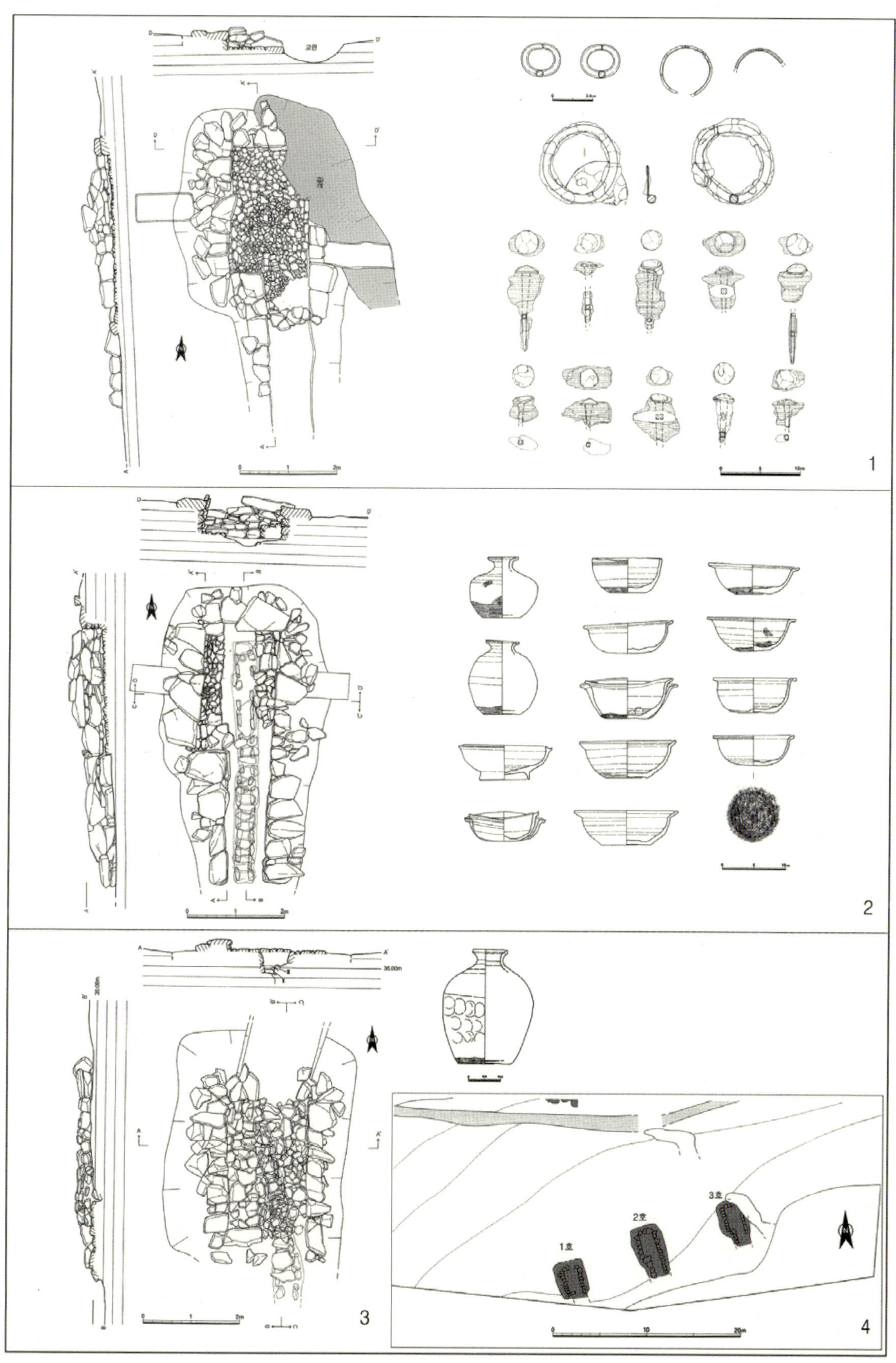

1. 3호분 2. 2호분 3. 1호분 4. 유구 분포도

110. 양천구 신정동 신정동토성 (陽川區 新亭洞 新亭洞土城)

소 재 지 서울특별시 양천구 신정동 산106
시 대 1) 삼국시대 2) 고려시대
유적분류 유형문화재 〉 유적 〉 정치국방유적 〉 성곽 〉 산성

신정로 신트리공원앞사거리에서 서부트럭터미널 방향으로 가면 신트리아파트4단지 남서쪽 뒷산에 있다.

백제 초기 토성으로 알려졌으나, 吐具 관련 유구가 확인되지 않아 토성 여부가 불명확하다. 한편 고려의 石槨墓도 나왔는데, 1/3이 파괴된 상태로 석재 바닥 밑에서 청자 대접이 출토되었다. 서남쪽 사면에는 파괴된 석곽과 석재가 확인되었다. 석곽은 거의 유실된 상태로 장축은 등고선 방향이고, 단벽은 판석 하나로, 높이 40~50㎝, 단폭은 48㎝이다. 상석은 평면 장타원형으로 장폭 180㎝, 단폭 50~90㎝로 상면에 작은 홈이 있다.

[참고문헌] 서울대학교인문학연구소, 1998, 『신정동토성 시굴조사 보고서』.

범 례

일련번호	지 역	유 적	시 대	주 소
110	서울	신정동토성	백제	양천구 신정동

좌 표

경 도	위 도
126-50-51.20	37-30-34.97

111. 강서구 화곡동 유물산포지2 (江西區 禾谷洞 遺物散布地2)

소 재 지 서울특별시 강서구 화곡동 산199
시 대 삼국시대
유적분류 유형문화재 〉 유적 〉 유물산포지

화곡동 등서초등학교 북쪽 서북으로 향한 구릉 일대이다. 유물은 植樹를 위해 파 놓은 구덩이에서 집중적으로 수습되었다.

수습된 유물은 연질의 적갈색 혹은 황갈색을 띠는 格子紋·斜格子紋을 타날한 토기편이다. 동체부의 형태로 볼 때 壺인 것으로 보인다. 鳳啼山은 百濟의 烽燧臺址가 있던 것으로 추정되고 북서쪽으로 약 1.2km 떨어진 곳에 陽川古城이 위치하는 등 百濟와의 관련이 깊다. 유적의 입지 여건 및 채집 유물로 판단할 때 삼국시대의 분묘·생활 유적이 남아 있을 가능성이 크다.

범 례

일련번호	지 역	유 적	시 대	주 소
111	서울	화곡동 유물산포지2	백제	강서구 화곡동 산199

좌 표

경 도	위 도
126-51-24.76	37-33-13.30

112. 양천고성지 (陽川古城址)

소 재 지 서울특별시 강서구 가양동 산4-7
시 대 1) 삼국시대 2) 통일신라/발해시대
유적분류 유형문화재 〉 유적 〉 정치국방유적 〉 성곽 〉 산성

사적 제 372호인 양천고성지는 서울특별시 강서구 화곡동 산 4-7번지 일원의 궁산(해발 74.2m) 정상부에 위치한 테뫼식 석축산성이다. 1992년 사적으로 지정된 양천고성은 사적지임에도 불구하고 성의 규모 및 내부시설에 대하여 조사된 바가 없었다.

이에 (재)한얼문화유산연구원에서 2013년 5월부터 2014년 7월까지 2차에 걸쳐 발굴조사 및 시굴조사를 실시하였다. 조사지역은 서울특별시 강서구청에서 추진하는 궁산근린공원 내 양천고성지(사적 제372호) 정비복원부지에 해당한다.

궁산은 지리적으로 한남정맥의 끝자락으로 한강을 만나 맥이 끊기면서 동·서·남쪽은 완만한 경사면을 이루나, 북쪽은 급한 경사를 이룬다. 지정학적으로 한강 하류에 위치하여 고양 행주산성·파주 오두산성과 더불어 삼국시대부터 한강 하구를 지키던 중요한 요충지였다.

정확한 축성의 시기는 알려진 바가 없다. 인근에서 조사된 예나 지정학적 중요성를 통해 한성백제시기부터 축조되었을 것으로 추정하고 있으나 정확한 내용을 증명할 수 있는 증거가 없다. 2002년에 서울역사박물관에서 고성 일대 지표조사를 실시하여 16여 점의 유물이 확인되었다. 수습된 토기편 및 기와편의 편년이 통일신라~고려시대의 유물로 추정할 수 있었다. 일부 유물에서는 백제적인 요소가 눈에 띄기도 하였다.

2013년에 실시한 1차 조사에서는 성벽의 잔존 여부를 파악하기 위하여 총 6개의 트렌치를 설치하는 시굴조사를 진행하였다. 2014년에 실시한 2차 조사에서는 1차 조사에서 확인된 추정 치성부에 대한 발굴조사와 성 내부에 대한 시굴조사를 진행하였다.

범 례

일련번호	지 역	유 적	시 대	주 소
112	서울	양천고성	삼국~통일신라	강서구 가양동 산8-4 외 11필지

좌 표

경 도	위 도
126-50-25.25	37-34-32.27

양천고성은 『삼국사기』 궁예전, 『조선왕조실록』 등의 사서와 『세종실록지리지』, 『신증동국여지승람』, 『대동지지』 등의 지리지, 읍지 등에서 그 존재가 확인되고 있다. 지정학적으로 한강 하류에 위치하여 고양 행주산성·파주 오두산성과 더불어 삼국시대부터 한강 하구를 지키던 중요한 요충지였다.

시굴조사 및 발굴조사를 통하여 양천고성의 남벽구간에 석축산성이 존재함을 확인할 수 있었다. 또한 구간별로 축조방식이 다른 것으로 보아 수차례에 걸친 수·개축을 통하여 오랜 기간 사용했음을 알 수 있다.

치성에 대한 구조를 명확히 파악하였다. 치성의 규모는 측면부가 약 2.3m, 정면부가 약 7.7m이다. 축조방식은 풍화암반층 위에 지대석을 올려놓고, 정면부는 들여쌓기를 하였고, 측면부는 수직에 가깝게 쌓아 올렸다. 측면부와 성벽이 연결되는 부분의 석재가 치석된 양상이 다른데, 이는 일부분만 계단식으로 성벽을 절개한 후 성벽과 맞물려 축조한 것으로 추정된다. 치성과 체성의 사이에 뒤채움을 하였는데 자연할석 및 토양을 함께 사용하여 조성하였다.

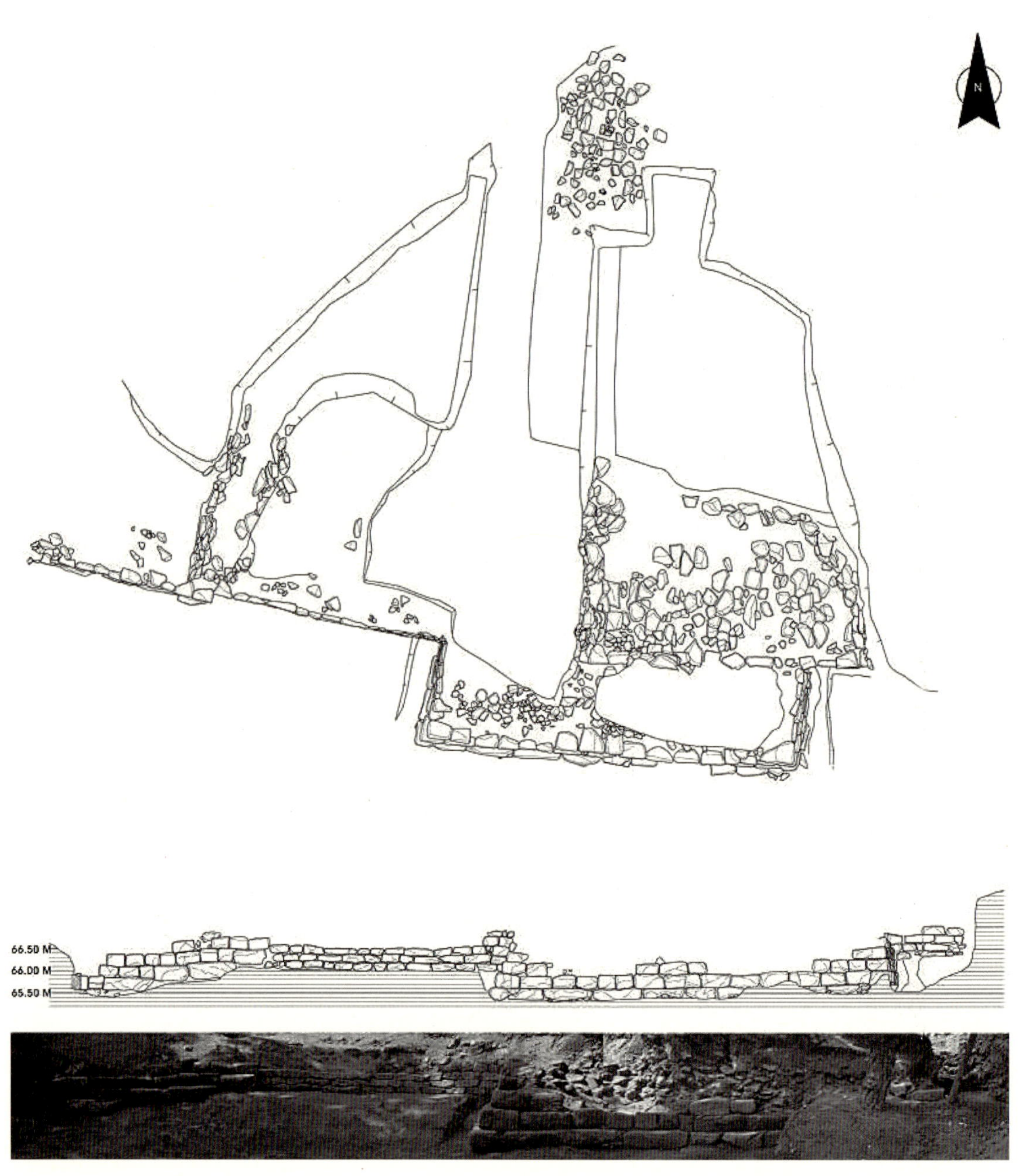

서울시 강서구 양천고성지 2차 발굴조사 및 시굴조사

S = 1/1,200

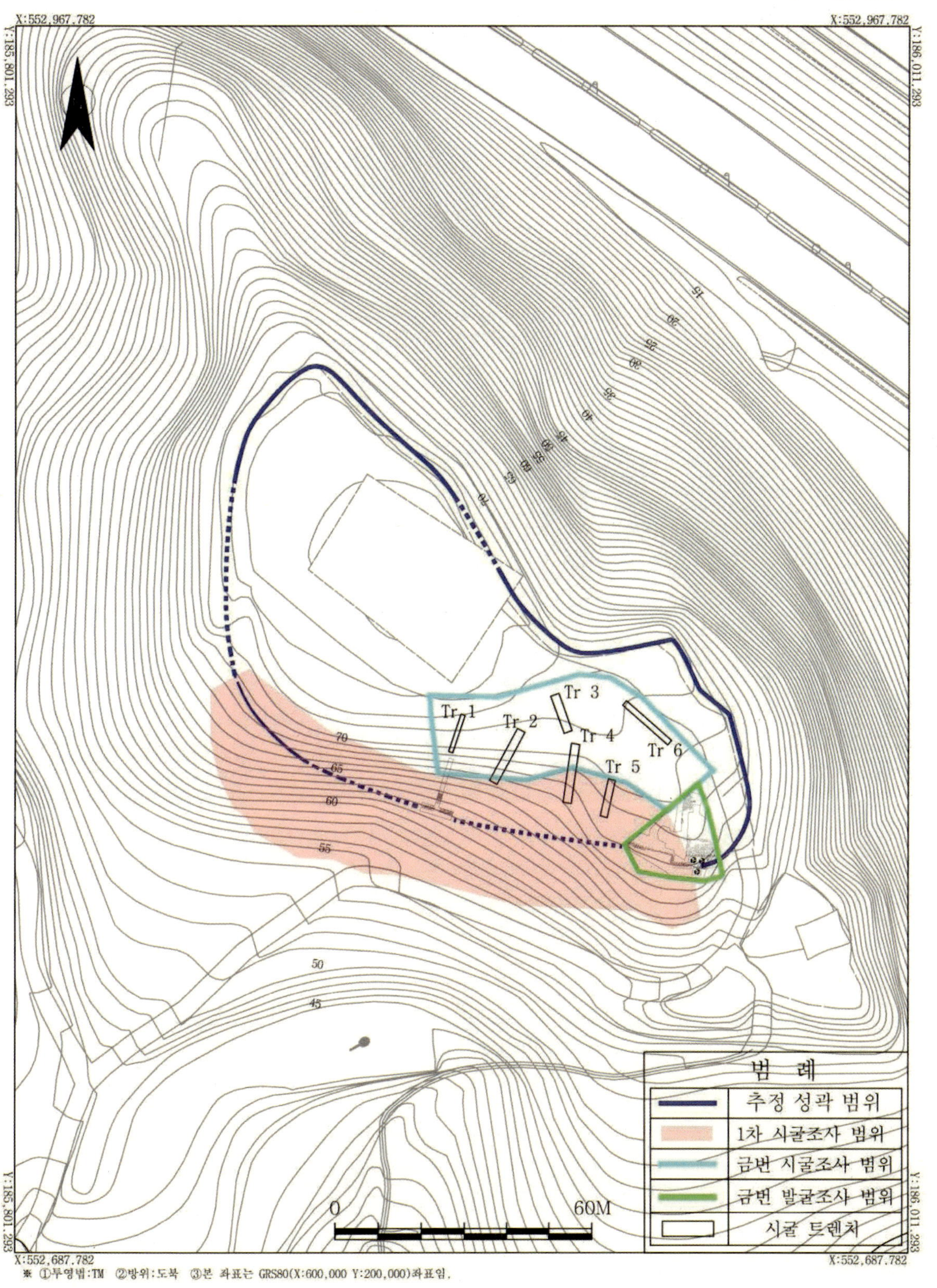

※ ①투영법:TM ②방위:도북 ③본 좌표는 GRS80(X:600,000 Y:200,000)좌표임.

113. 하남 미사리 유적

소 재 지 경기도 하남시 미사동 577번지 등 전지역

시 대 1) 청동기시대 2) 청동기시대 3) 철기/삼한/원삼국시대 4) 삼국시대

유적분류 유형문화재 〉유적 〉생활유적 〉주거유적 〉수혈주거지

경기도 하남시 미사동(渼沙洞)의 한강 하중도(河中島)에 입지한 유적이다. 1960년대 빗살무늬토기 유적으로 처음 알려진 이후 학계의 관심을 받아 오다가 무문토기가 출토되는 층이 빗살무늬토기 출토 층보다 나중에 퇴적된 층위관계가 이 유적에서 처음 알려지면서 당시까지 학계의 통설이었던 빗살무늬토기와 무문토기의 동시기 별계통론을 바로 잡는 계기가 되기도 하였다. 1979년 사적 제269호로 지정·관리되어 오다가 1987~1992년에 걸쳐 1988년 서울올림픽 조정경기장 조성에 따른 하안 정비공사에 수반한 구제조사가 건국대학교·경희대학교·고려대학교·서울대학교·성균관대학교·숭실대학교·한양대학교 등에 의해 실시되어 신석기시대~고려시대에 이르는 유물 및 유구가 확인되었다.

조사결과, 신석기시대 집터는 3기가 조사되었으며, 이 가운데 발굴조사가 이루어진 1호 집터는 평면이 타원형으로 크기는 540×450cm이고, 움의 깊이는 42cm이다. 집터 안에서는 벽면을 따라 약 100cm 간격으로 기둥구멍의 흔적이 조사되었지만, 그 흔적은 표면에 약간 나타날 뿐 뚜렷하지 않다. 집터 안에서 찾아진 빗살무늬토기는 몸통과 입술부분인데 무늬는 빗살무늬를 비롯하여 점줄무늬·물고기 등뼈무늬 등이 새겨져 있었다. 그리고 신석기시대 후기의 것으로 여겨지는 움도 2기가 조사되었다.

2호는 125×135cm 크기의 원형으로 깊이는 30cm쯤 되며, 이곳에서는 빗금무늬와 가는 물고기 등뼈무늬가 새겨진 빗살무늬토기조각을 비롯하여 화살촉, 그물추 등이 출토되었다. 3호는 145×45cm 되는 긴 타원형이며 가는 빗금무늬가 새겨진 토기조각과 뚜르개 계통의 석기가 찾아졌다.

이곳에서 발굴된 신석기시대 토기의 경우 입술부분에 빗금무늬를 새기고 그 바로 아래에 점줄무늬를 한줄 돌려 전체적으로 토기의 무늬가 입술부분에만 있는 것처럼 보이는 것이 찾아졌다. 석기는 돌도끼를 비롯하여 돌차살촉, 그물추, 갈돌과 갈판, 둥근 석기, 숫돌, 공이 그리고 찍개와 격지 등의 뗀석기가 있다.

청동기시대 집터는 모두 37기이며, 집터 옆에서 작은 움이 30기 찾아졌다. 집터의 크기는 비교적 다양한 편인데 길이가 2.5~9.5m이고 넓이는 13.5㎡~65㎡로 그 쓰임새와 가족의 구성원에 따라 차이가 있었던 것 같다. 발굴조사 결과 움의 깊이는 50~70cm로 밝혀져 반 움집의 주거 형태를 이루고 살림을 꾸렸으며, 기둥구멍자리는 뚜렷이 확인되지 않았다. 그러나 집터 벽의 가장자리를 자세히 보면 70~80cm의 간격으로 얕은 기둥구멍의 흔적이 있거나, 벽 바로 옆의 집터 위쪽에 2~3cm 길이의 눌린 자국이 있어 일부는 기둥구멍으로 여겨진다. 그리고 집터 옆에서 작은 움이 많이 찾아졌다. 움의 평면 생김새는 타원형이 제일 많고 원형·네모꼴등이 있다. 크기는 지름 250cm 안팎이며 깊이는 10~30cm쯤 된다. 미사동 유적에서는 민무늬토기를 비롯하여 붉은간토기·검은간토기 구멍무늬토기·덧띠토기·덧띠새김무늬토기 등이 발굴조사에서 출토되었다.

유적에서 찾아진 초기 삼국시대 유구는 움집터(수혈주거지)와 저장움 등이 있다. 움집터는 평면 생김새에 따라 크게 네가지로 나누어 볼 수 있다. 첫번째로 원형 또는 타원형이며, 크기는 3m 안팎으로 비교적 작은편이다. 둘째는 네모꼴이나 긴 네모꼴이며 집터 안에 강자갈을 깔아서 만든 화덕자리가 있는 점이 특이하다. 셋째는 네모꼴집터로 남쪽에 출입구가 있는 凸자 모양이다. 민무늬토기와 타날문 토기, 철제유물이 발견되기도 하였다. 넷째는 몸자 모양으로 네모꼴 집터의 남쪽에 또 다른 출입시설이 있다.

그 가운데 한양대학교 박물관이 조사한 A-1호 주거지에서는 중도식토기와 함께 방제경(倣製鏡)이 확인되어 한강유역의 초기 삼국시대 토기 편년에 매우 중요한 근거 자료가 되고 있다. 숭실대학교박물관 조사지역에서는 방형 환호 내

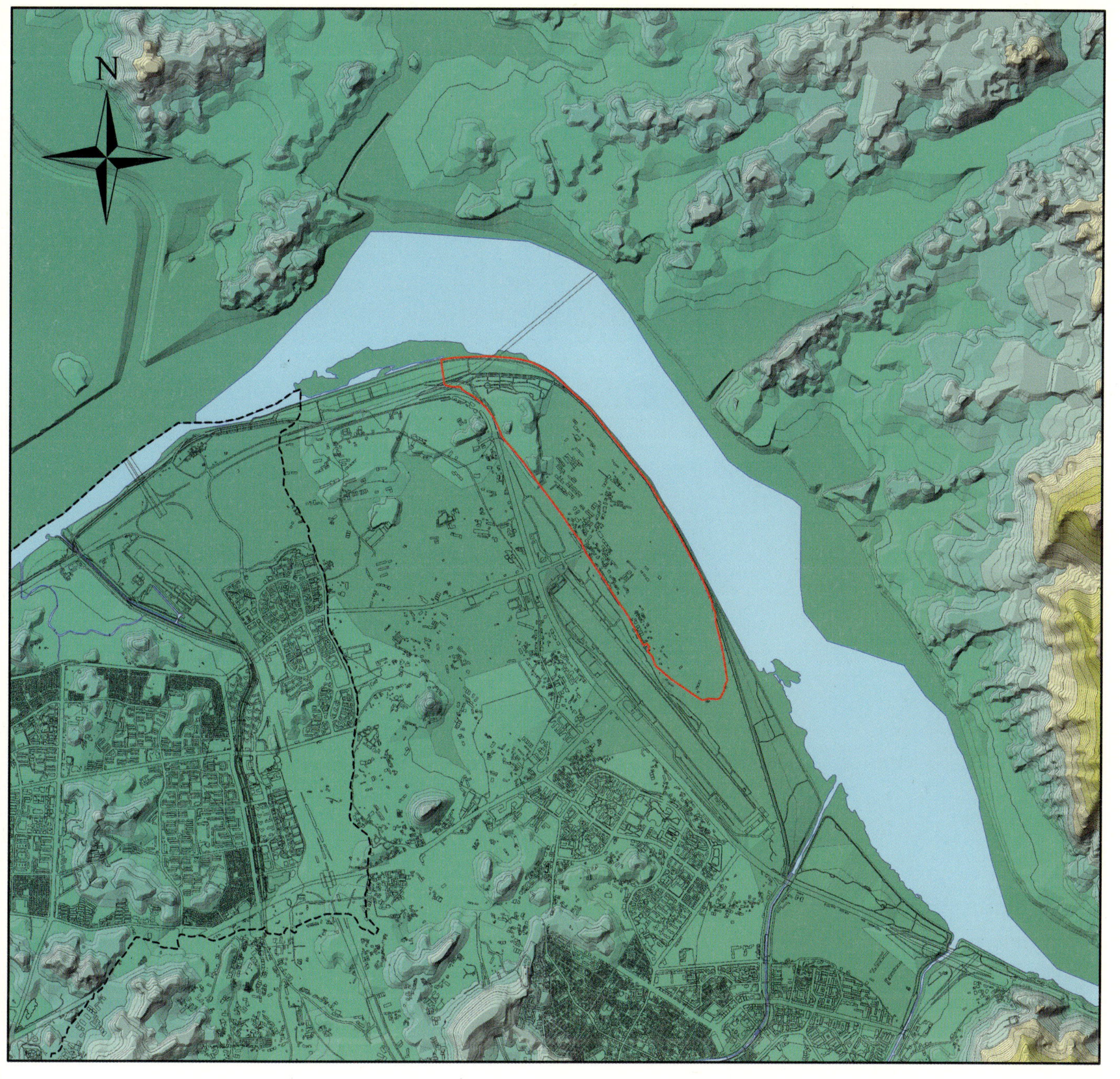

범 례

일련번호	지 역	유 적	시 대	주 소
113	하남	미사리유적	초기철기/ 원삼국/ 백제	하남시 미사동 일원

좌 표

경 도	위 도
127-12-14.26	37-34-27.16

부에 대형 주거지 및 고상가옥 등이 배치된 지배자의 거주 공간으로 추정되는 시설도 확인되어 초기 삼국시대의 사회 복합도를 파악하는 데에 중요한 자료가 되기도 한다.

백제시대 유구는 움집·저장움·고상식 건물·도랑유구 그리고 밭 등이 있다.

남쪽지역에서 발견된 토기는 그 종류가 상당히 다양하며, 북쪽지역에서는 단지·독이나 장란형 또는 심발형 토기가 주로 출토되었다.

한편, 2001년에는 사적지로 지정된 주변을 시굴조사하였는데, 그 결과 초기 삼국시대 집터 1채와 신석기시대의 화덕자리, 청동기시대의 도랑유구, 고상건물지 등이 찾아지기도 했다.

[참고문헌] 渼沙里先史遺蹟發掘調査團, 1994, 『渼沙里』 第1卷~ 第5卷.

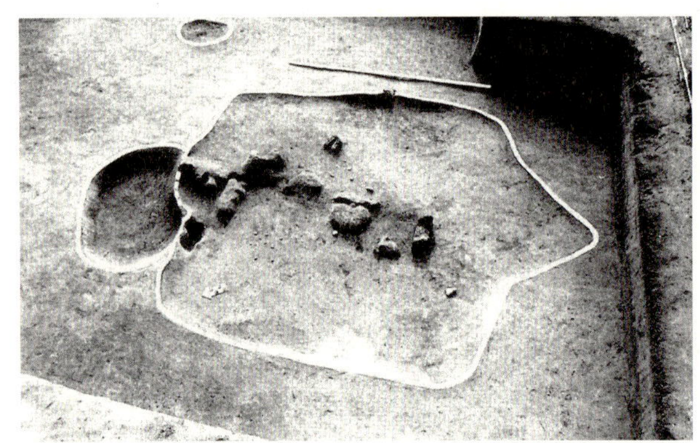

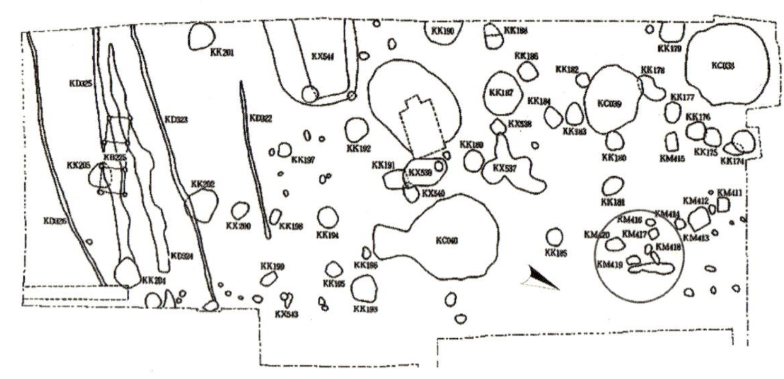

하남 미사리 유적 B지구 유구 배치도

하남 미사리 유적 B지구 전경

미사리 한양대 A-1호 주거지 출토 유물

미사리 한양대 A-1호 주거지 모습

114. 구산토성(龜山土城)

소 재 지 경기도 하남시 풍산동
시 대 삼국시대
유적분류 유형문화재 〉 유적 〉 정치국방유적 〉 성곽 〉 산성

강동구 강일동과 경계를 이루는 하남시 망월동 벌판의 해발 49.5m 구산(龜山)에 있다. 약 200m에 이르는 토성이 있었다고 전하는데, 현재는 머리부분이 잘려 나갔다. 북쪽 사면은 가파르며 그 아래에는 미사리 선사유적지가 보인다. 동남으로는 검단산과 객산이 보이고 남으로는 이성산성이 보이며 강 건너 서북쪽으로는 수석리토성 서쪽으로는 아차산성이 보이는 곳으로 온조왕 때에 쌓은 것을 고구려의 침공에 대비하여 책계왕이 수리하였으며, 개로왕 때에는 이곳에서 검단산 좌측의 창우리까지 방죽을 쌓았던 곳으로 하남위례성의 북쪽을 담당하는 마지막 보루임을 알 수 있다.

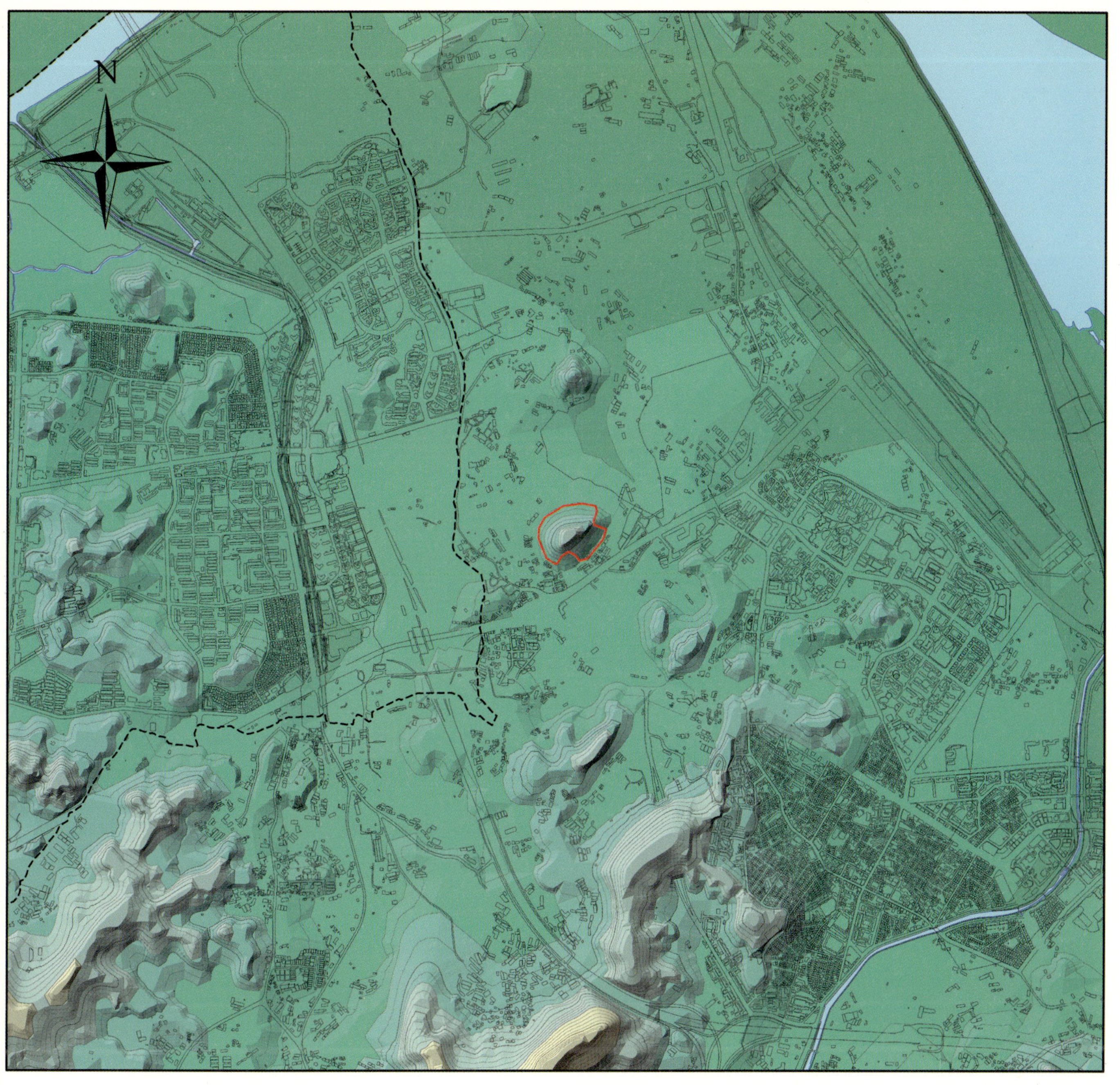

범 례

일련번호	지 역	유 적	시 대	주 소
114	하남	구산토성지		하남시 풍산동

좌 표

경 도	위 도
127-11-16.11	37-33-11.16

115. 덕풍동 수리골 유적

소 재 지 경기도 하남시 덕풍동 산33-8번지 등
시 대 1) 청동기시대 2) 철기/삼한/원삼국시대 3) 삼국시대 4) 통일신라/발해시대 5) 고려시대 6) 조선시대
유적분류 유형문화재 〉유적 〉생활유적 〉주거유적 〉수혈주거지

경기도 하남시 덕풍동 산33-8 일대, 이성산성 북쪽 사면에 위치한다. 1·2차에 걸쳐서 청동기시대 바위 제사유적·주거지 4기 등과 함께 원삼국~백제의 토광묘 2기, 신라 석실묘 3기·석곽묘 15기 등이 발굴조사되었다. 분포조사 결과 주변에는 약 50여 기의 고분이 대규모 고분군을 이루고 있는 것으로 확인되었다.

토광묘는 2호 주거지와 중복되어 있는데, 장축 방향이 북서-남동쪽이고 길이는 250㎝, 너비는 100㎝이다. 토광 안에서는 목관의 흔적이 희미하게 관찰되었고, 출토된 유물은 원저단경호와 심발형토기 각 1점, 철도자 1점 등이 있는데, 무덤의 구조와 출토유물 등으로 보아 원삼국시대 후기~백제 초기의 고분으로 파악된다.

신라 석실묘와 석곽묘들은 대부분 도굴되거나 파괴가 심하여 정확한 형태와 구조를 알 수 있는 경우가 많지 않다. 석실묘와 석곽묘는 장축이 북동-남서 또는 남-북 방향의 것이 혼재하는데, 등고선과 직교 또는 나란한 방향으로 축조되었다.

석실묘는 방형의 묘광을 파고 그 안에 할석을 이용하여 방형의 석실과 연도를 축조한 횡혈식석실묘이며, 경사면의 아래쪽인 남쪽에 연도가 설치되어 있다. 석실 벽은 바닥에 큼직한 할석을 횡수적하고 그 위단부터는 할석을 종평적하여 축조되었다. 벽석을 쌓은 틈에는 작은 할석을 끼워서 메웠다. 석실 규모는 길이 260㎝ 내외, 너비 240㎝ 내외이다. 경사면 아래쪽인 남벽에는 중앙부에 연도가 부설되었는데 연도의 길이는 90㎝ 내외로 짧은 것이 대부분이며, 입구는 할석으로 폐쇄되었다. 석실의 벽석이 1~3단 밖에 남아 있지 않아 정확한 축조방법을 알기 어렵지만 높은 쪽 부분에만 'L'자형으로 파내고 석실이 축조되었다. 바닥에는 안벽에 횡으로 나란히 잇대어 세장방형의 관대를 설치하였으며, 그 외의 석실 바닥면은 묘광 바닥면 그대로인 것이 대부분이다. 횡혈식석실묘 중에는 2006-1호분과 같이 평면 형태가 장방형이며 개석이 남아 있는 것도 있으며, 석실 북쪽에 연접하여 이 고분과 관련된 제사유구로 추정되는 소형 석곽이 딸린 경우도 있다. 석실의 바닥에서는 유개고배·뚜껑·합 등의 토기류와 관정 등이 출토되었다.

석곽묘는 5기가 조사되었는데 1·3·5호의 잔존상태가 비교적 양호하다. 석곽은 장방형의 묘광을 파고 그 안에 할석을 이용하여 축조되었으며 길이 250㎝ 내외, 너비 170㎝ 내외의 것들이 대부분이다. 상부가 많이 삭평되고, 석곽의 벽석이 2~3단만 남은 것이 대부분이어서 정확한 축조방법을 알기 어려우나 대개 장방형의 묘광을 반지하식으로 파고 그 안에 석곽을 축조한 형태이다. 경사면의 아래쪽인 남쪽 단벽에 횡구부가 설치된 횡구식의 구조가 대부분이며, 추가장이 이루어진 경우가 많다. 석곽 바닥에는 전부 작은 할석을 깔거나, 석곽의 장축 방향과 나란하게 한쪽 장벽에 붙여서 세장방형의 시상대를 만든 경우 등 두 가지 형태가 있다. 1호 석곽묘는 장축 방향이 남-북쪽이며, 길이 232㎝, 너비 128㎝, 높이 39㎝이다. 시상대와 북벽·서벽의 잔존상태는 양호하며, 내부에서 청동과대와 철기·토기편 등이 출토되었다. 3호 석곽묘는 장축 방향이 북동-남서쪽이며, 길이 330㎝, 너비 190㎝, 높이 70㎝이다. 석곽 바닥에는 시상대가 마련되어 있고, 인화문이 찍힌 병과 대부완이 출토되었다. 그 외의 석곽묘들도 남동-북서 또는 남-북 방향으로 등고선과 직교하는 것이 대부분인데, 등고선과 나란하게 축조되어 있는 석실묘의 장축 방향과 차이를 보인다. 석곽묘에서는 유개고배·단경호 등 소량의 토기류가 출토되었다.

횡혈식석실묘와 횡구식석실묘에서 출토된 토기에 차이가 거의 없고 유물 조합상도 거의 같은 것으로 보아 이 두 형식의 고분은 약간의 시기 차이는 있겠지만 거의 같은 시기에 병존했던 것으로 추정된다. 석실과 석곽의 구조, 시상대의 구조, 출토유물 등에서 7세기 대에 신라 세력에 의해 축조된 신라 고분군이었음을 알 수 있다.

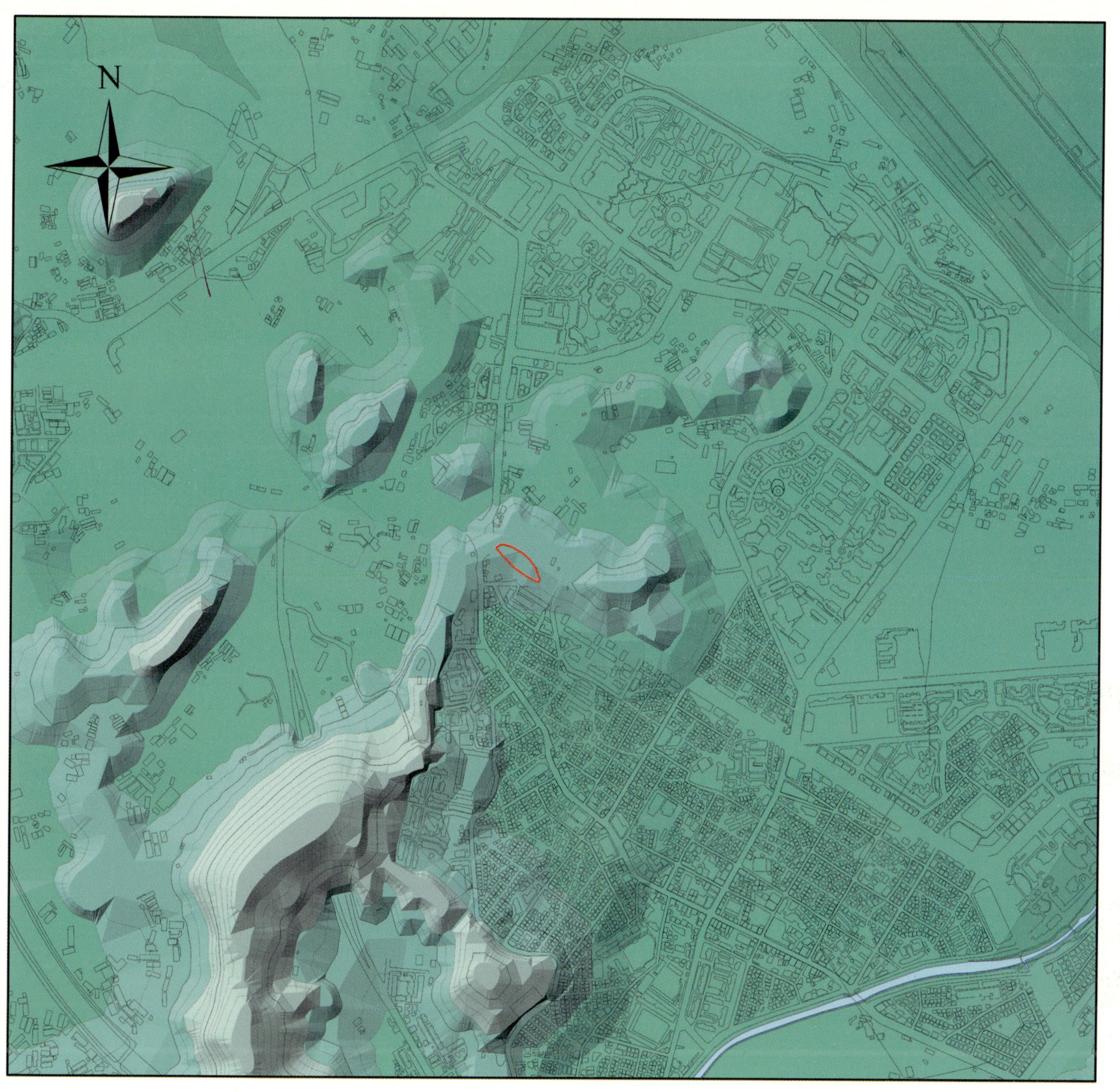

범 례

일련번호	지 역	유 적	시 대	주 소
115	하남	덕풍동 수리골유적	원삼국~백제 한성기/통일신라	하남시 덕풍동 산33-8번지

좌 표

경 도	위 도
127-11-59.68	37-32-45.08

[참고문헌] 기전문화재연구원, 2006,「하남 덕풍동 청동기시대 집터·제의유적 및 고분」,『기전고고』5.
세종대학교박물관, 2006·2007,『하남 덕풍골유적·하남 덕풍골 유적Ⅱ』.
기전문화재연구원, 2007,『하남 덕풍동 수리골 유적』.

116. 덕풍동 산24-4번지 유적

소 재 지 경기도 하남시 덕풍동 산24-4번지 등
시 대 청동기시대 2) 고려시대 3) 조선시대
유적분류 유형문화재 〉 유적 〉 생활유적 〉 주거유적 〉 수혈주거지

이 유적은 2003년 8월부터 11월까지 발굴조사가 이루어졌다.

1지구에서는 청동기시대 집터 1채와 움유구 1기, 석렬유구, 고려시대 토광묘 1기 등이 찾아졌고, 2지구에서는 숯가마와 조선시대 토광묘 등이 발굴되었다.

1지구에서 찾아진 청동기시대 집터는 석렬유구와 중복되어 있었기 때문에 남은 상태가 좋지는 못하였다. 집터는 평면형태가 긴네모꼴(長方形)이고, 생토층인 풍화암반층을 L자 형으로 파고 만들었다. 바닥은 찰흙을 얇게 깔았던 흔적이 있고, 집터 안에서는 민무늬토기와 화살촉(石鏃) 등이 출토되었다. 집터의 크기는 남북 길이 820cm, 동-서 너비 450cm, 깊이 10~25cm이다.

움유구는 집터의 남쪽 옆에 위치하는데, 토광묘가 조성되어 많은 부분이 훼손된 상태이다.

유구는 원형에 가깝고, 집터와 같이 풍화암반층을 파고 만들었으며 민무늬토기와 석기조각이 출토되었다. 크기는 동-서 길이 370cm, 남-북 너비 320cm, 깊이 15~22cm이다.

고려시대 토광묘는 평면 긴 네모꼴이고, 긴 방향이 남-북쪽이다. 묘에서는 고려시대 동전(銅錢) 9점과 단경효 1점, 철제 갈 1점이 출토되었다. 동전중에는 「開元通寶」와 「崇寧重寶」,「大率通寶」등이 있는데, 남은 상태가 좋지 못하다. 묘의 크기는 240×110×120cm이다.

2지구에서 찾아진 유구중 숯가마는 남아 있는 평면형태가 역삼각형이고, 벽체는 높은 열을 받아 단단하다. 굴뚝이나 배연시설은 없었다. 가마의 크기는 길이335cm, 소성실 너비 170cm, 깊이 40cm 정도이다.

조사된 유구 중에서 청동기시대 집터는 덕풍동 수리골 유적의 집터와 같은 시기의 것으로 여겨지므로 서로 비교 연구가 필요하다.

N

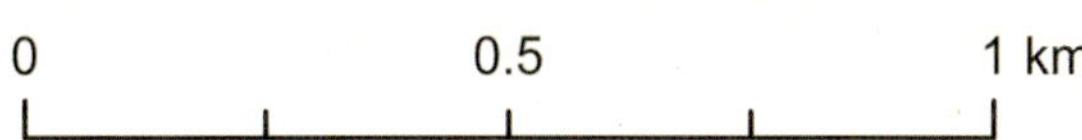

▌범 례

일련번호	지 역	유 적	시 대	주 소
116	하남	덕풍동 산24-4번지 유적	삼국	하남시 덕풍동

▌좌 표

경 도	위 도
127-12-8.41	37-32-38.79

117. 하남 덕풍동 주거지(河南 德豊洞 住居址)

소 재 지 경기도 하남시 덕풍동
시 대 청동기시대 2) 고려시대 3) 조선시대
유적분류 유형문화재 〉 유적 〉 생활유적 〉 주거유적 〉 수혈주거지

경기도 하남시 덕풍2동 산 24-1 일원에 위치한다. 하남 시가지 우회 도로 건설로 인해 2003년 발굴되었다. 조사 결과 집자리[住居址] 2기와 그 밖에 백제시대 이후의 무덤[古墳] 등이 확인되었다. 주변 지형은 해발 50m 정도의 구릉이 동서 방향으로 이어지며, 북쪽으로는 한강이 흐르고 있다. 조사 전 구릉의 서편은 도로 건설로 인해 절토된 상태였으나, 조사대상 지역은 숲이 우거져 비교적 원지형을 유지한 상태였다. 북쪽으로 3㎞ 떨어진 지점에는 미사리유적, 남쪽으로는 광암동고인돌, 이성산성, 교산동건물지 등이 위치한다.

집자리는 유적의 중앙부에 형성되어 있는 곡간부 상의 퇴적층 상부와 구릉 서쪽의 정상부에서 각 1기씩 조사되었다. 장축 방향은 북동 남서 방향으로 모두 동일하며, 바닥의 일부는 점토다짐 되어 있다. 2기 모두 장단비 2.5:1가량의 평면 형태 장방형으로 판단된다.

유물은 구멍무늬토기[孔列文土器] 편, 겹아가리토기[二重口緣土器] 편, 반달돌칼[半月形石刀], 대팻날도끼[扁平偏刃石斧] 등이 출토되었다.

이 유적은 북쪽에 위치하고 있는 미사리유적의 배후 능선에서 집자리가 확인되어 동일 시기의 입지와 변화상을 연구하는 데 중요한 자료로 판단된다.

[참고문헌] 기전문화재연구원, 2002, 「하남 시가지우회도로 확·포장구간 유적 발굴조사 약보고서」.

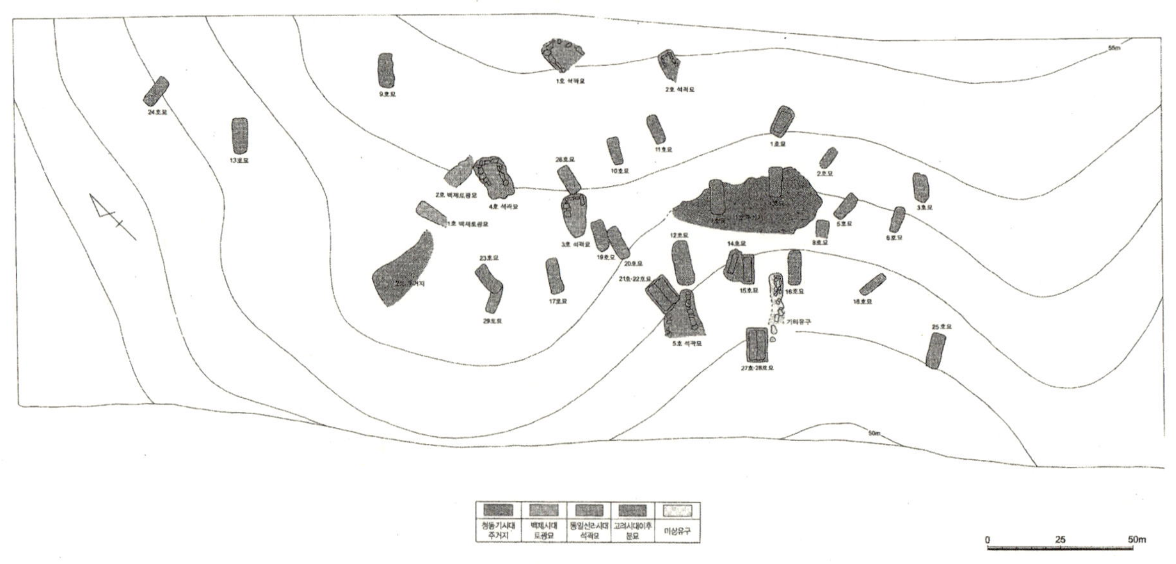

하남 덕풍동 수리골유적 유구배치도

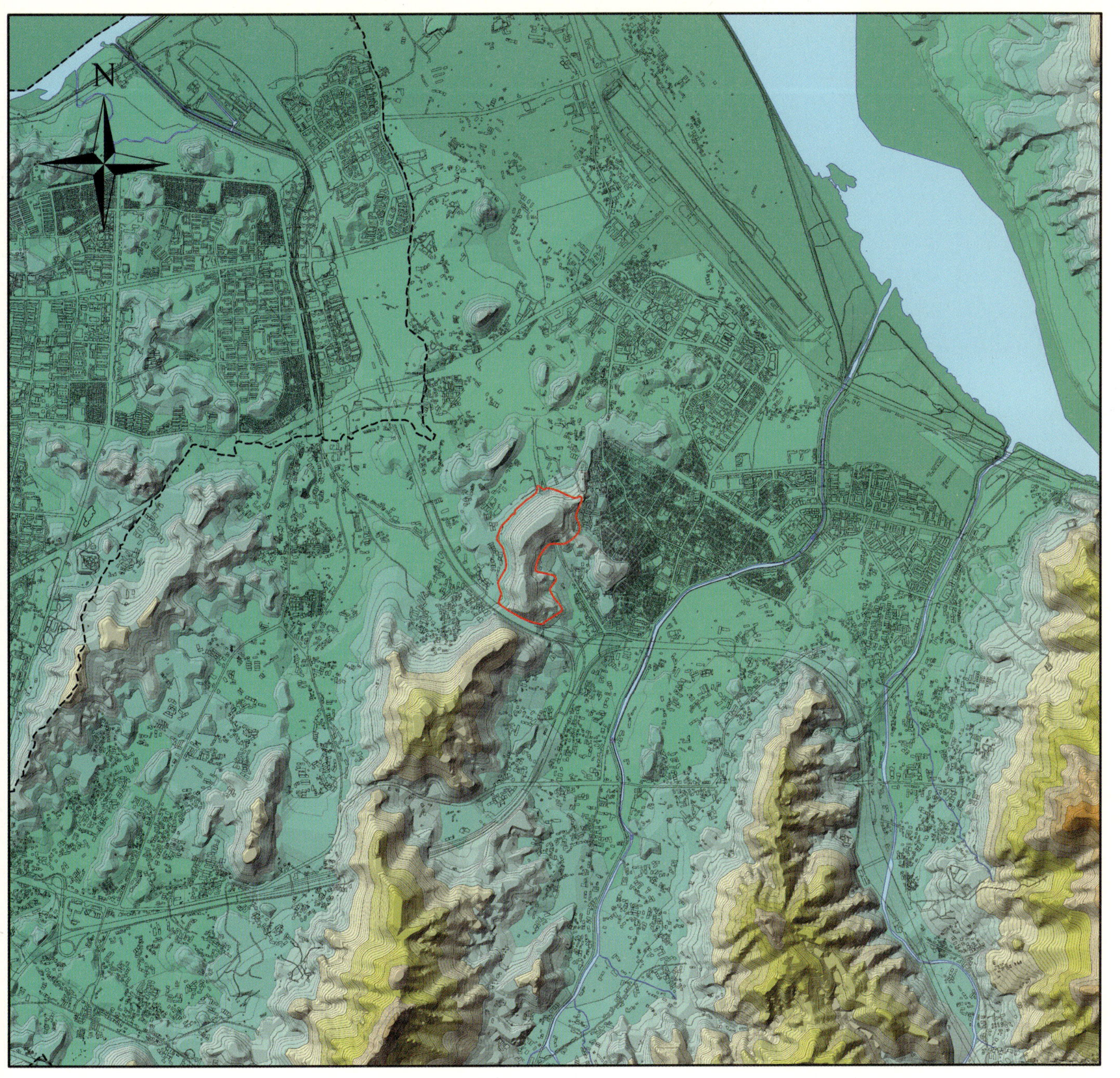

0 1.5 3 km

범 례

일련번호	지 역	유 적	시 대	주 소
117	하남	덕풍골 유적	삼국	하남시 덕풍동

좌 표

경 도	위 도
127-11-31.79	37-32-16.28

118. 하남 이성산성

소 재 지 경기도 하남시 춘궁동 248~292, 547, 587, 산6~7, 산13~15-1, 산17~18-1, 산24-28~30, 산30, 산35~39-1번지 등
시 대 역사시대미상
유적분류 유형문화재 〉 유적 〉 정치국방유적 〉 성곽 〉 산성

이성산성(二聖山城)은 해발 209.8m의 이성산 주봉을 중심으로 북동쪽의 덕풍동쪽으로 길게 뻗어 있는 포곡식(包谷式) 석성이다.

성벽의 총 둘레는 1,665m이고, 자연지형을 따라 축조하였기 때문에 부정형의 사각형에 가까우며 성내부의 면적은 128,890㎡ 정도이다. 1986년부터 2004년까지 한양대학교 박물관에 의해 11차에 걸친 발굴조사가 이루어졌다.

그동안의 조사는 A지구 1·2차 저수지와 B지구 9각 건물지, C지구 건물지·12각 건물지·저수지, D지구 8각 건물지, 남쪽 성벽, 남벽에서 서벽으로 회절구간 성벽, A지구 성벽, I 지구의 동문지와 건물지 등에 대하여 이루어졌다.

조사결과, 성벽은 모두 두 차례에 걸쳐 축성되었고, 축조방법은 내탁법(內托法)으로 축조되었으며 남쪽의 계곡을 가로지르는 부분과 서쪽의 일부, 동벽 구간이 내외협축(內外夾築)으로 축조되었다. 높이는 4~5m이며, 성석(城石)은 편마암 계통으로 보통 20~60cm 크기이다.

성벽에는 북쪽·서남쪽·동쪽·남쪽에 4개의 문이 있었을 것으로 추정 되는데, 특히 동문지가 9차와 10차 발굴조사를 통해 높이3.5m의 현문식(懸門式) 구조를 갖추었고 2차에 걸쳐 보축이나 수축이 이루어 진 것으로 조사되었다. 1차 문지는 측벽간 너비가6.0~6.8m로 성 내부에서 외부로 갈수록 약간씩 벌어지고, 2차 문지는 너비가 3.8m로 대폭 줄었다.

또한, 동문지에서는 등성시설과 치성이 확인되었고, 11차 조사에서 치 상부 건물지와 평탄부 상부 건물지 등이 찾아지기도 하였다. 치성은 1차와 2차 치로 구분되는데, 규모가 1차 치성의 경우 2×13.2×2m, 2차 치성은 3.43×24.5×5.1m로 삼국시대 치성중에서는 가장 큰 것으로 알려졌다.

건물지는 다각형 건물지와 장방형 건물지로 구분되는데, 8각 건물지는 초석이 2열이고, 직경이 880cm이며, 면적은 18.8평이다. B지구 9각 건물지는 중앙에 놓인 1기의 초석을 중심으로 4개의 초석과 9개의 초석 열이 돌려졌다. 건물지의 직경은 1,024cm이며, 면적이 25.4평(약 82㎡)이다. E지구 9각 건물지는 직경이 1,032cm이고 면적이 25.8평으로 조사되었다. 12각 건물지는 초석이 3열로 돌려져 있고, 직경이 1,078cm, 면적이 28.2평(91.2㎡)이다. 출토유물은 편호와 골호, 고배류가 있다.

장방형 건물지는 현재까지 4개 동이 조사되었고, A지구 저수지는 2차에 걸쳐 축조되었음을 알 수 있었다. 특히 2차 저수지의 경우 평면형태가 긴 네모꼴(長方形)이고, 규모는 둘레가 84.65m이며 깊이는 평균 2m인 것으로 파악되었다. 출토유물로는 '成長' 명 목간과 목제 인물상, 각종 토기류 등이 있다.

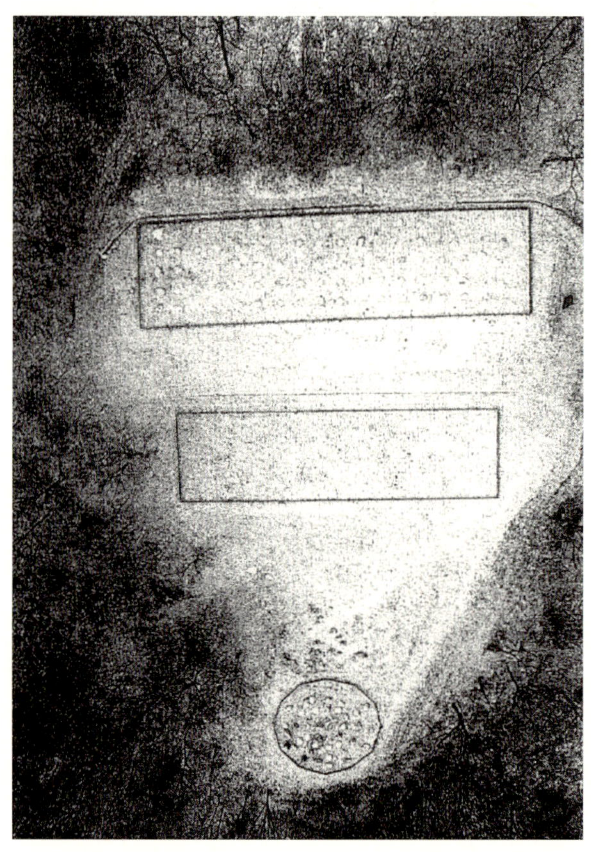

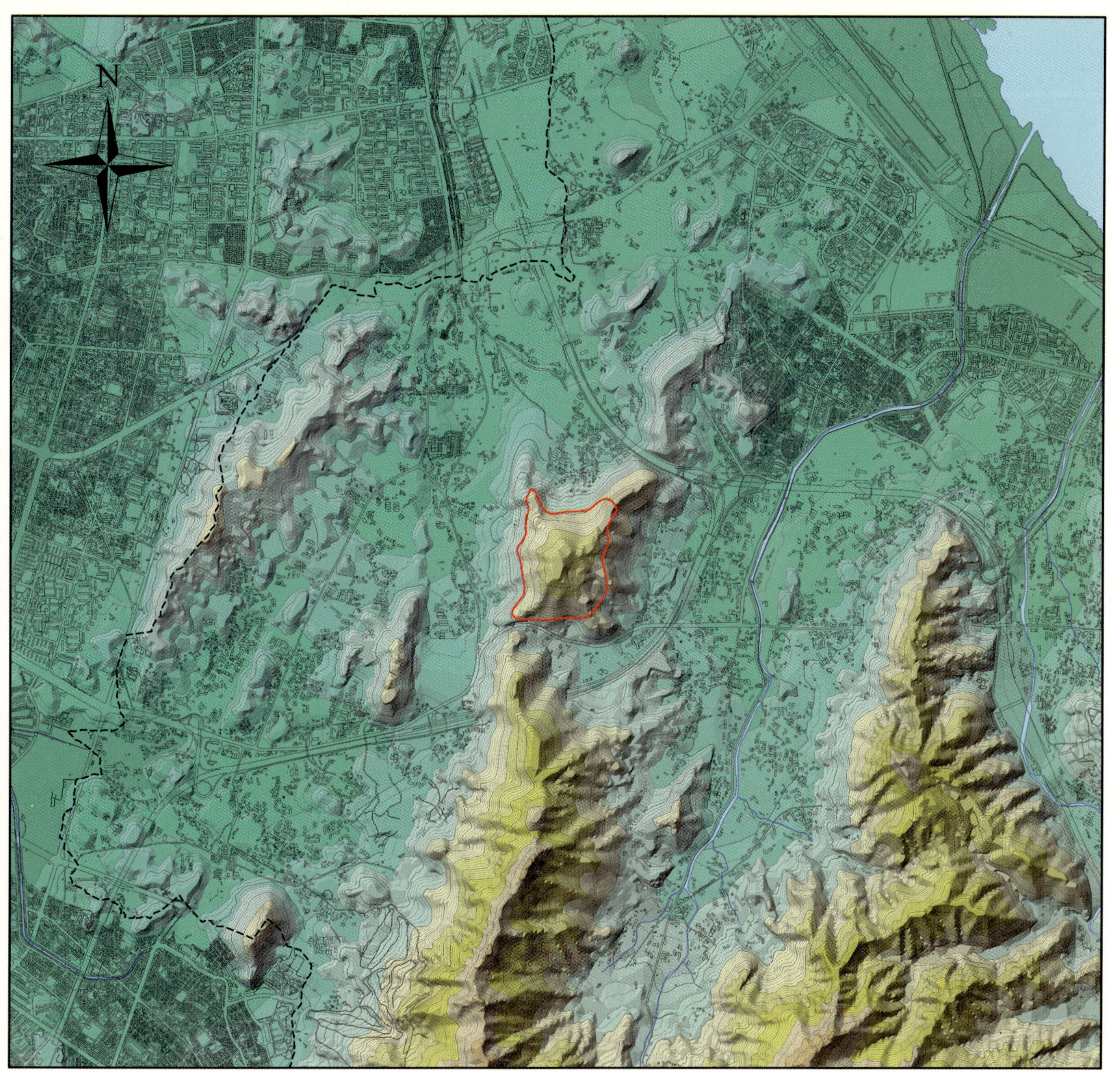

0 1.5 3 km

범 례

일련번호	지 역	유 적	시 대	주 소
118	하남	이성산성	백제/ 신라	하남시 춘궁동 산36번지 외

좌 표

경 도	위 도
127-11-1.89	37-31-37.31

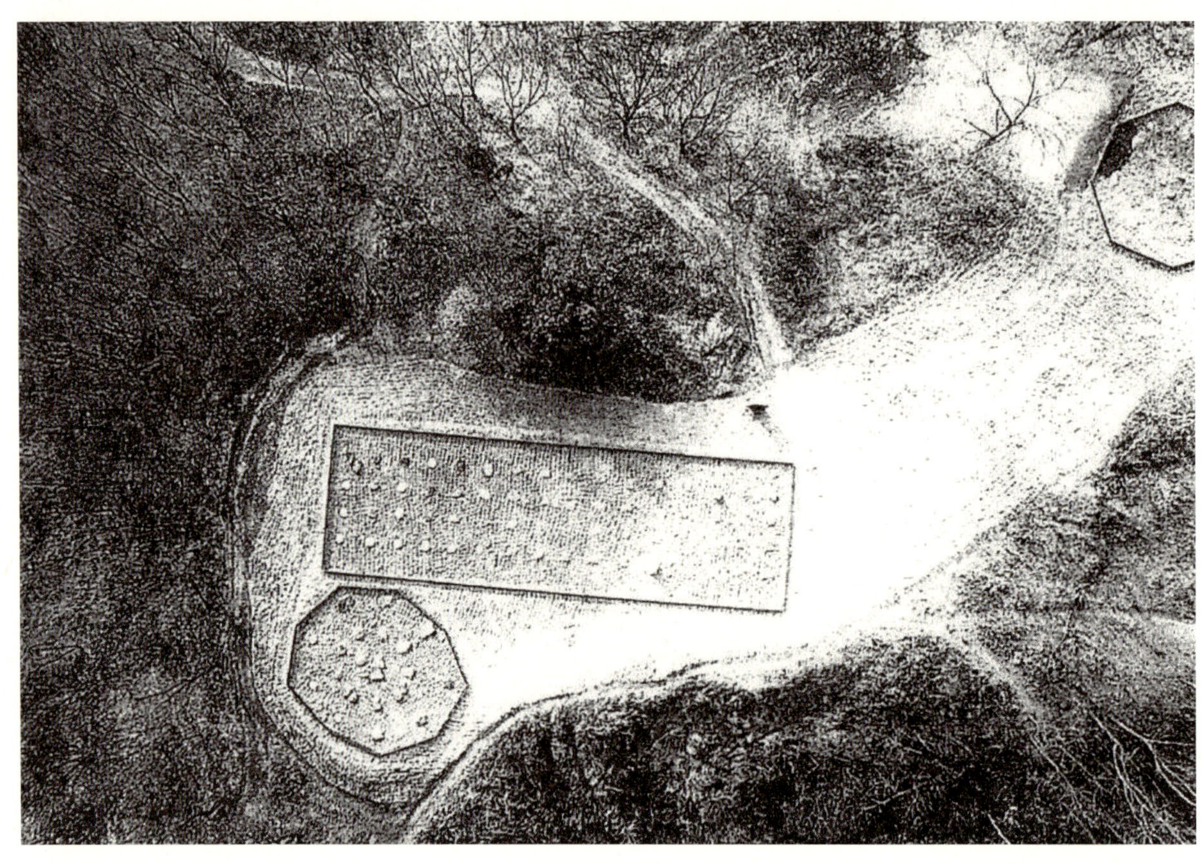

119. 광암동 고인돌

소 재 지 경기도 하남시 신장동 520(舊-광암동 산114-3번지)
시 대 청동기시대
유적분류 유형문화재 〉 기념물 〉 거석기념물 〉 고인돌

이성산에서 서쪽으로 뻗은 낮은 구릉지대에 위치하며, 고인돌 4기가 일렬로 배치되어 있었다. 그 중 2기는 탁자식, 1기는 개석식이고 나머지는 파괴 및 이동되어 그 형식이 확실하지 않다. 덮개돌의 크기는 1호-270×195×84cm, 2호-140×160×50cm, 3호-290×210×85cm, 4호-180×160×70cm이다.

고인돌의 하부구조를 보면, 1호 고인돌은 네 개의 판석을 세워 석관형식을 취하는 것과 달리 자연암반층과 경사도를 그대로 이용하여 지형이 낮은 쪽에 판석형의 굄돌 1매를 눕혀 놓았으며, 반대쪽에는 경사도에 맞게 얇은 판석을 놓아 덮개돌의 균형을 맞추었다. 그 사이에 직경 20cm 내외의 작은 막돌 4개가 사다리꼴 형태로 배치되어 있었는데 굄돌 보다 10cm 정도 낮게 암맥 위에 놓여있는 상태였다. 이들 매장주체부의 크기는 80×60×10cm로 일차장은 불가능하고 세골장(洗骨葬)이나 이차장법이 행하여 졌음을 짐작할 수 있다. 3호 고인돌의 경우도 그 하부구조를 정확하게 알 수 없으나 1호 고인돌과 유사할 가능성을 배제할 수 없다. 그 이유는 두고인돌 모두 굉돌을 놓거나 토광이나 하부구조를 마련하기 위한 토광 흔적이 전혀 나타나지 않는다는 것과 두 고인돌에만 비슷한 모양의 성혈이 덮개돌에 있다는 공통점을 지니고 있기 때문이다. 이와 같은 탁자식 고인돌의 형식은 그다지 밝혀진 바 없어 주목된다.

2호 고인돌은 정교하게 치석된 돌을 이용하여 장방형의 석실을 만들고 내부를 장축방향으로 분할하여 반은 적석(積石)하고 반은 토광으로 만든 아주 특이한 형태이다. 적석한 부분은 높이가 45cm로 벽석의 높이와 거의 비슷하고 폭이 54cm로 좁지 않다. 석실의 축조방식은 먼저 반구형의 장방형 토광을 파고 이에 채석된 돌을 놓은 다음, 서쪽 벽석 보강을 위한 적석시설을 하고 남은토광부분에 시신을 매장하였으며, 적석부분과 동쪽 벽석에 걸쳐 덮개돌을 얹은 후 덮개돌을 놓았다.

2호 고인돌에 쓰인 석재는 당시 고인돌 축조인들의 치석기술을 엿볼 수 있는 좋은 예이다. 특히 서쪽 측벽에 사용되었던 벽석중 1기에는 인면(人面)이 음각된 석재가 발견되었다. 이것은 매우 상징화된 것으로 눈과 입은 음각으로 표현했고, 코는 석재의 각진 부분을 갈아 표현한 것이다. 이와 같은 암각화는 이제까지 전례가 없었던 것으로 매우 귀중한 자료가 되고 있다.

출토유물은 1호 고인돌의 경우 굄돌 주변에서 석기 2점이 수습되었고, 2호는 덮개돌 주변과 석실의 벽석 안쪽에서 석기가 출토되었으며, 석실 안쪽에서는 민무늬토기 조각이 발견되었다. 이외에도 고인돌 주위에서는 삼국시대 토기에서부터 최근의 자기류까지 다양한 유물들이 흩어져 있거나 얕게 판 다음 묻어 놓았는데 이것은 고인돌이 축조된 이후에도 계속적으로 이곳에서 제를 올렸음을 입증해 주고 있다.

마을 주민의 제언에 의하면, 1960년대까지만 해도 1년에 한번씩 마을의 제를 이곳에서 지냈다고 한다.

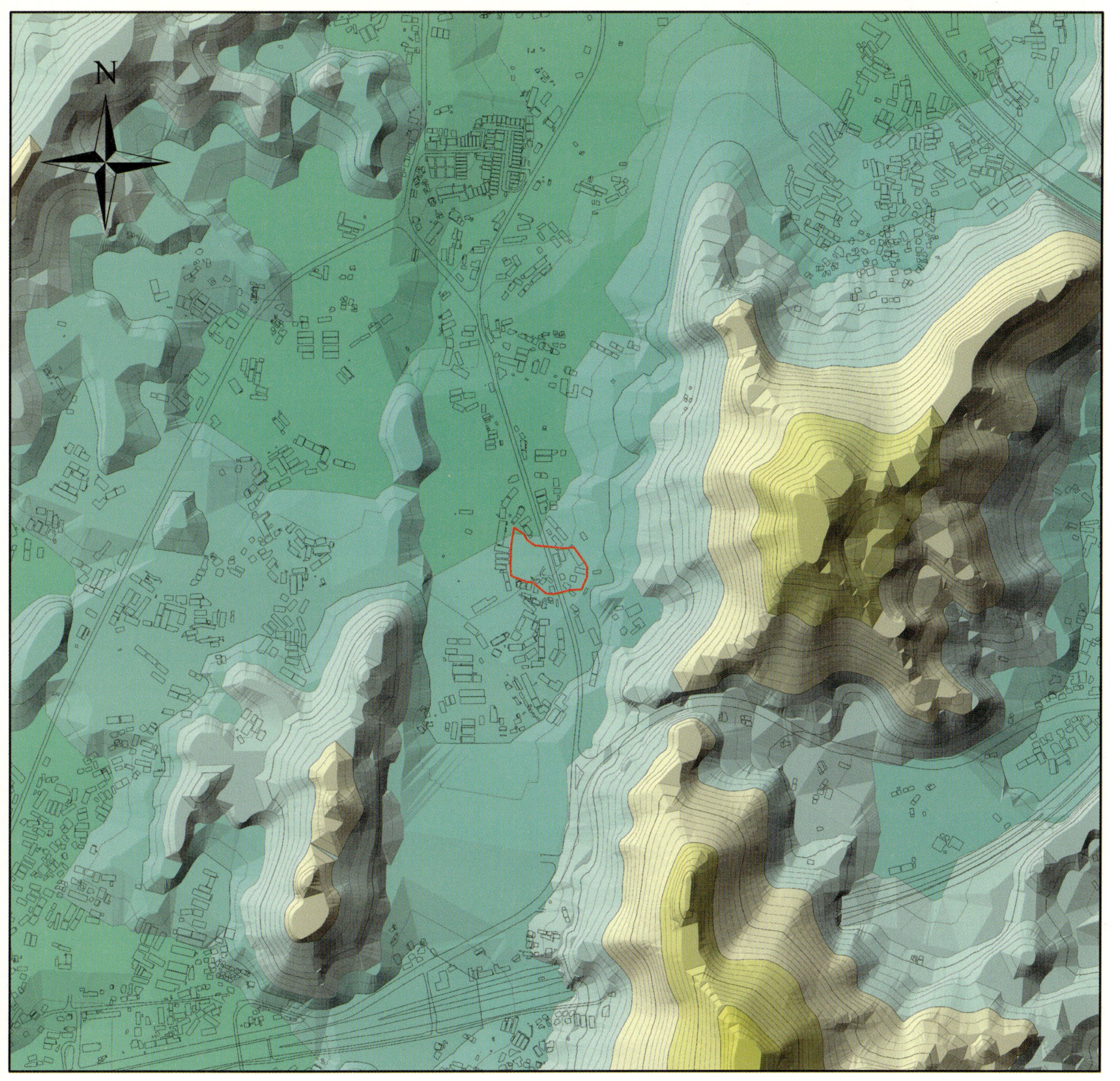

범 례

일련번호	지 역	유 적	시 대	주 소
119	하남	광암동 고인돌		

좌 표

경 도	위 도
127-10-31.67	37-31-32.79

광암동 고인돌

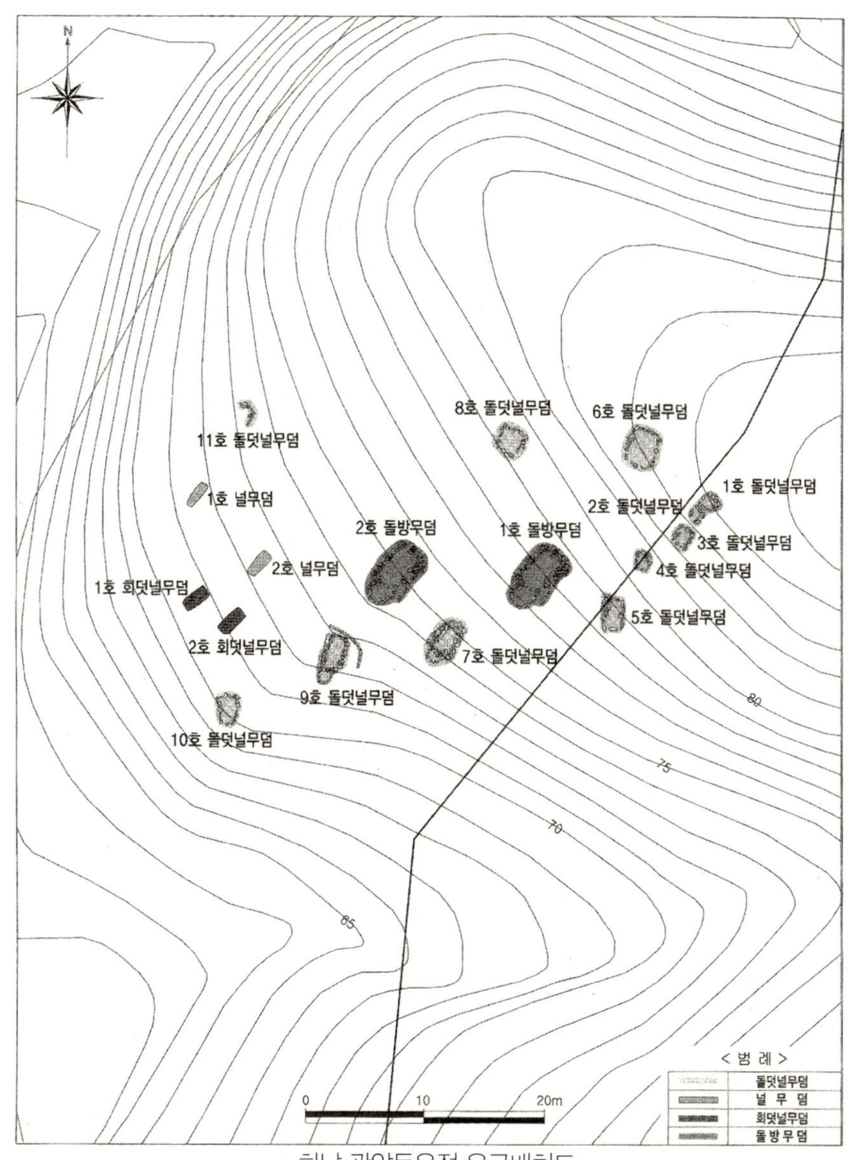

하남 광암동유적 유구배치도

하남 광암동유적 전경

120. 광암동 고분군

조사사유 덕풍-감북간 도로 확·포장공사로 인한 구제발굴.

조사연혁 지표조사: 2000.06.03.~2000.06.12. (기전문화재연구원)
시굴조사: 2004.10.~2005.03. (세종대학교박물관)
발굴조사: 2005.07.~2005.09. (세종대학교박물관)

유적위치 경기도 하남시 광암동 산26-6번지 일원
경·위도 127°10′33.20″E/37°31′31.98″N, GPS 127.175889/37.520551

유적입지 금암산의 북쪽지역부터 정상부(해발 328.5m)까지의 공간에 분포되어 있으며, 대개의 무덤은 산줄기를 따라 입지하고, 일부는 비탈면과 산의 끝자락을 따라 자리해 있다. 석실묘는 금암산의 북쪽 능선에서 남서쪽으로 내려오는 끝자락 비탈면에 축조되어 있으며, 해발 75~78m 사이에 위치하고 있다.

유구현황 삼국시대 = 석실묘(2)
기 타 = 통일신라시대 석곽묘(11), 조선시대 토광묘(2)·회곽묘(2)

주요유물 직구단경호, 광구장경호, 금제지환

시대·성격 석실묘는 출토 토기로 보아 백제 한성기 후반에 축조된 것으로 보인다. 부장품이 대부분 도굴된 상태이기 때문에 피장자의 신분을 추정하기에는 어려움이 있으나, 무덤의 구조적 특정과 축조방법 등으로 볼 때 상당한 위치에 있던 인물이 피장되었을 것으로 보인다.

경기도 하남시 광암동 산24-1 일원에 해당한다. 북쪽의 사적 제422호인 하남 이성산성과 남쪽의 금암산고분군의 경계 지점인 해발 100m 정도의 남서 사면에 위치한다. 서쪽으로 5㎞ 이내에 석촌동고분군, 몽촌토성과 풍납토성이 있다. 백제 한성기 횡혈식석실 2기, 통일신라 횡혈식석실 2기·석곽 9기 등 모두 13기가 보고되었다.

백제 횡혈식석실은 2기로서 현실의 평면은 장방형이며, 우편재연도의 반지하식이다. 벽석은 석비레와 모래, 찰흙을 판축하며 뒤채움하였다. 1호는 관정과 꺾쇠로 보아 목관을 결구하여 관대 위에 설치하였고, 2회의 매장행위가 추정되는데, 정연한 다리와 두개골로 보아 북침으로 판단된다. 2호는 연도 상부에 개석 1매가 잔존하며, 바닥에 작은 돌들이 흩어져 있었다. 현실 크기는 1호가 길이 300㎝, 너비 168㎝, 높이 112㎝이며, 연도 길이는 168㎝, 너비 80㎝ 정도이다. 2호는 길이 320㎝, 너비 195㎝, 최대 높이 155㎝이며, 연도는 길이 270㎝, 너비 100㎝ 정도이다. 유물은 1호에서 직구단경호·광구장경호·단경호 각 1점, 금동제 지환 1점을 비롯하여 관정·꺾쇠가, 2호에서 완 1점·원형 석재품 1점·관정·꺾쇠가 출토되었다. 모두 사람뼈와 동물뼈가 출토되었는데, 2호는 남녀 2인 이상의 합장 가능성이 높고, 동물뼈는 소나 돼지 등의 사지·척추뼈가 많으며, 갈비뼈는 식용을 고려하여 일정한 크기로 절단한 것으로 추정된다. 인골은 성장판이 닫혀있고, 치아의 마모상태로 보아 청장년층으로 추정된다. 정강이뼈로 보아 신장은 165㎝ 정도로 추정된다.

통일신라의 무덤인 7호와 9호는 평면 장방형의 횡혈식석실로, 길이 210~220㎝, 너비 100~120㎝, 잔존 높이는 50~100㎝이며, 시상은 모두 서벽에 잇대어 쌓았다. 연도는 7호가 우편재, 9호는 좌편재이다. 유물은 7호에서 점렬문이 시문된 뚜껑 없는 합 1점, 9호에서 대부병·뚜껑 각 1점·합 2점이 출토되었다.

석곽 중 1~4호는 길이 1m 내외의 소형이며, 5호는 길이 190㎝, 너비 80㎝, 깊이 70㎝이며 바닥 전면에 할석을 깔았다. 유물은 4호에서 합 1점·동전 1점·수저 1점이 출토되었다. 6호는 길이 240㎝, 너비 135㎝, 깊이 35㎝로서 바닥 전면에 얇고 납작한 돌을 2~3단 깔았다. 10호에서는 대부병 1점·고배 1점·뚜껑 3점이 출토되었다.

평면 장방형의 횡혈식석실은 백제 한성기 5세기 대의 것으로 중앙과 가장 가까운 거리에 있는 고분이다. 통일신라 분묘는 퇴화형의 횡혈식석실 2기와 규모가 작은 석곽묘들로서 대각이 낮은 고배, 점렬문·종장연속문·마제형문의 병, 합과 개원통보 등으로 보아 7세기 후반 이후로 판단되며, 이성산성과 관련된 고분군으로 추정된다.

[참고문헌] 세종대학교박물관, 2006, 『하남 광암동유적』.

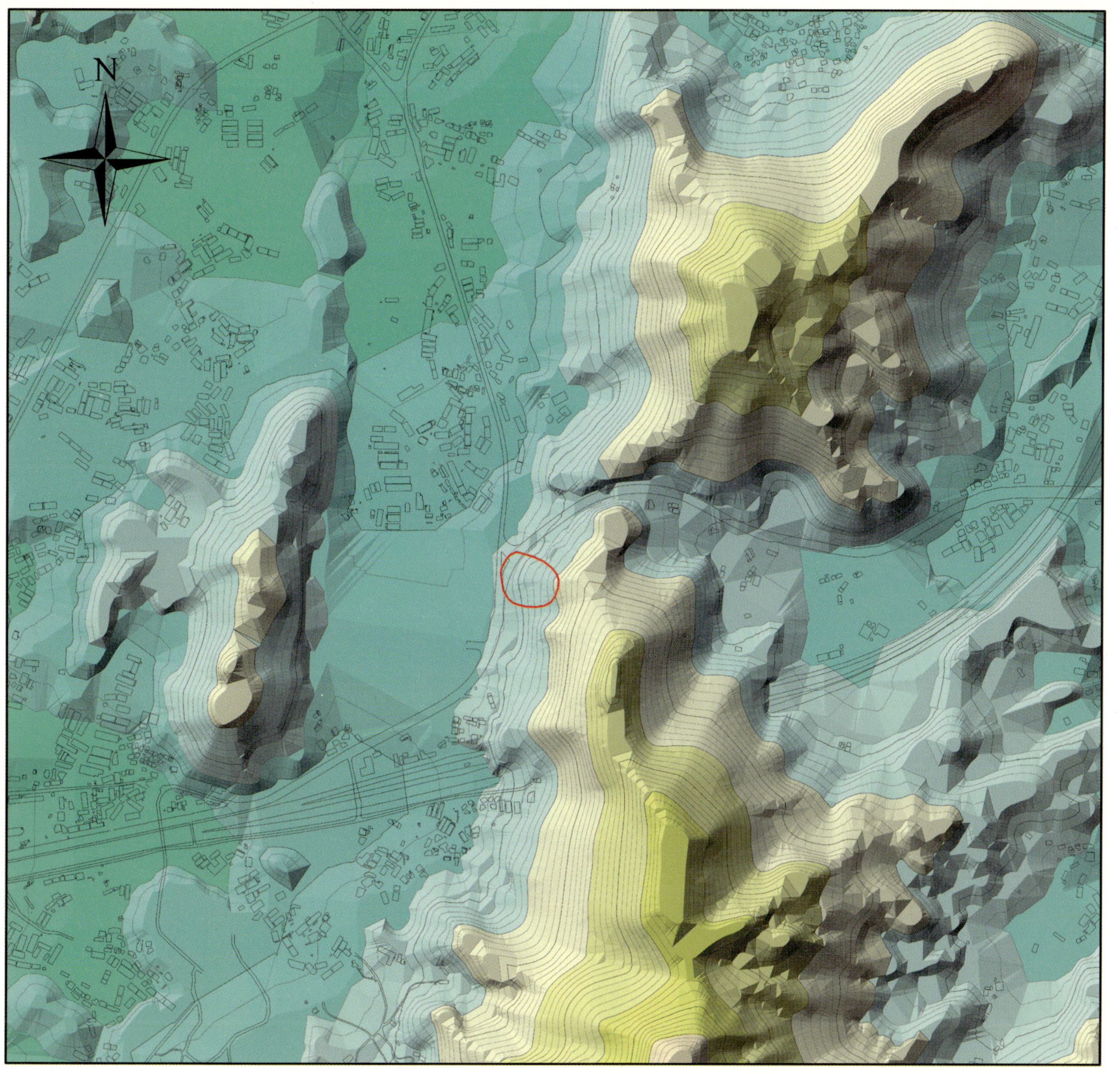

0 0.5 1 km

범 례

일련번호	지 역	유 적	시 대	주 소
120	하남	광암동 고분군	삼국/ 통일신라	하남시 광암동

좌 표

경 도	위 도
127-10-37.22	37-31-14.79

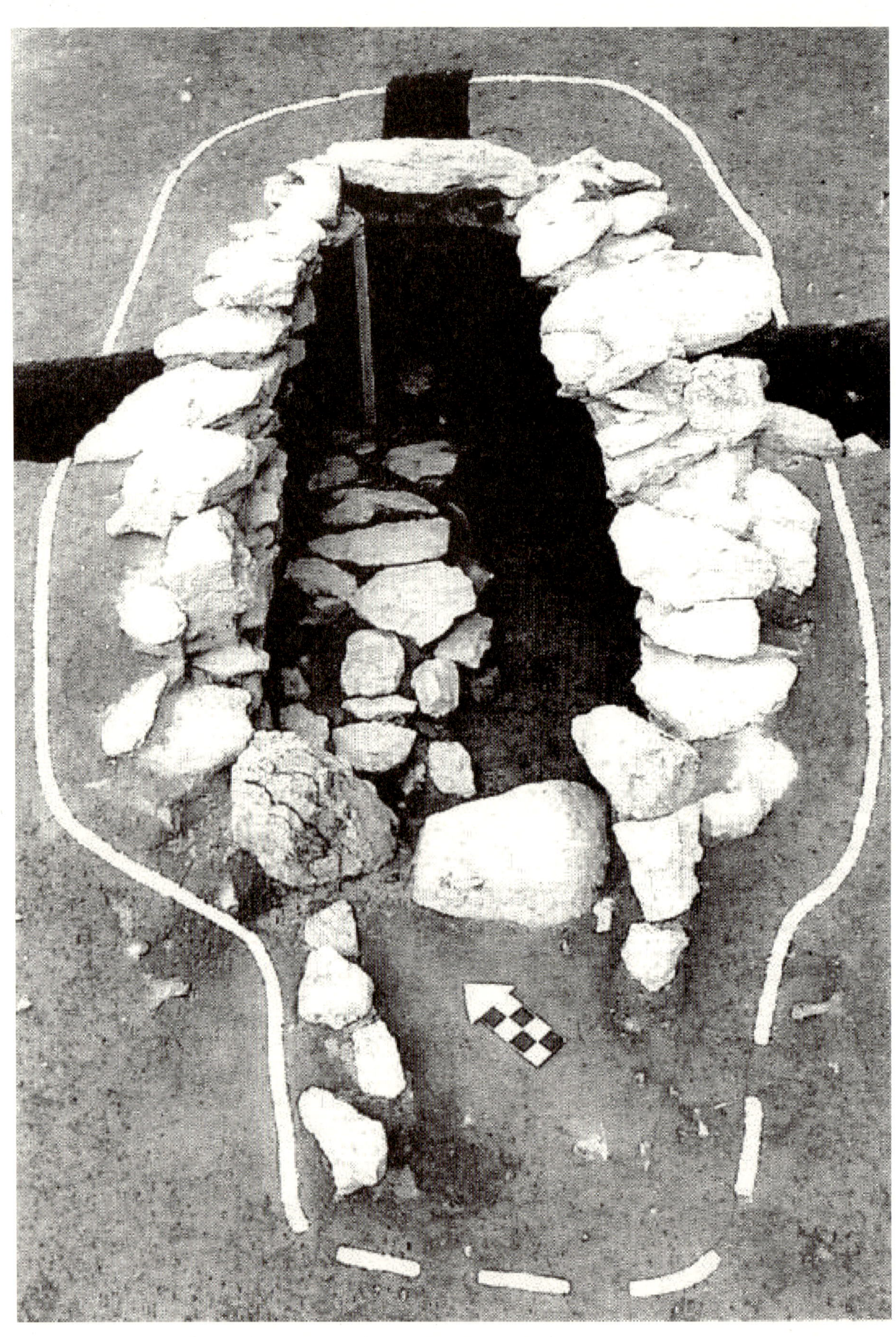

121. 금암산 마애불

소 재 지 경기도 하남시 춘궁동 산40-6번지
시 대 1) 삼국시대 2) 통일신라/발해시대 3) 고려시대
유적분류 유형문화재 〉 유적 〉 종교신앙유적 〉 사지 〉 불상

마애불은 금암산 능선 북쪽 끝자락에 있는데, 1988년 동국대학교 박물관에 의해 동사지와 함께 일부분이 발굴조사 되었다.

마애불은 상체부분만 남아 있는데 그나마 거의 파손되어 가슴부분만 어느 정도 알 수 있을 뿐이다. 어깨는 넓고 괴량감 있게 부조하였는데 팔의 윗부분이 남아 있고, 가슴에 굵은 띠주름이 표현되었다. 이러한 괴량감이나 굵은 띠주름은 태안마애불과 흡사하여 주목되어져야 한다. 지금의 상태에서는 가슴 이하가 거의 파괴되었으므로 하체의 형태로 알 수 없었지만 이번 발굴에서 발부분이 발견될 가능성이 있어서 주의 깊게 파보았으나, 하체가 파괴되면서 발까지도 완전 파손되었던 것으로 생각된다. 머리는 매우 거대한 것이었다고 생각되는데 현재 화강석으로 별석의 머리를 올려 놓고 있다. 마애불 앞부분에서 고식 기와들이 출토되었으므로 마애불의 전실(前室)이 있었을 것인데, 이 부분을 깊이 발굴하니 마애불에 가까운 곳에 큰 바위들이 놓여 있었고, 낭떠러지 가까운 곳까지 일정하게 자갈을 깔아 바닥을 구성했으며 계단지도 확인된다.

1987년 11월에는 이곳에서 기도하던 사람이 금동불 2구를 수습하기도 하였다.

마애불은 입상일 가능성도 있으나, 왼쪽 어깨부분의 팔이 굽어져 있는 점으로 보아 항마촉지인의 수인을 한 좌상일 가능성도 있다.

수습되는 기와로 보아 통일신라시대를 전후한 시기에 부속건물이있었던 것으로 추정된다.

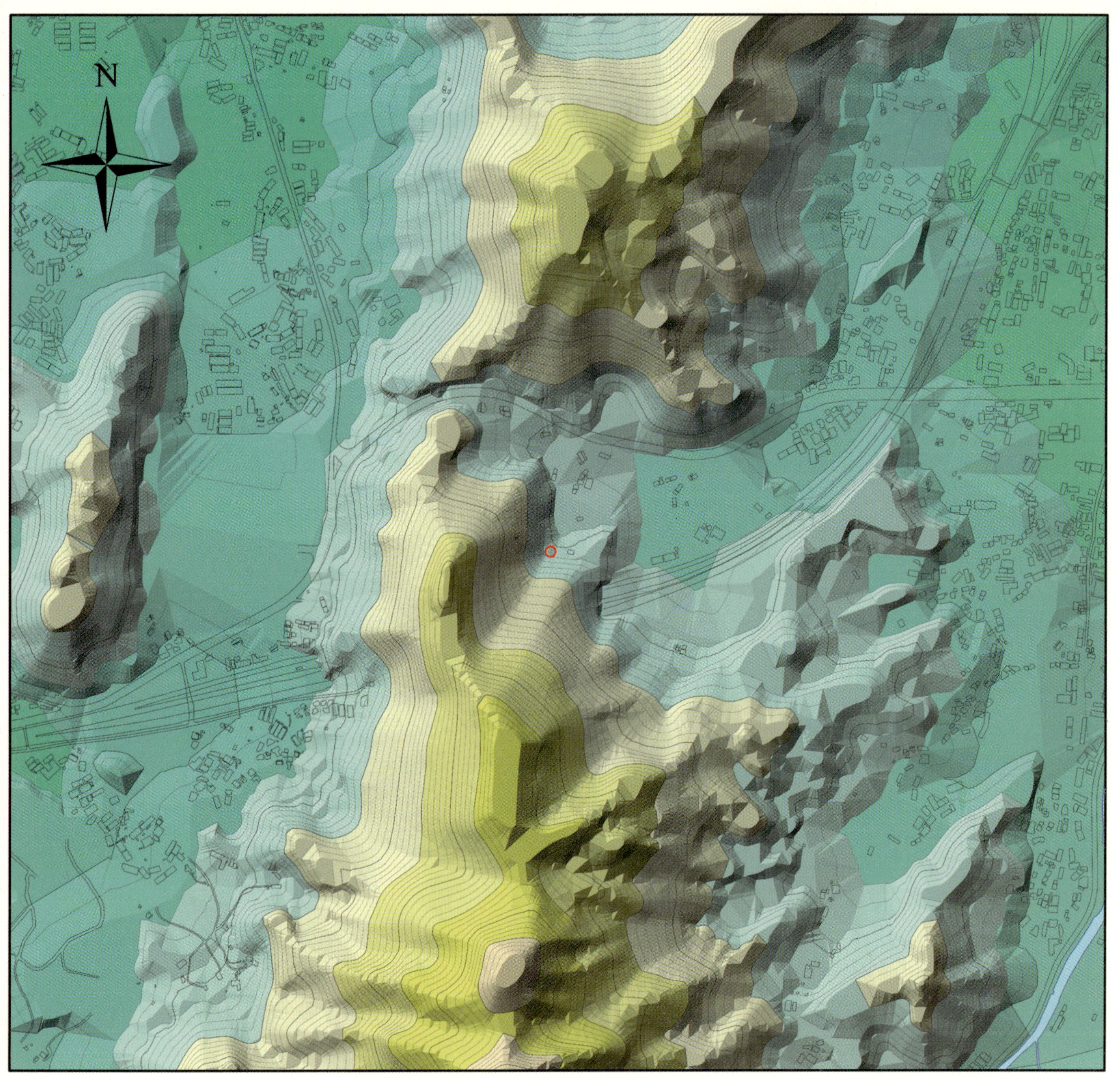

범 례

일련번호	지 역	유 적	시 대	주 소
121	하남	금암산 마애불		

좌 표

경 도	위 도
127-10-56.54	37-31-9.21

122. 하남 춘궁동 동사지

소 재 지 경기도 하남시 춘궁동
시 대 통일신라시대
유적분류 유형문화재 〉유적 〉종교신앙유적 〉사지

동사지(桐寺址)는 1988년 4월부터 7월 사이 동국대학교 박물관에 의해 발굴조사가 이루어진 바 있고, 그 이전부터 춘궁리 오층석탑(보물 제12호)과 삼층석탑(보물 제13호)으로 인해 알려진 곳이다. 그러나 동사지는 천왕사지와 달리 아직까지 문헌상에서 확인된 바가 없고, 도로건설로 인한 구제조사의 성격을 띠고 제한된 범위에서만 조사가 이루어졌으므로 사역(寺域)과 창건시기 파악을 위한 재조사가 필요한 실정이다.

조사된 내용을 보면, 동사지는 모두 4곳의 사지(寺址)로 구분되었다.

제1사지에서는 금당지와 제2건물지, 제3건물지 등이 조사되었고, 제2사지와 제3사지에서는 관련 유구와 유물이 수습되었으며 제4사지는 지표조사 정도만 이루어졌다.

금당지의 규모는 정면 7칸(28.9m), 측면 6칸(20.8m)이고 기단 규모는 34.3×26.2m로 대형건물지 였음이 밝혀졌는데, 총 54점의 초석 가운데 19점이 제자리에 있는 것으로 파악되었으며 정면은 동쪽일 것으로 보았다. 그리고 금당지의 가운데에는 불상의 대좌로 보이는 8각대좌유구(하대석)가 있는데, 직경 5.1m, 한 변의 길이가 2.1m나 되며 중심부에 심초석이 있고 사리공으로 추정되는 구멍이 있다. 이 대좌는 춘궁리 5층 석탑과 일직선을 이루고 있어서 가람배치가 1탑 1금당 형식이었을 가능성이 있다.

제2건물지는 금당지의 북쪽 옆에 위치해 있으며 측면 중심축은 금당의 측면 중심축과 거의 일치하고 있으며 초석도 같은 수법으로 만든 동일한 형태여서 금당과 함께 조성되었던 것 같다. 이 건물은 맞배지붕을 갖춘 정면 5칸(22.5m), 측면 2칸(6.4m)이고, 정면 주초의 심심간은 450㎝로 어간, 툇간 모두 같고 측면은 320㎝이다. 한편 이 건물 기단과 금당지 기단과는 불과 360㎝ 정도만 떨어져 있기 때문에 지붕이 거의 맞물려 있는 셈이어서 두 건물을 이어주는 회랑이 있었던 것으로 추정하였다.

제2사지에 대한 조사에서는 시굴갱을 통해 축대와 기와들이 출토되었으나 밭으로 경작되는 과정에서 유구가 훼손된 사실을 알았다. 그러나, 제1사지로부터 고골저수지까지 사원(寺院)이 연속되었다는 점과 제1사지에서는 출토되지 않은 고식(古式) 기와들이 수습되었다.

제3사지는 제1사지로부터 서북쪽 산허리에 위치한 마애불(磨崖佛) 일원이다. 이 마애불도 일찍부터 알려져 왔던 곳으로 1987년 11월에 이곳에서 금동불 2구가 발견되기도 하였다. 이곳에 대한 조사는 마애불의 앞쪽을 중심으로 이루어져 계단지와 전실(前室)로 추정되는 시설이 있었던 것으로 파악되었다.

제4사지는 탑 동쪽 산록에 길게 형성되어 있는데, 주로 둥근 초석들이 많고 1971년에 이곳에서 불구(佛具)가 도굴된 것을 회수하여 국립중앙박물관에 보관되어 있기도 하다.

발굴조사를 통해 출토된 유물로는 명문기와중 「廣州桐寺」자가 새겨진 것이 주목된다. 발굴조사가 이루어지기 전에는 춘궁리 사지로 알려져 있었고, 1983년에 이곳에서 다양한 막새류와 「辛酉廣州桐寺」, 「興國」자가 시문된 명문와가 수습되기도 하였다. 그리고 막새류는 주로 통일신라시대에 만들어졌던 쌍조문과 연화문 수막새가 대표적이고, 당초문과 해무늬 암막새가 있으며 양감이 풍부한 귀면와도 출토되었다.

춘궁리 오층석탑은 2층 기단 위에 5층의 탑신부가 안치되어 있고, 상륜부는 없어지고 노반만 남아 있다. 기단을 보면 지대석은 땅에 묻혀 드러나 있지 않고 하대중석이 보이는데 여러 매의 판석으로 이루어져 있다. 상대중석은 여러 매의 판석으로 구성되었는데 네 귀에 우주가 있고, 중석의 각면에 역시 주(柱)를 새겼다. 상대갑석은 4매로 이루어졌는데 밑쪽에는 부연을, 위쪽에는 1층 몸돌을 받드는 굄대를 낮게 각각 표현하고 있다. 2층 이상의 몸돌은 각각 1매의 돌로 이루어졌으며, 각 층의 몸돌에는 모두 우주를 얕게 새기고 있다. 옥개석은 1~3층은 판석 4매, 4

범 례

일련번호	지 역	유 적	시 대	주 소
122	하남	하남춘궁동동사지	통일신라	

좌 표

경 도	위 도
127-11-13.27	37-31-4.58

층은 판석 2매, 5층은 판석 1매로 만들었다.

이 탑은 전체적으로 볼 때 1층 몸돌이 일반 탑과 달리 2단 구성을 보이지만, 각 부분의 짜임새가 규율성이 있고 비례가 알맞아 고려시대 전기에 조성된 우수한 작품이다.

한편 최근 이 탑에 대하여 구조안전진단을 실시한 결과, 석탑의 자리가 주변보다 지반부가 대체적으로 고비정항치를 보인다고 하였다. 즉 석탑을 중심으로 18×27m 범위의 지반이 단단함을 알 수 있고, 남서쪽 부분이 다른 부분 보다 상대적으로 저비저항치를 나타내어 지반이 약함을 알 수 있었다.

이러한 분석결과를 바탕으로 볼 때, 춘궁리 오층석탑은 원래의 자리에 놓여 있는 것이고 지반부는 판축 등의 공법으로 다짐했을 가능성이 높다고 생각된다.

춘궁리 삼층석탑은 춘궁리 오층석탑의 동쪽에 나란히 서 있고, 높이는 3.6m로 비교적 작은 편이다. 탑의 형식을 보면 2층 기단 위에 3층으로 된 탑신부를 올렸으며 상륜부는 모두 없어진 상태이다.

하층기단은 지대석과 중석이 한 몸으로 만들어졌고, 중석에는 안상이 새겨져 있다. 상대중석을 받치는 중석받침이 2단으로 이루어졌다.

상대중석은 각 면이 1매씩 모두 4매로 짜여졌는데, 현재 남쪽면 1매는 새로 만들어 끼웠고, 면석에는 우주, 네 귀에는 주가 얕게 새겨져 있다. 1층 탑신은 2·3층 탑신에 비해 높직하고, 옥개석들이 얇고 편평하여 안정감과 세련한 아름다움을 보여주고 있지만 옥개석 모서리가 깨어져 곡선미를 볼 수 없다.

이 탑은 1965년에 보수가 이루어져 하층기단 중심부에서 납석제소탑 29기, 금동불 1구(높이 7㎝), 동상(銅像) 1구(2.7㎝), 납석제 불좌상(9.5㎝), 금동삼화뚜껑(직경 7.5㎝)들이 발견되기도 하였다.

한편 이 탑에 대해서 최근 보수를 다시 실시한 결과, 토층조사에서 크게 3개 층위가 확인되었고 제2층이 지면에서 1.3~2.68m까지 약 1.38m가 진흙과 잡석, 자갈 등으로 이루어져 있으며 이는 성토지반의 다짐층으로 파악되었다. 그렇지만 이 층위가 삼층석탑을 옮겨 놓을 때부터 있던 것인지의 여부는 확실하게 조사되지 못하였다.

123. 하남 금암산 고분군(河南 錦岩山 古墳群)

소 재 지 경기도 하남시 감이동 금암산 일원
시 대 1) 삼국시대 2) 통일신라/발해시대 3) 고려시대 4) 조선시대
유적분류 유형문화재 〉 유적 〉 무덤유적 〉 고분 〉 고분군

경기도 하남시에 있는 금암산 일대에 분포하고 있는 고분군이다. 금암산 일대에는 8개 지구에 걸쳐 고분이 분포하고 있는 것으로 알려졌다.

1지구는 금암산 마애불에서 남쪽으로 등산로를 따라 약 300m 떨진 지점으로, 등산로 우측에 도굴된 고분 4기가 노출되어 있다. 고분은 석실묘로 장축이 북동-남서쪽이고, 규모는 길이 300㎝, 너비 230㎝, 높이 70㎝이다. 축조방식을 보면 벽석은 할석을 사용하여 쌓았고, 벽면이 석실 내부로 약간 내경되어 있다. 개석은 입구와 벽석 일부에 걸쳐져 있다.

2지구는 1지구의 남쪽으로 40m 지점으로, 등산로 우측에 도굴된 석곽묘 5기가 있다. 석곽 내부의 양상은 정확이 알 수 없으나, 장축이 북서-남동쪽이고, 길이 270㎝, 너비 120㎝, 높이 50㎝이다. 할석을 사용하여 축조하였으며, 벽면이 석곽 내부로 약간 내경되어 있다.

3지구는 2지구로부터 남쪽 400m 지점으로, 등산로 양옆으로 석곽묘 15기 정도가 있다. 금암산고분군 중 가장 밀집도가 높은 곳이다. 고분의 장축은 각기 달라, 동서 방향과 남북 방향이 혼재되어 있다. 규모도 길이 280㎝, 너비 120㎝ 정도인 석곽묘와 석실묘가 있다. 대부분은 개석이 없어진 것이 많고, 석곽 내부는 매몰된 상태이다. 1호분은 등산로 서쪽 경사면 15m 정도 아래에 위치해 있다. 장축은 북동-남서 방향이고, 규모는 길이 290㎝, 너비 230㎝이며 주변에 4기 정도가 분포되어 있다. 2호분은 남북 방향 등산로 동쪽 옆에 위치해 있다. 석실 또는 석곽의 규모는 길이 245㎝, 너비 110㎝, 묘광의 규모는 길이 280㎝, 너비 160㎝, 깊이 80㎝이다. 할석을 이용하여 축조하였으며 3단까지 확인된다. 개석의 크기는 길이 155㎝, 너비 90㎝, 높이 30㎝이고, 동쪽 입구 벽석 중에는 한 매의 판석으로 처리된 것이 있다.

4지구는 6지구의 북동쪽 40m 지점으로, 등산로 우측 경사면에 도굴된 석곽묘 10여 기가 있다. 고분의 장축은 북서-남동 방향이고, 규모는 길이 160㎝, 너비는 100㎝ 정도이다.

5지구는 4지구의 북동쪽 200m 지점으로, 등산로 우측의 완만한 경사면에 석곽묘 10여 기가 있다. 4지구와 같이 능선과 직교한 상태로 축조되었으며, 장축은 남-북 방향이 많다. 석곽의 규모는 길이 220㎝, 너비 250㎝, 깊이 60㎝이고, 입구 쪽에 긴 장대석을 올려놓았다.

6지구는 3지구 남서쪽 60m 지점으로, 등산로 우측에 석실묘 1기와 석곽묘 3기 이상이 있다. 노출된 석실묘는 개석이 유실되어 있고, 내부 구조가 보인다. 평면 형태는 장방형이며, 장축은 남-북 방향이다.석실의 크기는 남북 210㎝, 동서 190㎝이며, 깊이는 100㎝ 이상이다. 입구로 추정되는 남쪽 중앙에는 장대석이 올려져 있고, 바깥쪽에서 마감한 듯 보인다.

7지구는 6지구의 동남쪽 100m 지점으로, 석곽묘 1기가 있다. 능선의 경사면에 석곽이 반파된 채 개석과 벽석이 남아 있다. 바닥부터 개석까지 높이와 너비는 각각 80㎝이고, 남아 있는 석곽의 내부 길이는 150㎝이다. 고분은 남-북 방향으로 등고선과 직교해 있고, 벽석은 5단으로 축조되어 있으며, 개석은 1매로 덮여 있는 것 같다.

8지구는 7지구의 동북쪽, 금암산 끝자락 지점으로 고분 1기가 훼손된 상태로 남아 있다. 이 곳은 최근 많은 수의 고분이 훼손되었다. 훼손된 고분은 바닥과 벽석이 절개된 채 확인되며, 다른 고분은 개석 몇 기만 흩어져 있다.

출토유물이 없고, 정확한 구조를 알 수 있는 것이 없어 축조시기를 알 수 없으나, 남은 구조로 보아 6세기 중엽 이후의 신라고분들로 추정된다.

[참고문헌] 세종대학교 박물관, 2005, 『문화유적분포지도-하남시-』.

0 1 2 km

범 례

일련번호	지 역	유 적	시 대	주 소
123	하남	금암산 고분군		

좌 표

경 도	위 도
127-10-50.01	37-30-55.85
127-10-54.51	37-30-55.77
127-10-59.25	37-30-55.83
127-10-50.33	37-30-51.84
127-10-54.95	37-30-51.94
127-10-59.29	37-30-52.16
127-11-3.49	37-30-53.93

124. 하남 춘궁동 고분(河南 春宮洞 古墳)

소 재 지 경기도 하남시 춘궁동 산44-17, 34, 35번지
시 대 1) 통일신라/발해시대 2) 고려시대
유적분류 유형문화재 〉 유적 〉 무덤유적 〉 고분 〉 고분군

경기도 하남시 춘궁동 산 44-17, 34, 35 일대에 위치하며, 하남시 춘궁동에 위치한 능창대군묘에서 남서쪽으로 약 50m 거리에 있는 2기의 고분이다. 고분의 외형은 원형으로 돌로 쌓았으며, 규모는 지름 9.8×7m이다. 현재 남아 있는 높이는 1.5m 내외이나 돌이 무너져 내린 것으로 보아 더 높았을 것으로 추정된다. 유물은 출토되지 않았으나 통일신라에서 고려시대의 고분으로 추정된다.

[참고문헌] 세종대학교 박물관, 2005, 『문화유적분포지도-하남시-』.

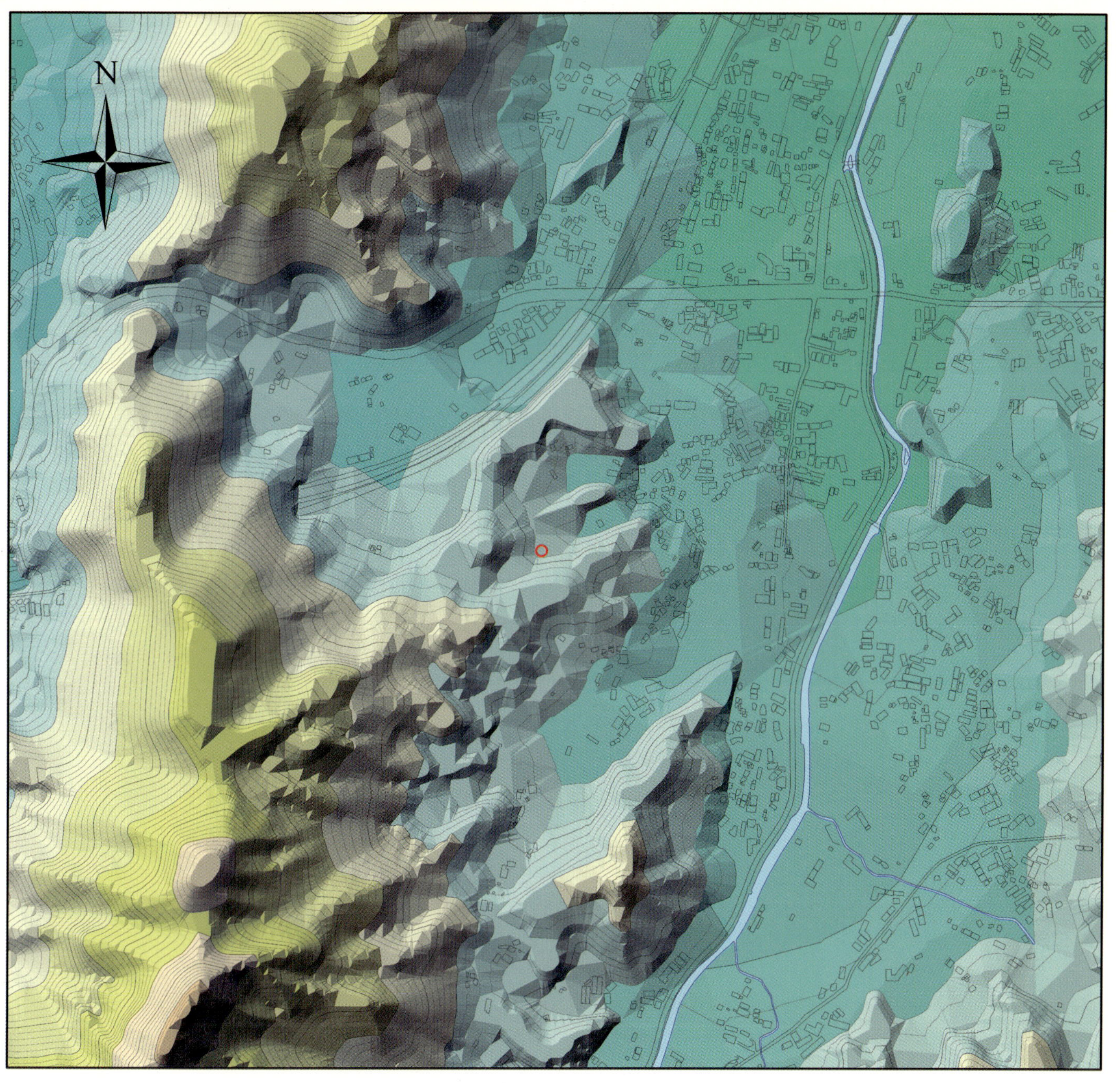

0 0.5 1 km

범 례

일련번호	지 역	유 적	시 대	주 소
124	하남	춘궁동 고분		

좌 표

경 도	위 도
127-11-25.34	37-31-1.37

125. 춘궁동 350-1, 2번지 건물지

소 재 지 경기도 하남시 춘궁동 350-1,2번지
시 대 1) 통일신라/발해시대 2) 조선시대
유적분류 유형문화재 〉 유적 〉 생활유적 〉 주거유적 〉 건물지

이곳에 대한 시굴조사는 2001년 4~5월에 이루어졌는데, 건물지와 소성유구가 찾아졌다.

건물지는 1tr에서 찾아졌고, 3tr에서는 소성유구로 추정되는 것이 확인되었다.

1tr에서는 적심석 3기가 지표층에서 불과 10㎝ 아래에서 드러났다. 3기의 적심석중 북쪽과 가장 남쪽의 것이 층위로 볼 때 같은 시기에 조성된 것 같고, 중간에 남아 있는 유구는 이들보다 앞선 시기에 만들어진 것으로 추정되었다.

출토된 유물은 주로 백자조각이 많고, 청화백자와 철화백자 등도 있어 조선시대 후반기에 건물이 조성되었던 것이고, 2tr과 3tr에서 출토된 유물중에는 통일신라시대에 사용된 완류와 도기류가 많은 비중을 차지하고 있으나 관련 유구가 유실되었다.

범 례

일련번호	지 역	유 적	시 대	주 소
125	하남	춘궁동 350-1,2번지 건물지	통일신라	하남시 춘궁동 350-1,2번지

좌 표

경 도	위 도
127-11-39.77	37-31-14.50

126. 춘궁동 245-2번지 유적

소 재 지 경기도 하남시 춘궁동 245-2번지
시 대 1) 통일신라/발해시대 2) 고려시대
유적분류 유형문화재 〉 유적 〉 생활유적 〉 주거유적 〉 건물지

이 유적은 서부농협의 창고부지로 '춘궁동 유물산포지 6'에 포함되는 지역이고, 광주향교와 인접하여 시·발굴조사를 하게 되었다.

조사는 2004년 6월부터 9월까지 이루어졌고, 조사결과 축조시기가 다른 건물지 4채 정도가 확인되었다.

제1건물지는 남아 있는 적심석의 배치상태로 보아 2채의 건물이 겹쳐 있는 것으로 파악되었다. 상층 건물지는 적심석 4기가 남아 있는데, 적심석간의 동-서 간격이 340cm, 남-북 간격이 280cm로 제법 넓은 편이다. 적심석은 강돌을 주로 사용하여 3~4단으로 쌓고 돌과 돌 사이의 틈에는 찰흙으로 메웠다. 이곳에서는 일휘문 수막새와 청자 베개, 도기, 기와 등이 출토되었다.

하층 건물지에는 적심석과 구들시설이 남아 있었다. 적심석은 상층의 것보다 지름이 작고, 적심석간의 간격도 370cm 정도로 넓다. 구들시설은「ㄱ」자형으로 꺾이는데 덮개돌도 일부 남아 있었다. 남은 길이는 290cm 정도이고, 너비는 80~90cm, 높이는 30cm 정도이다. 이 층에서 출토된 유물은 주름무늬병과 연화문 수막새 1점, 기와 등인데 주로 통일신라시대의 것들이다.

제2건물지에는 배수시설이 남아 있었다.

배수시설은 남-북방향으로 길게 축조된 것으로 축조상태가 좋지 못하고 정연하지도 못하였다. 유구는 다듬지 않은 돌을 가지고 1~3단 정도로 쌓아 벽을 만들고 바닥면에는 작은 자갈과 돌을 깔아서 물흐름이 좋도록 하였으나 남아 있는 부분이 적다. 총 길이는 20.34m이고, 안쪽 너비는 15~45cm이며 깊이는 20~30cm이다.

제3건물지는 적심석과 구들시설이 남아 있는데, 구들시설이 제1건물지의 것과 비슷하지만 보다 엉성하다. 남은 길이는 198cm이고, 너비는 100cm 정도이다.

이밖에 조사를 통해 출토된 유물 중 주목되는 것은 명문기와류이다. 명문기와중에서 우선 판독되는 것으로는「當王當」.「官」.「舍」.「木」.「君(?)」자가 있다. 막새는 일휘문 수막새와 연화문 수막새와 비천문 암막새가 있고, 자기류중에는 고려 백자와 청자가 있다.

범 례

일련번호	지 역	유 적	시 대	주 소
126	하남	춘궁동 245-2번지 건물지	신라	춘궁동 245-2번지 일원

좌 표

경 도	위 도
127-11-50.03	37-31-23.89

127. 하남시 춘궁동 243번지 유적

소 재 지 경기도 하남시 춘궁동 243번지
시 대 1) 통일신라/발해시대 2) 고려시대
유적분류 유형문화재 〉 유적 〉 생활유적 〉 주거유적 〉 건물지

조사지역은 이성산성과 객산 사이의 평야지대로 해발 34m내외의 평지에 위치하며 최근까지 논으로 이용되었다.

조사결과, 통일신라~고려시대까지 해당하는 건물지, 중복 건물지, 수혈유구, 성격미상의 소성유구, 중복 건물지와 관련된 석렬과 여러개의 적심이 확인되었다.

[참고문헌] (재)겨레문화유산연구원, 2009,「하남시 춘궁동 243번지내 유적 발굴조사 약보고서」.

범 례

일련번호	지 역	유 적	시 대	주 소
127	하남	춘궁동 243번지 건물지	통일신라	하남시 춘궁동 243

좌 표

경 도	위 도
127-11-51.22	37-31-26.20

128. 춘궁동 토성(春宮洞 土城) 추정지

소 재 지 경기도 하남시 하사창동 240~240-3, 243~246-2, 275~280, 283, 312번지 등
경기도 하남시 교산동 74-2, 165, 166-1, 253-7, 257

시 대 역사시대미상

유적분류 유형문화재 〉 유적 〉 정치국방유적 〉 성곽 〉 산성

토성으로 추정되는 곳은 자연적으로 형성된 능선으로 현재 교산동과 하사창동 일대에 솟아 있는 단독 구릉들이다. 구릉들은 자연능선으로 이루어져 있는데, 덕풍천을 따라 남-북방향으로 4~5곳이 늘어서 있는 모습이다. 구릉은 해발 50~60m이고, 평면이 남-북방향으로 긴 편이며 경사가 급한 편이다.

춘궁동 토성이라고 알려진 능선은 1996년과 1999년에 간행된 지표조사 보고서를 통해 알려져 있는 유적이다. 이 유적에 대해서는 일찍이 정약용이 백제의 위례성(慰禮城)을 얘기하면서 검단산을 포함한 하남지역을 지목하기도 하였고, 일제시대 이곳을 다녀간 鮎貝房之進이 남긴 책에도 "객산산록(客山山麓)에는 왕궁(王宮)의 성벽으로 생각되는 토위(土圍)가 현재도 완연히 남아 있다…"고 하여 비교적 자세히 기록하였다. 이밖에도 광주문화사업협회에서 발간한 『남한비사(南漢秘史)』에서도 정약용의 견해를 따라 교산동 일원 즉 『고골』지역에 남아 있는 능선을 예로 들어 백제와 관련된 도읍지로 보았다.

이러한 견해들은 백제 한성기 도읍지와 관련하여 하남 춘궁동과 교산동 일원이 하남위례성(河南慰禮城)이라고 주장하는 것이지만, 현재까지 고고학적인 자료를 바탕으로 볼 때 그러한 가능성은 희박할 것으로 생각된다. 그러나, 소위 춘궁동 토성이라고 불리는 유적은 나말여초 시기에 있어서는 매우 중요한 기능을 하였던 것 같다.

우선 춘궁동 토성의 구조와 규모를 살펴보면, 크게는 외성(外城)과 내성(內城) 부분으로 나눌 수 있다. 외성은 4개 지점 즉 객산 정상을 A지점으로 하여 이곳에서 서쪽 고골초등학교 부근 즉 교산동 건물지 주변까지 뻗어 내린 능선을 B지점, 다시 B지점에서 북쪽으로 거의 일직선으로 뻗은 능선 끝부분을 C지점, A지점에서 북쪽으로 객산 줄기를 따라 가면 마지막 봉우리(해발 128.8m)가 있는데 이곳을 D지점이라고 부르기로 한다. 이렇게 볼 때, A지점에서 B지점까지는 사선방향으로 연결되어 길이가 약 1,000m에 이르고, B지점에서 C지점까지는 약 1,200m인데 능선이 중간 중간 없거나 도로개설로 인해 끊어진 곳이 있지만 덕풍천을 따라 거의 일직선으로 이어져 있다. C지점과 D지점 사이에는 커다란 능선 없이 D지점 즉 객산에서 내려오는 능선이 약 400m 내려 온다. 따라서, 이들 지점을 연결해 보면 북쪽 부분이 트인 평면 마름모꼴 형태를 취하고, 총 길이는 약 2,600m 정도이다. 그리고 객산의 정상과 객산 능선상에는 망루지로 추정되는 3곳이 찾아지기도 하였다.

내성이라고 할 수 있는 곳은 A지점에서 B지점으로 연결되는 능선에서 갈라져 교산동 68번지 일원으로 갈라져 있는 능선으로 얼마전까지는 과수원으로 이용되고 있었지만 최근 창고 등이 신축되면서 훼손이 가해진 상태이다. 이 능선은 교산동 건물지로 들어갈 수 있는 입구를 차단하는 것처럼 보이고, 교산동 건물지의 남쪽 담장지 넘어 하사창동 240번지 일원에도 높이 1~2m 정도 되는 토루가 남아 있다.

이와 같이 춘궁동 토성이라고 불리는 능선은 대부분 자연적인 산의 줄기로 이루어져 있기 때문에 인위적으로 축조한 흔적은 발견되지 않고 있다. 다만 이 능선들을 필요에 따라 깎아 내거나 성토하여 외부로부터 보호하기 위한 시설로 이용하였을 가능성이 있으며, 금암산의 덜미재에서는 인위적인 축조흔적 즉 관애(關隘)라고 할 수 있을 만한 유구가 조사된 바 있다. 객산의 새미재와 마금태미에서는 별다른 축조흔적이 없었으나 자연능선을 깎아내어 지름길과 같은 교통로로 이용하였을 것으로 추정되었다.

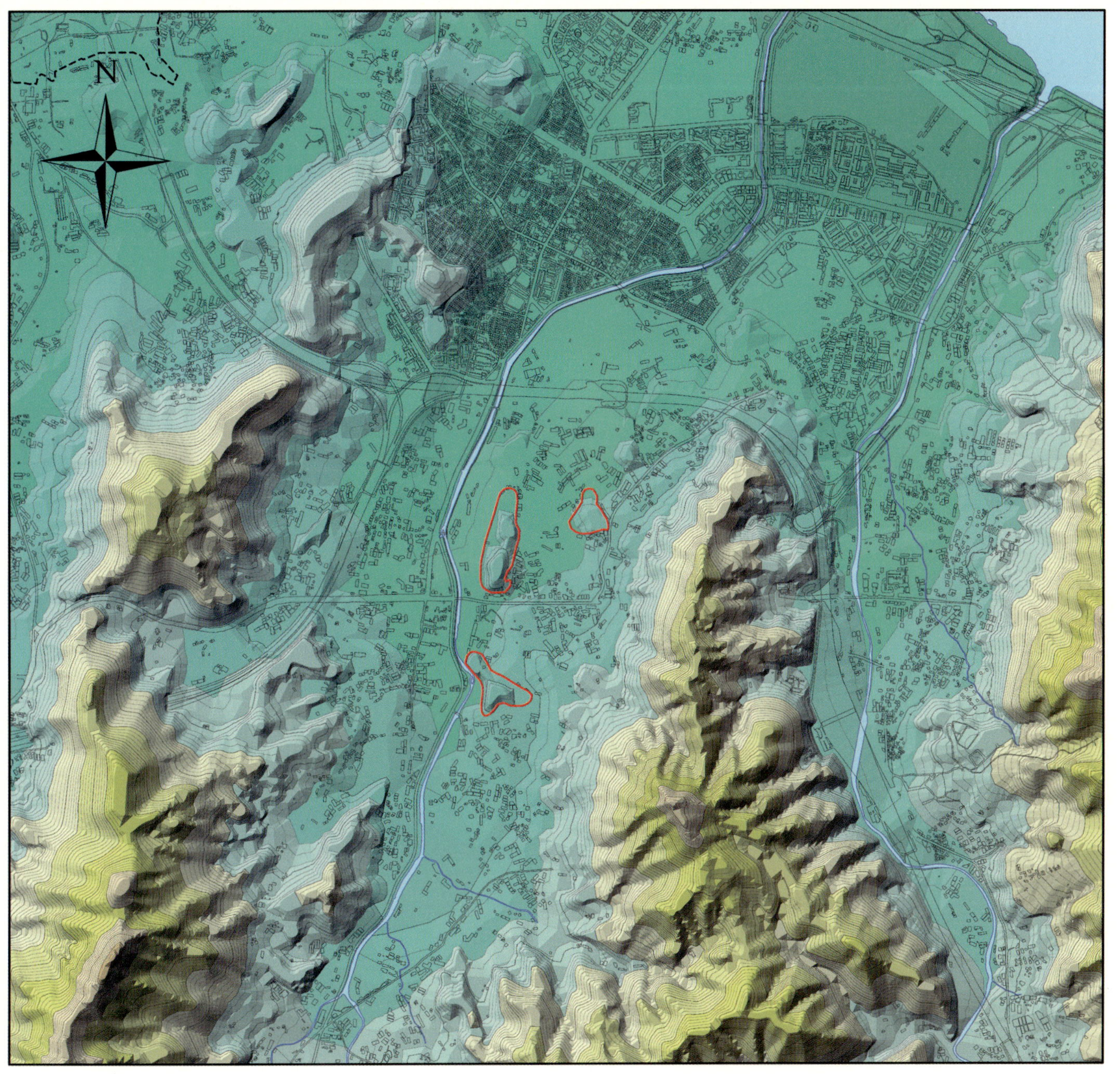

범 례

일련번호	지 역	유 적	시 대	주 소
128	하남	춘궁동 토성추정지		

좌 표

경 도	위 도
127-12-27.67	37-31-34.01
127-12-10.16	37-31-30.27
127-12-8.87	37-31-6.99

[참고문헌] 丁若鏞, 『與猶堂全書』疆域考 卷三.
鮎貝房之進, 1934, 「百濟古都案內記」, 『朝鮮』 234.
廣州文化事業協會設立準備委員會, 1955, 『南漢秘史』.
世宗大學校博物館·河南市, 1999, 『河南市의 歷史와 文化遺蹟』.
최정필·황보경, 2001, 『하남 방어시설 추정지 시굴조사 보고서』, 세종대학교 박물관·하남시.

하남 춘궁동 일대 원경

129. 교산동 고인돌

소 재 지　경기도 하남시 교산동 산5번지
시　　대　청동기시대
유적분류　유형문화재 〉 기념물 〉 거석기념물 〉 고인돌

객산 정상에서 서북쪽으로 뻗어 내려오는 능선 안쪽에 고인돌 7기가 분포되어 있다. 일명 '칠성(七星)바위'라고도 한다.

고인돌의 배치상태는 북두칠성의 별자리와 비슷하게 놓여 있고, 덮개돌 밑에 굄돌이 놓인 것도 있다.

크기는 1호 고인돌이 270×200cm, 2호 고인돌 200×150cm, 3호 고인돌 200×180×65cm, 4호 고인돌 230×200×40cm, 5호 고인돌140×130×50cm, 6호 고인돌 170×150×65cm, 7호 고인돌 130×80cm이다.

고인돌을 중심으로 동쪽 경작지와 산자락에는 기와 등의 유물이 산포되어 있다.

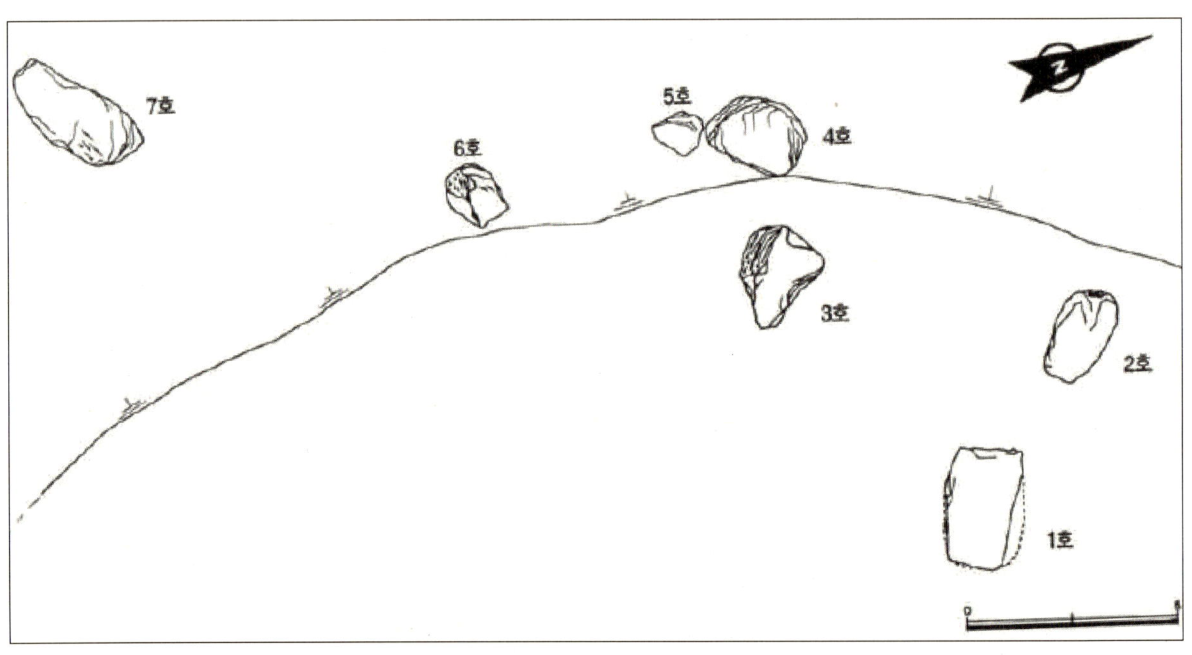

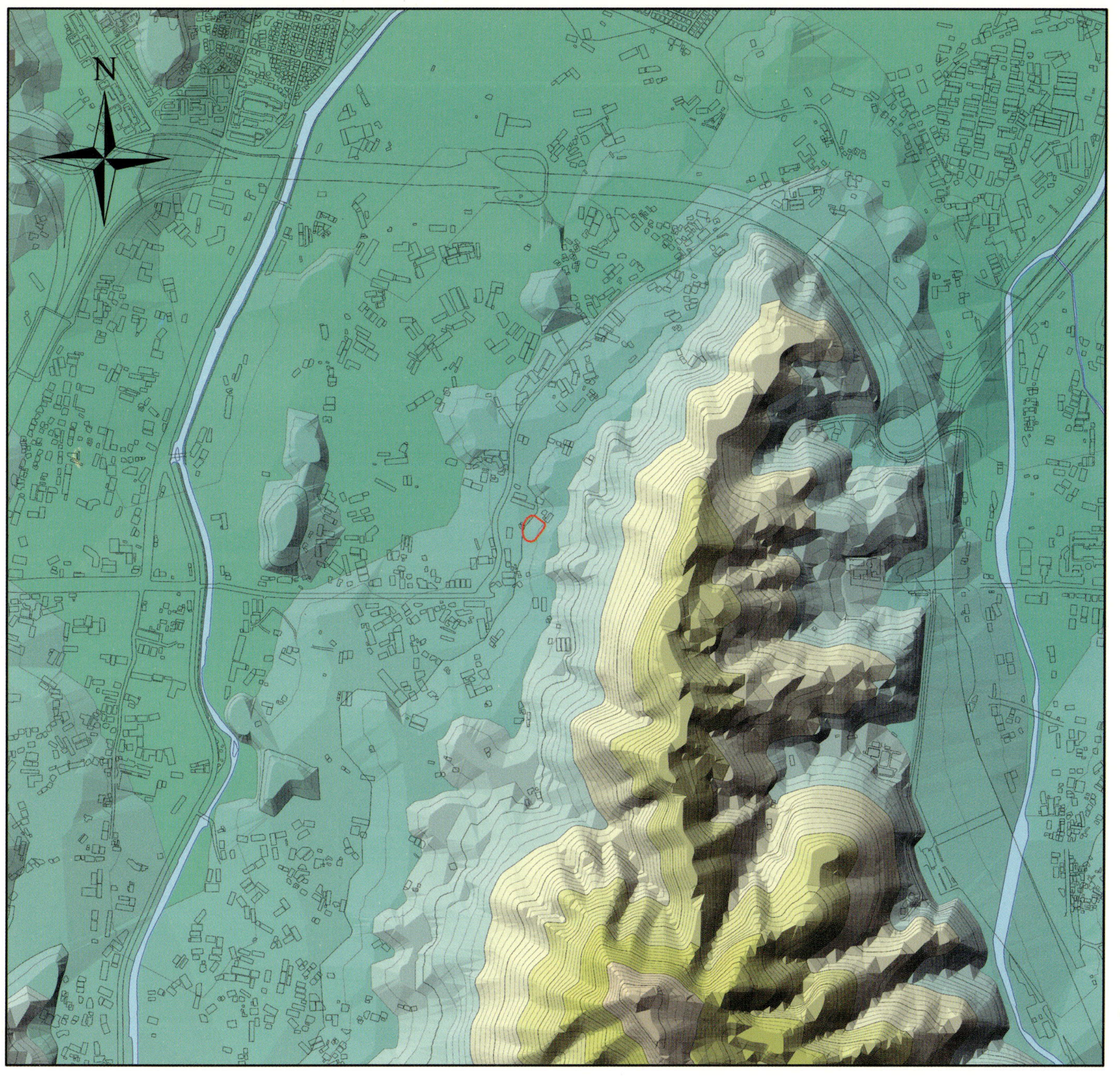

▮범 례

일련번호	지 역	유 적	시 대	주 소
129	하남	교산동 고인돌		

▮좌 표

경 도	위 도
127-12-33.97	37-31-25.63

130. 교산동 토루추정지

소 재 지 경기도 하남시 교산동 66-1, 86-2~16, 87-10, 89-6~16, 89-22, 92-8~9번지 등
시 대 역사시대미상
유적분류 유형문화재 〉 유적 〉 정치국방유적

토루로 추정되는 곳은 교산동 건물지로부터 북동쪽으로 약100m 거리에 위치하며, 객산 정상으로부터 서쪽으로 뻗어 내려오는 능선이다.

이 능선은 교산동 건물지에 인접해 있고 북쪽 사면이 삭토된 듯 경사져 있기 때문에 토루로 추정되고 있는데, 특히 교산동 건물지 부근에 있는 2~10m 내외의 구릉들이 주목되는 곳이다.

교산동 건물지에서 조사된 담장지는 서쪽과 남쪽, 동쪽에서 확인되었다. 이 담장지중 서쪽 담장지는 풍화암반토 위에 1.5m 가량의 점토로 성토를 한 후 외부에 할석들로 보강하기도 했고, 남쪽 담장지의 경우 외측에 석축을 시설하고 내측으로는 토석혼축으로 축조하기도 했다. 동쪽 담장지도 같은 방법으로 축조하였는데 너비가 4m 정도이다.

담장지의 축조시기에 대해서는 대략 통일신라말에서 고려 초기에 초축이 이루어졌으며 보축은 그 이후 고려시대에 이루어진 것으로 조사되었다. 이 담장지의 성격에 대해서는 토루 보다는 담장의 경계역할을 한 것으로 보고 있다.

이러한 높고 낮은 구릉들은 향후 정밀조사를 통해 그 성격이 밝혀져야 하겠지만, 최근 형질변경이 가해져 원래의 지형을 알아보기 어려운 실정이다.

[참고문헌] 世宗大學校博物館·河南市, 1999,『河南市의 歷史와 文化遺蹟』.
최정필·황보경, 2001,『하남 방어시설 추정지 시굴조사 보고서』, 세종대학교 박물관·하남시.

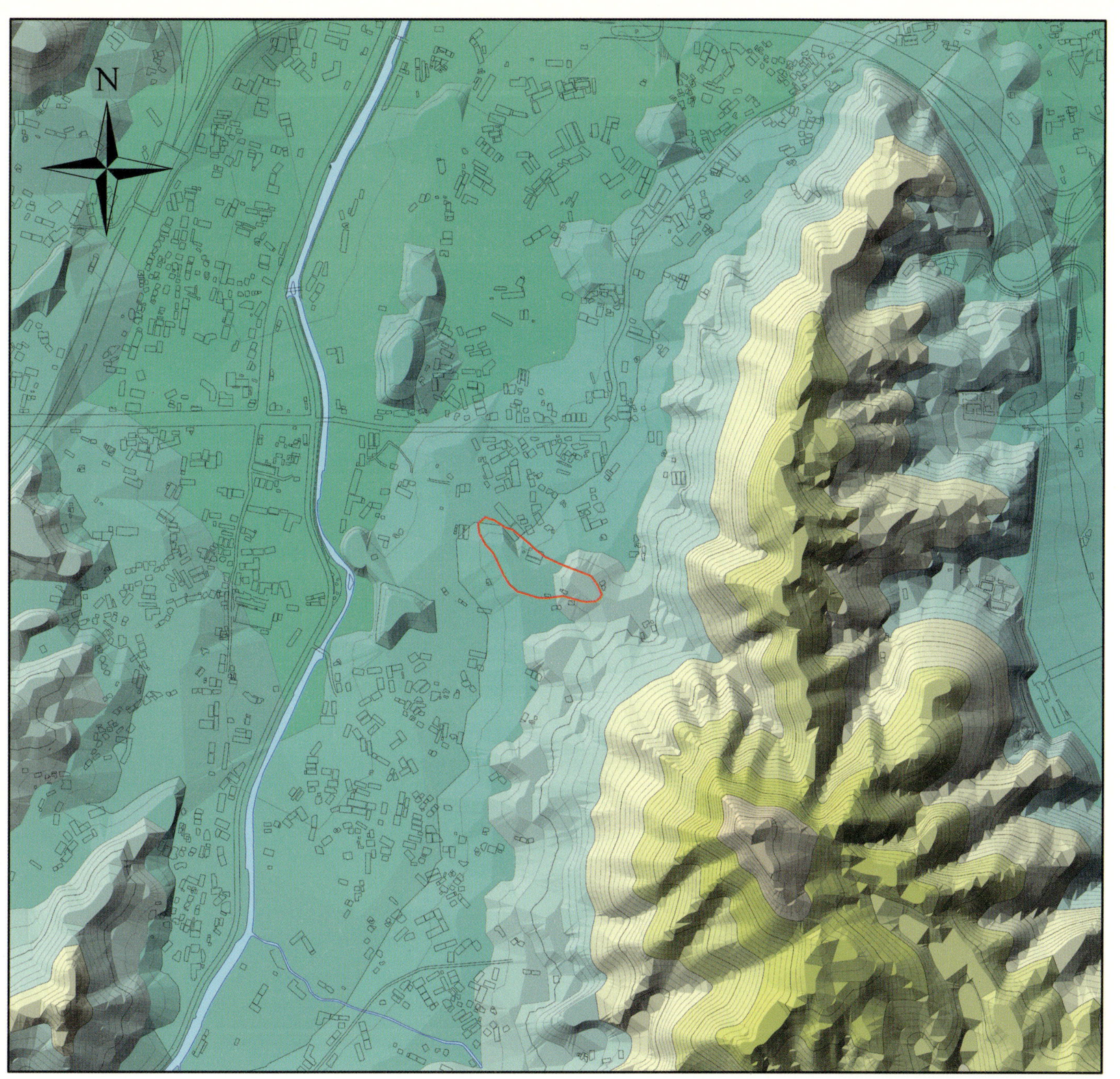

▮범 례

일련번호	지 역	유 적	시 대	주 소
130	하남	교산동 토루추정지		

▮좌 표

경 도	위 도
127-12-22.23	37-31-9.20

131. 교산동 건물지

소 재 지 경기도 하남시 교산동 67-2, 69-3~73-1, 74-4~79-2, 86-17번지 등
시 대 1) 통일신라/발해시대 2) 고려시대 3) 조선시대
유적분류 유형문화재 〉 유적 〉 생활유적 〉 주거유적 〉 건물지

4차에 걸친 발굴조사 결과, 건물지는 평면 형태가 북쪽인 트인「ㄷ」자형 배치를 이루고 있으며, 그 외곽으로 토루가 확인되었다.

1차 조사에서는 서쪽 건물지와 남쪽 건물지가 발굴되었고, 출토유물로는 귀면문·연화문 당초문 막새류와「○達伯士」·「廣州」·「廣州客舍」·「廣」·「官」자 등의 명문와가 출토되었다.

2차 조사에서는 서쪽 건물지와 중앙 평탄지를 중심으로 이루어졌다. 서쪽 건물지는 최소 7동에서 9동의 건물지가 확인되었고, 출토된 유물로는 주로 나말여초에서 조선시대 후기에 해당하는 유물이 많았다. 서쪽 담장지는 서쪽 건물지의 서편에 위치하고, 풍화암반토 위에 1.5m 가량의 점토로 성토를 하고, 30cm 정도의 할석 들로보강하였다. 남쪽 담장지는 외측에 석축을 시설하고, 토석혼축으로 축조하였다.

3차 조사는 남쪽 건물지를 중심으로 발굴이 이루어졌다. 남쪽 건물진는 정면 17칸, 측면 2칸의 건물이고, 정면 주칸거리 약 2m, 측면 주칸거리 3.3m로 파악되었으며 서쪽 건물지중 3·4건물 지와 같은 시기일 것으로 보았다.

남쪽 담장지에서는 석축이 추가로 확인되었고,「廣」·「戊戌」·「哀宣」·「成達伯士」명 명문와가 출토되었다.

이밖에도 연못지와 평탄지 북쪽건물지 연장부가 함께 조사되었다.

연못지는 각 변이 7m, 7.8m, 8.5m의 길이를 가지는 마름모 형태이다. 석축은 최소 2단에서 5단까지 남아 있으며 지표면에서 바닥까지는 1.6m이고, 석축 최상부에서 바닥까지의 깊이는 80cm 가량이다. 석축 축조방법은 막돌허튼쌓기로 연못바닥을 중심으로 3~4단까지는 비교적 큰 할석을 중심으로 쌓고 그 위로는 보다 작은 할석을 사용한 것으로 조사되었다.

4차 조사는 동쪽 건물지와 동쪽 담장지에 대하여 이루어졌다.

동쪽 건둘지는 2회에 걸쳐 중복된 건물지로 확인되었다. 최상층 건물지는 주칸진리 3m의 조선시대 건물지로 추정되며, 2차 건물지는 대체로 주칸거리 2m를 가지는 건물지이다. 이 건물지는 남쪽건물지 하층 건물지와 동일한 주칸거리를 가지는 것으로 미루어 보아 동일한 시기인 고려시대 건물지로 추정되었다.

동쪽 토루지는 3차 조사시 남쪽 토루지에서 노출되었던 수직상의 축조양상과 달리 상·하층의 석축이 1단씩 계단식으로 축조되었다. 또한 3차 조사시 회절부에 대한 조사에서 상·하층의 석축이 각기 다른 축조방식을 보이고 있음에 따라 보축의 가능성이 제기 되었는데, 4차 조사에서 확인된 석렬이 회절부상의 석렬들과 같은 레벨상에 위치하는 것으로 판단됨에 따라 그 연장부로 추정되기도 하였다. 또한 동쪽건물지 내부 탐색트렌치상에서 담장지 내측 석축으로 추정되는 석렬들이 확인되어 동쪽 담장지의 축조 당시 규모는 폭 4m 가량으로 확인되었다.

조사결과, 건물의 성격은 명확하지 않지만 통일신라말인 장군인 성달(城達)과 애선(哀宣) 등이 직·간접적으로 건물 조성에 관여했고, 고려 중기가 유적의 중심시기로 추정되었다. 그리고「廣州客舍」명문와가 출토되어 객사로서의 가능성이 있고, 조선시대 건물지는 관영건축물로서의 성격이 유지되었을 것으로 추정되었다.

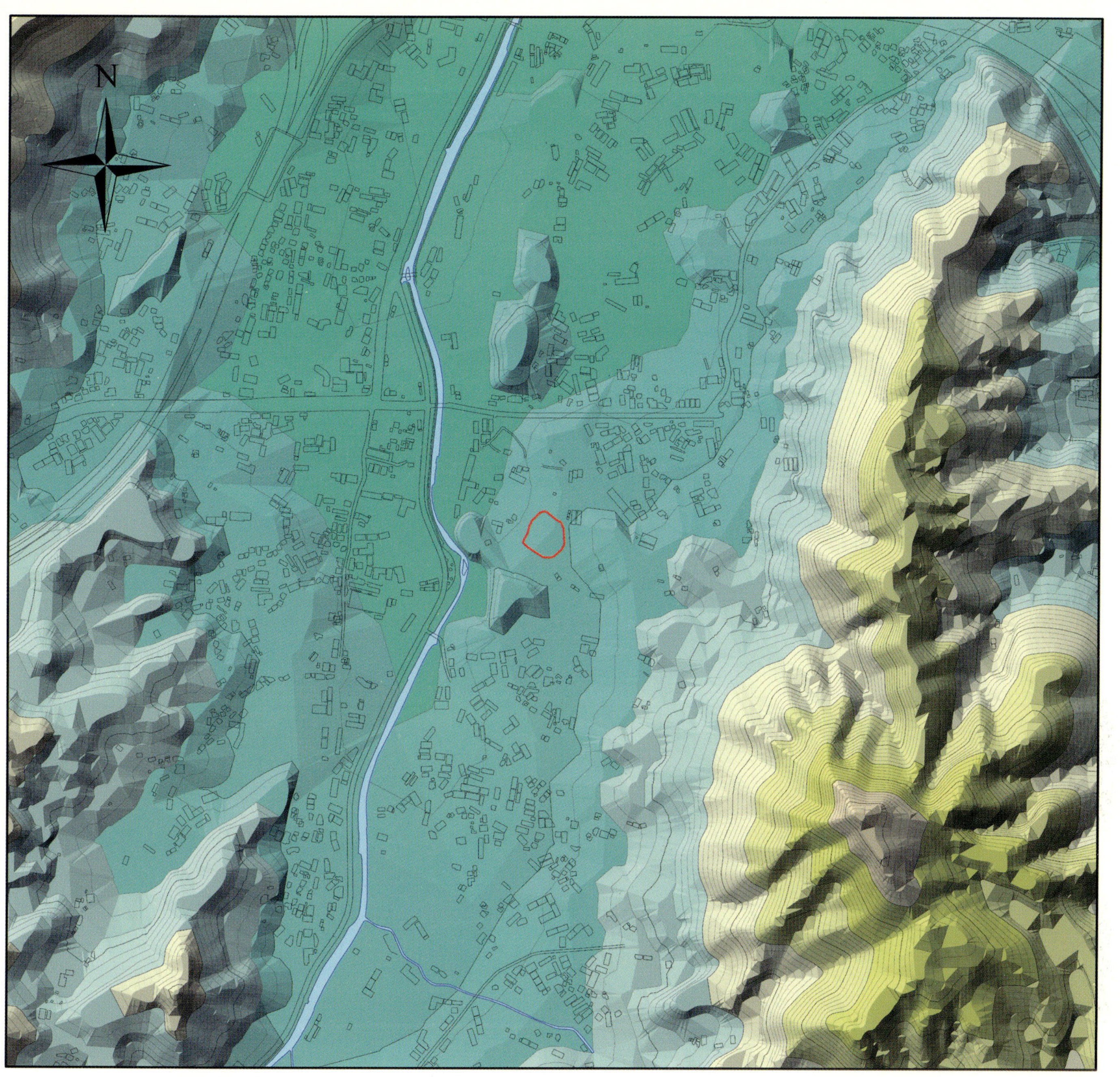

범 례

일련번호	지 역	유 적	시 대	주 소
131	하남	교산동 건물지	통일신라/ 나말여초	하남시 교산동

좌 표

경 도	위 도
127-12-12.13	37-31-10.95

132. 춘궁동 401-8번지 유적

소 재 지 경기도 하남시 춘궁동 401-8번지
시 대 통일신라/발해시대
유적분류 유형문화재 〉 유적 〉 생활유적 〉 주거유적 〉 건물지

이 유적에 대한 조사는 2004년 9월에 이루어졌으며, 조사결과 적심석 4기와 장방형의 돌유구 등이 찾아졌고 출토유물로는 연화문·쌍조문 수막새와 당초+초화문 암막새, 평기와 등이 있다.

적심석은 평면 원형이고 지름이 160~180cm로 비교적 큰 편이며, 바닥면을 반원형으로 파고 돌을 3단 정도로 쌓았다. 사용한 돌은 다듬지 않은 막돌로 지름이 보통 20~30cm이다. 적심석간의 간격은 280cm인데, 제한된 범위내에서 찾아진 유구로 볼 때 동-서 3칸, 남-북 2칸 정도로 추정되었다. 그리고 장방형의 돌유구는 적심석 2기가 겹쳐 있던 것을 차후에 보수하여 다른 용도로 사용한 것으로 추정되는데, 크기가 동-서 360cm, 남-북 200cm이다.

참고적으로 기와들이 유구의 남쪽부분에서 집중적으로 출토되는 것으로 보아 건물이 남쪽으로 쓰러지면서 흘러내린 것으로 추정되었다.

출토된 유물로는 연화문 수막새의 경우 연판이 복판이고 꽃잎이 볼륨감 있게 솟아 있으며, 자방에 연자가 4개 배치되어 있다. 주연부에도 연자가 붙어 있으며, 수키와가 붙어 있는 것의 경우 등면에 집선문이 시문되어 있다. 쌍조문 수막새의 경우 새 한 마리만 남아 있는데, 새 머리 부분에 「王」자로 여겨지는 명문이 있어 주목된다. 암막새는 초화문을 중심으로 양쪽 옆으로 당초문이 중간 중간에 시문되어 있는 것이다. 주연부에는 연자가 붙어 있고, 암와가 남아 있는 것의 경우 등면에 사격자문이 시문된 것이 있다.

출토된 유물로 보아 이 건물지는 통일신라시대에 축조되었던 것으로 추정되고, 사찰이나 관영 건물지일 가능성이 있다.

이 유적은 하남지역에서 발견된 건물지중에서 남은 상태가 양호하므로 앞으로 주변지역에 대하여 체계적인 조사가 필요한 실정이다.

0 0.25 0.5 km

범 례

일련번호	지 역	유 적	시 대	주 소
132	하남	춘궁동 401-8번지 건물지	신라	하남시 춘궁동 401-8

좌 표

경 도	위 도
127-11-49.86	37-31-8.78

133. 하남 하사창동 316-1번지 내 유적

소 재 지 경기도 하남시 춘궁동 316-1번지
시　　대 통일신라/발해시대
유적분류 유형문화재 〉 유적 〉 생활유적 〉 주거유적 〉 건물지

조사지역의 북편으로는 교산동, 동편으로는 춘궁동이 위치하며, 서남편으로는 법화동이 위치하고 있다. 지형상으로 이성산, 금암산, 객산 사이에 위치한 평야지대로 최근까지 경작지로 이용되었던 곳이다.

조사결과 확인된 유구는 2개의 초석을 포함하는 건물지 1기, 석축유구 1기, 우물지 1기가 조사되었다.

유물로는 건물지 주변에서 통일신라시대~고려시대에 이르는 암막새편, 수막새편을 포함한 다량의 기와편과 청자편, 도기편 등의 유물이 확인되었다.

[참고문헌] (재)서해문화재연구원, 2010, 「하남 하사창동 유적 -하남 하사창동 316-1번지 내 유적 발굴조사 약보고서」.

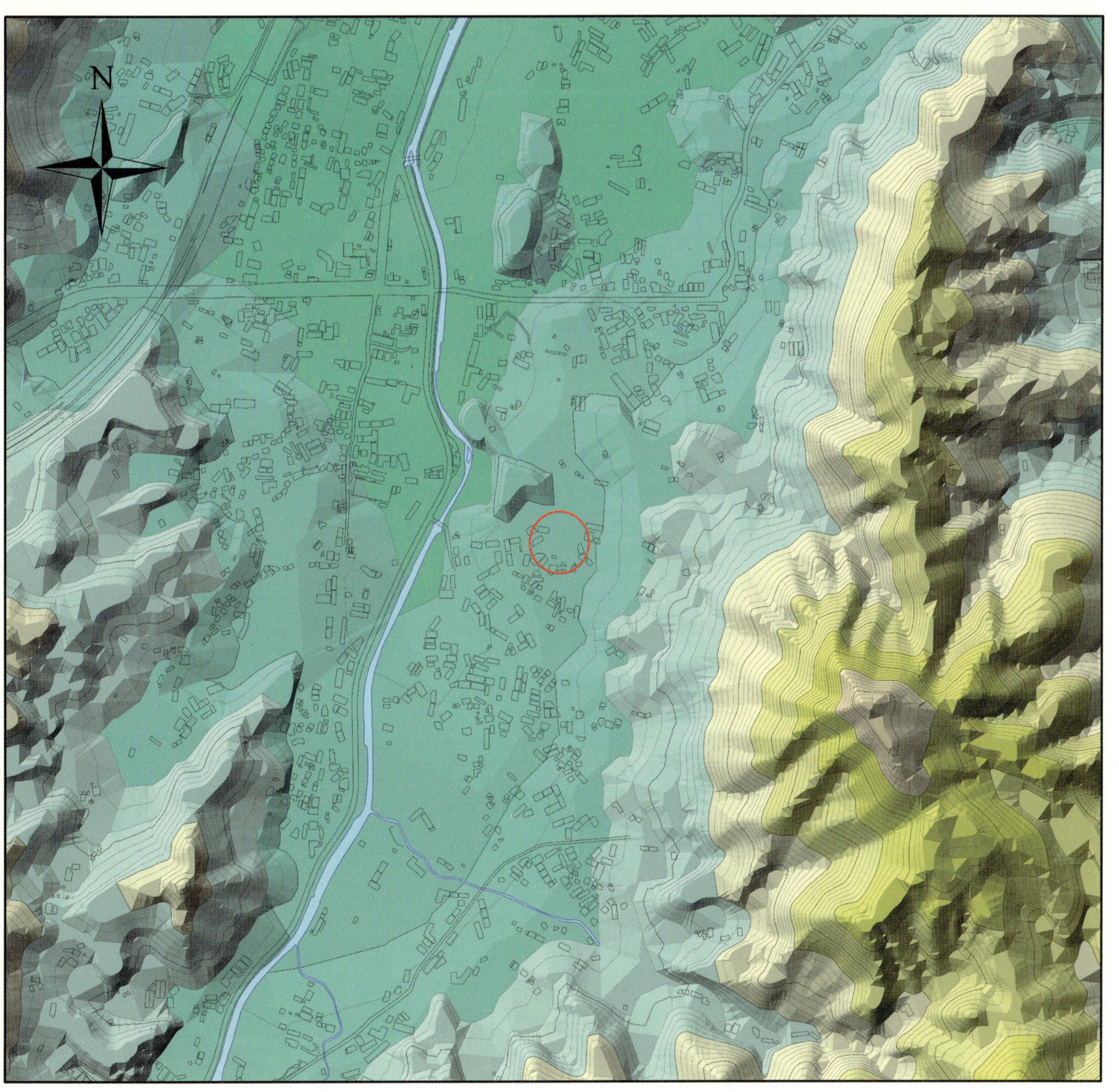

▮범 례

일련번호	지 역	유 적	시 대	주 소
133	하남	하사창동 316-1번지유적	신라	하남시 하사창동 316-1

▮좌 표

경 도	위 도
127-12-10.51	37-31-1.26

134. 선법사(善法寺)

소 재 지 경기도 하남시 교산동 53~57, 산10-2, 10-5, 58-4번지 등
시 대 1) 통일신라/발해시대 2) 고려시대 3) 조선시대
유적분류 유형문화재 〉 건축물/건축물군 〉 종교건축 〉 불교건축(사찰)

선법사(善法寺)는 객산의 정상부 아래 서쪽 산자락 끝부분을 평탄화 시켜 대웅보전과 산신각을 짓고, 승방을 현대식 콘크리트 건물로 지었다. 경내에는 태평2년명 마애약사불좌상과 석물이 있다.

마애불 외에 선법사에는 건물을 지을 때 8엽 연화문 석물이 출토되었다. 이 석물은 마애불 앞에 놓여 있다. 평면은 원형이고, 단면은 반달형이다. 윗면과 옆면은 치석을 했으나 아랫면은 자연석 그대로이고, 윗면에 새겨진 연화문은 8엽으로 복판이다. 중앙에는 자방이 있는데 지름 10m이고, 석물 크기는 30×10cm이다.

마애불로 오르는 계단중에는 오래된 장대석 등의 석물이 몇 기 섞여 있는데, 그 크기는 80×30×16cm정도이다. 그리고 경내 여러 곳에 초석으로 사용되었던 석재가 놓여 있는데, 네모꼴로 윗면과 옆면만 손질한 것이 있다.

한편, 대웅보전 뒤쪽에는 절에서 경작하는 텃밭이 있는데 대지가 평평하여 전각의 원래 자리로 추정된다.

선법사(善法寺)의 경내에 위치한 태평2년명 마애약사불좌상(이하 태평2년명 마애불)은 대좌와 불신 및 광배를 구비한 것으로 대좌 즉 하대석에는 복련이 조각되어 있고, 중대석은 짧은 4개의 기둥으로 처리되었다. 상대석에는 단판 복엽의 앙련이 불상 무릎을 감싸며 조각되어 있다. 광배는 3중의 원형 두광과 신광으로 구성되어 있는데, 주변에 화염문이 조각되어 있다. 불상 머리에는 육계가 있고, 법의는 우견편단이며 왼손에 약합을 들고 있어 약사불임을 보여 준다.

불상의 오른쪽에는 「太平二年丁丑七月二十九日 古石佛在如斯乙 重修爲今上皇帝萬歲願」이란 명문이 있다. 이 기록으로 보아 태평 2년에 불상을 다시 수리하였다고 하나 불상 자체를 보수하였다기 보다는 불상과 부속된 가구(架構)나 천개(天蓋) 등의 시설을 수리한 것이 아닌가 한다. 그리고 명문에 보이는 연호인 태평 2년은 송 태종(976~997)대에 사용한 태평흥국(976~983) 2년으로 고려 977년에 해당한다. 그리고 마애불이 있는 경내에는 절터로 추정되는 곳이 현 대웅보전의 뒤쪽 텃밭으로 추정되고 있다. 지표상에는 유물이 드러나 있지는 않지만 경내에 남아 있는 초석과 기단석 등의 석물로 보아 마애불과 관련된 사찰은 적어도 통일신라시대부터 경영된 것으로 추정된다.

[참고문헌] 이기선, 1997, 「경기도의 불교미술」, 『경기도의 문화와 예술』, 경기도사편찬위원회.
이장우, 2004, 「하남의 불교문화」, 『하남의 문화유산』.

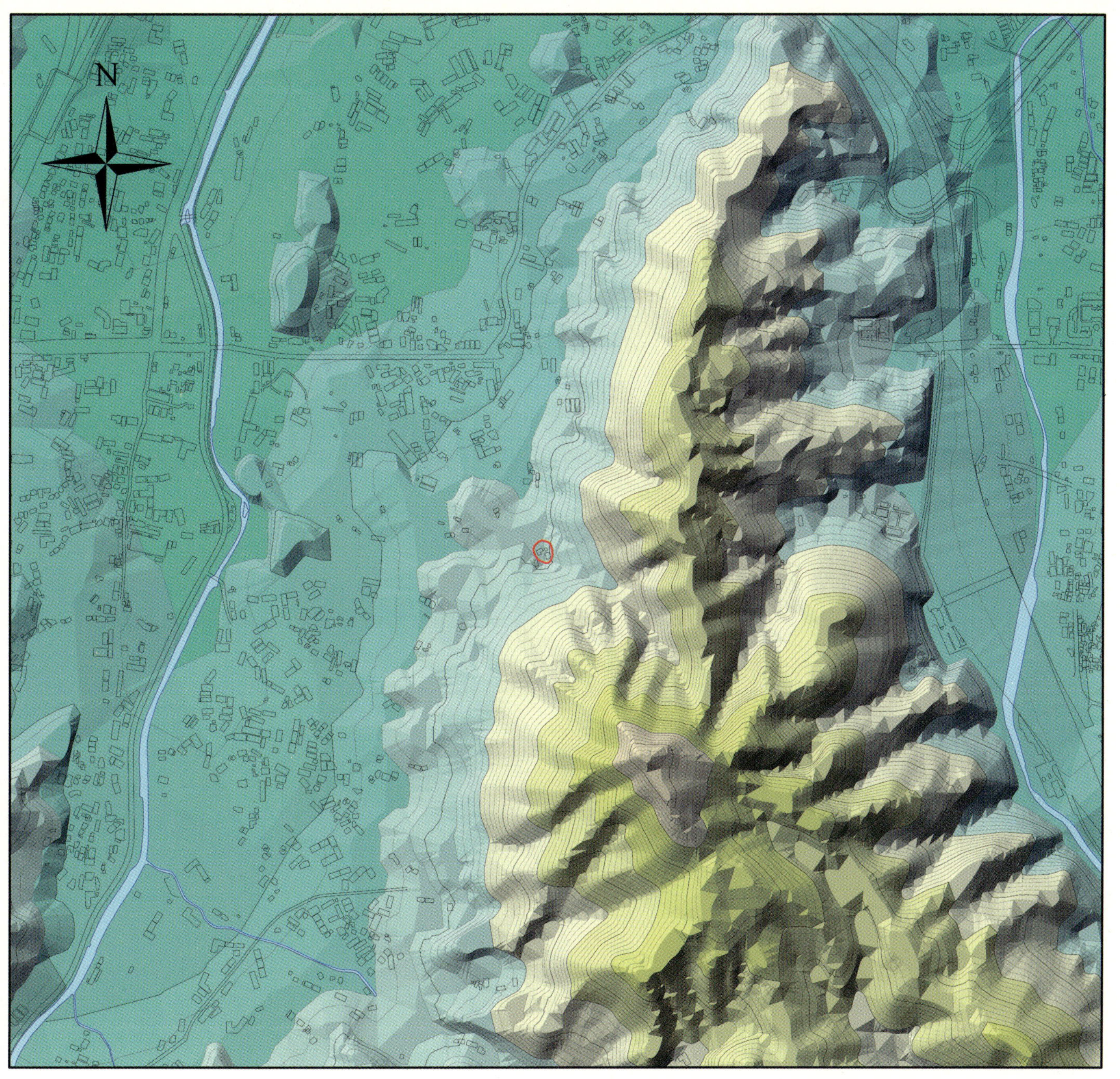

범 례

일련번호	지 역	유 적	시 대	주 소
134	하남	선법사		

좌 표

경 도	위 도
127-12-33.90	37-31-4.91

135. 하남 객산 망루1(河南 客山 望壘1)

소 재 지 경기도 하남시
시　　대 역사시대미상
유적분류 유형문화재 〉 유적 〉 정치국방유적

경기도 하남시에 있는 객산의 정상부에 위치해 있는 망루이다. 망루 둘레는 70m 정도이고, 주변 여러 군데에 할석이 잔존하나 흙에 덮여 있어 정확한 축조상태를 파악하기 어렵다. 지표에는 통일신라~고려시대 토기와 기와편이 산포되어 있으며, 남쪽 능선을 따라 객산 고분군이 분포되어 있다.

정상에는 작은 건물지가 있을 만한 평탄한 공간이 있고, 바닥에 는 돌들이 드러난 있다. 돌들이 드러나 있는 공간의 규모는 5×6m이다.

북쪽의 한강과 서쪽 방면의 이성산·몽촌토성 등이 한 눈에 들어오는 곳이다. 이 망루지는 주변 다른 산보다 한강유역과 몽촌토성 방면을 관망하기에 용이한 장소이므로 보다 정밀한 조사가 요구된다.

[참고문헌] 세종대학교박물관, 1999,『하남시의 역사와 문화유적』.
경기도박물관, 2002,『경기도 3대 하천유역 종합학술조사Ⅱ -한강-』.

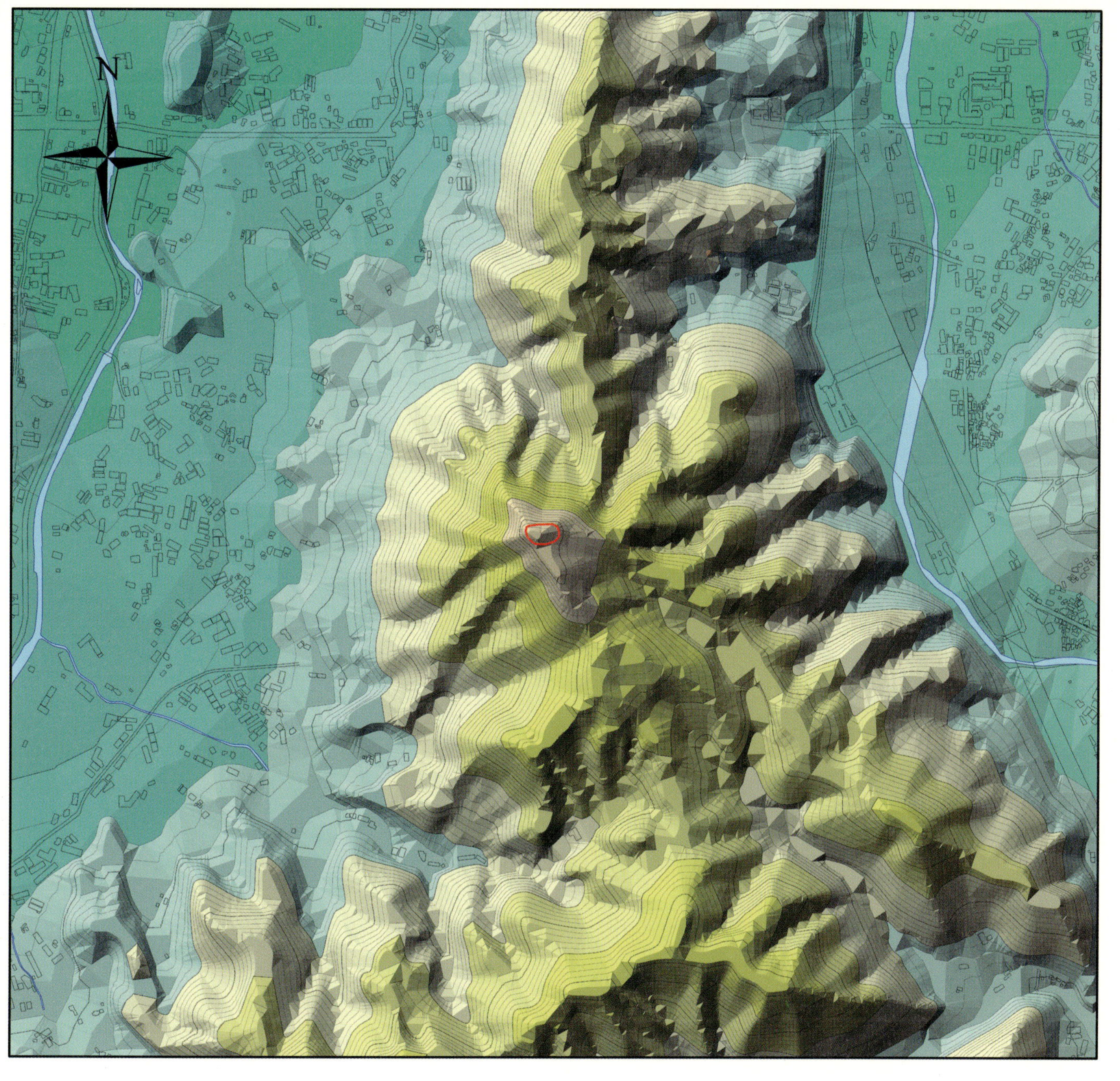

범 례

일련번호	지 역	유 적	시 대	주 소
135	하남	객산 망루지1		

좌 표

경 도	위 도
127-12-44.82	37-30-48.56

136. 하남 객산 망루2(河南 客山 望壘2)

소 재 지 경기도 하남시
시 대 역사시대미상
유적분류 유형문화재 〉 유적 〉 정치국방유적

경기도 하남시에 위치한 객산의 북쪽 산줄기에 위치해있다. 망루는 남-북 방향으로 뻗은 산줄기상에 '凸'자 형태로 돌출되어 있고, 지표상에 석재가 노출되어 있는 곳도 있다. 망루의 상단부는 평평하고, 동쪽 사면은 급경사를 이루고 있다.

[참고문헌] 세종대학교박물관, 1999, 『하남시의 역사와 문화유적』.
경기도박물관, 2002, 『경기도 3대 하천유역 종합학술조사Ⅱ-한강-』.

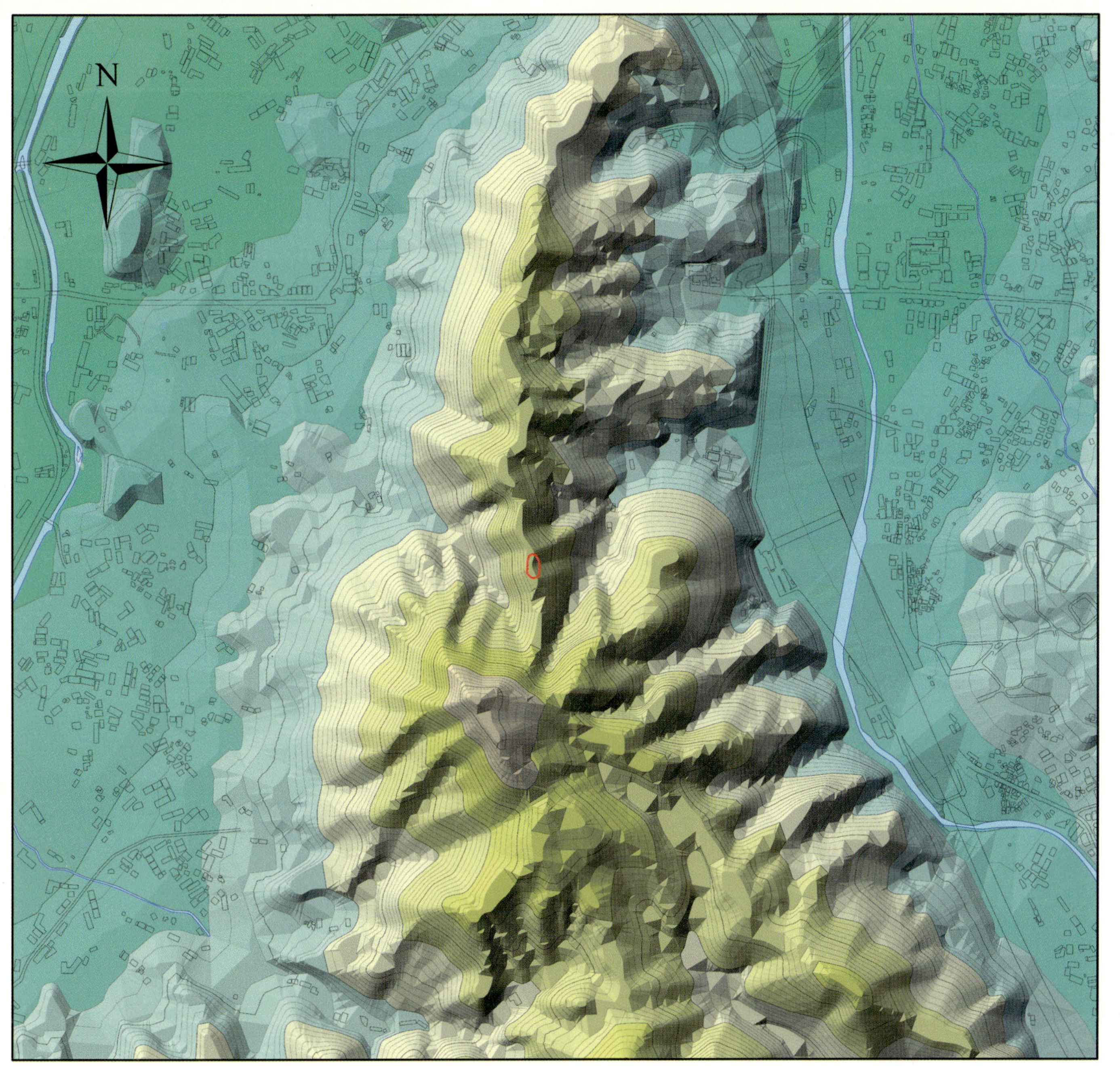

▮범 례

일련번호	지 역	유 적	시 대	주 소
136	하남	객산 망루지2		

▮좌 표

경 도	위 도
127-12-49.92	37-30-59.49

137. 천왕사지(天王寺址)

소 재 지 경기도 하남시 하사창동 340
시 대 1) 통일신라/발해시대 2) 고려시대
유적분류 유형문화재 〉 건축물/건축물군 〉 종교건축 〉 불교건축(사찰)

천왕사지(天王寺址)는 하남시 하사창동 340번지 일원에 위치해 있고, 몇 차례에 걸친 지표조사를 통해 찾아진 절터이다.

먼저, 천왕사에 대한 문헌기록을 살펴보면『高麗史』辛旽編과『高麗史節要』恭愍王 15年 기록에서 찾아볼 수 있으며, 여주 고달사지(高達寺址)에 있는「高達寺元宗大師慧眞塔」(보물 제7호)에도 원종대사(869~958년)가 태조의 뜻에 따라 광주(廣州) 천왕사에 머문 기록이 있다. 또한『朝鮮王朝實錄』『世宗大王實錄』에도 천왕사에서 사리를 받쳤다는 내용의 기사가 남아 있다.

위와 같은 문헌과 탑비의 기록으로 볼 때, 천왕사는 적어도 원종대사가 중국으로부터 귀국한 뒤 천왕사에 잠시 머물렀던 것으로 추정되는 921년 이후부터 세종대 1446년까지 법등이 이어졌던 것이 분명한 것으로 판단된다. 그러나, 천왕사의 창건시기에 대해서는 2차례에 걸친 시굴조사 결과를 바탕으로 추정해 보고자 한다.

1차 시굴조사는 2000년 11월부터 2001년 4월까지 이루어졌고, 4개 지구에서 추정 목탑지 1동, 건물지 1동, 적심군 1개소, 담장지 7개소, 배수시설 4개소 등 총 2동 22개소의 유구가 확인되었다.

추정 목탑지는 조사단에서 설정한 가지구의 남서쪽에 위치하며, 북동쪽으로 19m 떨어져 제1건물지가 있다. 조사결과 추정 목탑지의 전체적인 평면형태를 확인하지 않았으나 초석열의 방향을 통해 장축이 N-40°-E로 남서향으로 추정되었다. 추정 목탑지의 초석열 범위는 북동-남서방향으로 약 17m, 남동-북서방향으로 10.5m가 확인되었지만 시굴범위의 제한으로 더 이상의 조사를 하지 못하였다. 한편 탑지의 기초조성은 통기초방식으로 추정되고, 층위상으로는 두께 70㎝, 폭 220㎝로 기초를 다진 층도 확인되었는데, 조성방식은 적갈색 점토와 5~10㎝ 내외의 자갈을 혼합하여 여러 차례 다졌다.

추정 심초석은 목탑지의 가장 서쪽면에 위치해 있다. 평면형태는 방형이고 크기는 가로 148㎝, 세로 138㎝, 높이 85㎝이고, 상면 가운데에는 사리공이 가로 48㎝, 세로 44㎝, 깊이 40㎝ 크기로 마련되어 있다. 이 심초석은 원래의 자리에서 옮겨진 것으로 파악되었다.

제1건물지는 장축 방향이 북동-남서쪽(N-40°-E)으로 추정 목탑지와 같은 남서향이고 평면형태는 방향이며 남-북 길이 14.5m, 동-서 길이 12.6m이다. 이 건물지는 추정 목탑지 뒤쪽의 동일 축선상으로 연결하여 조성된 주요 가람시설일 것으로 추정되었다. 가지구에서 출토된 명문와로는「天王」,「卍」,「又且」자가 시문된 것이 있고, 수막새는 일휘문과 연화문, 암막새는 귀면문과 연화문, 초엽문 등이 있다. 이밖에도 치미를 비롯한 착고와, 귀면와, 연목와 벽돌, 석제와 소조불상 조각들이 출토되었다.

나지구에서는 적심군과 담장지 각 1개소, 석열 2개소가 확인되었는데, 그중 담장지는 긴 방향이 북서-남동쪽으로 다지구의 담장시설과 연결되는 것으로 추정되었다. 남아 있는 담장의 길이는 14.5m, 폭 1.5m로 2단만 남아 있었다. 적심군에서 찾아진 적심은 3개로 지름이 0.8~2.0m 내외로 크기가 다양하고 사용된 돌의 크기도 다르다. 나지구에서 출토된 유물로는 대형 저장호와 해무리굽 청자 등 토·자기류가 다른 지구보다 많았고,「天王」자 명문와와 연화문 수막새 등도 수습되었다.

다지구는 조사구역의 가장 북동쪽에 위치하며 이중에서 지표조사를 통해 토단시설로 추정되었던 곳을 조사한 결과, 구릉 상부는 이미 2m 이상 삭토된 후 복토가 이루어져 유구와 문화층이 확인되지 않았고, 주변 경작지에서 석축 1개

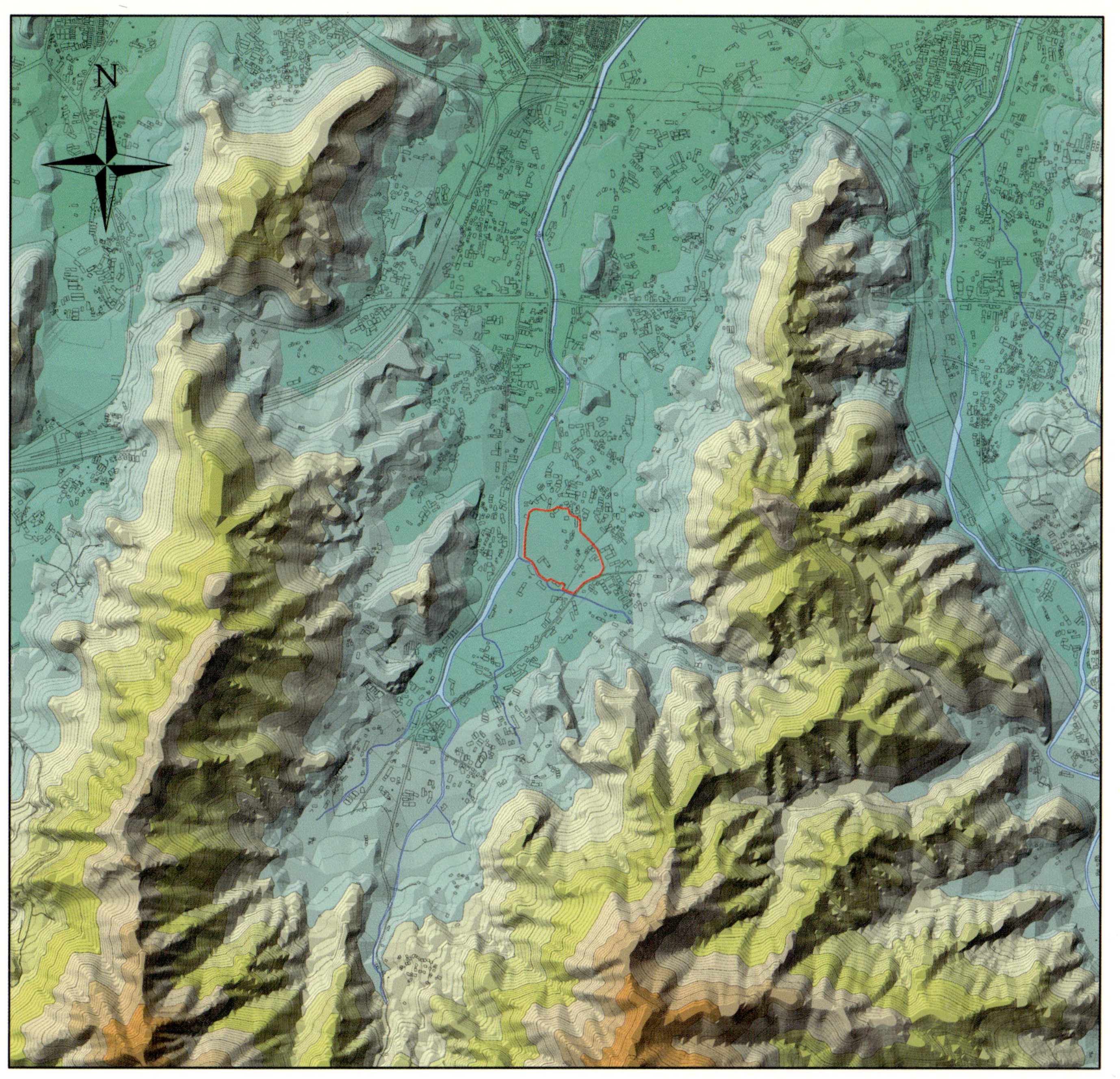

0 1 2 km

범 례

일련번호	지 역	유 적	시 대	주 소
137	하남	천왕사지	통일신라	하남시 하사창동 340

좌 표

경 도	위 도
127-12-2.35	37-30-41.40

소, 담장지 6개소, 배수시설 2개소 등이 찾아졌는데, 제한된 조사를 벌여 각 유구간의 연결관계가 제대로 확인되지 못하였다. 이곳에서 출토된 유물은 다른 지구와 같이 「又且」자 명문와 등이 있다. 라지구에서도 배수로 2개소와 석열 4개소가 확인되었고, 유물은 가지구와 다지구에서 출토된 것과 같은 양상을 보인다.

이와 같이 1차 시굴조사에서는 추정 목탑지를 중심으로 한 조사를 벌였으나, 심초석이 원래의 자리에서 옮겨진 것으로 밝혀졌고 대략적인 목탑지의 위치만 확인되었다. 출토된 유물은 9세기 말~12세기까지 해당하는 것이 많았다.

2차 시굴조사는 2001년 9월부터 12월까지 2개 지구로 구분되어 이루어졌다.

Ⅰ지구에서는 석축 1열과 석열유구 1열, 추정 기단 1개소, 소성유구 6개소, 부석시설 1구역 등 17개의 유구가 찾아졌다.

석축은 상하 2단이 남아 있는데, 하단은 50㎝ 정도의 대형석재를 세로로 쌓았으며 상단은 30㎝ 내외의 석재를 가로쌓기로 면을 맞추었다. 이 석축의 길이는 24m이고, 긴 방향이 북동-남서쪽으로 다른 유구들과 같은 방향이다.

석축의 성격은 명확하지는 않지만, 담장지와 유사한 형태를 나타내어 기능에 있어서 단순한 담장의 개념보다 중심사역(中心寺域)과 주변사역(周邊寺域)의 경계를 위한 시설로 판단된다.

추정 기단은 추정 목탑지에서 남쪽으로 30m 떨어진 곳으로 가람 배치상 중문이 자리할 가능성이 높은 곳이다. 노출된 부분은 길이 1.2m, 폭 0.8m이며, 30~40㎝의 방형석재와 판석으로 단을 쌓았다. 소성유구는 소결(燒結)된 바닥면만 남아 있는 상태로 찾아졌는데, 주변에서 유리질화(琉璃質化) 된 요지의 벽체편이나 소성불량과 고온 소성된 변형된 기와 파편이 다량 수습되는 것으로 보아 기와생산과 관련된 공방이었을 가능성이 높다.

출토된 유물로는 「天王」, 「卍」,「又且」, 「官」, 「千」자가 시문된 명문와 6점과 연화문과 보상화문 등의 수막새 9점, 당초문과 귀목문 등의 암막새 6점이 대표적이다. 이중에서 연화문 수막새 1점은 백제와당의 제작방식에서 영향을 받은 통일신라시대의 것이어서 주목된다. 또한 제작시기가 8~9세기경으로 추정되는 주름무늬병 3점이 출토되었고, 해무리굽 백자와 청자 등도 있어 1차 시굴조사 때와 크게 다르지 않았다.

춘궁리 철조석가여래좌상(이하 춘궁리 철불)은 머리 나발의 육계가 크고 얼굴은 둥글지만 눈과 코, 입 등 세부 표현은 날카로운 곡선이다. 눈이 길고 위로 치켜 올라갔으며 코가 날카롭고 입은 작고 분명하다. 손은 항마촉지인을 취하고 법의는 우견편단을 하고 있다. 전반적으로 석굴암 본존의 모습을 많이 따랐다. 대체로 통일신라시대의 양식을 충실히 계승한 고려시대 초기 작품으로 추정되는데, 김원룡도 긴 눈, 날카로운 코, 넓고 커진 육계 등을 보아 9세기 말에서 10세기 초로 보았다.

이 춘궁리 철불은 현재 국립중앙박물관에 보관되어 있는데, 언제 어디서 옮겨져 왔는가에 대한 내용은 여러 가지 설이 있는 형편이지만 대체로 하남 하사창동의 천왕사에서 옮겨 왔을 것으로 보고 있다.

天平

138. 객산 고분군

소 재 지 경기도 하남시 하산곡동 객산일원
시　　대 1) 삼국시대 2) 통일신라/발해시대 3) 고려시대 4) 조선시대
유적분류 유형문화재 〉 유적 〉 무덤유적 〉 고분 〉 고분군

1지구 고분군은 객산 정상에서 남쪽으로 이어진 등산로를 따라 20m 정도 이동하면 동쪽 옆에 긴 네모꼴의 고분 1기가 위치해 있다. 이 고분군은 봉분이 양호한 상태로 남아 있고,석축이 약간씩 노출되어 있다. 고분의 긴 방향은 남-북방향이고, 크기는 300×230cm이다.

이곳에서 남쪽으로 10m 이동하면, 파괴된 5기의 고분이 더 있는데, 석곽 내부는 흙이 매몰되어 관찰되지 않는다. 단지 네 벽의 석축만 관찰되는데, 모두 긴 방향이 등고선과 나란한 –북쪽이고 , 크기는 200×140cm 정도이다.

2지구 고분군은 1지구에서 남쪽으로 70m 정도 이동하면, 등산로의 동쪽에 있는 소나무 주위와 건너편에 도굴된 고분이 노출되어 있다. 고분은 긴네모꼴의 석곽묘로 긴 방향이 남-북쪽이다. 고분은 능선과 직교하고, 규모는 230×90cm 정도이다.

이곳에서 동쪽으로 뻗은 능선을 따라 이동하면, 능선상에 고묘(古墓) 4기가 위치해 있다. 이 묘들은 각기 일정한 간격을 두고 배치되어 있으며, 봉분의 크기도 동일하다. 봉분의 지름은 450cm이고, 높이는 40cm 정도이다.

3지구 고분군은 2지구에서 남쪽으로 40m 정도 이동하면, 등산로에서 동쪽으로 뻗은 능선 끝자리에 도굴된 3기의 고분이 노출되어 있다.

모두 긴 네모꼴이고, 긴 방향이 남-북쪽이다. 크기는 270×120cm 내외이고, 깊이는 1m 이상 될 것으로 추정된다.

이곳에서 10m 남쪽지점에 4기의 고분이 등산로 동쪽 사면에 노출되어 있다. 그중 1기만이 석곽 내부가 일부분 관찰된다. 긴 방향은 동-서방향이고, 고분 크기는 240×90×40cm이다.

4지구 고분군은 3지구에서 남쪽으로 30m 정도 이동하면, 등산로와 서쪽 경사면에 20여 기의 고분이 밀집해 있다. 대부분의 고분은 도굴된 상태로 노출되어 있으며, 일부는 처녀분으로 추정된다.

고분은 석곽묘와 석실분이 혼재하는데, 이들 대부분은 긴 방향이 북서-남동방향이다. 크기는 270~320×180~230×50~60cm 정도이다.

5지구 고분군은 4지구에서 남쪽으로 이동하면 전주(全州) 이씨와 기계(杞溪) 유씨 묘역이 있는데, 그 남쪽 사면이 일명 '새미재'이다. 5지구는 묘역 주변과 새미재 주변에 분포한 고분군이다.

묘역 주변에 위치한 고분은 석곽묘로 추정되는데 지표상에는 4기 정도가 확인되었고, 새미재 주변에도 2기 정도의 고분이 훼손된 상태로 있다.

긴 방향은 남-북방향과 북서-남동방향이 혼재하고, 크기는 220~240×100~130×70cm 정도이다.

6지구 고분군은 5지구에서 남쪽으로 70m 가면, 등산로와 서쪽 옆에 3기의 석곽묘가 노출되어 있다. 이곳의 고분들도 모두 도굴된 것인데, 주위로 봉분이 낮게 남아 있는 것도 있어 처녀분이 존재할 것으로 보인다.

노출된 고분의 긴 방향은 북서-남동향이고, 벽석은 다소 내경(內傾)했다. 크기는 250~300×120~270×60cm 정도이다. 크기로 보아 석실분과 석곽묘가 혼재해 있는 것 같다.

범 례

일련번호	지 역	유 적	시 대	주 소
138	하남	객산 고분군		

좌 표

경 도	위 도
127-12-47.51	37-30-30.37
127-12-51.51	37-30-30.39
127-12-47.79	37-30-27.21
127-12-52.09	37-30-27.32
127-12-48.38	37-30-24.02

139. 하남 감일 공공주택지구 유적(하남 감일동 고분군)

소 재 지 경기도 하남시 감일동
시 대 백제시대
유적분류 유형문화재 〉 유적 〉 무덤유적 〉 고분 〉 고분군

하남감일 공공주택지구 내 문화재 발굴(시굴)조사의 대상면적은 총 270,829㎡(분포확인-18,458㎡, 표본-54,587㎡, 시굴-159,509㎡, 발굴-38,275㎡)이며, 2016년 대상면적은 발굴조사 37,825㎡(1-②:6,280㎡, 1-③지점:27,820㎡, 1-④지점:1,120㎡, 2-④지점:2,605㎡)이다.

1-②지점은 조사구역의 서쪽에 위치한 잔구릉으로 해발고도는 30~50m 내외이다. 조사결과 구릉정상부와 남동사면부에서 석실묘 7기, 석곽묘 2기, 조선시대 토광묘 5기, 석렬 1기 등 총 15기의 유구가 조사되었다. 석실묘의 구조는 7기 모두 횡혈식석실묘로서 현실의 평면형태는 남북방향으로 긴 장방형이며, 우편재연도의 지하식이다. 출토유물 중 토기류는 직구호와 광구장경호, 완, 이형토기가 있고, 금속류는 관정, 꺾쇠, 청동편이 있다. 석곽묘는 2기 모두 수혈식석곽묘이다. 평면형태는 장방형으로 길이에 비해 폭이 좁은 세장한 형태를 갖추고 있다. 유물은 단경호와 관정이 출토되었다. 토광묘 3기는 목관묘로 판단되고, 백자대접, 백자접시, 청동숟가락 등이 출토되었다.

1-②지점과 연결되는 구릉부인 1-③지점과 1-④지점에서도 석실묘, 분묘, 건물지 등 다양한 유구가 확인되고 있다. 현재까지 제토가 이루어진 범위 내에서 1-③지점에서는 석실묘 24기, 토광묘 19기, 회곽묘 4기, 건물지, 가마 등이 확인되고 있다. 석실묘는 구릉의 남사면 상단과 중단에 2열로 배치된 양상이다. 1-④지점에서도 석실묘 2기, 주거지 2기, 토광묘 1기가 확인되고 있다.

2-④지점은 조사구역의 동쪽에 위치한 구릉말단부로 3개의 구역으로 나누어진다. 1구역은 남사면 평탄부에 위치하고 해발고도 45~50m 내외이다. 1구역에서 건물지 2동과 석축시설, 구상유구 3기, 수혈 26기, 주혈 15기 등 총 47기가 조사되었다. 1호 건물지의 평면형태는 동서로 긴 장방형이며, 구조는 정면 4칸, 측면 1칸으로 우측협칸에 1칸이 부가된 '╤'자이다. 내부시설로는 우측협칸에 부뚜막이 설치되어 있다. 유물은 백자대접과 백자접시, 청해파문과 어골문계의 기와가 출토되었다.

2구역은 북사면말단부에 위치하고 해발고도는 45~50m 내외이다. 2구역에서는 석렬 1기, 주거지 2기, 수혈 13기 등 총 16기의 유구가 조사되었다. 주거지 2기 모두 내부에 구들시설을 갖추고 있다. 2호 주거지의 구들은 화구부에서 호상으로 벌어지는 형태로 할석을 사용하여 4줄 고래를 조성하였다. 유물은 주거지와 수혈에서 백자와 청해파문, 어골문계의 기와가 출토되었다.

3구역은 동북사면부에 해당하고 해발고도는 47~51m 내외이다. 2구역과 동일한 능선에 위치하고 동남쪽으로 약 20m 정도 떨어져 있다. 3구역에서는 석렬 1기, 주거지 1기, 수혈 8기 등 총 10기가 조사되었다. 석렬은 사면말단부에 등고선과 수평하게 조성되었다. 평면형태는 '一'자이며, 규모는 길이 19.19m, 폭 100~210㎝ 내외이다. 상단에 주거지와 수혈이 있고, 사면 하단부에 위치한 양상으로 보아 축대시설의 가능성이 있는 것으로 판단된다.

감일동 고분군은 석촌동고분군과 4.5km, 방이동고분군과 3km, 몽촌토성과 2.5km, 풍납토성과 4km 거리에 자리잡고 있어서 도성과의 인접성이 뛰어나다.

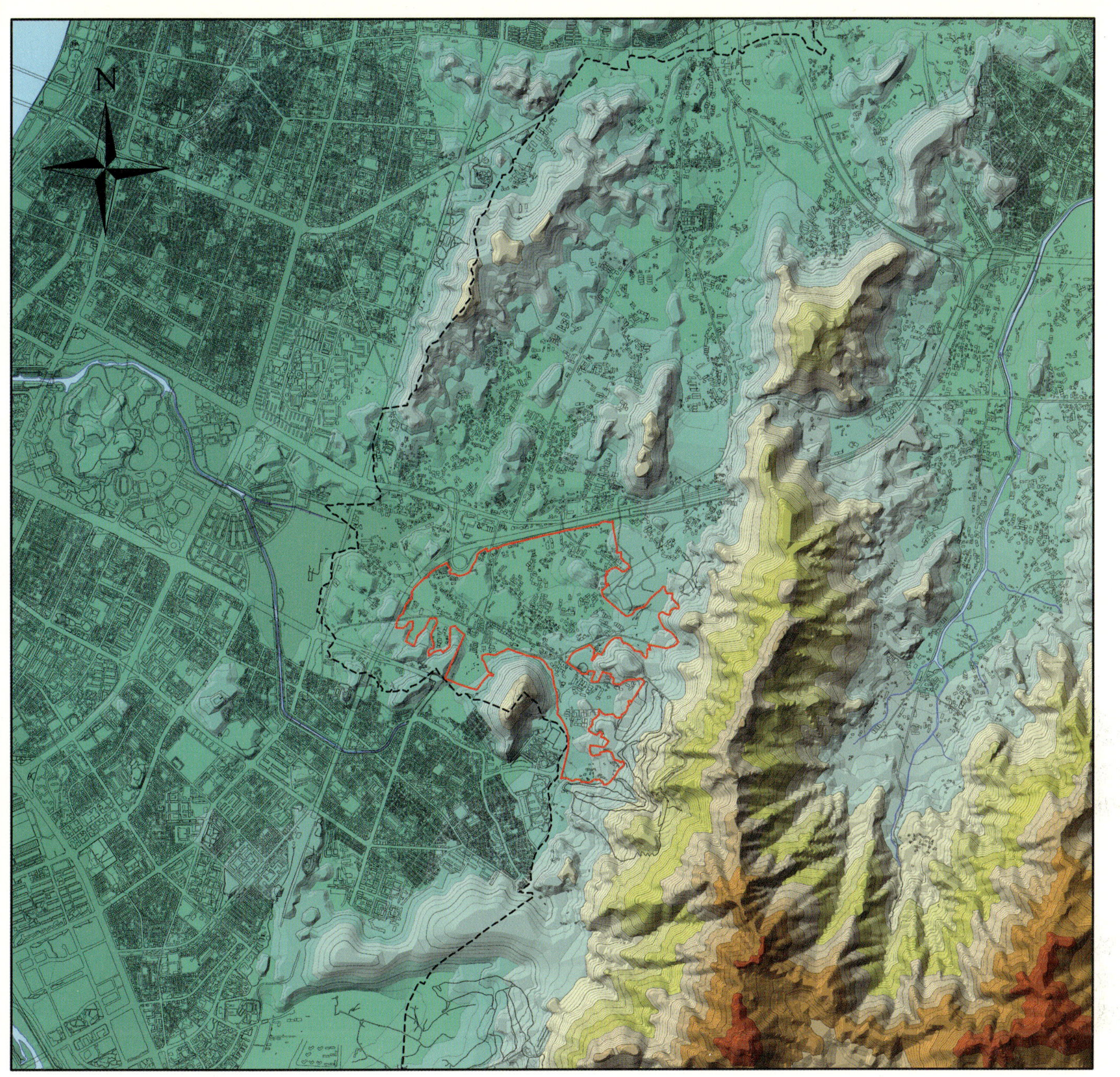

범 례

일련번호	지 역	유 적	시 대	주 소
139	하남	하남감일 공공주택지구		

좌 표

경 도	위 도
127-9-37.23	37-30-22.42

감일동 6호 석실묘 연도부

감일동 6호 석실묘 연도부

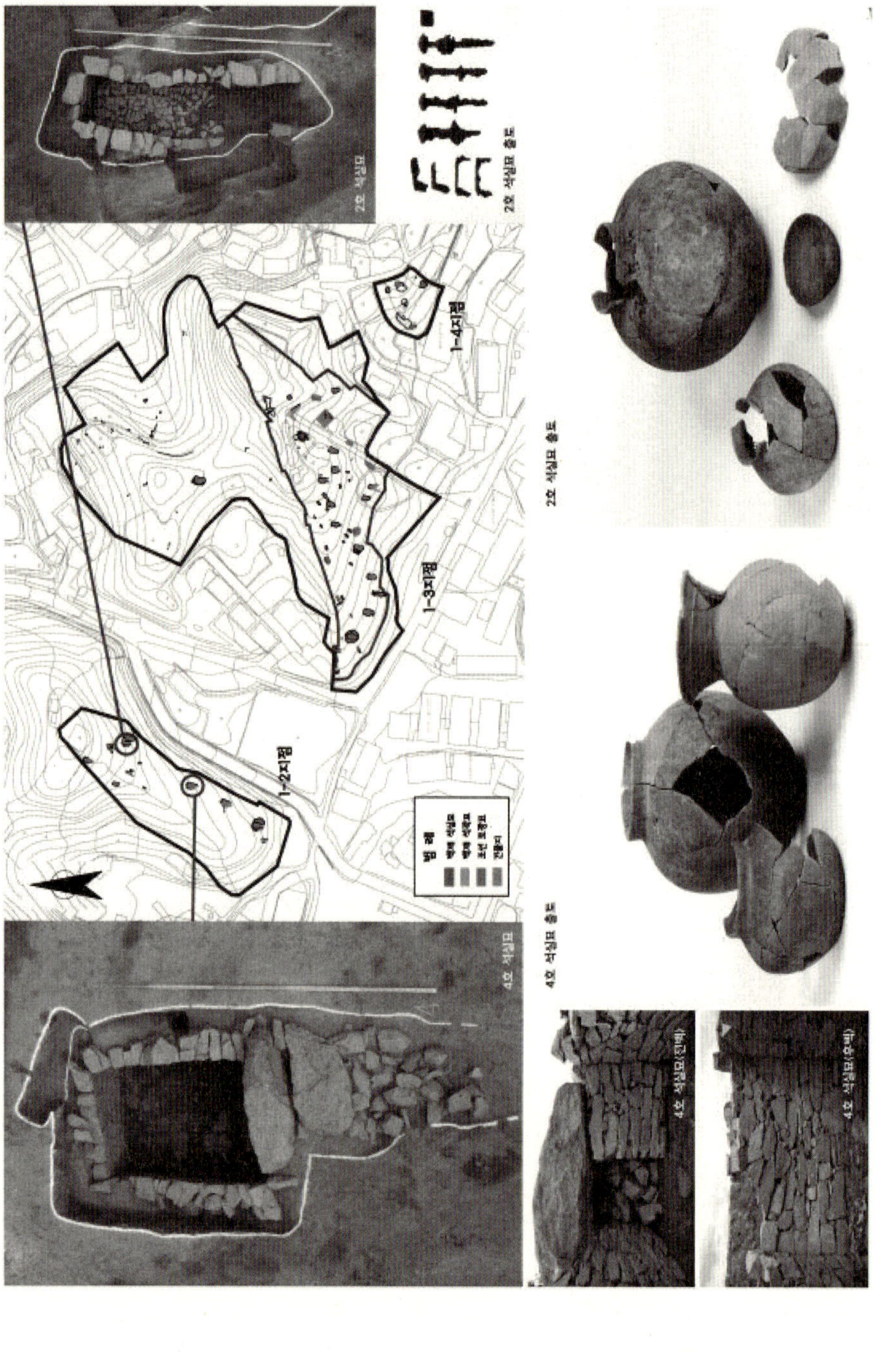

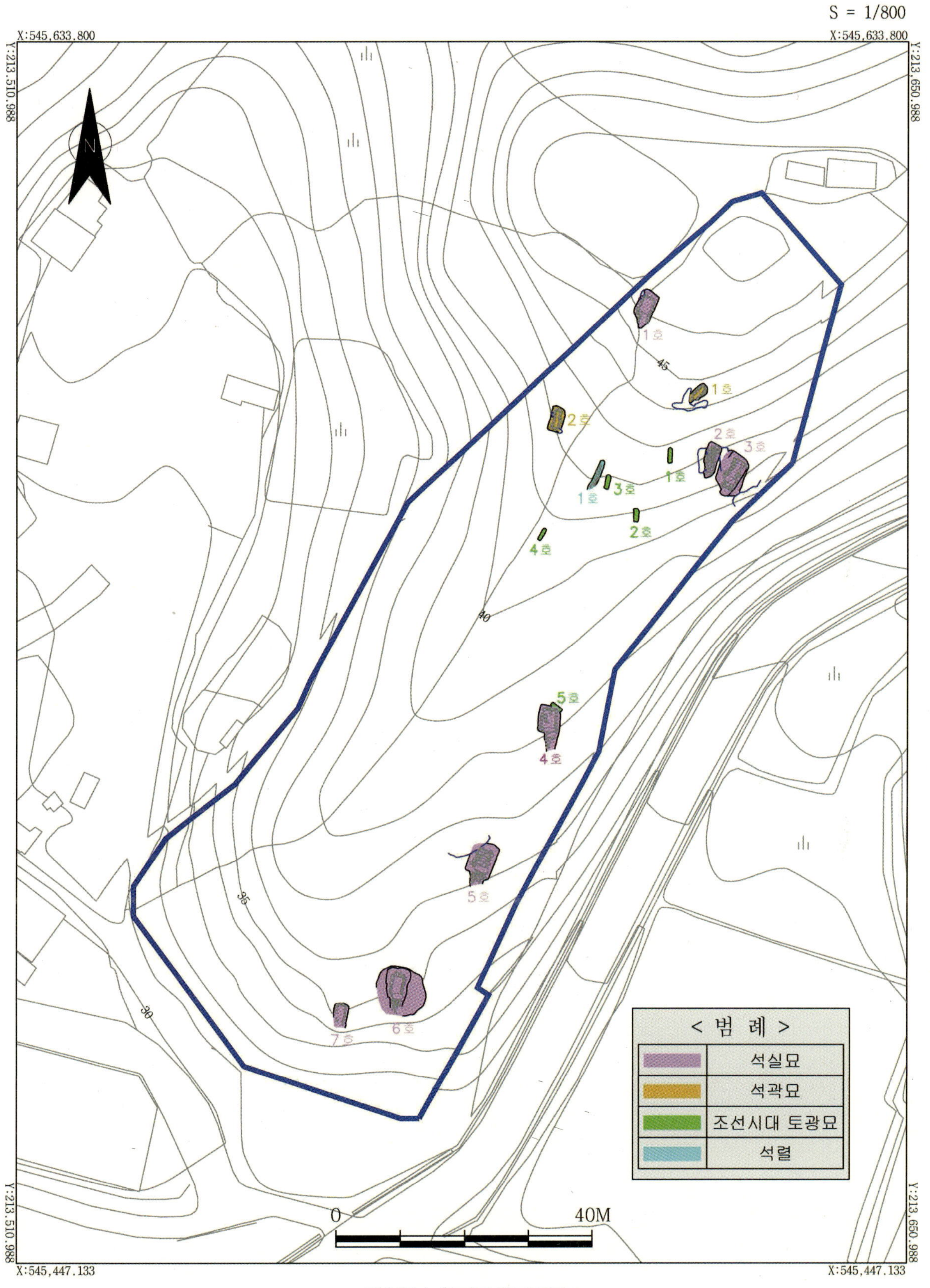

감일동 1-②지점 유구배치도

140. 감이동 고인돌

소 재 지 경기도 하남시 감이동 금암산 일원 산35번지
시 대 청동기시대
유적분류 유형문화재 〉 기념물 〉 거석기념물 〉 고인돌

동서울 골프장으로 들어가는 입구에서 도로를 따라 남쪽으로 200m 쯤 가다보면 도로 우측에 고인돌 3기가 위치해 있다.

1호 고인돌은 탁자식으로 덮개돌과 굄돌이 비교적 잘 남아 있으나, 굄돌이 쓰러져 덮개돌이 남쪽으로 많이 기운 상태이다. 굄돌 2개는 남-북 방향으로 놓여 있다. 덮개돌은 긴 네모꼴이며, 장축은 남-북방향이다. 덮개돌의 크기는 300×325×900cm이다.

2호 고인돌은 장방형의 덮개돌이 땅에 묻혀 있다. 덮개돌의 크기는 406×125×45cm이다. 3호 고인돌은 원위치에서 옮겨진 것으로 등산로 옆에 있다. 원래의 위치는 정확히 알 수 없으나, 등산로를 넓힐 때 옮겨진 것으로 보이며, 덮개돌의 크기는 190×140×55cm이다.

범 례

일련번호	지 역	유 적	시 대	주 소
140	하남	감이동 고인돌		

좌 표

경 도	위 도
127-9-41.26	37-30-6.17

141. 감이동 유물산포지

소 재 지 경기도 하남시 감이동 산35번지 등
시 대 1) 청동기시대 2) 철기/삼한/원삼국시대 3) 삼국시대 4) 통일신라/발해시대 5) 고려시대 6) 조선시대
유적분류 유형문화재 〉 유적 〉 유물산포지

이곳은 감2동 고인돌을 포함한 밭경작지로 동서울테니스장과 서울시 마천동으로 이어진 도로가 지난다.

경작지는 도로 양 옆으로 넓은 범위가 개간되어 있는데, 주로 토기와 도기 등의 유물이 산포되어 있다. 그리고 고인돌로부터 동쪽과 남쪽지역에는 얕은 구릉이 있어 청동기시대 집터가 자리하기에 적합하므로 향후 정밀조사가 필요하지만, 이곳도 물류창고가 신축되어 현상이 크게 변하고 있다.

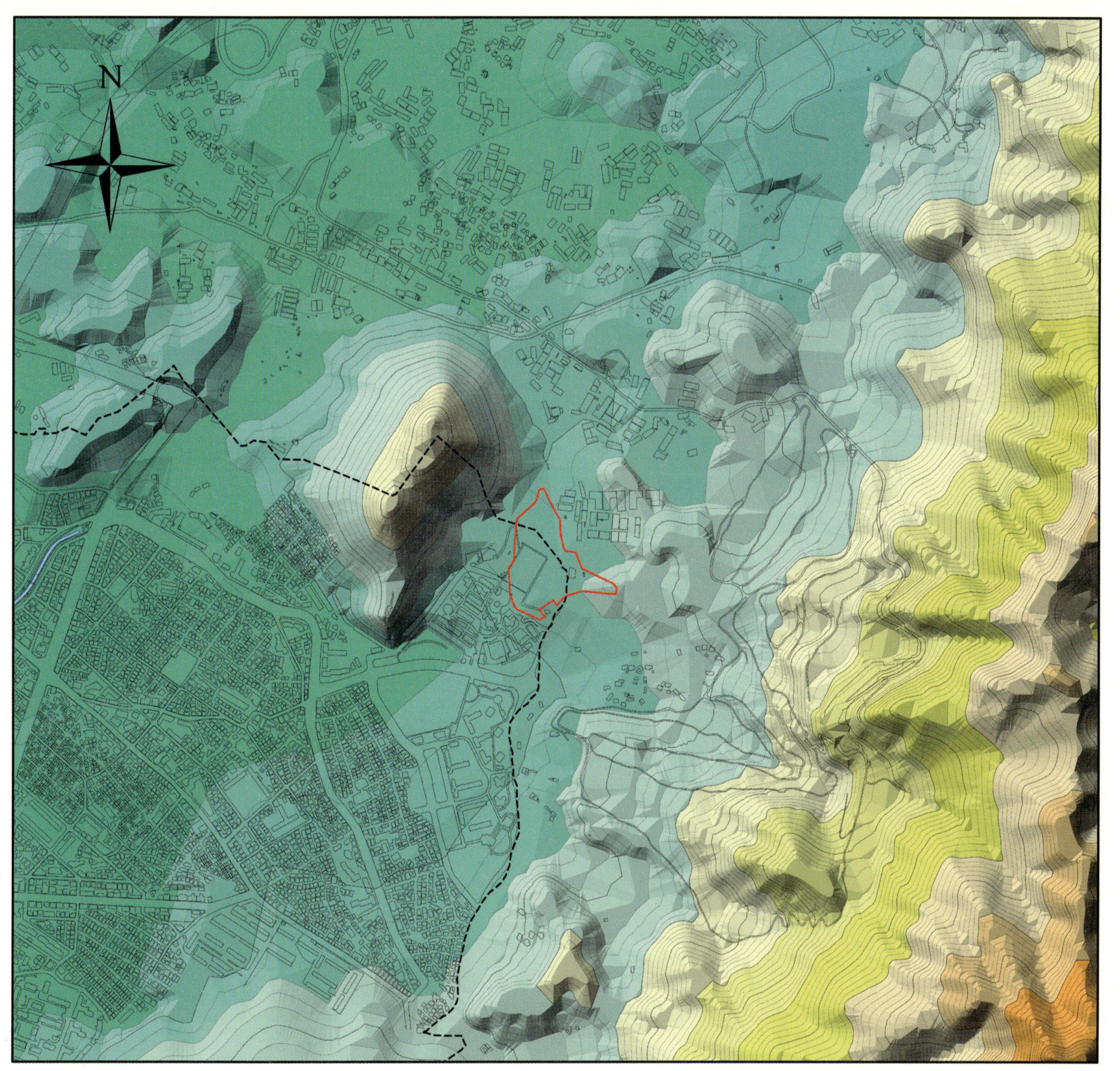

범 례

일련번호	지 역	유 적	시 대	주 소
141	하남	감이동 유물산포지		

좌 표

경 도	위 도
127-9-40.91	37-30-2.38

142. 약정사지(藥井寺址)

소 재 지 경기도 하남시
시 대 1) 통일신라/발해시대 2) 고려시대
유적분류 유형문화재 〉 건축물/건축물군 〉 종교건축 〉 불교건축(사찰) 〉 사지

약정사지(藥井寺址)는 신복선사지와 함께 금암산 정상의 남동쪽 능선상에 자리해 있는 절터로 이곳에서 「藥井」, 「藥井寺」자 명문와가 수습되었다. 약정사에 대한 문헌기록은 신복선사와 같이 『新增東國輿地勝覽』廣州牧 佛宇條에 "藥井寺在漢山"이라고 한 것이 있다.

약정사지는 하남지역에서 문헌기록과 명문와를 통해 실제 위치가 정확하게 밝혀졌다는 점에서 큰 의미가 있는 곳이다.

지표조사된 내용을 보면, 3단의 축대와 하반신만 남은 석불 1구가 있었으나 석불은 경기도박물관으로 옮겨진 상태이다. 축대는 신복선사지와 같은 구조와 규모를 갖추었으나 남은 상태가 비교적 양호한 편이다. 상단 축대는 북쪽에 치우쳐 있는데, 작은 규모의 건물이 있었던 것으로 추정되며 남은 길이가 11.4m이고, 높이는 1m 정도이다.

중단 축대는 남-북방향으로 축조되어 있고, 길이 43.5m, 높이 1.4~1.95m에 이르며 축조방식은 아랫부분에 큰 돌을 두고 위로 올라 올수록 작은 돌을 사용하였다. 하단 축대는 밭으로 경작하는 과정에서 훼손되었다.

건물이 있었던 자리에는 초석들이 남아 있고, 지표상에는 기와와 자기, 토기류가 산포되어 있는데 이제까지 수습된 유물중 대표적인 것은 「藥井」·「藥井寺」·「藥井寺 施主李(?)」자가 새겨진 명문와이다. 명문은 어골문 암키와의 방곽 안에 시문된 것이 있고 민무늬 수키와에 「藥井」자만 새겨진 것도 있다. 또한 이곳에서는 금동불 1점이 수습되기도 하였다. 이밖에도 기와류중에 승문과 어골문 등의 평기와가 있어 통일신라시대부터 법등이 이어졌던 것으로 추정되고 있다.

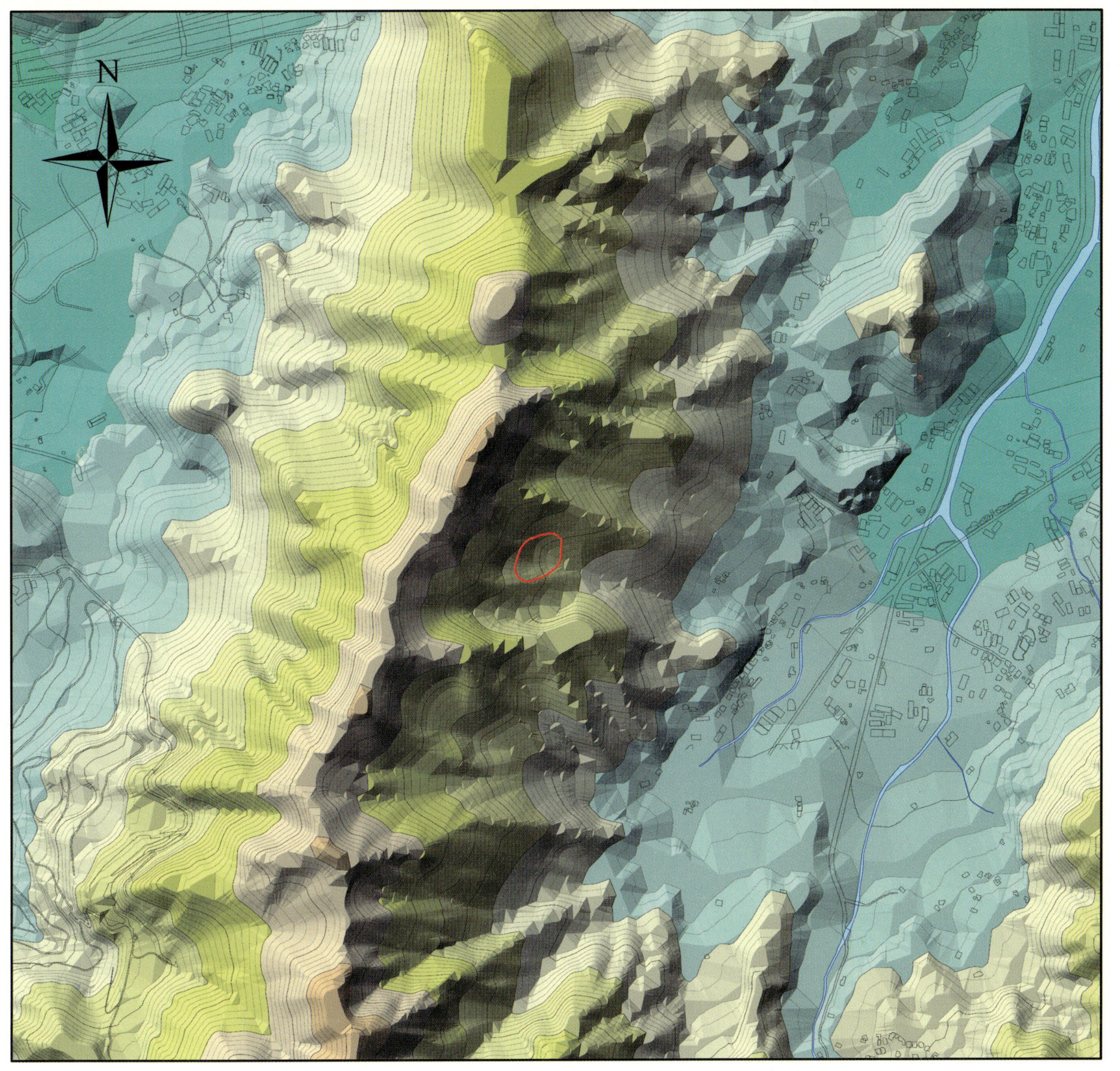

범 례

일련번호	지 역	유 적	시 대	주 소
142	하남	약정사지	통일신라	

좌 표

경 도	위 도
127-10-56.15	37-30-16.10

143. 신복선사지(神福禪寺址)

소 재 지 경기도 하남시
시 대 1) 통일신라/발해시대 2) 고려시대
유적분류 유형문화재 〉 건축물/건축물군 〉 종교건축 〉 불교건축(사찰) 〉 사지

신복선사지(神福禪寺址)는 금암산 정상에서 남쪽으로 뻗은 능선의 중턱에 위치해 있는 절터로 이곳에서 사명(寺名)을 알 수 있는 명문와가 출토되지는 않았다. 그러나 『新增東國輿地勝覽』 廣州牧 佛宇條에 사찰명이 전하고, 예로부터 절터가 위치한 이곳의 지명이 『신부골』로 불리워졌으며, 같은 문헌에서 보이는 약정사(藥井寺)와 가까운 거리에 있기 때문에 확정적으로 보고 있다.

신복선사에 관한 또다른 기록으로는 『東文選』에 「大元高麗國廣州神福禪寺重興記」에 "同知民匠摠管府使 朴君이 부모의 은혜에 보답코자 중창했다"는 내용이 있다. 또한 신복선사의 창건시기가 고을과 같이 시작했다고 하였고, 중흥시기가 충숙왕 1년(1314)에 시작하여 충숙왕 10년(1323년)에 완성했다고 하였으니 결국 이 사찰은 1314년 이전에 한번 폐사되었다가 박군 즉 박견의 아들 박쇄노올대(朴瑣魯兀大)가 중창한 것으로 보아야 하며 『新增東國輿地勝覽』이 편찬되었던 때까지도 법등이 이어졌다.

지표조사된 내용을 보면, 절터에는 건물지와 축대, 석물조각이 남아 있다. 축대는 세 곳이 남아 있는데, 상단 축대는 산의 토사가 흘러내리는 것을 방지하기 위한 담장과 같은 시설로 길이가 30m 정도이고 높이가 70㎝이다. 중단의 축대는 금당지가 있던 곳으로 남은 길이가 37m이고, 최고 높이가 2.2m이다. 축조방법은 아랫부분에 제법 큰 돌을 두었고, 위로 올라갈수록 작은 돌로 쌓았다. 하단의 축대는 무너진 부분도 많고 흙으로 덮여 육안으로 식별하기가 어려운 상태이다.

이곳에서 수습된 유물로는 「施主」와 「金」자가 새겨진 명문와와 사선문, 격자문 등의 통일신라시대 평기와, 어골문과 어골복합문 등의 고려시대 평기와도 있고 자기류는 청자와 분청사기가 있어 문헌에 전하는 내용과 유물의 사용시기가 일치되고 있다.

[참고문헌] 世宗大學校博物館.河南市, 1999, 『河南市의 歷史와 文化遺蹟』.

0 0.5 1 km

범 례

일련번호	지 역	유 적	시 대	주 소
143	하남	신복선사지	통일신라	

좌 표

경 도	위 도
127-10-54.97	37-30-6.01

144. 검단산 망루지

소 재 지 경기도 하남시 창우동 산16번지
시 대 역사시대미상
유적분류 유형문화재 〉 유적 〉 정치국방유적:망루지

1995년 조사 당시 정상부에서 기와조각을 수습하여 이곳에 건물지가 있었을 것으로 추정하였으나 몇 년전 군부대에서 헬기장으로 사용하기 위해 평탄화 작업을 하여 현재는 유적의 성격을 알수 있는 흔적을 찾을 수 없다.

단지 일부분에 석축이 남아 있어 이곳에 망루지나 봉수대가 있었을 가능성이 높다.

이곳을 백제 한성기 동명(東明)에게 제사 지내던 동영묘가 있던 곳으로 추정하기도 한다.

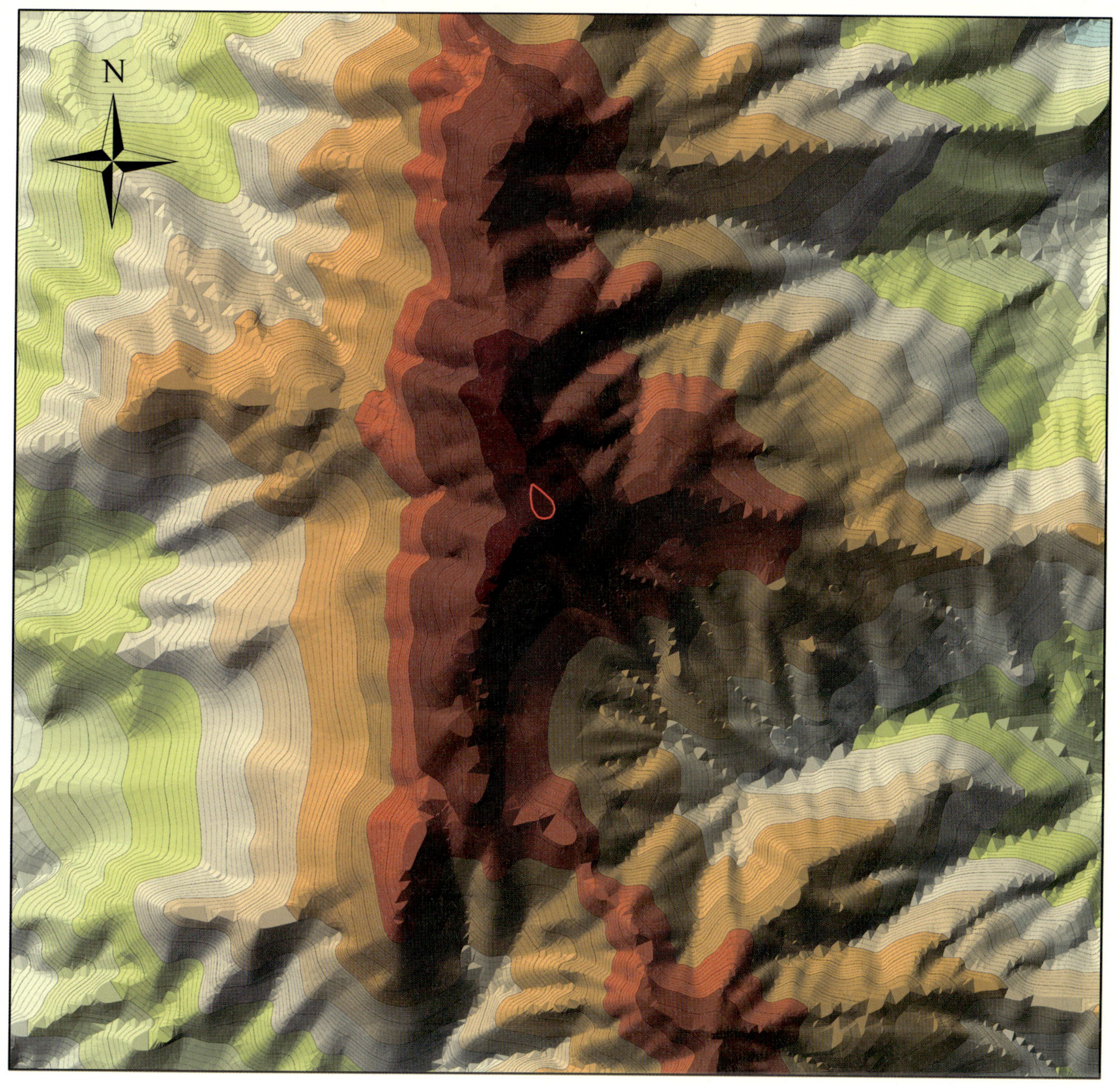

범 례

일련번호	지 역	유 적	시 대	주 소
144	하남	검단산 망루지		

좌 표

경 도	위 도
127-15-0.03	37-31-2.95

145. 창곡동 유물산포지 (倉谷洞 遺物散布地)

소 재 지 경기도 성남시 수정구 창곡동 산83-1
시 대 조선시대
유적분류 유형문화재 〉 유적 〉 유물산포지

성남과 서울 송파구 사이의 경계부에서 약진로를 따라 남한산성 방향으로 가다가 북쪽의 창곡동 쪽으로 들어가는 소로로 100m 들어가면 해발 73m의 야트막한 구릉지가 있다. 유적은 이 구릉지의 남동쪽 가지능선 상면에 형성되어 있다. 유적의 서편으로는 탄천까지 이르러 저평한 평지가 펼쳐지고 있으며 동편으로는 청량산 줄기에서 뻗어 내려온 구릉성 산지가 이어진다. 현재 이 지역은 군사훈련장으로 이용되고 있으며, 구릉 정상부에는 송전탑이 있고 구릉 서편과 남쪽편 경사면에는 다수의 민묘군이 형성되어 있다. 확인되는 유물은 적은 편으로 주로 고려~조선시대의 질그릇이 확인되었다.

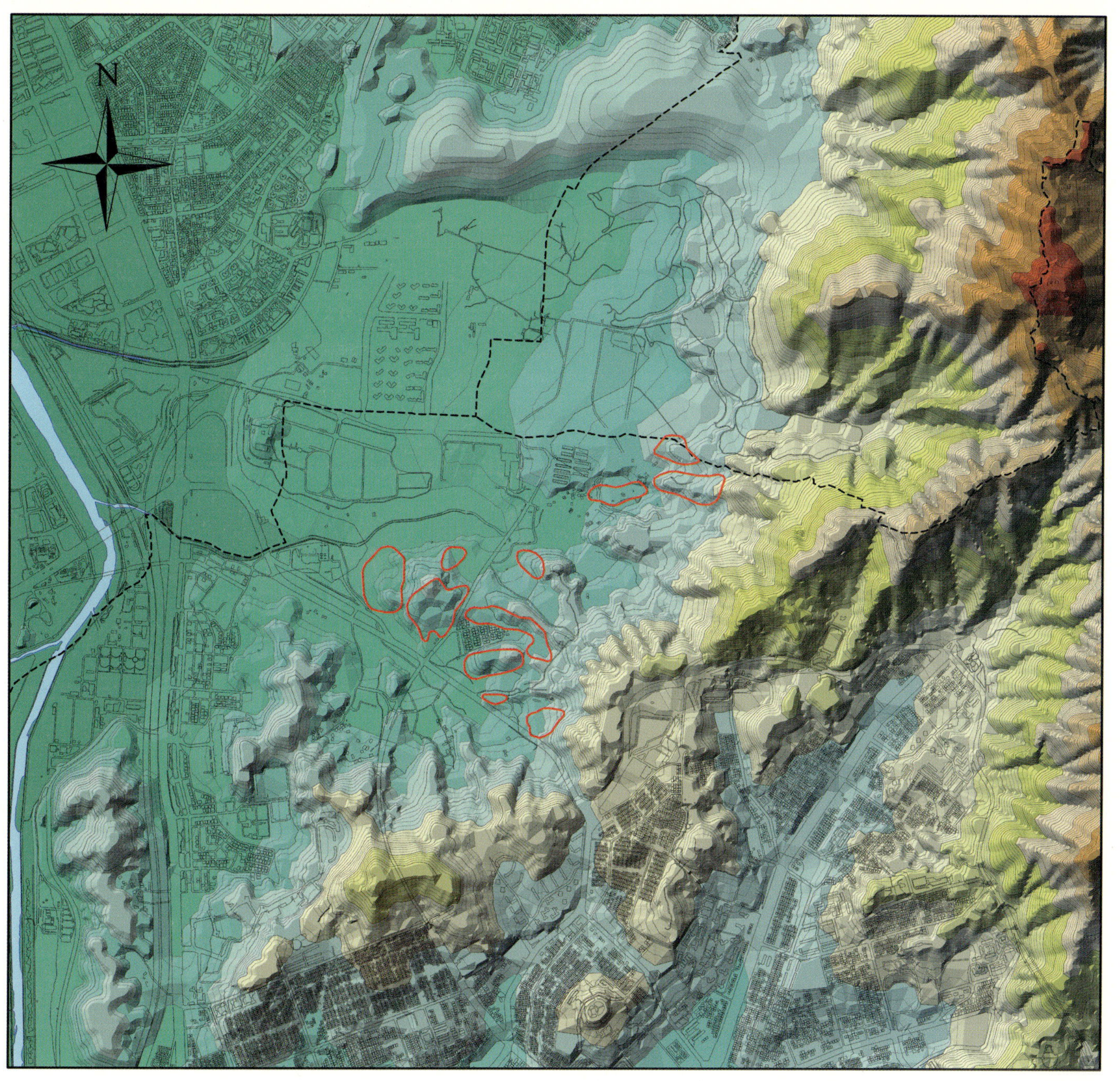

0 1 2 km

범 례

일련번호	지 역	유 적	시 대	주 소
145	성남	창곡동유적	삼국/ 통일신라~고려	성남시 수정구 창곡동 242번지 일원

좌 표

경 도	위 도
127-9-17.29	37-28-20.82
127-9-21.10	37-28-14.81
127-9-5.74	37-28-13.64
127-8-47.97	37-28-2.77
127-8-32.09	37-28-3.80
127-8-18.19	37-27-59.96

경 도	위 도
127-8-28.31	37-27-55.73
127-8-44.54	37-27-53.31
127-8-40.43	37-27-47.06
127-8-40.61	37-27-41.34
127-8-50.26	37-27-37.75

146. 성남 여수동 유적

소 재 지 경기도 성남시 중원구 여수동
시 대 백제시대
유적분류 유형문화재 〉 유적 〉 무덤유적 〉 고분 〉 고분군

조사지역은 '회청말' 이라 불리는 곳으로 낮은 구릉의 서쪽 경사면 아래에 해당하는 곳으로서, 성남대로의 동쪽편에 접해 있다. 조사 전 중앙부에는 민가와 비닐하우스 등이 설치되어 있고, 대부분 밭으로 활용되어 지형의 훼손이 심한 상태였다.

입지는 한강 지류인 탄천이 용인에서 발원하여 남~북으로 흘러 한강에 합류하는 지역이며, 동쪽은 낮은 구릉성 산지이다. 서쪽은 탄천에 의해 형성된 충적대지에 해당한다. 이곳은 백제의 수도인 위례성에 근접한 도시이며, 이 후 삼국의 영역 확장과 관련된 중요 거점의 배후도시로서 중요한 역할을 담당하였을 것으로 추정된다.

시굴조사의 대상면적은 최초 6개 구역 106,825㎡이고, 추가로 2구역 법면구역 2,084㎡이다. 이 가운데 유구가 확인되어 발굴조사로 전환된 면적은 2구역, 3구역, 4구역으로 총면적 33,652㎡이다.

발굴조사 결과 청동기시대 주거지 6기, 초기철기시대 토광묘 1기, 백제시대 주거지 2기, 백제시대 수혈유구 3기, 신라시대 석실묘 13기, 고려시대 주거지 5기, 구상유구 1기, 수혈유구 2기, 조선시대 이후 건물지 1기, 주거지 40기, 토광묘 16기, 석곽묘 2기, 봉토분 4기, 회곽묘 4기, 탄요 9기, 소성유구 72기, 석렬유구 2기, 구상유구 19기, 수혈유구 133기, 주혈 47기, 주혈군 3개군 119기, 추정배수로 1기로 총 503기가 조사되었다.

출토유물은 청동기시대 공렬문토기, 심발형토기, 삼국시대 단경호, 대부장경호, 유개고배, 완, 토기병, 고려시대 청자, 조선시대 분청사기, 백자 등 총 932점이 출토되었다.

성남 여수동 195번지 유적은 성남 여수 국민임대주택단지 조성사업지구 내의 여수로와 탄천우로의 사이에 위치하고 있다. 원지형은 탄천에서 800m 가량 동쪽으로 떨어진 해발 25m 내외의 충적지로, 유적의 동쪽은 해발 140m 내외의 구릉지대와 연결되고 있다. 조사전에는 1m 내외로 복토하여 밭과 비닐하우스로 이용되고 있었다.

표본 및 정밀 시굴조사와 발굴조사를 차례대로 진행하여 69기의 수혈을 확인하였다. 수혈의 전체적인 분포양상은 북서-남동 방향으로 군집을 이루며 길게 뻗어 있는 모습이다. 장축방향은 동-서방향 41기, 북동-남서방향 28기로 6:4의 비율을 보이고 있으나, 대부분 N-24~80°-E 사이에 위치하고 있다. 수혈의 대략적인 규모는 길이 150㎝, 너비 70㎝ 내외이며, 1, 2, 12, 53, 58, 63호 수혈의 규모는 길이 220㎝, 너비 110㎝ 이상으로, 여타의 수혈보다 규모가 1.5배 정도 크고 각각 3기씩 인접해서 위치하고 있다.

[참고문헌] (재)기호문화재연구원, 2010, 『성남 여수지구 국민임대주택부지 내 문화유적 발굴조사 약보고서』.
(재)기호문화재연구원, 2012, 『성남 여수동유적 : 성남 여수지구 국민임대주택부지 내 문화유적 발굴조사』.

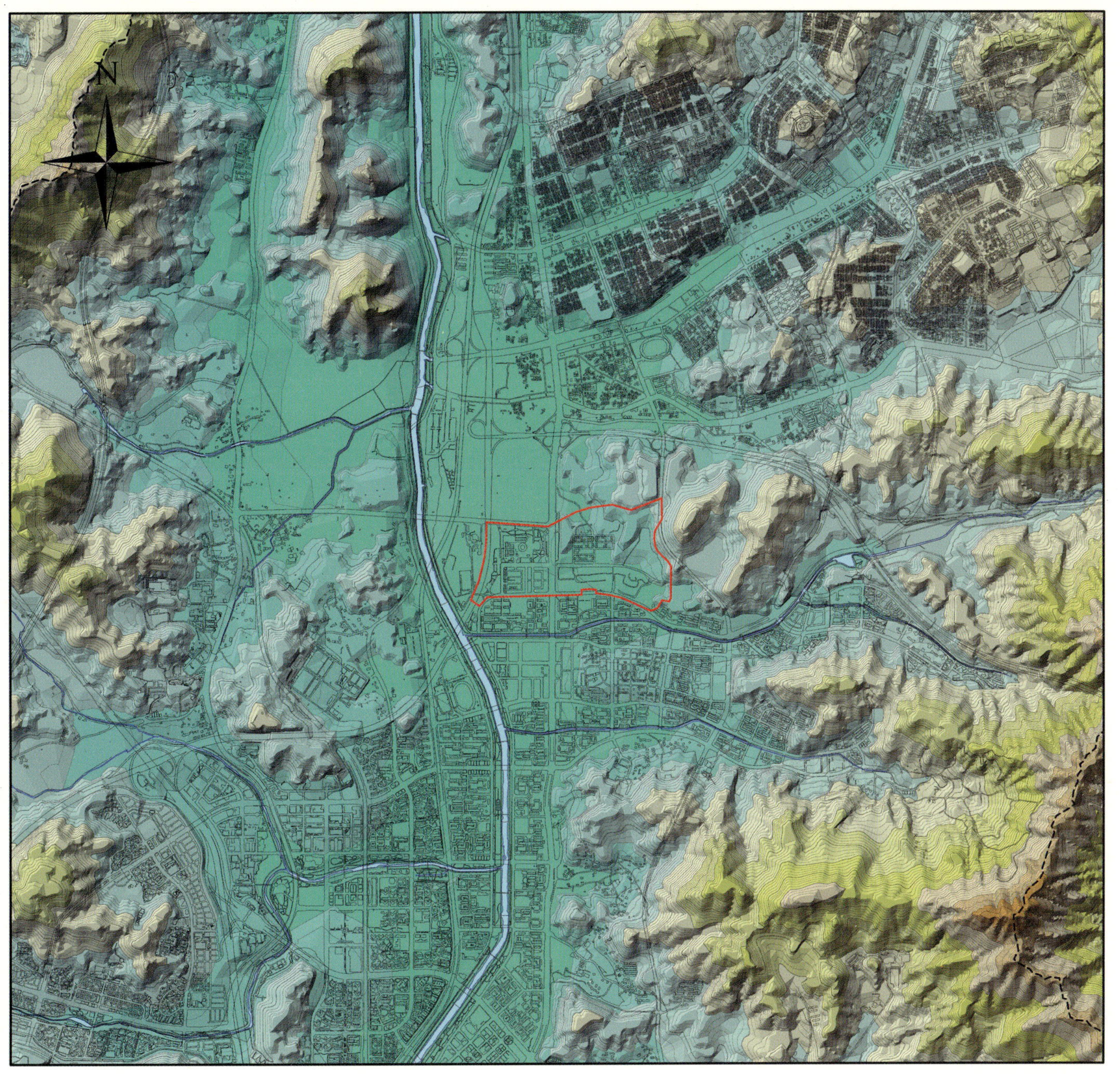

▮범 례

일련번호	지 역	유 적	시 대	주 소
146	성남	여수동유적	백제(한성기)	성남시 중원구 여수동

▮좌 표

경 도	위 도
127-7-51.93	37-25-9.22

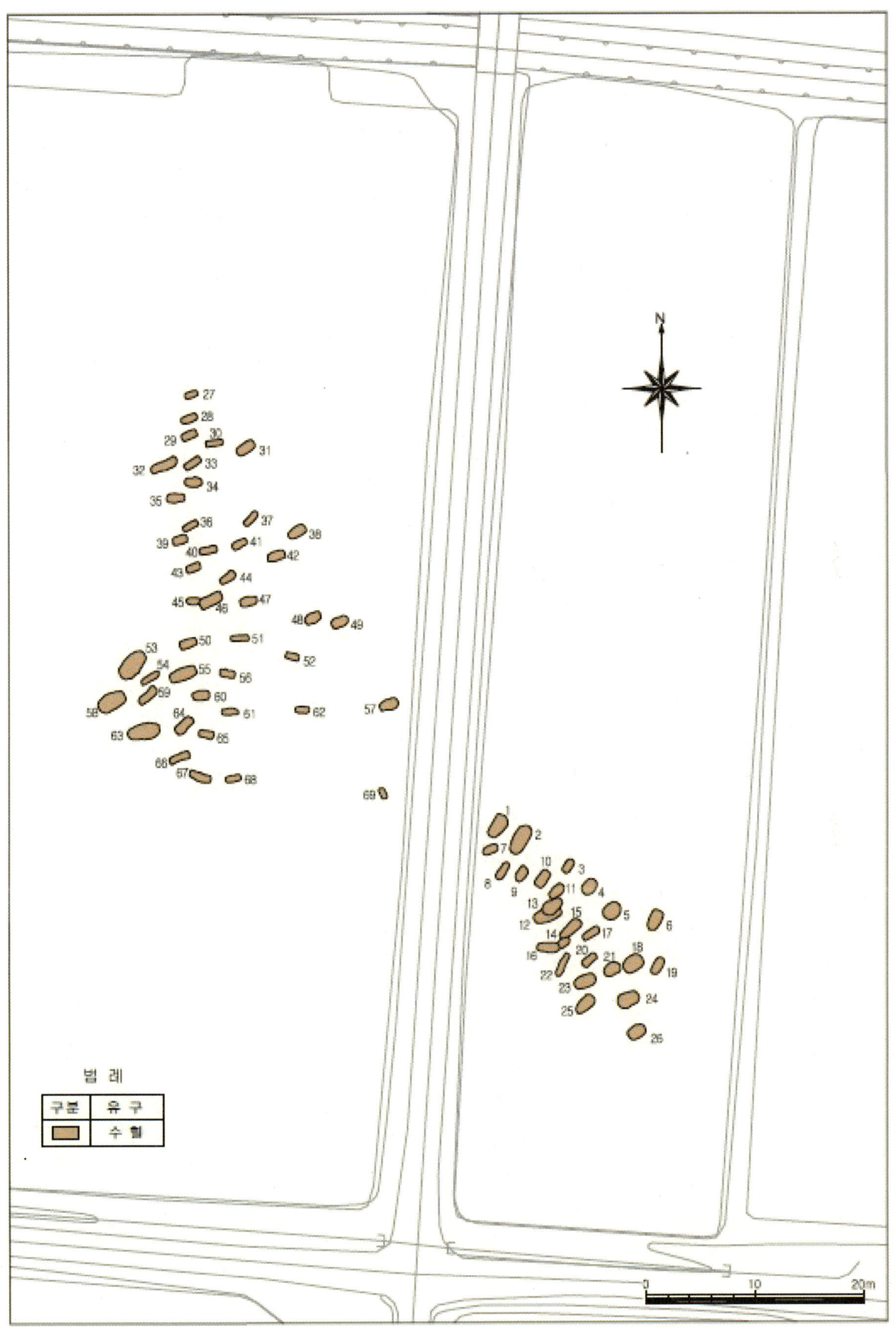

범 례
구분
유 구
수 혈
N
0
10
20m

147. 성남 판교 고분군(城南 板橋 古墳群)

소 재 지 경기도 성남시 분당구 판교동
시 대 백제시대, 고구려시대
유적분류 유형문화재 〉 유적 〉 무덤유적 〉 고분 〉 고분군

경기도 성남시 분당구 판교동 일원에 위치한 고분군이다. 초기철기시대의 적석목관묘, 백제의 횡혈식석실묘, 고구려의 횡혈식석실묘 등이 고루 발굴조사되었다.

백제고분은 16구역에서 9기가 발견되었는데 장축 방향이 등고선과 직교하고, 현실 평면이 장방형을 띤 점, 연도가 우측에 붙은 점, 할석을 눕혀쌓기 하여 벽석을 올린 점, 궁륭형천장을 가진 점이 공통적이다. 현실의 규모는 가장 작은 3호분이 길이 280㎝, 너비 170㎝ 정도이고 가장 큰 6호분이 길이 318㎝, 너비 180㎝, 9호분이 길이 310㎝에 너비 240㎝ 정도로서 그리 큰 차이를 보이지는 않는다. 5·6·9호분을 제외한 나머지 고분은 현실 네 벽의 평면형이 바깥으로 배가 부른 이른바 동장식이며 3호분의 후벽 최하단석은 보통의 할석이 아니라 한 장의 커다란 장대석을 이용하고 있는 점이 특이하다.

현실 바닥은 생토면을 그대로 이용하였는데 예외적으로 9호분은 바닥과 벽석에 백토를 발랐던 것으로 보인다. 모든 고분에서 출토되는 관정의 존재를 볼 때 목관을 사용하였음을 알 수 있다. 대개 2인이 매장된 것으로 추정되는데 7호분의 경우 목관의 크기는 길이 214~257㎝, 너비 57~67㎝ 정도로 추정된다. 9호분을 제외한 모든 고분에서 부장된 토기가 발견되었는데 단경호와 직구호 등 호류가 주종을 이루며 고배와 완 등이 소수 포함되어 있다. 부장품 중 가장 주목되는 것은 장신구류이다. 1·3·6·7·9호분에서 은제 팔찌·은제 가랑비녀·금동제 가랑비녀 등이 출토되었다. 총 9기의 고분 중 5기에서 장신구가 출토된 점은 매우 주목되는데 한성 백제의 횡혈식석실묘에서는 좀처럼 보기 힘든 현상으로 피장자 집단의 성격을 추정할 때 주목할 점이다.

16구역의 동편에 자리한 19구역에서는 초기철기시대의 적석목관묘 1기, 고구려의 횡혈식석실묘 3기, 신라의 석곽묘 6기가 발굴조사되었다. 적석목관묘는 구릉 정상부에 입지하는데 길이 202㎝, 너비 68㎝, 잔존 깊이 20㎝의 묘광 내에 돌이 채워진 상태로 발견되었으며 목관의 흔적은 뚜렷하지 않다. 내부에서 흑도장경호와 점토대토기가 각 1점씩 출토되었다.

구릉 남사면에서는 3기의 고구려 횡혈식석실묘가 발견되었다. 그 중 2기는 쌍실묘로서 장벽을 공유하고 있다(1호분). 벽석은 커다란 할석을 이용하여 최하단석은 눕혀쌓고 그 위는 세워쌓는 방법으로 올렸으며 천장은 모퉁이의 모를 줄이는 말각천장이다. 벽석의 빈틈은 작은 자갈과 회로 채워 넣었다. 서편의 1-1호 현실은 길이 170㎝, 너비 125㎝, 잔존 높이 110㎝의 장방형, 1-2호 현실은 길이 190㎝, 너비 150㎝, 잔존 높이 110㎝의 장방형으로서 모두 우편재연도이다. 1-1호 현실의 연도에는 천장으로 사용된 커다란 장대석 2매가 남아 있으며 입구는 길이 100㎝의 판석을 문비석처럼 사용하여 폐쇄하였다. 1-2호 현실에서는 2매의 판석으로 입구를 폐쇄한 것이 확인되었다. 1-1호 현실의 바닥은 생토면 위에 두께 10㎝ 정도의 적갈색 점토를 깔아서 정지하였으며 일부 불 다짐한 흔적도 확인되었다. 양 현실 모두 관대는 없으며 1-2호분에서 철제도자가 출토된 것 이외에 유물은 없다.

한편 2호분은 길이 185㎝, 너비 140㎝로서 장방형 평면을 띠고 있으며 잔존높이는 120㎝이다. 역시 우편재 연도이다. 반면 북벽 서반부, 서벽 전체, 남벽 서반부에 걸쳐 할석으로 만든 관대를 설치한 점이 1호분과 다르다.

쌍실묘와 말각천장의 존재는 고구려고분과의 관련성을 뒷받침해주며 2호분에서 보이는 좌편재 관대의 존재는 인근의 화성 청계지구 고구려 석실묘와 공통적이다.

범 례

일련번호	지 역	유 적	시 대	주 소
147	성남	판교동유적		성남시 분당구 판교동

좌 표

경 도	위 도
127-5-45.56	37-23-39.47

한편 19구역에서는 석곽묘 6기가 발굴조사되었다. 그 중 3호분은 길이 234㎝, 너비 76㎝의 석곽과 이를 감싼 호석렬이 발견되었는데 석곽 바닥은 돌을 깔았다. 바닥에 돌을 깐 것은 1·2·6호분에서도 확인된다. 유물이 전혀 출토되지 않아 정확한 성격은 알 수 없으나 신라 이후의 고분으로 추정된다.

[참고문헌] 한국문화재보호재단, 2007, 「성남 판교지구 문화유적 2차 발굴조사-5차 지도위원회의 자료」.
한국문화재보호재단, 2008, 「성남 판교지구 문화유적 2차 발굴조사 6차 지도위원회의 자료」.
최병현, 2015, 「중부지방 백제 한성기 축조·신라 재사용 석실분과 고구려·신라 연속조영 고분군」, 『고고학』 14-2호.

판교박물관에 옮겨 전시된 판교 고분

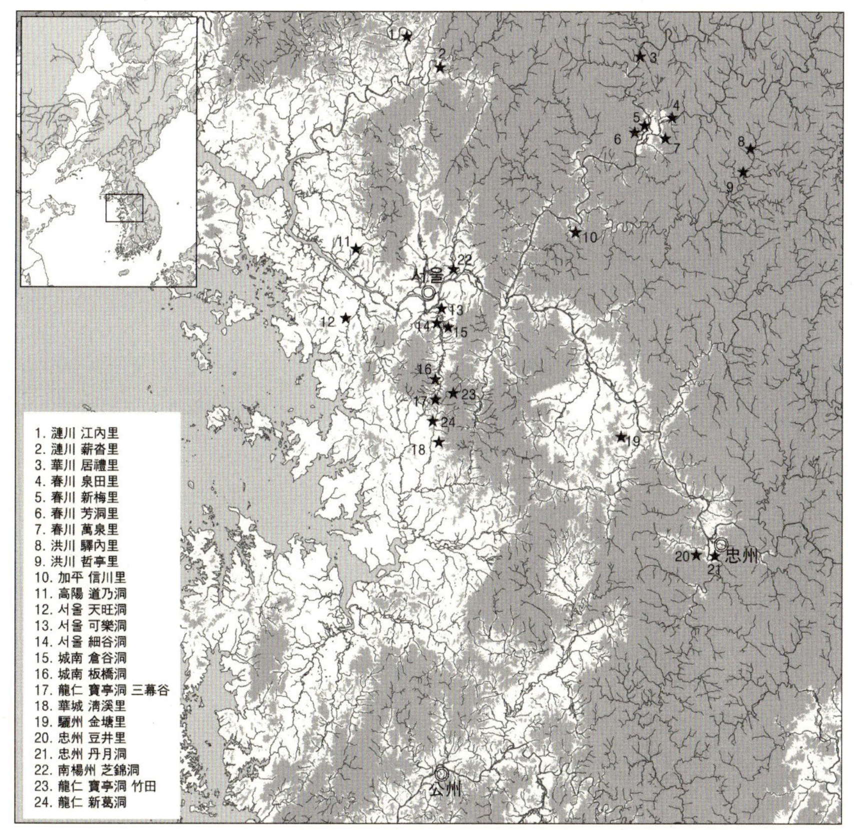

고구려 횡혈식석실분 분포

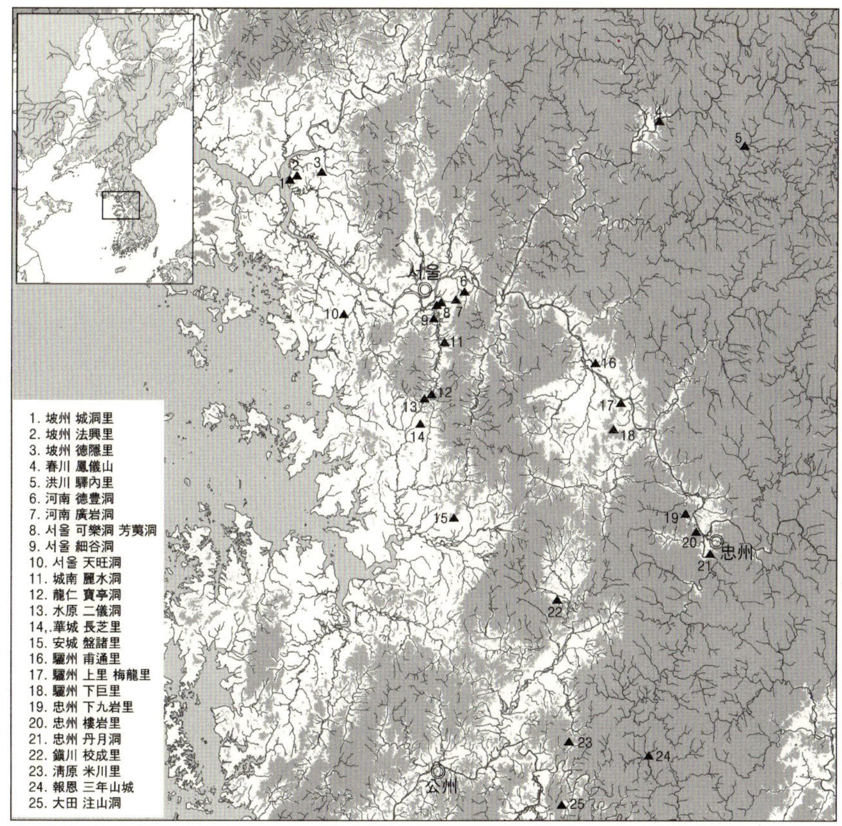

신라 고분 분포도

148. 서현동 백제주거지

소 재 지 경기도 성남시 분당구 서현동 산6임
시 대 백제시대
유적분류 유형문화재 〉유적 〉생활유적 〉주거유적 〉수혈주거지

이매사거리에서 동쪽의 이진봉(해발 117.5m) 정상부에 위치하고 있다. 체육시설을 설치하는 과정에서 산정상부 쪽에는 높이 3m 정도의 절단면이 노출되어 있는데 이 절단면에 주거지 단면이 노출되어 있다. 노출된 주거지는 3기인데 그중 가운데에 위치한 것이 가장 선명하게 보인다. 주거지는 지표하 약 70cm 지점에 부식암반층을 파고 조성하였으며, 한쪽 면에는 주공으로 보이는 직경 22cm, 깊이 26cm 정도의 구멍단면이 보인다. 주거지 바닥선 위에는 두께 5~15cm 정도의 목탄포함층이 있으며 그 위쪽은 적갈색의 점토가 쌓여 있다. 현재 노출된 주거지 바닥면의 길이는 약 3m이며 수혈의 깊이는 30cm 정도이다. 이 유적은 정상부의 완경사면을 따라가며 비교적 넓은 범위에 분포되어 있을 것으로 추정되는데 특히 몽촌토성이나 풍납토성에서 발견되는 백제고배편이 발견되는 것으로 보아 한성시대 백제문화의 연구에 매우 중요한 자료로 판단된다.

[참고문헌] 한국토지공사 토지박물관, 2001,『성남시의 역사와 문화유적』.

범 례

일련번호	지 역	유 적	시 대	주 소
148	성남	서현동 백제주거지		

좌 표

경 도	위 도
127-7-54.01	37-23-21.57

149. 남한산성

소 재 지 경기도 광주시 중부면 산성리 산1
시 대 조선시대
유적분류 유형문화재 〉유적 〉정치국방유적 〉성곽

남한산성은 하남지역에 있어서 통일신라시대와 고려시대에 걸쳐 방어기능을 담당했던 성으로 추정된다.

이 성은 청량산(479.9m)을 중심으로 축조되어 있는 포곡식 산성이다. 성의 처음 축조시기는 아직까지 명확하게 단정짓기 어려우나 『삼국사기』 신라본기 문무왕 12년 8월조에 기록되어 있는 주장성(晝長城)일 가능성이 높은 곳이다. 최근에는 남한산성의 보수와 행궁지에 대한 조사가 이루어져 적지 않은 자료가 축적된 상태이다. 특히 행궁지에 대한 2차 발굴조사에서는 삼국시대와 통일신라시대에 사용된 것으로 보이는 선조문과 승문, 격자문이 시문된 암키와, 7세기 말엽의 인화문 토기편, 고려시대의 어골문 기와와 청자편 등이 출토되어 장기간에 걸쳐 생활공간으로 이용되어 왔음을 알 수 있었다. 또 4·5차 발굴조사에서는 2~3세기에 해당하는 백제 유구(집터와 수혈유구)와 유물이 발견되어 남한산성도 백제인들의 활동영역에 포함되어 있었음을 증명해 주기도 하였다.

고려시대에 남한산성이 어떠한 형태로 이용되었는가는 문헌기록에 전하는 바가 없으나 『고려사』 광주목(廣州牧)조에 일장성(日長城)이라고 기록되어 있다. 그리고 광주부사를 지낸 이세화(李世華)의 묘지명에 1231년 몽고병의 1차 침입시 광주군민들은 "광주성(廣州城)"으로 피하여 몽고군의 공격을 방어하였고, 1232년 2차 침입시에도 몽고군의 주력부대가 광주성을 공격해 왔으나 이세화가 물리쳤다는 내용이 『동국이상국후집(東國李相國後集)』 12의 「이세화묘지명(李世華墓誌銘)」에 기록되어 있다. 따라서 이 당시의 광주성은 지금의 남한산성으로 추정되며 일장성에서 어느 때부터는 광주성이라고 불리워졌을 것으로 여겨진다. 또한 성내에서도 고려시대 유물이 출토되고 있어 고려시대에도 주요 성곽으로 사용되지는 않았다고 해도 상황에 따른 피난성으로서의 기능을 담당했던 것으로 생각된다.

[참고문헌] 심광주·정나리·최형균, 2002, 『南漢山城』, 한국토지공사 토지박물관·경기도.
김상익·윤우준, 2000, 『南漢行宮址』 第2次 發掘調査報告書, 한국토지공사 토지박물관·광주군.
김상익·윤우준, 2003, 『南漢行宮址』 第4·5次 發掘調査報告書, 한국토지공사 토지박물관·광주시.

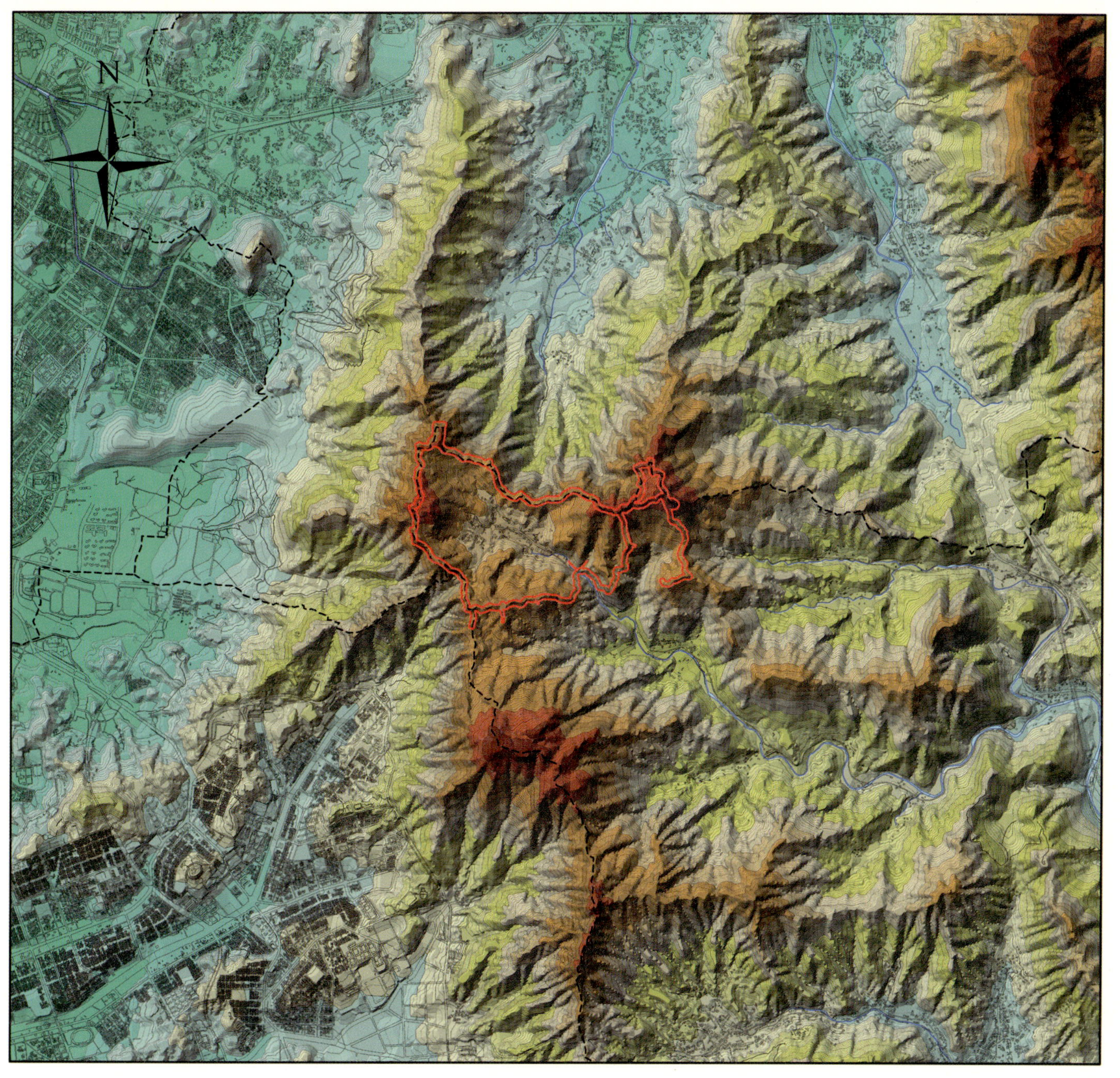

범 례

일련번호	지 역	유 적	시 대	주 소
149	성남	남한산성	삼국/ 통일신라	경기도 광주시 중부면 산성리 산13

좌 표

경 도	위 도
127-11-28.42	37-28-43.15

大雄殿

國淸寺

150. 남한행궁 서원지 백제유적

소 재 지 경기도 광주시 중부면 산성리 935-8 일원

시 대 삼국시대 / 고려시대

유적분류 유형문화재 〉 유적 〉 생활유적 〉 주거유적 〉 건물지

조사지역은 행궁 외곽담장내의 서원지역 1500㎡과 행궁 외곽담장 남쪽 지역 일대 4,500㎡지역이다. 주요 조사지역인 행궁 외곽담장 남쪽 일대는 청량산의 남쪽 구릉 말단부로 오래전부터 농작물 경작이 계속되었던 지역이다. 행궁 서편 외곽담장내의 서원지는 당초 부분적인 발굴조사가 계획되었으나 고려시대와 삼국시대의 유구 및 유물이 확인되어 조사구역을 확장함으로써 서원지 전지역을 노출시켰다. 조사의 진행은 조사구역의 지형적 구분 및 위치에 따라 4개구역(A, B, C, D)으로 분리하여 조사를 진행하였다.

각 구역별로 보면 A구역은 행궁의 하궐과 문지 남족에 평면 고도를 같이하는 지역으로 하궐과 문지의 남쪽 행각건물과 행궁 남편 건물지1, 기타 건물지 6개소와 축대·담장·출입시설·배수로 등의 부속시설이 조사되었다.

B구역은 A구역의 남쪽으로 비교적 낮은 위치에 자리하는 지역과 행궁 상궐지역 남쪽에 위치한 완만한 경사지역이다. 이 지역에서는 행궁 남편 건물지2와 부속 건물지 및 연못지, 우물지 및 행궁 남편 건물지3 및 고려시대의 건물지 1개소가 조사되었다.

C구역은 행궁 외각담장 남쪽지역의 비교적 경사도가 급한 지역으로 시굴조사가 이루어진 지역이다. 뚜렷한 유구흔적은 확인되지 않았으나 담장으로 보이는 석렬이 3개소에서 확인되었고, 통일신라시대의 인화문 토기편에서 근대에 이르는 상당량의 유물이 교란되어 출토되는 것으로 보아 오랫동안 생활공간으로 활용되었던 지역으로 파악되었다.

D구역은 행궁 상궐 서편의 서원지 및 외곽담장지역이며, 조선시대 행궁 관련 건축물인 이위정과 고려시대의 온돌유구 2기 및 삼국시대의 유물포함층과 저장공 등이 확인되었다.

5차 조사지역은 남한행궁의 서쪽부와 남쪽부 일대 2,600㎡정도로 행궁지 전체 구획도로 볼 때 백제토기 산포지 200㎡와 행궁외곽담장 서편 평탄지 600㎡, 행궁남동쪽 축대부 300㎡, 행궁 주변지역 남서편 일대 1500㎡ 지역이다.

조사의 진행은 조사구역의 지형적 구분 및 위치에 따라 4개 구역(1, 2, 3, 4)으로 분리하여 조사를 진행하였다.

각 구역별로 보면, 1구역은 행궁 서원지중에서 4차 조사에서 백제시대의 토기가 집중적으로 분포한 지역이다. 백제시대의 수혈유구 8기 및 주거 흔적과 다량의 백제토기, 자기류 등이 확인되었다.

2구역은 1구역의 서편 외곽담장 뒤편의 평탄지이다. 이 구역에서는 고려시대 온돌주거지 2개소, 조선시대 건물지 1개소 및 행궁 외곽담장과 암거시설이 조사되었다.

3구역은 행궁남동쪽 외곽경계를 이루는 축대부연결선의 확인과 축대의 연결부분에 대한 확인 작업을 실시하였다.

4구역은 행궁 외곽담장 남쪽 일대로서 오래전부터 농작물 경작이 계속되었던 지역이다. 조선시대 행궁 외곽 지역 건물지와 관련되었을 축대부 2개소와 관련 건물지로 추정되는 유구의 흔적이 확인되었다.

[참고문헌] 토지박물관, 2003,『남한행궁지 제4·5차 발굴조사보고서』.

범 례

일련번호	지 역	유 적	시 대	주 소
150	광주	남한행궁 서원지 백제유적 (산성리유적)	백제	광주시 중부면 산성리 935-8 일원

좌 표

경 도	위 도
127-10-53.70	37-28-44.34

행궁 및 조사지역

남한산성 현황도

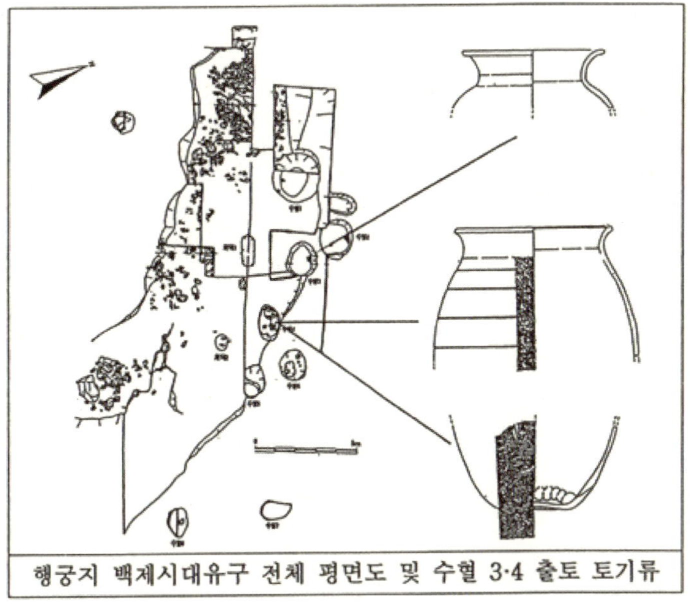
행궁지 백제시대유구 전체 평면도 및 수혈 3·4 출토 토기류

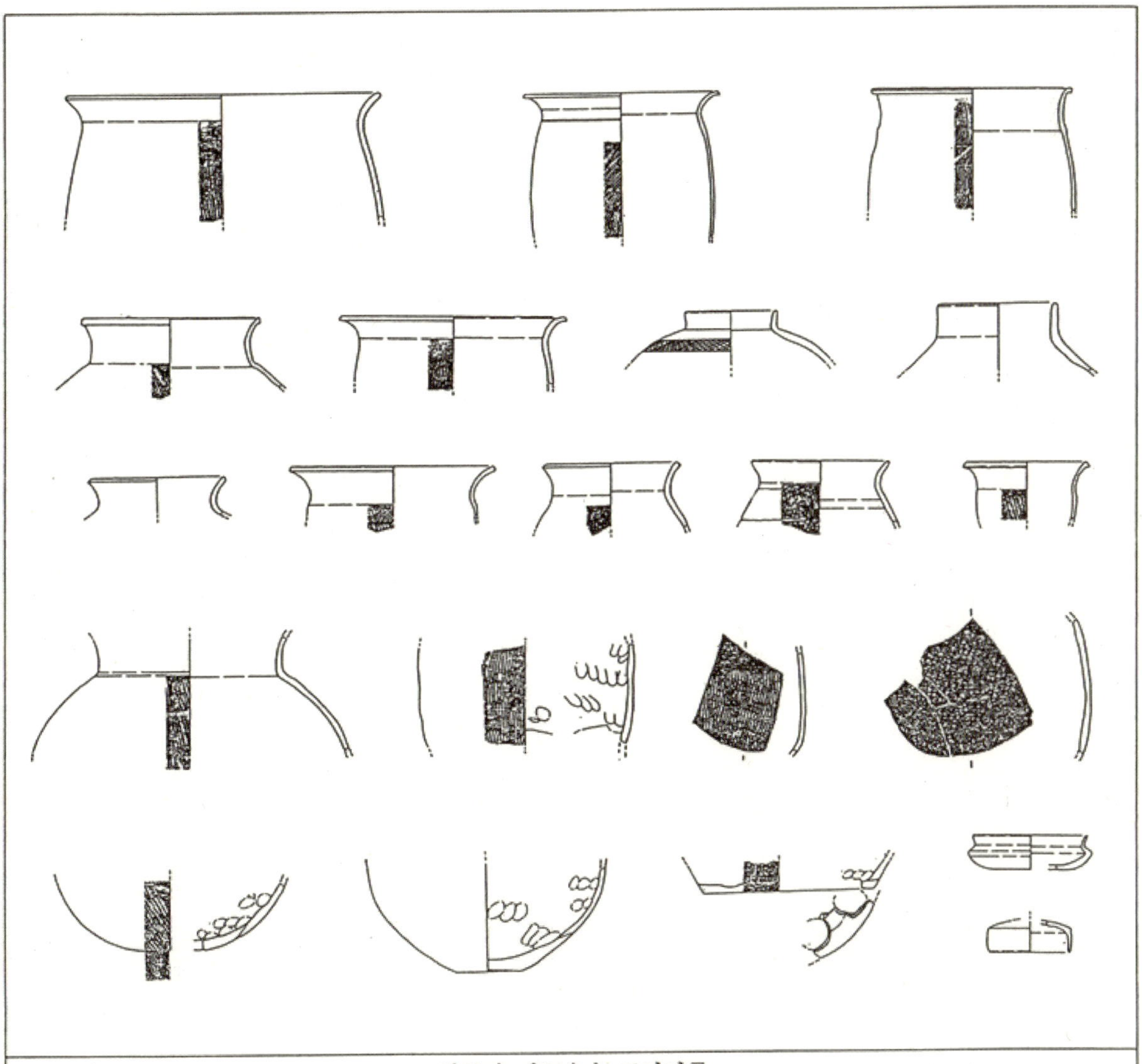

행궁지 지표수습 토기기류

남한산성 지역 백제시대 유구 및 유물

151. 남한산성 행궁지내 건물지

소 재 지 경기도 광주시 중부면 산성리 935-6번지 외
시 대 조선시대
유적분류 유형문화재 〉 건축물/건축물군 〉 관아건축 〉 궁궐

남한산성행궁은 정무시설은 물론 다른 행궁에 없는 종묘사직 위패 봉안 건물을 갖추고 있는 것이 특징으로 조선시대 행궁제도를 살필 수 있는 중요한 유적으로 역사적·학술적 가치가 크다. 또한 역사적으로 한번도 함락되지 않은 대외 항전의 전적지로서 최고의 수준에 달하는 우리나라 성곽 축조기술을 보여주는 남한산성(사적 제57호)과 역사를 함께하고 있는 행궁은 1999년부터 발굴조사를 실시하여 상궐, 좌전이 복원되었으며, 일부 건물지에서 초대형 기와 등 다량의 유물이 출토된 중요한 유적이다.

0 0.25 0.5 km

범 례

일련번호	지 역	유 적	시 대	주 소
151	광주	남한산성 행궁지내 건물지	신라	광주시 중부면 산성리935-6

좌 표

경 도	위 도
127-10-52.37	37-28-43.05

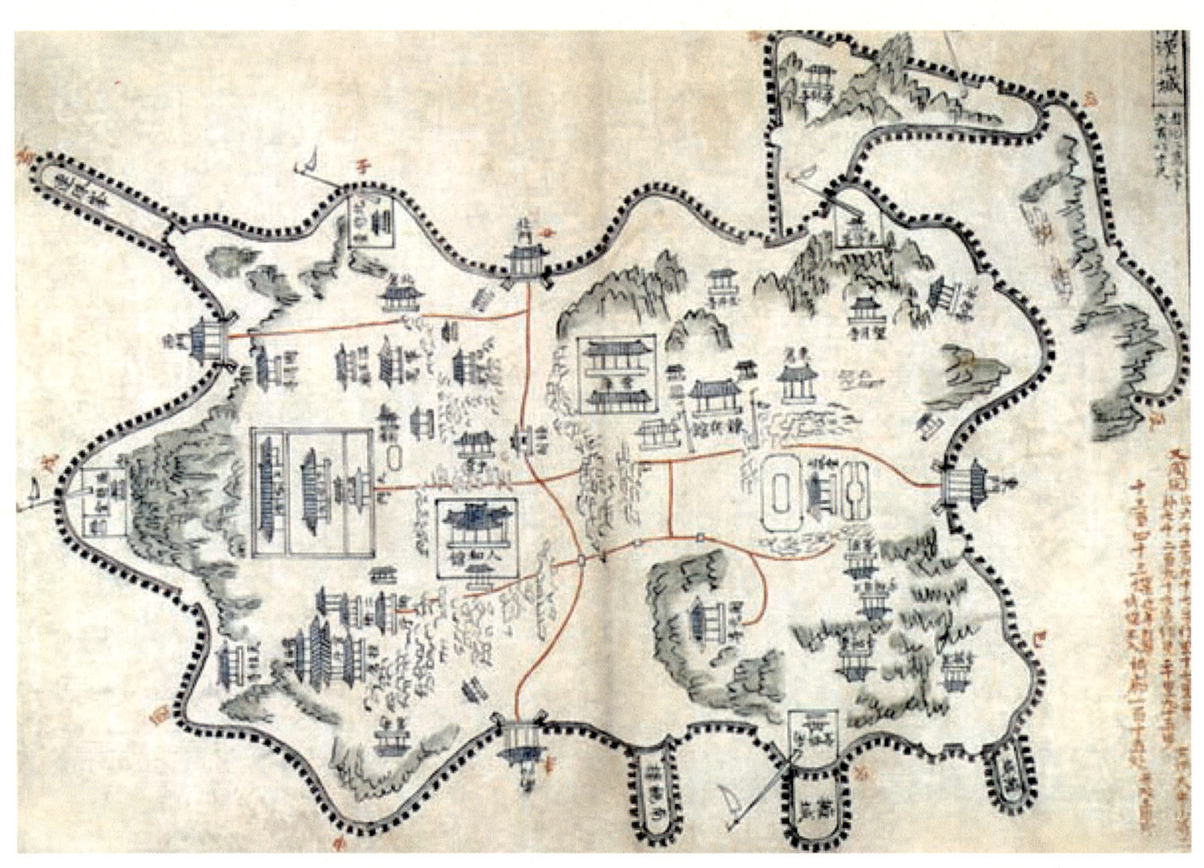

152. 국수봉산성(國守峯山城)

소 재 지 경기도 광주시 초월읍 지월리 산69-1임
시　　대 조선시대
유적분류 유형문화재 〉유적 〉정치국방유적 〉성곽 〉산성

광주에서 이천으로 가는 3번 지방국도의 경안교를 건너 좌측 산 정상부(해발 206m)에 위치한다. 산성은 정상부를 둘러싸고 있는 퇴뫼식 산성으로, 잔존하고 있는 성의 둘레는 약 250m 정도이다. 성벽의 석축들이 이미 대부분 훼손되어 제자리를 잃고 있으며, 그 중 동·남쪽의 성벽 석축이 그나마 상태가 양호한 편이다. 성의 내부에는 저수조와 망루, 봉수대 터로 추정되는 곳이 있다. 저수조의 깊이와 폭은 약 50×250m 정도로 15×15~20㎝ 정도의 석재를 이용하여 약 5단 정도 쌓아올렸다. 망루와 봉수대터로 보이는 곳은 성의 서북쪽 끝 지점에 있다. 국수봉산성은 광주시내를 비롯한 경안천 유역을 관망할 수 있는 지형·지세를 갖추고 있으나 규모면에서 많은 군사가 주둔하였던 곳은 아니었다. 그러나 남한산성과 이천의 설봉산성을 연계하는 길목에 해당한다.

[참고문헌] 광주군·기전문화재연구원, 2000, 『광주군의 역사와 문화유적』.

범 례

일련번호	지 역	유 적	시 대	주 소
152	광주	국수봉산성	백제(한성기)	광주시 초월면 지월리 일대

좌 표

경 도	위 도
127-16-33.80	37-24-29.56

153. 장지동 유적 (墻枝洞 遺蹟)

소 재 지 경기도 광주시 장지동 171-1전 일원

시 대 신석기시대 2) 청동기시대 3) 철기/삼한/원삼국시대 4) 삼국시대 5) 통일신라/발해시대 6) 고려시대 7) 조선시대

유적분류 유형문화재 〉유적 〉유물산포지

장지동유적에서 조사된 유구는 청동기시대 주거지 8기, 원삼국~삼국(백제)시대에 이르는 주거지 16기, 도랑유구 2기, 수혈유구 43기 등 총 69기가 확인되었다. 원삼국~삼국(백제)시대의 주거지는 출입구의 평면형태를 통해 크게 凸자형 주거지(12·13·14·16·17·18호 주거지), 육각형 주거지(19·20호 주거지)와 일부 (장)방형 주거지(10·11·22호 주거지)로 나누어 볼 수 있다. 육각형 주거지는 출입구와 주거지 사이에 통로를 설치하여 평면형태가 呂자의 형태를 보이고 있으며, 凸자형 주거지는 출입구를 단순하게 통로의 형태로 조성한 것이다. 유물은 청동기시대 무문토기(팽이형토기)와 중도식토기, 타날문토기, 석기, 철기, 백제기와 등 다양한 유물이 출토되었다.

[참고문헌] 京畿文化財團 京畿文化財研究院, 2010,『廣州 墻枝洞 聚落遺蹟』.

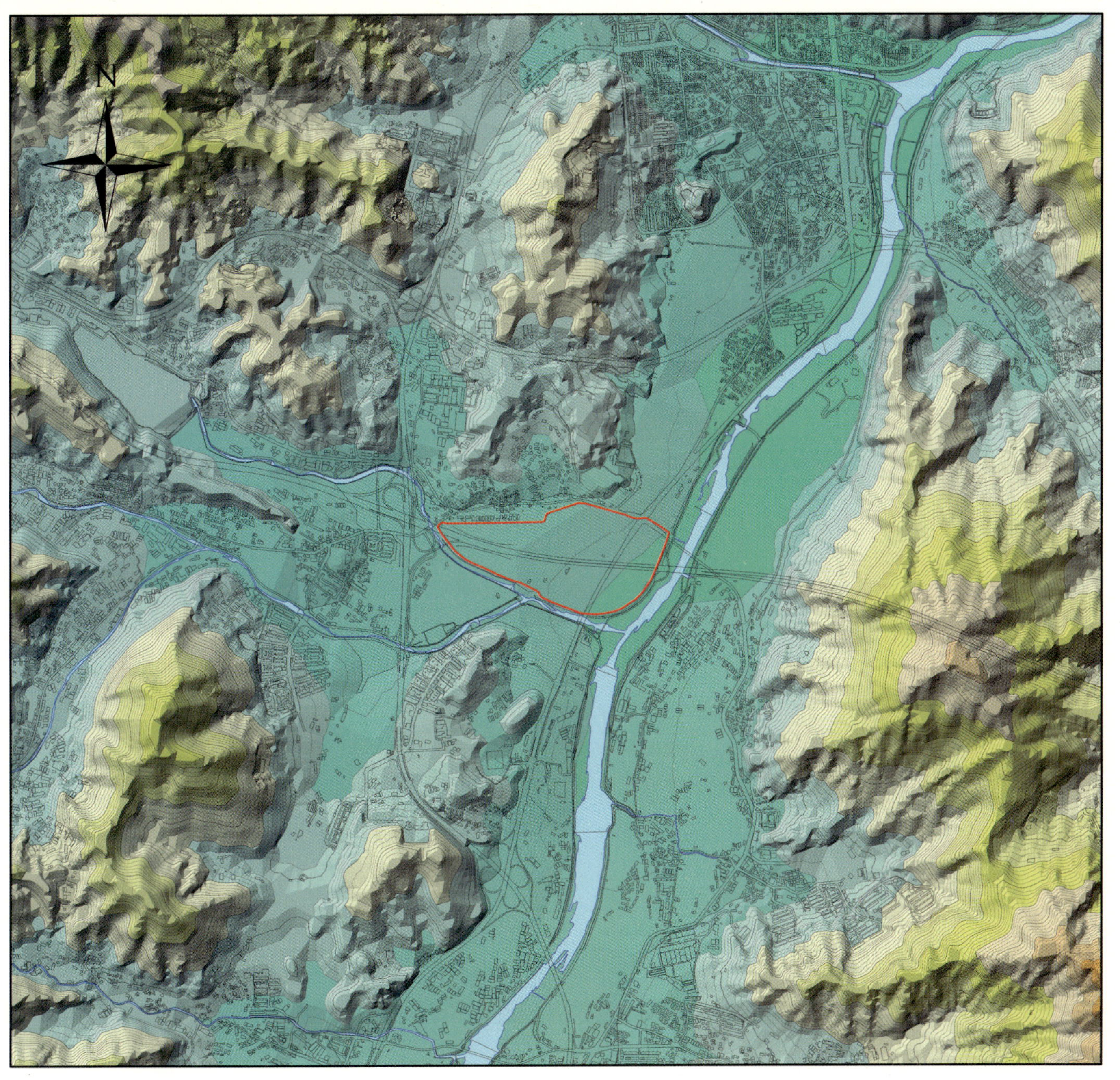

범 례

일련번호	지 역	유 적	시 대	주 소
153	광주	장지동유적	원삼국~백제 한성기	광주시 장지동

좌 표

경 도	위 도
127-14-42.36	37-23-32.14

154. 대쌍령리 고분(大雙嶺里 古墳)

소 재 지 경기도 광주시 초월읍 대쌍령리 산9-1임 일원
시 대 통일신라/발해시대
유적분류 유형문화재 〉 유적 〉 무덤유적 〉 고분 〉 고분군

경기도 광주시 초월읍 대쌍령리 산2-8 일대의 구릉에 분포하고 있다. 광주시에서 경안천을 지나 곤지암으로 가는 3번 국도상의 대쌍령리 쌍도고개 언덕에 입지하며, 유적의 동쪽에는 중부고속도로가, 서쪽에는 3번 지방국도가 지나고 있다. 발굴조사를 통해 모두 14기의 석곽묘가 조사되었다.

1호 및 9호 석곽묘와 출토유물이 주목된다. 1호 석곽묘의 규모는 길이 244㎝, 너비 97㎝, 깊이 76㎝이며, 형태는 북단벽이 둥글게 처리된 장방형 석곽이다. 석곽 내부 바닥 전면에 걸쳐 할석을 깔아 10㎝ 정도 높이의 시상대를 설치하였는데, 시상대의 북쪽에는 두침석이 놓여 있으며, 벽면의 축조상태로 보아 남 단벽 쪽에 횡구부가 설치된 횡구식석곽묘로 추정되고 있다. 유물은 머리 쪽에서 대부장경호 1점, 대부완 1점이 출토되었고, 피장자의 왼쪽에 해당하는 동 장벽 쪽에서 청동제 과대금구류가 출토되었다. 9호 석곽묘는 능선 정상부에 위치하는데, 석곽의 규모는 길이 229㎝, 너비 111㎝, 깊이 70㎝ 정도이다. 바닥에는 5~10㎝ 크기의 작은 할석을 깔아서 시상을 설치하였는데, 길이 165㎝, 너비 106㎝ 정도만 남아 있다.

유물은 대부장경호·개·대부완 등 5점의 토기류가 북 단벽에 접하여 출토되었고, 허리부분에서 청동 및 철제의 과대금구류와 금동 및 청동제방울 각 1점, 철도자 등이 출토되었다. 석곽묘에서 출토된 대부장경호·대부완 등의 토기류와 과대금구를 통해 볼 때, 이 고분군은 8세기 전반에서 9세기 중후반에 걸쳐 축조된 것으로 추정된다. 특히 9호 석곽묘에서 출토된 '南漢山助舍'명 동제방울은 인근의 남한산성과 관련된다는 점에서 중요한 자료로 평가되고 있다.

[참고문헌] 기전문화재연구원, 2008, 『광주 대쌍령리유적』.

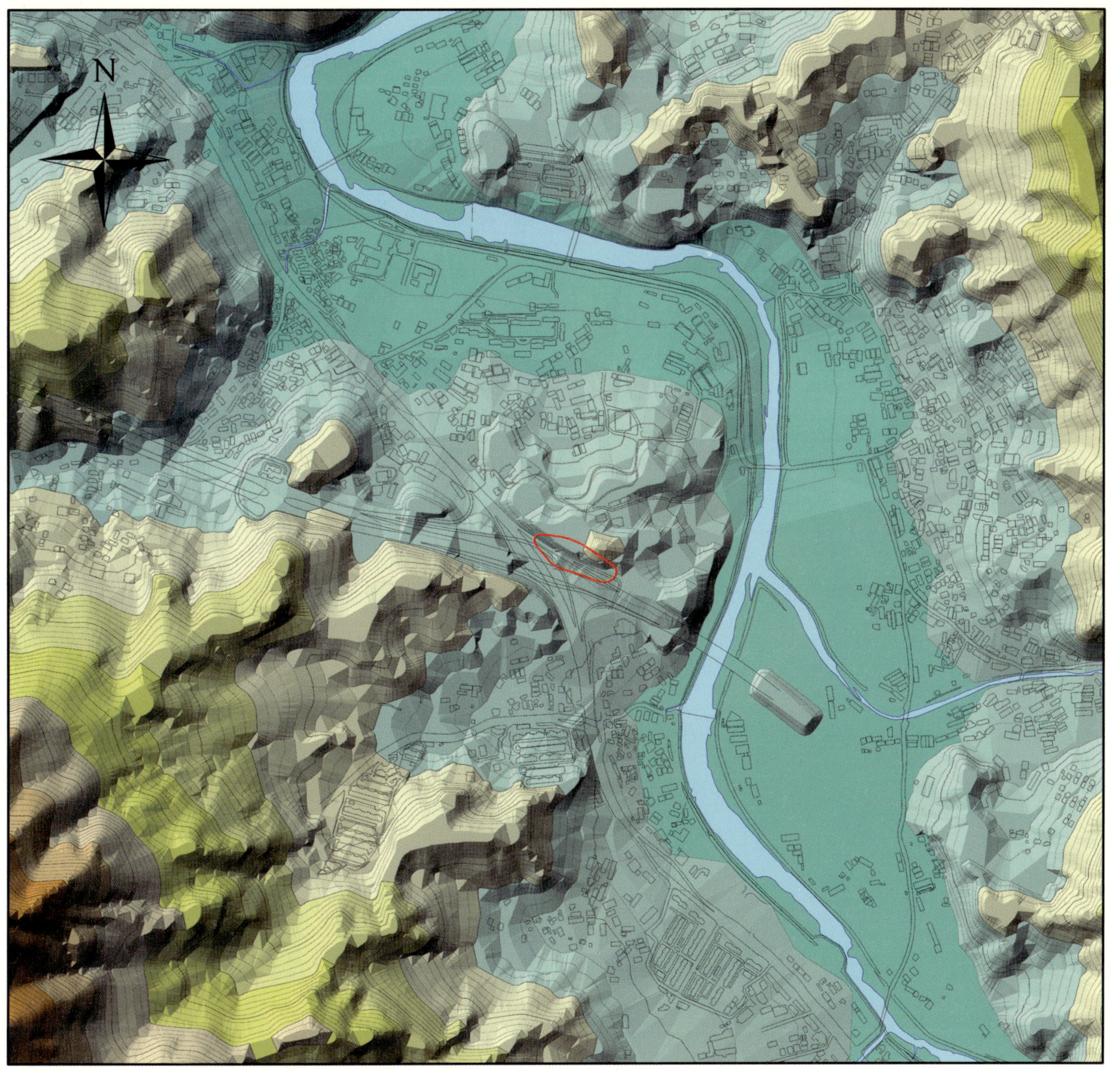

▮범 례

일련번호	지 역	유 적	시 대	주 소
154	광주	대쌍령리 고분	통일신라	광주시 초월읍 대쌍령리

▮좌 표

경 도	위 도
127-17-42.53	37-22-50.79

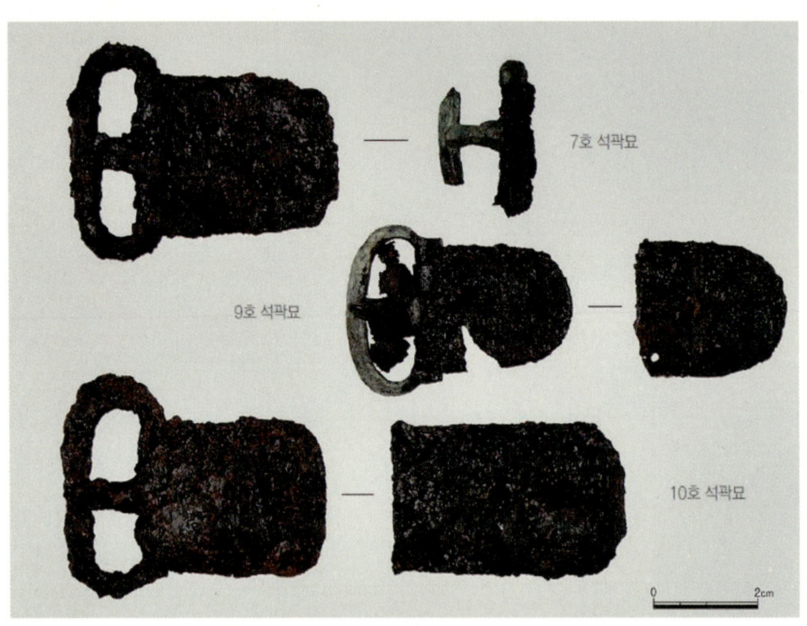
7호 석곽묘
9호 석곽묘
10호 석곽묘
0
2cm

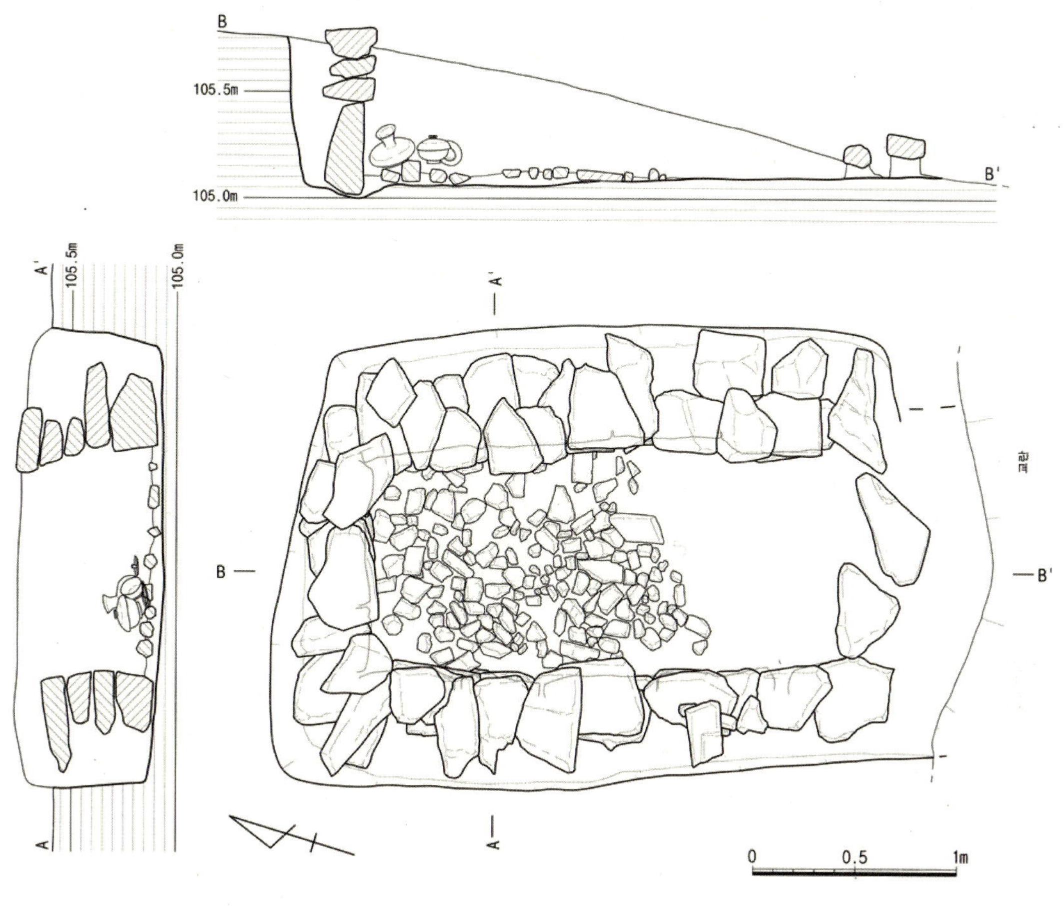

9호 석곽묘 유구

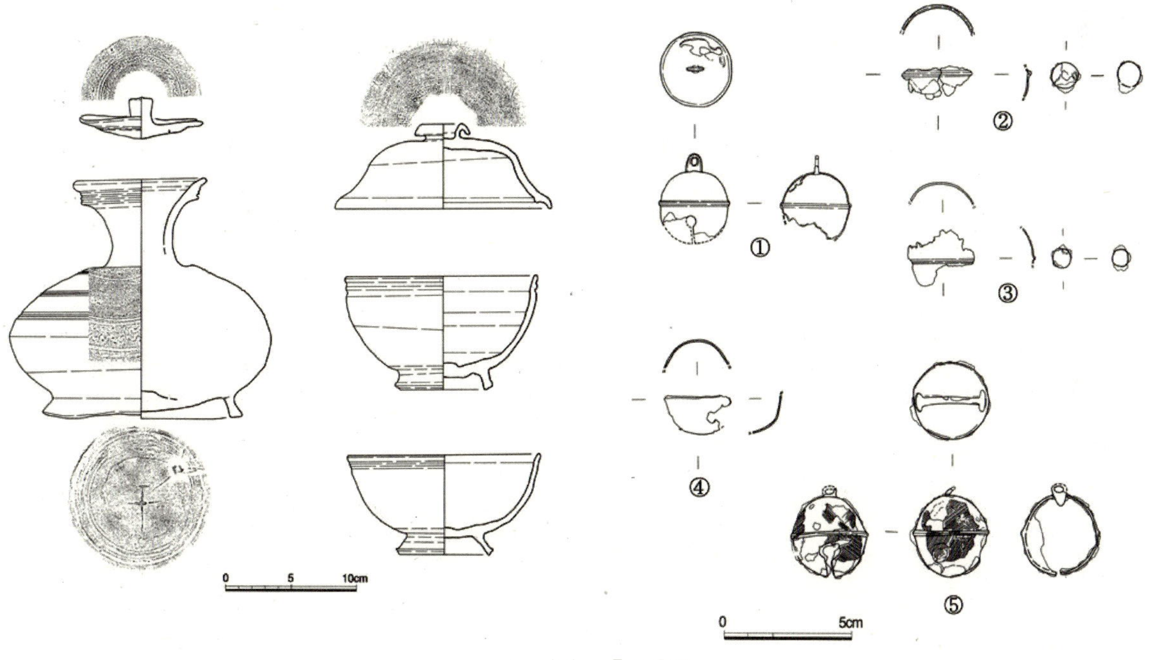

9호 석곽묘 출토유물

155. 신대리 대석동유적

소 재 지 경기도 광주시 실촌읍 곤지암리 130-1 일원
시 대 1) 청동기시대 2) 철기시대
유적분류 유형문화재 〉 유적 〉 유물산포지

이곳은 1997년 단국대학교 한국민족학연구소에서 실시한 곤지암천 유역 지표조사에서 보고된 지역이다. 유적은 곤지암천을 따라 이어진 3번 국도를 이용해서 이천쪽으로 가다가 곤지암에서 양평으로 이어진 329번 지방도로(사거리)가 나오는데 이곳에서 좌회전해서 실촌교를 건너면 왼쪽에 위치한 밭 일대이다. 기존의 조사에서 경질무문토기편을 비롯하여 타날문토기편 숫돌편 등이 수습되었으며, 이후의 조사에서 무문토기 구연부편 등이 수습되었다. 2005년 현재 논과 밭으로 이용되고 있어 더 이상의 유물은 확인되지 않으나 기존의 조사 성과로 볼 때 곤지암천에 의해 형성된 충적대지에 넓게 유적이 잔존할 가능성이 있다.

[참고문헌] 단국대학교 한국민족연구소, 1997, 『경기도 광주군 곤지암천 유역 문화유적 지표조사 보고서』.
광주군·기전문화재연구원, 2000, 『광주군의 역사와 문화유적』.
철도청·인하대학교박물관, 2002, 『성남·여주간 복선전철예정구간내 문화유적 지표조사보고서』.

범 례

일련번호	지 역	유 적	시 대	주 소
155	광주	신대리 대석동유적		광주시 곤지암읍 신대리

좌 표

경 도	위 도
127-20-43.02	37-21-5.03

156. 광주 곤지암리 유적

소 재 지 경기도 광주시 곤지암읍 곤지암리 353-1번지 일원
시 대 백제시대
유적분류 유형문화재 〉 유적 〉 생활유적 〉 주거유적 〉 건물지

광주시 곤지암읍 곤지암리 353-1번지 일원에 위치한다. 조사는 한국철도시설공단에서 시행하는 성남~여주 복선전철 건설 사업으로 인하여 조사되었다.

이 지역은 1997년 단국대학교 한국민족학연구소의 경기도 곤지암천 유역 문화유적 지표조사에서 경질무문토기와 타날문토기편 등이 수습되었고, 농수로 단면에서 문화층의 존재가 확인되어 신대리 대석동 유적으로 명명된 곳이다. 이후 2002년 12월 인하대학교 박물관과 2005년 3월 중앙승가대학교 불교사학연구소에서 지표조사를 실시하였다. 조사결과, 지표에서 무문토기 구연부편과 타날문토기편, 인화문 토기편 등이 수습되어 시굴조사 의견이 개진된 곳이다. 이에 2011년 10월 31일부터 11월 15일까지 시굴조사를 실시하였다. 조사결과, 조사지역 중앙부와 북쪽지역의 논 경작층 아래에서 주거지와 수혈 등이 확인되었으며, 변경허가 후 발굴조사가 2012년 2월 27일부터 6월 12일까지 진행하였다. 발굴조사는 전체 조사면적 6,384㎡ 중 지장물 지역을 제외한 5,284㎡에 대한 조사를 완료하였다. 조사결과 '呂(凸)'자형 주거지 26기, 수혈 56기 등 총 82기의 유구가 확인되었다.

주거지의 평면 형태는 주실 평면 출입구 돌출 오각형에 출입구가 딸린 "呂(凸)"자형 주거지가 절대 다수를 자지하고 있다. 예외적으로 출입구가 확인되지 않은 주거지(9·16호)도 있지만 전반적으로 "呂(凸)"자형 주거지가 확인되었다. 현재 주거지의 잔존 형태를 살펴보면 "凸"자형을 띄는 경우가 다수를 차지하지만, 주거지의 잔존 깊이·출입구의 잔존 상태를 고려한다면 "呂"자형일 개연성이 큰 것으로 추정된다.

내부시설 가운데 노시설(노지와 'ㄱ'자형 쪽구들, 'ㅡ'자형 쪽구들)이 주목된다. 노지만 설치된 경우와 'ㄱ'자형 쪽구들+노지가 설치된 경우, 'ㅡ'자형 쪽구들+노지가 설치된 경우, 'ㅡ'자형 쪽구들만 설치된 경우로 구분할 수 있다.

조사된 주거지의 중복 관계로 보면 주실 평면 출입구 돌출 오각형에 출입구가 딸린 "呂(凸)"자형 주거지에 노지가 설치된 주거지가 가장 선행한다. 그러나 'ㄱ'자형 쪽구들+노지가 설치된 경우, 'ㅡ'자형 쪽구들+노지가 설치된 경우, 'ㅡ'자형 쪽구들만 설치된 경우는 주거지의 중복 양상이 확인되지 않아 주거지의 선후관계를 단정하기 어렵다. 다만, 주실 평면 형태 육각형에 출입구가 딸린 "呂(凸)"자형 주거지는 중복되지 않고 단독으로 조성되어있다. 내부시설도 'ㅡ'자형 쪽구들+노지 설치된 경우(1호)와, 'ㅡ'자형 쪽구들(15, 20호)만 설치된 경우가 확인되며, 주거지의 규모는 중·대형이다.

주실 평면 형태 육각형에 규모는 중·대형, 내부시설로 후벽에 'ㅡ'자형 쪽구들이 설치된 주거지가 가장 후행한다는 기존 연구 성과를 받아들인다면 1, 15, 20호 주거지가 곤지암리 유적에서 가장 후행하는 주거지로 추정할 수 있다.

유물로는 경질무문토기, 타날문토기, 토제 및 석제 방추차, 철부 및 철도자 등이 출토되었다. 경질무문토기와 타날문토기는 함께 공반·출토되었으며, 쪽구들 주변이나 내부에서 자비용기로 추정되는 심발형 토기, 장란형토기, 시루 등이 출토되었다. 그 외에 주거지 내부에서 경질무문토기 뚜껑, 타날문토기 호, 원저단경호, 대옹 등의 저장용기도 출토되었다.

철기류는 7·15호 주거지에서 철부, 1·12·20호 주거지에서는 철도자, 14·17호 주거지에서 정확한 형태를 알 수 없는 철기편이 출토되었으며, 농공구류로 추정된다. "呂(凸)"자형 주거지에서 이러한 농공류가 출토된 사례가 많지 않아 주거지와 취락의 성격, 위상을 규명하는데 있어 중요한 자료를 제공할 것으로 보인다.

광주 곤지암리 유적은 지리상으로 곤지암천 유역에서 처음으로 "呂(凸)"자형 주거지가 확인된 유적이다. 지리적으로 인접하지 않지만, 경안천 유역의 광주 장지동 유적, 용인 고림동 유적이 보고된 바 있으며, 이들 유적은 원삼국~백제로 편년되는 유적이다. 곤지암리 유적과 비교하여 주거지의 입지 및 평면 형태, 내부시설, 유물이 비슷한 양상인 것으

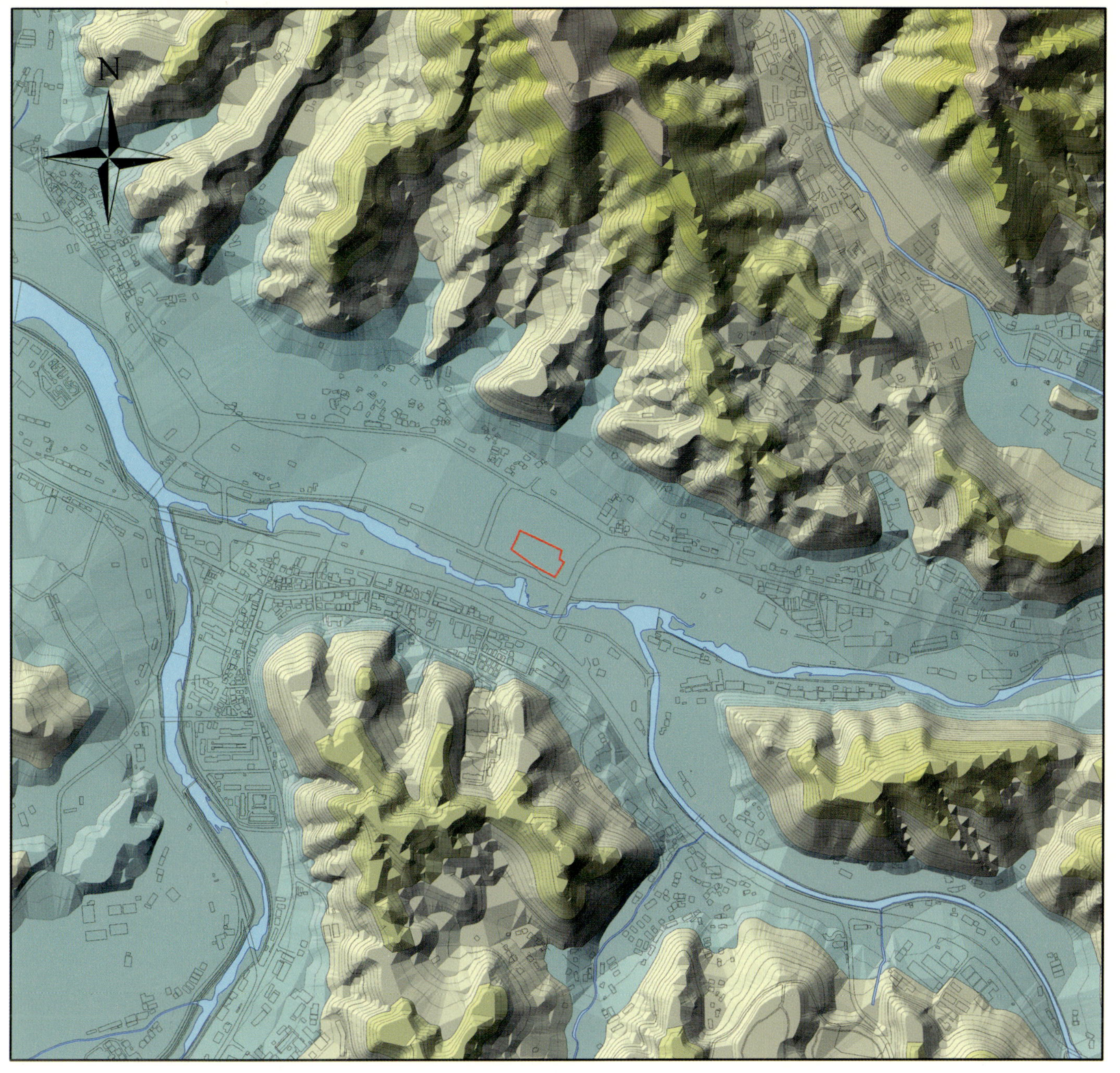

범 례

일련번호	지 역	유 적	시 대	주 소
156	광주	곤지암리유적	원삼국~백제	광주시 곤지암읍 곤지암리 353-1번지 일원

좌 표

경 도	위 도
127-20-48.44	37-21-1.70

로 생각된다. 조사가 완료되지 않아 유적의 시기를 단정하기 어렵지만, 장지동 유적과 고림동 유적을 비교해 보면 곤지암리 유적은 원삼국~백제 단계의 취락으로 추정할 수 있다.

향후 곤지암리 유적과 장지동 유적, 고림동 유적을 비교·분석하면 곤지암천·경안천을 비롯한 한강 하류지역 취락의 형성 및 주거양상을 파악할 수 있는 중요한 자료가 될 것으로 평가된다.

[참고문헌] 최광훈·박동선(고려문화재연구원), 2012, 「광주 곤지암리 유적」, 『2012년 중부고고학회 유적조사발표회 자료집』, 중부고고학회.

10호 주거지

11호 주거지

17호 주거지

18호 주거지

X:230605.466
Y:427709.171
지장물
지 역
범 례
주거지
수 혈
0
25M
Y:427630.787
X:230730.466

157. 서울 세곡동 유적

소 재 지 서울특별시 강남구 세곡동
시 대 통일신라/발해시대
유적분류 유형문화재 〉 유적 〉 무덤유적 〉 고분 〉 고분군

1지점에서 25기의 주거지, 수혈 8기, 우물 1기, 추정 도로 1기 등 통일신라 마을 유적이 확인되었다. 중부지역 신라 주거지는 크게 평지(해안사구, 하안단구, 충적대지)와 구릉사면에 위치하며, 중부 내륙의 통일신라 주거지는 대부분 구릉사면에 위치하는 것으로 알려져 있다.

세곡동 유적 역시 구릉사면에 해당하며, 세부적으로 사면 말단의 계곡부에 가깝다. 해발고도는 약 26m 내외이다. 하천과 지근거리로 세곡천으로부터 북쪽으로 약 300m 지점에 위치하고, 동쪽의 세곡천이 유입되는 탄천으로부터는 약 1.7km 가량 떨어져 있다. 주거지의 북쪽 뒤로는 나지막한 구릉을 기대고 있으며, 전면으로는 탄천으로 유입되는 세곡천을 따라 형성된 넓은 충적대지의 이용과 탄천에서 한강으로 이어지는 교통로의 발달이 용이하였을 것이다.

구들 시설은 중부 내륙 통일신라 주거지 특징을 보여주는 중요한 내부 시설물이다. 구들의 평면 형태는 일반적으로 연도의 형태와 아궁이의 위치, 고래의 수를 기준으로 구분한다. 총 25기의 방형 수혈 주거지 중 19기에서 구들 시설이 확인되었는데, 연도의 형태는 모두 '㇄'자형이었고, 고래의 수는 1~2열이었다. 아궁이의 위치는 '┬'자형 14기와 'ㄱ'자형 5기가 확인되었다. 배연시설은 2기의 주거지에서만 확인되었다. 지붕은 화재 주거지의 경우 서까래로 추정되는 목재 주변으로 초본류가 관찰되므로, 갈대나 짚 등을 사용하였을 것으로 추정된다.

주거지의 규모는 15㎡ 내외이므로 1인당 평균 주거공간을 3㎡로 계산하면 이 마을의 동시기 평균 인구수는 약 75~105명 정도로 추정된다. 이는 신라촌락문서에 보이는 개별 촌락의 총 인구가 70~140명과 비교할 때, 비슷한 규모로 부합되고 있다.

우물은 1기가 이전 삼국 시대 목재 우물을 일부 훼손하고 자리하고 있다. 평면 원형 단면 원통형 석재 우물으로, 통일신라 우물의 보편적인 형태를 하고 있다. 잔존 규모는 내부 지름 약 80cm, 깊이 약 120cm이다.

추정 도로는 마을의 남동쪽에 완만한 호선을 그리며 확인되었다. 잔존 규모는 길이 약 31m, 너비 약 2.4~4.5m이다. 2차례 이상의 변화가 있었던 것으로 추정되며, 가장 양호한 구간의 도로 폭은 약 2m를 전후한 크기이고, 수레바퀴에 의해 형성된 홈은 2~5조의 크기는 너비 약 20cm, 깊이 약 10cm였다. 측구 배수시설 및 노면의 처리 흔적은 확인되지 않았다. 수레바퀴의 폭은 약 1.5m 내외로 추정된다.

2지점에서는 통일신라 석실묘 6기가 확인되었다. 5기는 해발고도 47.5m의 동일한 등고선상에 위치하며, 1기만이 해발고도 45.0m에 자리하고 있다. 대체로 경사면을 따라 등고선과 직교하는 방향으로 나타나며, 봉분의 흔적은 확인되지 않았다.

평면형태는 대체로 방형계이며, 1호와 4호 석실묘의 장단비는 1:1.49, 1:1.71의 장방형이다. 시상은 소형의 할석재나 천석재를 바닥에 깔아 마련하였으며, 5호 석실묘만 바닥에 점토를 깔았다. 시상은 석실 입구에서 바라볼 때를 기준으로 바닥 전면(3호, 4호), 좌측(1호, 6호)에 배치되었다. 1호 석실묘는 시상이 좌우로 구분되어 추가장이 이루어졌을 것으로 추정된다.

연도가 확인되는 석실묘는 4기로 모두 우편재로 나타나는데, 이는 백제와 관련성이 있을 것으로 추정된다. 세곡동 유적과 비슷한 횡혈식 석실묘는 서울 가락동 3호·8호분, 서울 천왕동유적 1호~3호 석실묘가 있다.

1호 석실묘에서는 고배와 완, 대부완, 토기호 등 10점이 출토되었다. 고배와 완의 형태 및 대부완의 출현, 인화문이 시문되지 않은 점으로 미루어 볼 때 6세기 후반에서 7세기 초의 것으로 추측된다.

4호 석실묘에서는 못머리가 둥근 관정이, 5호 석실묘에서는 은제동곳, 은제반지, 청동팔찌, 관정, 관장식 등이 수습되었다.

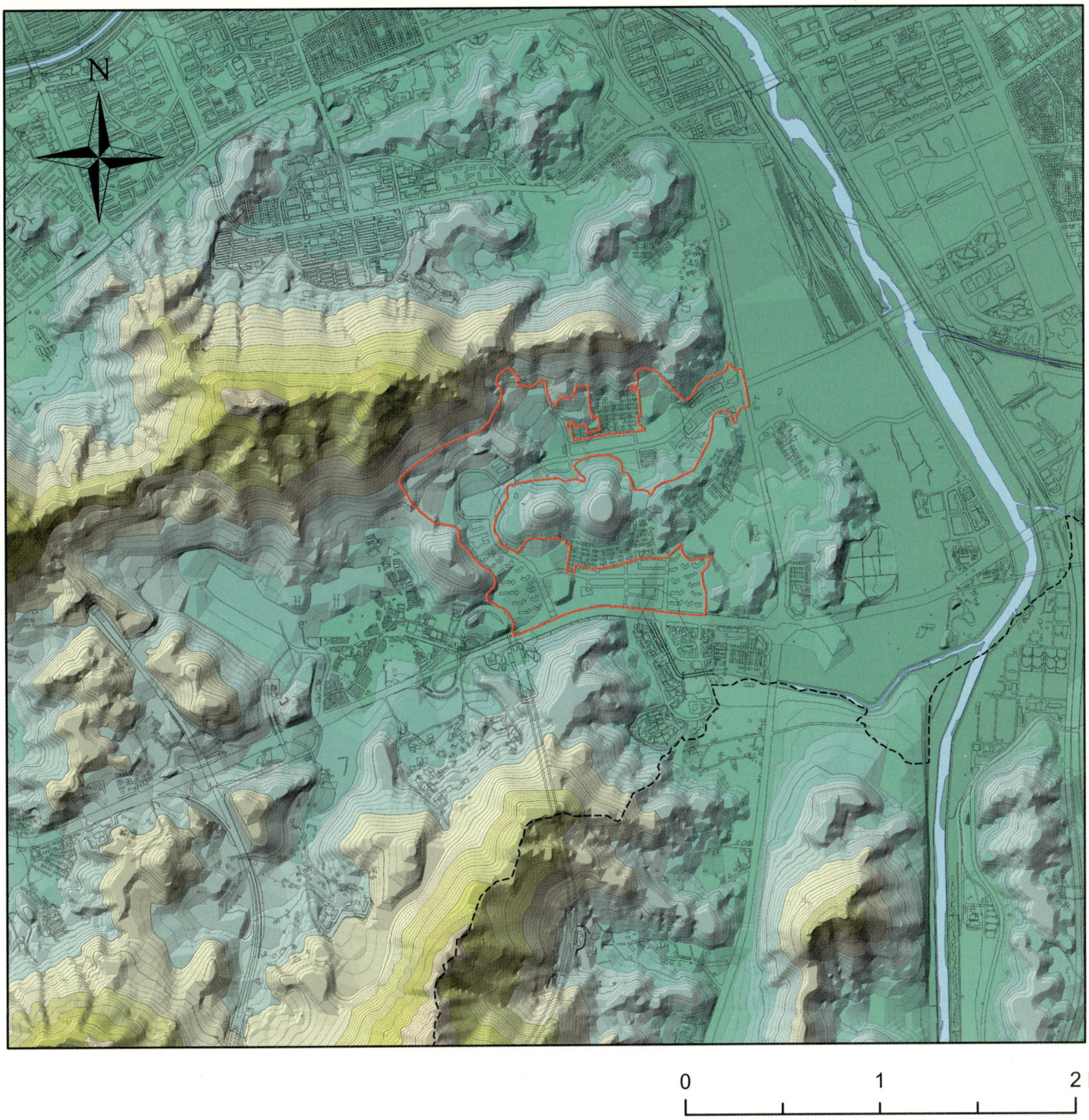

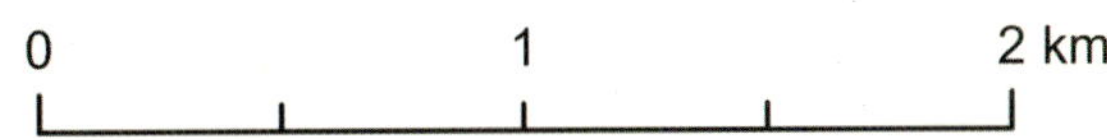

▮범 례

일련번호	지 역	유 적	시 대	주 소
157	서울	세곡동 유적	통일신라	강남구 세곡동

▮좌 표

경 도	위 도
127-05-27.48	37-28-17.27

서울 세곡동 통일신라 주거지

서울 세곡동 통일신라 4호 석실묘

서울 세곡동 통일신라 1호 석실묘 출토유물

서울 세곡동 통일신라 5호 석실묘 출토유물

한성백제박물관 학술자료총서

한성백제 유적자료집 Ⅰ

서울편(서울, 하남, 성남, 광주)

발 행 인 이인숙(한성백제박물관장)
총 괄 이인숙(한성백제박물관장)·조영훈(백제학연구소장)
편집교정 이장웅(학예연구사)
자료지원 박중균·정치영·이혁희(학예연구사)
행정지원 이상진·이영경·정혜경(총무과)

한성백제박물관
05540 서울특별시 송파구 위례성대로 71
Tel 02-2152-5800
http://baekjemuseum.seoul.go.kr

발 행 일 2016년 12월 26일
디자인 · 제작 경인M&B Tel. 031-231-5521~7
표고분석도작성 (합자)한빛토목설계공사 Tel. 031-237-0598~9

ISBN 979-11-86011-28-4